PRIVILÈGES

EDWARD STEWART

PRIVILÈGES

Traduit de l'américain par Isabelle REINHAREZ

JClattès

À Diane Reverand

1

L'obscurité était chargée d'un silence étrange. Sans que Babe pût déterminer précisément pourquoi.

Elle n'entendait pas Scottie respirer à côté d'elle. Elle ne sentait pas son odeur, ne percevait ni son poids ni sa chaleur. Elle tourna la tête.

Essaya de tourner la tête.

Le mouvement lui demanda un effort inattendu, comme si elle devait passer à travers des masses molles.

Un sentiment de perplexité la parcourut. Ce n'était pas son oreiller, un oreiller en duvet d'oie de chez Altman, fraîchement parfumé au pot-pourri de jasmin. Cet oreiller-ci ne sentait rien du tout, il avait presque une odeur aseptique, comme l'air conditionné.

Second sujet de perplexité. Elle ne voyait pas Scottie à sa place à côté d'elle. Il n'y avait pas de silhouette, pas de forme familière. Elle tendit une main.

Essaya de la tendre.

La main dut ramper, doigt après doigt. Il lui sembla que le drap était plus rude que le coton peigné dans lequel elle s'était couchée. Une douleur sourde remonta le long de son bras, logée dans son coude et son épaule. Elle avança le bras à travers la douleur.

Sa main rencontra le vide.

Elle refoula un accès de panique. Scottie devait être dans la salle de bains ou peut-être en bas, en train de fermer à clé.

Bien sûr. Banks et Mme Banks devaient être couchés depuis longtemps. Scottie devait fermer à clé.

Sans bouger, elle repensa à la soirée qui s'était déroulée quelques heures plus tôt. Le champagne, les rires, les trois cents invités. Le dîner, la danse, l'alcool – beaucoup trop d'alcool. Décider de déclarer forfait à deux heures du matin, s'effondrer dans une limousine avec Scottie. Zigzaguer tous les deux bras dessus bras dessous jusqu'à la porte d'entrée... laisser tomber les clés... rire aux éclats...

Et puis...

Il y avait un blanc là où l'image suivante aurait dû apparaître.

Babe prit conscience d'étranges frôlements, de voix étouffées derrière les murs. Ses yeux commençaient à accommoder. Elle leva la tête et à nouveau, un simple mouvement habituel, machinal exigea d'elle une étonnante concentration.

L'obscurité n'avait pas la forme voulue. Un rideau frémissait vaguement à un endroit où sa chambre n'avait pas de fenêtre. Une veilleuse au sol, qu'elle n'avait jamais vue auparavant, laissait couler un minuscule rai de lumière à travers l'obscurité.

Elle cligna des paupières, et essaya de distinguer la pendulette sur la table de nuit. Les chiffres romains phosphorescents n'étaient nulle part. Mme Banks avait dû ranger la pendulette derrière le téléphone.

Babe avança la main vers l'endroit où la table de nuit aurait dû se trouver. Elle eut l'impression que des lanières élastiques fixaient ses bras au matelas.

Ses doigts délogèrent quelque chose de dur. Du verre se fracassa sur le sol.

Il y eut un crépitement de talons qui approchaient. Une porte s'ouvrit en grand vers l'intérieur, et laissa entrer un triangle de lumière pâle. Par l'ouverture quelque chose de flou mais de solide passa. Ça avait le visage d'une femme.

La femme s'avança en flottant dans l'obscurité avec la paisible autorité d'une gouvernante. Elle se pencha au-dessus du lit.

Babe n'avait jamais vu cette femme auparavant.

« Je rêve encore, se dit-elle. C'est encore un de ces rêves-dans-le-rêve... Si je me concentre je vais me réveiller... »

La femme promenait le rayon d'un crayon lumineux sur le visage de Babe.

« Réveille-toi Babe, compte jusqu'à dix et réveille-toi... »

Babe ferma très fort les paupières et les rouvrit.

La femme était toujours là. Elle portait une coiffe d'infirmière. Tout en elle n'était que rondeur : la forme de son visage, ses bras, sa poitrine, et surtout ses yeux. Grands et chaleureux, bordés de cils noirs, ils étudiaient Babe avec un étrange recul, comme si Babe était une image dans un magazine.

– Qui diable êtes-vous donc, et que faites-vous dans ma chambre? dit Babe.

Essaya de dire. A sa grande surprise, elle dut pousser chaque mot hors de sa gorge.

Sur le visage de la femme, les muscles bougèrent bruquement. Ses mains tâtonnèrent à côté du lit, et la pièce fut inondée de lumière.

La première chose que Babe vit distinctement fut un cordon d'appel se balançant à vingt centimètres de son visage. Il pendait au barreau d'un support métallique qui l'enfermait comme un lapin dans sa cage.

Graduellement, l'espace au-delà de la cage se précisa : pas les doux tons de pêche de ses murs de soie imprimée main, mais un blanc hôpital mat.

Un homme entra en coup de vent dans la chambre.

— Elle a parlé! haleta l'infirmière.

L'homme s'approcha du lit. Un badge piqué n'importe comment sur sa poche de poitrine disait Dr H. Rivas.

— Est-ce que vous m'entendez? demanda-t-il.

Babe répondit :

— Je vous entends.

Il recula.

— Savez-vous qui vous êtes?

— Je suis Babe Vanderwalk Devens et j'aimerais savoir qui vous êtes, vous, les deux rigolos.

Un trouble apparut dans les yeux de l'homme.

— Je suis le Docteur Harry Rivas. Et voici l'infirmière Emmajean Deely.

— De qui est-elle l'infirmière?

— Elle est votre infirmière.

— Et vous êtes mon médecin?

— Je suis l'interne de nuit. Le Dr Corey est votre neurologue. Il sera ici dès que nous l'aurons prévenu.

— Prévenu de quoi? Il me faut un neurologue?

Le Dr Rivas jeta un coup d'œil à l'infirmière Deely.

— Vous avez eu un accident.

— Quel genre d'accident?

— Ne vous préoccupez pas de ça maintenant. Tout ira bien.

— Non mais, je rêve.

Le docteur regarda l'infirmière.

— Vous n'existez pas! hurla Babe.

La main de l'infirmière saisit fermement l'épaule de Babe. Babe considéra avec surprise les ongles au vernis clair et l'alliance : c'était une vraie main, chaude et vigoureuse, qui s'enfonçait dans sa chair.

Avec adresse et rapidité, le jeune docteur glissa une aiguille dans le bras de Babe.

La sensation de piqûre était réelle, elle aussi.

Babe était assise dans son lit d'hôpital, tremblante mais réveillée, quand un infirmier basané lui apporta son plateau de déjeuner.

— Ça fait plaisir de vous voir réveillée, Mme Devens.

L'homme éloigna le fauteuil roulant du lit — l'unique effort de Babe pour aller au petit coin toute seule avait été un désastre — et puis il glissa le plateau sur la table d'hôpital.

— Bon appétit!

Elle regarda son repas : un bol de soupe jaune anonyme et une mystérieuse compote qui ressemblait à des fruits.

Elle sentit qu'à l'autre bout de la pièce une femme l'observait. La femme était svelte, blonde ondulée et puérilement sexy dans sa blouse blanche d'hôpital pas très bien boutonnée. Il y avait un petit quelque chose de doux et lent dans le regard de la femme, qui poussa Babe à la regarder à son tour.

Babe leva la main et la femme leva la sienne au même instant. Avec un sursaut, Babe se reconnut dans le miroir de la coiffeuse. Son visage était pâle, creusé, et des rides sombres soulignaient ses yeux. Une inquiétante impression d'irréalité la submergea.

— Mes cheveux ont changé, remarqua-t-elle.

— On vous a beaucoup bougée, expliqua l'infirmière. Ça décoiffe.

— Ils sont plus courts, insista Babe. On m'a opéré la tête?

— Ne soyez pas ridicule.

— Depuis combien de temps suis-je ici?

L'infirmière traversa la pièce et parla d'une voix douce.

— Là. Laissez-moi faire.

Elle prit la cuillère et la plongea dans le bol de soupe.

Babe regarda les mains potelées, larges et vigoureuses.

— Avoir besoin d'une infirmière pour me donner ma soupe à la cuillère... je ne suis pas si diminuée.

— Vous croyez pouvoir manger seule?

— Je vais essayer!

Babe prit la cuillère; à la deuxième tentative elle ramassa un peu de soupe et la porta en tremblotant à sa bouche.

— Bravo, Mme Devens.

— Écoutez, vous m'avez mise sur le pot et vous avez essuyé la salive sur mon oreiller, nous voilà intimes. Je voudrais que vous m'appeliez Babe.

— Okay, Babe. Et vous, appelez-moi E.J.

— E.J., ça correspond à quoi?

— Emmajean. Babe, c'est votre vrai nom?

— Béatrice.

— Pourquoi vous appelle-t-on Babe?

— Ma « mademoiselle » m'appelait Bébé. Quand je suis entrée à la maternelle, les autres filles ont trouvé ça tordant – une grande fille de cinq ans avec un nom pareil. On l'a raccourci en Babe, et le surnom m'est resté tout au long du lycée et de la fac, après ça m'a suivi, comme un albatrôsse.

Les yeux d'E.J. avaient changé : ils étaient soudain perplexes.

— Vous avez dit « albatrôsse ». Vous n'avez pas de problème pour vous souvenir des mots, non?

– Parce que je devrais? E.J., quel genre d'accident m'est-il arrivé?
E.J. hésita.
– Je ne sais pas exactement.
– Vous le savez très bien.
– Seuls le docteur ou la famille proche peuvent vous l'apprendre.
Question de règlement.

Plus tard. La voix d'E.J.
– De la visite, Babe.
Babe refit surface, et ouvrit les yeux. Elle vit une femme en robe
bleu marine et un seul rang de perles. La femme tenait à la main un
numéro de *Town and Country*.
– Maman?
Une question, pas une constatation.
Du coin des yeux de sa mère partait un réseau de petites rides que
Babe n'avait pas vues la veille au soir. Les cheveux avaient changés
aussi – chics et gris, retenus négligemment derrière la nuque par une
minuscule spirale en or.
– Béatrice, ma chérie.
Sa mère le prononça comme un seul mot. « Béatricemachérie. »
Lucia Vanderwalk n'avait jamais accepté le diminutif de sa fille, et
l'avait détesté quand la presse l'avait adopté.
Un baiser.
Les mains de Lucia s'arrondirent en un cercle protecteur autour du
visage de Babe, des petites mains blanches aux doigts merveilleusement longs, manucurés à la perfection. Une bouffée de son parfum
flotta jusqu'à Babe – Rose Thé, son préféré, le seul, l'unique.
– Regarde qui je t'ai amené.
Lucia recula pour faire place à un homme en costume trois pièces
rayé gris. C'était un gros ours de vieux bonhomme au regard bleu et
joyeux, aux cheveux bouclés, qui, le sourire aux lèvres, tenait à la
main un bouquet de gardénias roses.
– Papa.
Babe ouvrit les bras.
Avec le port un peu raide d'un grand banquier, Hadler Vander-
walk III se pencha et planta un galant petit baiser sur le front de
Babe.
– Comment va ma Babe?
Ses lèvres souriaient sous la petite moustache qui avait été châtain
la nuit dernière, mais était grise aujourd'hui. Bon sang, quelle mine,
tu as mon petit.
Il lui tendit les fleurs. Elle ne sut pas quoi en faire. E.J. les prit et
sortit chercher un vase.
Les parents de Babe tirèrent des sièges près du lit. Lucia passa un

moment à s'installer et Babe se demanda pourquoi elle semblait tellement plus âgée que la veille au soir.

— Tu as dormi, expliqua Lucia. Tu as eu un accident.

La voix avait changé. Lucia avait toujours son accent de la haute société new-yorkaise, mais le timbre était plus triste que dans le souvenir de Babe.

— Ne t'inquiète pas. Les médecins et les infirmières se sont très bien occupés de toi.

Babe demanda :

— Quel genre d'accident?

Lucia plongea dans un gigantesque sac en bandoulière au petit point et en tira des sachets de thé, une théière d'argent, des rondelles de citron, un sac en plastique de sucre cristallisé coloré comme du sable et un demi-litre de lait enrichi à la vitamine D.

— Infirmière, peut-on avoir des tasses et de l'eau bouillante?

Le thé fut disposé sur la table d'hôpital. Lucia fit le service.

— Tu peux boire du liquide, non, Béatrice?

— Bien sûr que je peux boire du liquide.

— Tu aimes toujours le citron?

— Je n'ai rien contre.

Ils burent à petites gorgées. Les petites cuillères tintèrent. Babe avait le sentiment que la scène était jouée plus qu'elle ne se déroulait réellement. Elle se douta qu'elle était la seule à improviser.

— Tu ne m'as pas dit quel genre d'accident, insista-t-elle.

— Les choses changent, mon cœur, assura Lucia.

Des pensées cabriolèrent à travers l'esprit de Babe. Elle connaissait assez bien sa mère pour savoir qu'elle cachait quelque chose.

— Où est Scottie? Où est Cordélia?

— Cordélia se porte à merveille. Elle va très bien.

Lucia s'avança vers la coiffeuse et contempla un moment la photo de Cordélia sur la commode. Babe se rendit compte que sa mère boitillait.

— Maman, ton pied est blessé?

— C'est ma hanche. Ça dure depuis longtemps.

— Mais hier soir, tu dansais.

Lucia s'assit au bord du lit et prit la main de sa fille.

— Dis-moi, mon cœur, quelle était la date d'hier soir?

— Le 4 septembre.

Sa mère la considéra en silence et une certaine douceur envahit ses yeux.

— Et que s'est-il passé hier soir?

— Nous avons fêté l'anniversaire de ma société. Nous avons donné une énorme soirée au Casino du Park.

— Et à quoi ressemblait la Quatre-vingt-neuvième Rue Est, la dernière fois que tu l'as vue?

– Quand j'ai rendu visite à Lisa Berensen à la maternité – il n'y avait que des rangées de vieilles maisons pleines de charme.

Lucia s'approcha de la fenêtre et ouvrit le rideau.

– Infirmière, voulez-vous mettre ma fille dans le fauteuil? Je veux qu'elle voie de ses propres yeux ces rangées de vieilles maisons pleines de charme.

E.J. aida Babe à s'asseoir dans le fauteuil roulant et la poussa jusqu'à la fenêtre. Babe contempla la ville, les yeux ronds.

Les ombres de la fin d'après-midi commençaient à envahir la rue. Ici et là des taches de soleil filtraient à travers les feuilles palpitantes d'un arbre.

Soudain la rue parut infinie sous le soleil déclinant. Tout s'arrêta et le temps sembla retenir son souffle. Babe sentit l'imminence d'une catastrophe.

– C'est... le printemps, souffla-t-elle.

Une lueur d'approbation passa dans les yeux de Lucia.

– Oui, mon cœur – c'est le printemps, et une saison charmante pour s'éveiller.

Le comprendre lui donna un choc. Babe resta muette. Les contradictions se réconcilièrent comme les morceaux d'un puzzle qui s'emboîtent : les changements chez ses parents, la longueur de ses cheveux, sa surprenante faiblesse musculaire.

– Je suis ici depuis sept mois.

– Et un peu plus.

Les traits rigides du visage de Lucia étaient figés dans une neutralité prudente. Regarde encore par la fenêtre.

– Que vois-tu d'autre?

Le ciel était bleu vif parsemé de cumulus blancs. En dessous, les trottcirs fourmillaient d'hommes et de femmes, et les rues étaient encombrées de voitures et de taxis. Mais les automobiles avaient une drôle d'allure et les vêtements des gens aussi. La ligne des toits était différente, et ondulait comme une fleur qui s'est épanouie en une nuit.

De tous les bâtiments Babe ne reconnaissait qu'une vieille masse de maçonnerie au coin de la rue.

Ses mains agrippèrent les bras du fauteuil roulant et elle fut envahie par la sensation que tout son être l'abandonnait.

– Crois-tu que tout ceci a changé en sept mois?

Lucia tendit à sa fille le numéro de *Town and Country*.

– Tu es restée dans le coma pendant sept mois... et sept ans.

Babe lut la date sur la couverture du magazine. Sa respiration s'arrêta net et la douleur lui étreignit les côtes.

– Les médecins ont prévenu que tu n'y croirais pas tout de suite. Les yeux et la voix de Lucia étaient débordants de douceur. Mais tu t'es déjà sortie de situations épouvantables – ton premier mariage, ton accident de voiture. Tu te sortiras de ça aussi.

– Ce n'est pas vrai! Ce n'est pas possible!

Le poing de Babe frappa le bras du fauteuil roulant.

– Comment sept ans ont-ils passé en une nuit? Ça ne peut pas être arrivé! Où est Scottie? Pourquoi n'est-il pas ici?

Elle sentit se poser sur son épaule la main douce et apaisante de sa mère. Lucia murmura :

– Vas-y, pleure, mon cœur.

– Pleurer? J'ai envie de hurler, j'ai envie de casser quelque chose!

– Pleurer te ferait plus de bien.

– S'il vous plaît – que quelqu'un m'aide à comprendre ce qui s'est passé.

Babe se mit à sangloter Sa mère la serra dans ses bras.

– Tu as compris assez de choses pour aujourd'hui.

Lorsque Lucia et Handley Vanderwalk quittèrent l'hôpital, une administratrice du nom de Thelma T. Blauberg les arrêta, se présenta, et leur demanda si leur visite avait été agréable.

Lucia considéra un moment les yeux bleus et inquisiteurs de la femme – un peu trop inquisiteurs – et ses cheveux gris bouclés.

– Une visite excellente, merci.

– Quelle joie. Naturellement, l'hôpital ne soufflera mot à quiconque du rétablissement de Mme Devens. Mais son dossier porte un C-3. Déclaration à la police exigée si la victime meurt ou reprend conscience. D'habitude, nous essayons de nous mettre en règle dans les huit heures.

2

– Il me plaît beaucoup, déclara l'homme.

Melissa Hatfield discerna une nuance dans la voix. Il y avait un « mais », quelque part. Ses yeux se fixèrent sur le petit homme à l'abondante chevelure grise. Il portait un pantalon de grand couturier, et une chemise polo rayée.

La pièce était une grotte de lumière blanche de neuf mètres sur quinze, miroitant comme une image sur un écran de télé à la luminosité trop forte. Le soleil ricochait sur les murs nus et le parquet.

– Vous pouvez faire des transformations, suggéra Melissa Hatfield.

Depuis plus de dix ans que Melissa Hatfield vendait des appartements, rien n'avait jamais été facile. L'immobilier à Manhattan était un marché d'acheteur et cet homme le savait.

– Et les charges s'élèvent à combien? demanda-t-il.

– Mille sept cent cinquante.

Il toussa – un son sec qui venait de la poitrine.

– Il fait froid ici, remarqua-t-il.

Le soleil de midi frappait contre les portes-fenêtres, mais un souffle glacial passait dans l'air.

L'épouse de l'homme l'appela sur la terrasse.

– On peut mettre un jardin ici.

Elle tendait le doigt. Petite et brune, elle portait des sabots bleus éculés, un pull-over, et un sweater rouge noué autour du cou par les manches. L'allure je-suis-riche-et-je-n'ai-pas-besoin-de-vous-en-mettre-plein-la-vue.

Melissa Hatfield se demanda si c'était là l'idée qu'ils avaient eue pour passer le week-end de Memorial Day [1] : On va visiter des appartements de grand standing et faire semblant de vouloir acheter.

_____

– Nous pouvons trouver des modalités, assura-t-elle. Avec une avance de dix pour cent, vous prenez une option.

L'homme la regardait droit dans les yeux d'un air si résolu qu'elle eut envie de rire. Il essayait de tout faire à la fois : la draguer, refuser l'appartement, et sauver son image d'homme riche.

– Vous êtes très aimable, dit-il.

Sa femme se dirigea vers l'entrée, et inspecta au passage les placards en merisier de la cuisine; elle les ouvrit en grand et puis les fit claquer négligemment pour les refermer.

– Pourrions-nous voir le reste de l'appartement? demanda-t-elle.

« Allons bon, songea Melissa Hatfield. C'est juste un beau dimanche du week-end de Memorial Day, et ils m'ont fait venir ici pour des prunes. »

Elle les mena au bout de l'entrée. La porte de la chambre à coucher était fermée.

Melissa Hatfield s'arrêta. La porte n'aurait pas dû être fermée. Elle l'ouvrit. La pièce était plongée dans l'obscurité, que des aiguilles de soleil piquetaient à travers les stores Levolor. Les stores n'auraient pas dû être baissés.

Elle se figea, tous les sens soudain en éveil.

On entendait un faible halètement régulier, comme un animal qui reprend son souffle. L'air sentait quelque chose d'inconnu, quelque chose de vaguement douceâtre et désagréable. Une sueur froide lui couvrit le corps.

Elle s'approcha de la fenêtre. Des ombres pendaient comme des filets. Le climatiseur était branché à fond. Elle modifia le réglage et tourna la tige de plastique actionnant les stores.

Dans l'éclat de la lumière du jour Melissa Hatfield le vit.

Il était étendu sur le sol, nu, encapuchonné de cuir noir. Un symbole de paix au Vietnam avait été tailladé dans sa poitrine. Une de ses jambes été amputée et le moignon de cuisse tout frais ressemblait à la coupe transversale d'une carcasse de bœuf à l'étal d'un boucher.

La gorge de Melissa Hatfield se noua et puis un cri s'arracha d'elle et monta en flèche dans le silence.

A onze kilomètres de là, un homme était allongé sur la plage.

C'était l'une des quatre mille âmes qui avaient voyagé depuis la ville jusqu'au rivage de Brooklyn ce jour-là, apportant sous son bras de bons petits accessoires de confort portable. Il s'était étalé sur une couverture de plage orange, et sa tête reposait sur une serviette de bain bleue roulée. Ses yeux étaient fermés. Un parasol jaune lui faisait de l'ombre. Un transistor Sony déversait les murmures de Little Richard dans son oreille. Little Richard, c'était le choix de sa fille de douze ans, pas le sien. Lui, il aurait choisi Sinatra ou Tony Bennett.

Mais c'était la journée de sa fille, pas la sienne, l'une de ces rares journées que père et fille arrivaient à partager, alors il lui avait laissé choisir la musique.

Son portefeuille était fourré dans sa chaussure, roulée dans la serviette bleue sous sa tête. Il y avait une plaque dans son portefeuille. Une plaque dorée, policier de la ville de New York.

Un flic qui n'est pas en service ne doit jamais se séparer de son revolver, mais Vince Cardozo était en contravention avec tous les règlements. Il avait décidé qu'il ne porterait pas un kilo et demi de nickel fourré dans son maillot de bain comme un deuxième sexe, et qu'il n'envelopperait pas non plus le revolver dans une serviette pour l'abandonner sur la plage quand il irait goûter l'eau. Il avait laissé son 38 Smith et Wesson à la maison.

Il avait fermé les yeux, en se disant que ce n'était que pour deux minutes. Trois minutes maximum. Presque aussitôt il avait sombré dans la tranquillité, abandonné le monde. Où il était, il n'entendait pas Little Richard. N'entendait pas les vagues. Ne sentait pas le sel de l'océan, ni les algues échouées, ni l'huile de bronzage apportée par le vent, ni le sable qui avait été chauffé à blanc.

A ce moment l'inspecteur de police Vince Cardozo était heureux. Il ne savait rien. Ni qui il était, ni où il était. Il ne savait pas que le soleil flamboyait, ni que le vent soufflait comme une douzaine de trompettes. Il ne savait pas non plus que sa fille, Terri, qui avait été assise à côté de lui pour tripoter le bouton de programme de la radio, avait fini par s'ennuyer et était partie se promener sur la plage.

La respiration de l'inspecteur de police Cardozo devint de plus en plus légère. Presque rien ne bougeait dans sa poitrine. La force lovée à l'intérieur se détendit. La brise fit voltiger ses cheveux châtains, qui commençaient à grisonner aux tempes.

Des nuages blancs passèrent dans le ciel bleu. Une belle houle soulevait et creusait la mer, lançant des pointes de lumière. Loin à l'horizon les moutons poussés par le vent étaient frangés d'or étincelant. Avec des cris rauques, un grand vol de mouettes descendit en piqué vers les grosses explosions de feuilles des arbres du front de mer.

Quelque chose bourdonna. C'était un bourdonnement structuré, deux courts et un long, sur la même note qu'une roulette de dentiste.

La main de Vince Cardozo s'éveilla, localisa le bipeur sur la couverture à côté de lui, l'écrasa sans pitié.

Il ouvrit les yeux, se hissa sur un coude, les épaules rejetées en arrière, la poitrine ouverte. C'était un homme trapu, qui se flattait d'être bien bâti pour ses quarante et quelques printemps. Si son front était un peu haut et lisse, il l'avait judicieusement équilibré avec une moustache à la diable, afin de se donner, il l'espérait, un visage assez allongé pour diminuer l'aspect râblé de son torse.

Il plissa les paupières et vit Terri traverser la plage. Elle avait des cheveux foncés et des yeux bruns comme les siens, un nez retroussé, pas comme le sien. Il lui fit signe de la main. De la main qui ne tenait pas un Pepsi Light, elle lui répondit.

« Bon sang, songea-t-il, elle est sacrément belle dans ce maillot de bain jaune. » Douze ans seulement, grande pour son âge, bien sûr; elle se déplaçait avec une grâce qui forçait l'admiration.

Elle s'installa sur la couverture, en l'observant avec un intérêt tranquille et rigolard.

— Où étais-tu? demanda-t-il.

— Pas aussi loin que toi.

Elle avait une peau à peine semée de taches de rousseur et son menton avait un angle provocateur. Derrière elle le ciel ne ressemblait à aucun ciel qu'il ait jamais vu.

Le bipeur se remit à bourdonner.

Au fond des yeux de sa fille passa un soudain éclair de déception.

— Papa, dit-elle. Réponds.

Comme sa mère. Même ton, même regard de contrariété bon enfant.

Elle fourragea dans son petit porte-monnaie de plastique et un instant plus tard il sentit la douce pression de ses doigts lui fourrant une pièce de vingt-cinq cents dans la main. Elle leva un instant sur lui ses yeux bruns insondables.

— Je reviens tout de suite, assura-t-il.

Elle l'embrassa.

A la buvette il glissa la pièce dans le téléphone et appela Manhattan. Il reconnut la voix qui répondit.

— Flo, c'est Vince.

— Salut, Vince, on a quelque chose pour toi.

Cardozo n'eut aucun mal à trouver l'adresse. La tour Beaux-Arts se dressait dans une rue de boutiques chics, de boulangeries à la française, d'antiquaires et de psychanalystes à deux cents dollars de l'heure; c'était un gratte-ciel étroit pointant violemment au-dessus des brownstones [1] de cinq étages classés du voisinage.

L'immeuble avait un aspect lisse et haut de gamme. Il se souvint des publicités : « Tour Beaux-Arts. Le luxe du 21e siècle aujourd'hui. » Construit dans l'espace aérien au-dessus d'un musée de Midtown [2], c'était de l'immobilier de Manhattan de première qualité, occupé par nombre de ceux qui faisaient bouger les choses en ville.

---

1. Demeures de la haute bourgeoisie construites à la fin du XIXe siècle. Leur nom vient de la pierre brune ou beige, utilisée. (*N.d.T.*)

2. A New York, quartiers de Manhattan situés entre la 14e et la 59e rues (côté sud de Central Park).

Une grosse Plymouth bleu clair était garée en double file devant l'immeuble. Quand Cardozo s'approcha, la porte côté passager s'ouvrit en grand et Mel O'Brien, l'inspecteur de police principal, en sortit.

Dans son complet de gabardine gris, sa cravate classique, et ses souliers marrons foncés en cuir de Cordoue, le principal ressemblait à un collecteur de fonds pour école privée.

— Superbe, lança Cardozo.

— Quoi donc?

Le visage du principal était figé en un réseau de lignes dures et impatientes.

— Vous, Patron. Superbe.

L'inspecteur principal O'Brien était un homme de belle allure, âgé de cinquante-sept ans, grand, les yeux bleus, la chevelure argentée et le visage rose. Un visage rose en colère.

— Qu'est-ce qui vous a retenu?

— Les embouteillages.

— Je reviens tout de suite, lança O'Brien à son chauffeur, un inspecteur assis au volant. Si vous êtes inspecteur principal, même votre chauffeur a une plaque dorée [1].

Cardozo et Mel O'Brien s'approchèrent de l'immeuble.

Le principal marchait en roulant des épaules.

— J'espère que je ne vous ai pas arraché à une occupation importante.

Cardozo répondit :

— Si.

Le principal déchiffrait son visage d'un air solennel.

— Vous travaillez sur quoi?

— Le tout courant. Une bonne vingtaine d'homicides.

— Refilez-les à quelqu'un d'autre. Il y a quelque chose là-haut dont je veux que vous vous occupiez dès maintenant. Un type assassiné avec un masque.

— Un masque?

Ça intéressait Cardozo. On devenait blasé dans ce boulot. Un type assassiné c'était banal, un masque non.

— Un masque de bondage, masque de bourreau, une saloperie en cuir noir. Quelqu'un l'a tué et l'a laissé nu dans un des appartements à vendre après lui avoir coupé une jambe.

— Oh?

— Vous avez droit à votre détachement spécial. Prenez qui vous voudrez dans les commissariats qui vous plairont. Réunissez votre

---

1. Plaque d'identité d'un policier américain. Les agents en uniforme ainsi que les policiers subalternes portent une médaille argentée tandis que les gradés et les policiers de grades supérieurs possèdent une plaque dorée. (*N.d.T.*)

équipe idéale. Quelles que soient les affaires sur lesquelles ils travaillent, ils en sont dégagés. Et ils font des heures supplémentaires, à partir de maintenant.

Cardozo pénétra dans le hall, une fraîche galerie art déco de marbre blanc de Carrare et de bronze patiné. Il y avait des plants de maïs de la taille d'un homme, dans des pots luxueux, et des divans en cuir profonds, vides. Un panneau signalait : « Tous les visiteurs sont priés de se faire annoncer. » Un homme à l'air nerveux dans un uniforme vert était assis près du standard. Il leva les yeux et demanda :

– Excusez-moi, qui venez-vous voir ?

Il avait un accent mi-Puerto Rico, mi-rue de New York, et quand il s'approcha Cardozo vit que le côté droit de son visage était zébré de cicatrices qui devaient dater de la veille.

– Je rends visite au cadavre.

Le portier s'arrêta, saisi, et un officier de police irlandais sortit de derrière le standard.

– Ça va, Hector. Inspecteur, voici Hector – Hector, voici l'inspecteur Cardozo. Vous allez le voir beaucoup.

– Mes respects, monsieur.

Le portier, embarrassé, souleva sa casquette et découvrit une perruque qu'un mannequin dans la vitrine d'un Prisunic aurait eu honte de porter.

– Cinquième étage, Inspecteur.

L'officier de police tint la porte de l'ascenseur.

Dans le couloir du cinquième, un officier de police du 22e commissariat montait la garde à l'extérieur de l'appartement. Il était jeune, pâle, et jouait les surmenés. Il jeta un coup d'œil à la plaque de Cardozo et lui tendit des gants en plastique.

Cardozo enfila les gants en tortillant les doigts. Quand il entra dans l'appartement, un autre officier de police inscrivit le nom de Cardozo, son numéro de plaque, et son heure d'arrivée dans le registre du lieu du crime.

Le corps nu, inondé de soleil, était étalé à plat dos sur le sol de la chambre principale.

Les calmes yeux bleus, qui regardaient à travers un masque de cuir noir enserrant tout le crâne, étaient fixés sur le plafond, leur regard vide et mystérieux. La bouche était enfermée derrière un zip d'acier.

Cardozo s'accroupit pour voir ça de plus près.

Le masque, avec son pouvoir étrange, le troublait et le fascinait. Si un objet lui avait jamais suggéré le mal absolu, c'était bien ce morceau grossièrement cousu de peau teinte, associant l'anonymat du bourreau à l'obscénité d'un groin de porc.

Le corps avait été en bonne forme, sportif, mince ; de race blanche, le corps d'un homme d'une vingtaine d'années.

Une fois le cœur arrêté, la gravité avait attiré le sang vers le bas, provoquant des décolorations bleues foncées sur les membres inférieurs.

La poitrine était striée d'égratignures. Elles formaient un cercle avec un Y à l'intérieur, le vieux signe de paix des années soixante. Aucune ne semblait avoir pénétré la couche de muscle.

La jambe droite de la victime avait été amputée. D'après les traces des marques de cisaille sur l'os fémoral étonnamment blanc, une scie circulaire avait été utilisée. Une étiquette était attachée au gros orteil du pied de la jambe restante. L'étiquette était un imprimé de service standard, numéro 95. Le premier policier arrivé sur les lieux avait noté l'heure de la découverte et les détails utiles.

Dan Hippolito, le médecin légiste, mince, environ cinquante-cinq ans, à la chevelure grisonnante et au front dégarni, ouvrit le zip du masque pour examiner les lèvres et les gencives de l'homme.

– Quand est-il mort, d'après toi? demanda Cardozo.

– Il n'y a pas plus de vingt-quatre heures... et pas moins de douze.

– Comment a-t-il été tué?

Le médecin légiste inspecta la gorge attentivement.

– Autopsie provisoire, je dirais fracture des vertèbres cervicales.

A New York, réfléchit Cardozo, la strangulation n'était pas l'une des méthodes les plus utilisées pour se débarrasser de son prochain.

– J'ai l'impression que ce type-là est mort défoncé. Je veux connaître les drogues.

– On va lui faire un bon essorage du sang. Je devrais avoir tous les résultats demain.

Un photographe prenait des photos du mort. Un inspecteur prenait des mesures avec un mètre de poche, et lançait des chiffres à son collègue pour qu'il les note sur le croquis du lieu du crime. Un technicien traçait le contour du cadavre à la craie.

Une équipe du Service médico-légal ramassait des raclures sur le sol. Cardozo reconnut Lou Stein, du labo, courbé en deux, occupé à chercher des particules de sang ou des traces de sperme.

– Qu'as-tu trouvé, Lou?

Lou leva les yeux. Ça faisait deux semaines qu'il était rentré de ses vacances en Floride, et son visage était toujours acajou sous une frange de cheveux couleur paille.

– Demande-le moi demain.

Dans l'entrée, des types de l'Identité Judiciaire armés de pistolets à poudre et de pinceaux de maquillage projetaient de la poudre noire sur les rebords des fenêtres et les poignées de porte, puis époussetaient pour découvrir des empreintes cachées. Un officier de police, debout, prenait des notes dans un calepin.

– Vous êtes arrivé le premier sur les lieux, Sergent? demanda Cardozo.

L'officier de police hocha la tête. Il paraissait vingt ans maximum : taches de rousseur, cheveux blonds, une mèche sur le front.

– Qui vous a appelé ici?

L'officier de police inclina la tête en direction d'un homme obèse en pantalon et chemise Lacoste couleur pêche debout à côté de la porte.

– Le gardien.

– Le gardien a trouvé le corps?

– Non. C'est elle.

Maintenant l'officier de police désignait de la tête une jolie femme aux cheveux châtain clair qui allumait sa cigarette au Zippo du gardien.

– L'agent immobilier. Elle faisait visiter l'appartement à ces deux-là.

Il montra une femme avec un sweater rouge noué autour des épaules et un homme en chemise polo rayée.

– Personne d'autre n'a vu le corps, qu'on ne m'ait pas encore signalé?

– Personne n'a quitté l'appartement depuis mon arrivée.

Cardozo s'approcha des civils et se présenta. Le gardien déclara s'appeler Bill Connell, et Cardozo lui demanda s'il avait mentionné à qui que ce fût ce qu'il avait vu dans l'appartement.

Le gardien secoua la tête.

– Pas une âme. J'ai donné le coup de téléphone et je suis revenu aussitôt.

– Je vais vous demander à tous de ne rien dire de ce que vous avez vu ici. Ni qu'un homme est mort, ni qu'il est nu, ni qu'il porte un masque, ni qu'il lui manque une jambe. Nous voulons garder ces détails secrets parce qu'excepté les personnes présentes dans cet appartement, seul l'assassin les connaît. Le succès de l'enquête dépendra de votre coopération.

Les civils acquiesçaient, et promettaient. Ils acquiesçaient toujours, ils promettaient toujours, et selon l'expérience de Cardozo ils ne tenaient pas leur promesse plus de vingt-quatre heures.

Il posa aux prétendus acheteurs de brèves questions et écouta de longues et sinueuses réponses : ils désiraient acheter un appartement à Manhattan, avaient choisi cette journée pour venir en voiture de New Rochelle. De toute évidence ils étaient effrayés, et Cardozo avait l'impression qu'ils ne savaient rien de plus que ce qu'ils racontaient. Il nota leurs noms et adresse, fit relever leurs empreintes digitales et les laissa partir.

Cardozo demanda à Connell s'il y avait des scies électriques dans l'immeuble.

– Le quinze et le seize sont transformés en duplex en ce moment. Il y a peut-être une scie là-haut.

Cardozo envoya un sergent fouiller le 15 et le 16.

– Qui a la clé de cet appartement?

– Tant qu'il n'est pas vendu on l'ouvre avec un passe, expliqua Connell.

– Qui a le passe?

– On le laisse dans le bureau du personnel, répondit Connell.

– Tout le personnel y a accès?

Connell acquiesça.

– Aucun des résidents n'a de passe?

– Non, monsieur.

– Personne, en dehors du personnel, n'a accès au bureau du personnel et au passe?

– Moi, Inspecteur.

Cardozo regarda l'agent immobilier. Elle l'impressionnait par son absence totale de gêne ou d'hésitation.

– Je m'appelle Melissa Hatfield. Je fais visiter les appartements. Il arrive que des acheteurs éventuels s'annoncent à la dernière minute et il faut que je puisse entrer.

Il nota certains détails sur la texture de sa peau, son ton de voix, les particularités de son habillement. Elle portait une robe blanche, avec de grandes ouvertures tissées, qui lui donnait une allure que les robes sont censées donner sur les femmes à la mode et donnent rarement.

– C'est vous qui avez ouvert aujourd'hui?

– Oui.

– Il faudra que je vous pose quelques questions. Voudriez-vous avoir l'obligeance d'attendre dans le hall d'entrée?

Cardozo se tourna vers le gardien.

– Il me faudra une liste du personnel de l'immeuble et les feuilles de service des deux derniers jours.

– Je les ai en bas au bureau, répondit le gardien.

Cardozo et Connell traversaient le garage de Beaux-Arts. Une lueur fluorescente et sans ombre dansait sur des Porsches, des Ferraris, des BMW, des Mercedes, et des Rolls.

– Cette porte de garage reste-t-elle fermée à clé? s'enquit Cardozo.

Connell acquiesça.

– Les usagers du garage disposent de télécommandes électroniques pour l'ouvrir.

– Le personnel dispose-t-il de télécommandes?

– Il nous les faut. Pour les livraisons.

Cardozo demanda comment le garage était gardé.

– Sur circuit de surveillance depuis le hall d'entrée.

Connell désigna du doigt une caméra TV de circuit fermé en équilibre sur le mur de parpaing.

Ils passèrent devant une buanderie. Deux machines à laver, deux machines à sécher.

— Les résidents s'en servent? demanda Cardozo.

— Les bonnes s'en servent.

Il y avait deux entrées d'ascenseur dans le couloir du sous-sol — l'une marquée « Passagers », l'autre « Monte-Charge ». Une troisième porte était marquée « Réservé au Personnel ». Cardozo l'ouvrit.

— Compacteur d'ordures. Connell sourit. Le dernier cri.

— Que se passe-t-il une fois que les ordures sont compactées?

— Elles vont dans ces sacs dernier cri.

Cardozo tripota un moment l'un des sacs en plastique noir. Le plastique était solide, de trois bons millimètres d'épaisseur.

— Et où partent les sacs?

— Des camions spéciaux les emportent.

Connell mena Cardozo dans le bureau du personnel. En plus d'un bureau, la pièce sans fenêtre contenait un fauteuil, deux chaises métalliques, une table de jeu, et deux classeurs.

— Liste du personnel, marmonna Connell. Feuille de service...

Il ouvrit le tiroire d'un classeur et chercha derrière une pile de tickets de turf.

— Et les résidents, dit Cardozo.

— O.K.

Connell sortit trois listes.

Cardozo les parcourut.

— Vous êtes un résident.

Connell hocha la tête.

— L'appartement va avec le boulot.

— Vous ne travailliez pas hier?

— J'ai les vacances et les week-ends de libres, répondit Connell.

— Où étiez-vous?

— J'ai passé la journée chez moi. Ma femme Ebbie est invalide. Nous ne sortons pas beaucoup.

Cardozo plia les listes et les glissa dans la poche de sa veste. Il remarqua sur le bureau une vieille télé Sony de trente-trois centimètres.

— Qui la regarde?

Connell parut embarrassé.

— Moi.

— Vous n'avez pas la vôtre en haut?

— Ebbie n'aime pas le sport. Alors quand il y a un grand match, le plus souvent je le prends ici.

La pièce avait des murs de ciment gris, un sol en ciment, et des tuyaux à nu au plafond. Ça ne semblait pas l'endroit le plus douillet pour regarder les Mets.

– Je peux utiliser votre téléphone? demanda Cardozo.

– Allez-y. Vous avez besoin de moi?

– Pas pour le moment.

– Vous me trouverez dans la buanderie. Dans le hall et première à droite.

Seul, Cardozo sortit son calepin et passa trois minutes à établir sa liste personnelle. Il inscrivit huit noms, en barra trois et, après un petit temps de réflexion, en barra un quatrième.

Il décrocha le téléphone et composa le numéro du commissariat central.

– Flo, c'est Vince. Il lui lut les noms des quatre inspecteurs. Tire-les de ce qu'ils peuvent bien fabriquer en ce moment, expédie-les ici.

– Tu sais ce qu'ils fabriquent, Vince, ils ont un jour de congé.

– C'était aussi mon cas.

– Ils vont te bénir.

3

Dans la chambre à coucher, Cardozo se tenait debout seul dans le soleil qui brillait d'un éclat aveuglant. Il travaillait, poussé par la sensation d'un secret attendant d'être découvert, une sensation terriblement envoûtante et presque sexuelle dans sa forme d'excitation.

Il balaya du regard les surfaces vides de la pièce non meublée, cherchant un objet, un détail portant la marque de ce qui s'était passé.

La porte de la chambre avait deux gonds. Il se souvenait d'une époque où les portes avaient trois gonds, mais aujourd'hui les constructeurs se contentaient de deux. Il manœuvra la porte. Dans la fente juste sous le gond du bas quelque chose de petit, noir et brillant s'était coincé contre le montant. Il s'accroupit. Du bout de son doigt ganté il poussa doucement le truc noir.

Deux centimètres de plastique noir tombèrent par terre.

Il ramassa le fragment, le retourna dans sa main. Il en testa l'épaisseur entre le pouce et l'index. Il ne fut pas surpris par ce qu'il sentit. Un bout de sac poubelle, semblable à ceux qu'il avait vus dans la salle de compactage.

Il glissa le fragment dans un sachet à indices en plastique transparent.

Au bout de l'entrée, là où la plinthe n'adhérait pas tout à fait au mur, il trouva un autre morceau de plastique noir.

— Alors, on fait le ménage ?

Cardozo leva les yeux.

— Tu n'as pas une bonne tête, dit-il.

En vérité, l'inspecteur Sam Richards n'avait pas du tout une sale gueule. Coquettement vêtu d'un blazer bleu marine à boutons dorés et d'un pantalon d'été léger gris anthracite, il avait l'air d'un arrière ayant échangé ses rembourrages d'épaule contre le fauteuil d'un présentateur de journal télé.

Mais l'expression sur son long visage noir et dénué de sourire était maussade, et sa grosse moustache coquine tombait, désapprobatrice. Il y avait un petit pansement rose sur son menton.

– Comment as-tu attrapé la blessure de guerre?

– Je me suis coupé en me rasant.

– Gueule de bois?

– Peut-être. J'ai passé la nuit à fêter ça.

– Fêter quoi?

– D'avoir congé aujourd'hui.

– C'était prématuré.

– Explique-moi ça, Vince. Explique-moi pourquoi je suis vivant, explique-moi pourquoi je suis ici.

– Et si je te parlais seulement de ce meurtre?

Cardozo décrivit ce qu'il avait vu, fit un compte rendu de ce qu'il avait trouvé, et mena Richards à travers tout l'appartement.

– Je veux que tu fasses du porte à porte, déclara Cardozo. Couvre l'immeuble, couvre le quartier, vois si personne du coin ou un commerçant n'a rien remarqué. Tu vas partager le boulot avec Greg Monteleone.

– Préviens Monteleone que j'ai déjà commencé.

Cardozo eut l'impression qu'il fourrageait dans des placards de cuisine depuis une heure. Sa montre lui indiqua que ça faisait vingt-cinq minutes.

Quand il ouvrit en grand la porte sous l'évier, l'intérieur de son nez picota violemment. De la poudre à empreintes s'éleva en un nuage tourbillonnant. Il éternua une fois, et puis encore, et encore.

– A tes souhaits.

Un homme d'une quarantaine d'années, vêtu d'un costume mal coupé couleur argile séchée, l'observait depuis le couloir, amusé. Les yeux noirs de l'inspecteur Greg Monteleone brillaient dans un visage joyeusement sentimental qui lui donnait l'allure d'un poète farceur.

– Eternuer trois fois ça porte chance.

– Merci, Greg.

Cardozo ouvrit des placards au-dessus de l'évier.

– Qu'est-ce que tu cherches?

– Si je le savais, peut-être que je ne chercherais pas.

– Le labo n'est pas déjà passé par là?

– J'aime bien voir par moi-même.

– C'est le problème avec toi, Vince, tu es un perfectionniste, une personnalité du type A.

Pendant ses heures de liberté Monteleone dévorait les manuels de vie pratique.

– Il faut que tu apprennes à déléguer.

– Je délègue. C'est pour ça que tu es ici.

– Tu as regardé là-dedans? Monteleone avait une main sur le réfrigérateur. Depuis des années que Cardozo connaissait Greg Monteleone, il lui avait toujours vu une main soit sur la porte d'un réfrigérateur, soit sur la jambe d'une fille. Monteleone sortit les tiroirs en plastique à légumes et à viande, les déposa sur le linoléum et scruta les espaces vides derrière eux.

— Ne mange pas les preuves, lança Cardozo.

— Il n'y a pas la moindre preuve. Même pas une bière.

Cardozo fouilla le lave-vaisselle, les tiroirs, le petit placard à balais. Son œil revenait sans cesse au lave-vaisselle. C'était un modèle à chargement frontal marron et crème.

Il ouvrit la porte du lave-vaisselle. Il fit avancer d'un coup sec le panier du bas, qui glissa en douceur par-dessus la porte ouverte. Il tira sur le panier du haut, le casier peu profond pour les tasses et les verres. Celui-ci coulissa presque jusqu'au bout, vide.

Il donna une autre secousse et cette fois-ci sentit une ferme résistance. Il avança une main à l'intérieur, sonda. Il ressortit une poignée de fil électrique noir soigneusement enroulé. Il tira le panier du bas, le sortit de ses rails et le posa sur le sol.

Le diffuseur d'eau, en forme de petite hélice perforée, était placé dans un renfoncement au fond de la cuve. Cardozo se rendit compte que seulement deux des pales appartenaient au lave-vaisselle. Ce qu'il avait pris pour la troisième pale était une mini-scie circulaire, coincée dans le trou sous le diffuseur.

Il sortit la scie.

— Que penses-tu de ça, Greg?

Greg Monteleone se tenait debout derrière lui, et regardait par-dessus son épaule.

— Black et Decker. Ce qu'il y a de mieux. Il prit la scie dans ses mains gantées, et présenta la lame à la lumière de la fenêtre. Cette mignonne-là coupe l'os, sans problème.

Cardozo se gratta l'oreille.

— L'assassin n'a pas caché le corps, mais il a caché la scie. Qu'est-ce que c'est que ce raisonnement?

— Un raisonnement dingue, lança une voix de femme. Tu as un meurtre dingue, qu'est-ce que tu attends d'autre?

Une femme se tenait sur le pas de la porte. Cardozo se retourna et lança un sourire à l'inspecteur Ellie Siegel.

— Content que tu aies pu venir, Ellie.

Elle lui jeta un regard de ses yeux noirs qui n'avait certes rien d'un sourire. Il reconnut un autre flic qui pleurait son congé perdu.

— Inspecteur Ellie Siegel, reprit Cardozo, tu connais déjà l'inspecteur Greg Monteleone.

— Pas drôle, riposta Ellie. S'il te plaît, pas aujourd'hui.

Greg et Ellie étaient de bons enquêteurs; mais ce n'étaient pas les meilleurs copains du monde. Greg s'entendait mieux avec Ellie qu'elle ne s'entendait avec lui, mais Greg mettait un point d'honneur à bien s'entendre avec n'importe qui pourvu qu'on ne l'insulte pas. Ellie ne cachait pas qu'elle considérait Greg, à cause de ses opinions et ses goûts, comme une brute.

Greg rendait la monnaie de sa pièce à Siegel en admirant ouvertement son physique, ce qui n'était pas difficile. Elle avait le teint méditerranéen, une fine ossature sémite, et ses yeux noirs étaient juste assez rapprochés pour donner à son regard un caractère étrange, frappant. C'était une femme sur laquelle les hommes se retournaient, même quand elle n'était pas vêtue de la robe violette très près du corps qu'elle portait aujourd'hui.

Cardozo mena Siegel dans la chambre à coucher et lui montra le mort qu'on y avait trouvé.

– Alors, Inspecteur, qu'attends-tu exactement de moi?

– Que tu trouves la jambe. Elle a été mise dans un sac poubelle en plastique industriel. Elle a pu être balancée par le vide-ordures dans cet immeuble. Elle a pu être fourrée dans une poubelle municipale ou une corbeille à papiers. Elle est peut-être déjà à la décharge.

– Pas à la décharge, pas encore. La voirie ne bouge pas si vite pendant un week-end prolongé. Et elle a pu être jetée dans les ordures de quelqu'un d'autre. Je suis passée devant environ vingt restaurants français entre ici et la Septième Avenue, et ils n'étaient pas tous fermés. Les restaurants utilisent des services privés de ramassage des ordures.

– Tu peux prendre tous les bonshommes en tenue que tu veux. Fouille les boîtes à ordures dans un rayon de dix pâtés de maisons, et puis fouille les décharges.

Elle pinça les lèvres d'un air songeur.

– Qu'est-ce qui te fais penser que cette jambe est en un seul morceau?

– Elle peut ne pas l'être.

– On pourrait chercher du hamburger?

– On pourrait chercher du hamburger.

– Vince, que tu fiches en l'air mon week-end c'est une chose, mais que tu fiches en l'air cette robe, je ne te le pardonnerai pas. Tu aurais pu au moins me prévenir. J'aurais mis un jean.

– Tu n'as pas besoin de t'habiller tout le temps comme si tu étais invitée pour le thé.

– C'est Memorial Day, bon sang.

– Qui s'habille pour Memorial Day?

– Les princesses juives.

– Vous n'avez pas vu d'inconnus entrer ou sortir de l'immeuble?

Cardozo était dans le hall d'entrée, il interrogeait le portier. Pas de livreurs, pas de réparateurs?

– Un week-end prolongé, vous plaisantez?

Hector Dominguez secoua la tête. Le soleil qui entrait à flots par la porte du hall plongeait dans sa moumoute, en réfractant avec un vif éclat les touffes de cheveux humains grisonnants au-dessus de ses oreilles.

– Hier peut-être trois, ou quatre personnes sont entrées et sorties de cet immeuble.

– Qui?

– Des résidents.

– Quels résidents?

– Ceux qui ne sont pas partis. La plupart ont des maisons dans les Hamptons ou des maisons en Europe. Quelques-uns non.

– Comment pensez-vous que ce type soit entré au cinq?

– Il n'est pas entré pendant mon service.

– Croyez-vous qu'il est entré par le sous-sol?

– Il aurait dû passer la porte; il faut une télécommande pour ça.

– Ça s'achète, ces télécommandes.

– Mais il faut régler le code.

– Il n'y a pas tellement de codes, non?

– Si quelqu'un était passé par le sous-sol, on l'aurait vu sur le moniteur.

Hector tapota du doigt la rangée de quatre écrans télé.

Deux montraient le garage, et deux montraient l'intérieur des ascenseurs. Les vues du garage étaient des plans panoramiques de caméras allant et venant en arcs de cercles automatisés de cent quatre-vingts degrés. Les ascenseurs étaient des plans fixes de caméras installées dans les plafonds des cabines.

– Vous étiez à cette porte de huit heures du matin à quatre heures de l'après-midi hier?

Cardozo y revenait sans arrêt, cherchant à voir si la réponse était la même.

– Vous n'avez pas quitté votre poste?

Hector haussa les épaules.

– Je suis peut-être descendu aux toilettes.

– Peut-être que vout êtes descendu ou vous êtes descendu?

– J'ai été aux toilettes.

– A quelle heure?

– Ce n'est pas une telle affaire qu'on se rappelle l'heure exacte.

– Vous avez laissé cette porte sans surveillance?

– Je l'ai laissée fermée à clé.

– Qui a la clé?

– Tous les résidents.

– Alors un résident aurait pu entrer, ou n'importe qui aurait pu partir, et vous pourriez ne pas le savoir?

– Ça pourrait arriver. Je ne m'attendais pas à un meurtre.

Mais ses yeux disaient autre chose. Ils disaient qu'il avait attendu quelque chose, et l'attendait peut-être encore.

– Comment avez-vous attrapé ces égratignures sur la figure, Hector?

La main d'Hector monta vers sa joue et un rubis en verre étincela à son doigt.

– Ma saleté de chat m'a griffé.

– Quand?

– Hier, avant-hier. Je sais plus.

– Vous feriez bien de le faire revenir, ce souvenir, Hector.

Un grand type roux pénétra d'un pas nonchalant dans le hall. Il avait un teint rubicond et des yeux verts pétillants qui ne se vexèrent pas le moins du monde quand Hector lança comme une sommation :

– Il faut vous faire annoncer. Où allez-vous?

– Ça va, Hector, dit Cardozo. L'inspecteur Malloy est avec moi.

Hector porta une main maladroite au bord de sa casquette et l'inspecteur Carl Malloy, en souriant, porta un doigt au bord d'un chapeau inexistant.

Cardozo tira Malloy sur le côté et le mit au courant du crime.

– Je veux que tu contrôles toutes les voitures et les camions garés dans un rayon de cinq pâtés de maisons.

Malloy était un homme gai par nature, mais à la mention d'un rayon de cinq pâtés de maisons, il poussa un profond soupir. Cinq pâtés de maisons ça signifiait plus de trois mille véhicules. Le soupir plissa la veste rouge voiture de pompiers de Malloy à l'endroit des boutons dorés soumis à une forte tension. Un peu en dessous d'un mètre quatre-vingt-cinq et un peu au-dessus de quatre-vingt-dix kilos, Malloy avait des problèmes de poids. Il se régalait chaque jour de petits pains et de fromage frais, sous prétexte que son médecin lui avait assuré que les produits laitiers calmeraient son ulcère.

– Tu peux prendre tous les bonshommes qu'il te faut, continua Cardozo. Commence par vérifier les numéros d'immatriculation auprès du Sommier Central et vois si quelqu'un a un casier.

– C'est parti, dit Malloy.

Cardozo hocha la tête, tourna les talons et traversa le hall. Melissa Hatfield attendait dans l'un des divans de cuir. Elle le vit et se dépêcha d'écraser sa cigarette.

– Auriez-vous la gentillesse de me montrer les autres appartements à vendre? demanda-t-il.

– Pourquoi pas? Je suis là pour ça.

Ils prirent l'ascenseur jusqu'au 11. Il y avait une petite table à volets sculptée dans le vestibule, et on y avait posé une coupe de fleurs séchées. Une réconfortante senteur aromatique et poivrée emplissait l'espace.

Elle introduisit le passe dans la serrure et ouvrit la porte.

— Même plan au sol, remarqua Cardozo.

— L'acheteur fait ses propres modifications, précisa-t-elle.

Cardozo traversa le vestibule et entra au salon. L'air était chaud et immobile. De la fenêtre il aperçut un éclat gris étincelant de l'East River, qui miroitait un kilomètre et demi plus loin, entre les tours de Sutton Place.

Il explora la cuisine, les chambres, la salle de bains. Quelque chose le tracassait.

— C'est exactement le même que le cinq?

Un rien de malice passa subrepticement sur les lèvres de Melissa Hatfield.

— Pas tout à fait. Celui-ci coûte trente mille de plus.

Ils visitèrent le 15, le 16 et le 18. Cardozo avait la même impression — une différence. Au 22 il demanda :

— Les plafonds ne sont-ils pas un peu plus bas ici?

— Non, ils sont tous à trois mètres. C'est un de nos arguments de vente.

Dans le salon du 28 il y avait un tapis d'orient bleu pâle et de profonds divans beiges. Elle expliqua que c'était l'appartement-témoin.

— Quel est le prix?

— Nous en demandons un million de dollars.

Il siffla.

— Ce n'est pas si élevé si on considère la vue.

— Vous n'avez pas construit la vue.

Elle sourit.

— L'acheteur ne le sait pas.

Des portes-fenêtres menaient sur une terrasse et Cardozo sortit. Des buis bien arrosés masquaient une rambarde de fer forgé à hauteur de hanche. Des chaînes de voitures et de camions avançant comme des limaces miroitaient et ondulaient dans la chaleur montant des rues très loin tout en bas. D'ici on pouvait voir les rives de Queens et de Brooklyn et une étonnante quantité de verdure dans une ville qu'il avait toujours pensée d'asphalte, de ciment et de verre.

— Quelque chose à boire? proposa Melissa Hatfield. La maison a de tout.

— Un scotch à l'eau avec un petit glaçon m'ira très bien.

Quand il revint au salon, elle disposait des bouteilles, des verres et des serviettes sur le dessus d'une commode en bois de rose sculptée qui avait été vidée de ses entrailles et transformée en bar.

— Un petit truc à grignoter? proposa-t-elle. Nous avons des boulettes de poisson, des foies de volaille au bacon, des feuilletés au fromage. Ça ne prend qu'une minute de les réchauffer au micro-ondes.

– Non, merci. J'essaie de ne pas manger entre les repas. Il but une gorgée. Elle avait oublié l'eau de son scotch.

Elle vit son hésitation.

– Excusez-moi. J'avais oublié que vous n'êtes pas un acheteur potentiel.

Il laissa son regard errer sur les murs. Il y avait trois tableaux, qui lui rappelèrent vaguement la peinture française.

– Les huiles sont-elles originales? demanda-t-il.

– Les Vlaminck sont des vrais. L'avocat du Metropolitan prétend que le Renoir est un faux. Il veut l'acheter.

– Sont-ils en sécurité ici?

– Il sont assurés. Si quelqu'un les vole, Beaux-Arts Immobilier sera plus riche que jamais.

Cardozo tira de sa poche la liste de Bill Connell.

– Parlez-moi de vos locataires.

– Nous n'avons pas énormément de locataires. En théorie nous sommes une copropriété, et la loi limite notre revenu en loyers. Il y a Armani, la boutique de vêtements au rez-de-chaussée. Ils ont cinq employés. Ils étaient fermés pour les vacances. Rizzoli, le libraire, au premier étage. Quatre employés. Fermé pour les vacances. Au deuxième étage il y a Saveurs de Paris, une pâtisserie française. Le critique gastronomique du *New York Times* les aime et ils vendent l'éclair trois dollars pièce. Le concierge [1] habite un appartement au même étage.

– C'est quoi, un concierge?

– Bill Connell, le gardien. Lui et sa femme ont un deux pièces minable.

– J'ignorais qu'il y avait quoi que ce soit de minable dans cet immeuble.

Elle leva un instant les yeux vers les siens.

– Un peu plus que vous ne pourriez croire.

Les yeux de Cardozo parcoururent la liste.

– Troisième étage. Docteurs Morton Fine, D.D.S., P.C, Hildegarde Berencz, D.D.S., P.C., Seymour Black, D.D.S., P.C. Qui sont ces gens-là?

– Des dentistes.

– Fermés pour les vacances?

– Ils ferment pour toutes les vacances possibles et imaginables, même le Ramadan.

– Quatrième étage. Dr Arnold Gross, M.D., P.C., Docteur Robin

---

1. En français dans le texte.

Lazaro, M.D., P.C., Paola Brandt, P.S.W., P.C., Renata Mills, P.S.W., P.C.

— Des thérapeutes. Des travailleurs sociaux en psychiatrie. Ils ne sont pas docteurs en médecine, ils peuvent prescrire des médicaments.

— Sixième étage. Princesse Lily Kowitz.

— Son ex-mari est polonais. C'est un de ces titres invérifiables. Elle ne tourne pas toujours rond quand elle boit, mais je ne la vois pas tuant des jeunes hommes nus masqués de noir.

— Duc et duchesse de Chesney. Vous avez beaucoup de titres dans cet immeuble.

— Je crois que le titre est authentique. Ils sont anglais et sont absents la plupart du temps. Ce qui en fait des copropriétaires idéaux. Ils donnent leur procuration à la gérance.

— Debbi Hightower, huitième?

— C'est une fille qui croit qu'elle va réussir dans le spectacle.

— Pas vous?

— Prédire l'avenir n'est pas mon rayon. Moi je ne vends que de l'immobilier.

— Le révérend père Will Madsen – neuvième étage.

— C'est le recteur de l'église épiscopale au coin de la rue. Un homme très tranquille, ne dérange jamais âme qui vive.

— Dixième étage. Fred Lawrence.

— Comptable. Il truque les bénéfices pour quelques-uns des plus gros bonnets du showbiz et du gouvernement.

— Pourquoi dites-vous qu'il truque?

Son visage se colora.

— Excusez-moi. Je suis vraiment remontée aujourd'hui. Je ne sais pas la moindre chose sur Fred Lawrence. Je lui trouve un air sournois et il est comptable, voilà tout. Sa femme porte des vêtements voyants et bon marché. Se croit sexy et ne l'est pas. Leur enfant est un sale môme.

Le onzième étage était marqué « non vendu ».

— Douzième – Billi von Kleist.

— C'est le président de Babemode – la maison de couture fondée par Babe Vanderwalk. C'est le genre jet-set. Peut-être que certains de ses amis sont un rien drogués.

— Quel genre de drogues?

— Oh, presque tout le monde prend de la coke aujourd'hui, non? Cardozo la regarda.

— Pas moi.

— Moi non plus. Mais vous voyez ce que je veux dire.

Un ange passa.

— Je constate qu'il n'y a pas de treizième.

– Nous ne voulons pas de malchance dans cet immeuble, lieutenant.

– Quatorzième – Notre Dame. Je suppose qu'il ne s'agit pas de l'équipe de football, remarqua Cardozo.

– Le chanteur de rock. Vous n'avez pas entendu parler de lui?

Cardozo fit la grimace.

– Ma fille a entendu parler de lui.

– Il est en tournée. Il n'est jamais ici.

– Le quinzième et seizième étaient marqués « non vendu ».

– Et au dix-septième, Estelle Manfrey?

– Très riche, très vieille, très fragile – jamais là non plus. Elle vit à Palm Beach.

Le dix-huitième était un autre « non vendu ».

– Dix-neuvième – Tillie Turnbull?

– Vous et moi la connaissons sous le nom de Jessica Lambert.

Le crayon de Cardozo cessa son tapotement.

– La star de cinéma?

Melissa acquiesça.

– C'est une femme très nerveuse – toujours à se balader avec des lunettes noires et des turbans. Elle met son foulard avant de se maquiller, alors il y a toujours un cerne de Max Factor autour du foulard. Je ne crois pas vraiment que les hommes masqués de noir soient son genre.

– Vingtième – Gordon Dobbs?

– Il écrit des livres sur la société avec un S majuscule. Qui couche avec qui, qui s'est fait virer de quoi. Il est très ennuyeux, très organisé, il a une réputation de méchanceté, qu'il ne mérite pas complètement. Elle leva les yeux. Me demandez-vous si je pense que ces gens pourraient être des assassins?

– Je demande juste ce que vous savez d'eux. Vingt et un. Phil Bailey.

– Président de NBS-TV et un tas d'autres trucs. J'ai rédigé tous les papiers mais je l'ai appelé Philip. Phil c'est Philip, vrai? Faux. J'ai dû tout recommencer. Son nom légal est Phil. Il l'a fait changer. J'ai vérifié les registres du tribunal. C'est cette volupté du pouvoir discret qu'ont les gens vraiment importants. Ils s'en fichent que vous connaissiez leur nom, leur visage, ou leur revenu. En fait ils aiment mieux pas. Il ne veulent pas être en couverture du *Time* et ils ne s'amusent pas à bloquer la circulation avec leurs limousines. Ils ne sont pas là pour impressionner qui que ce soit.

– Mais il a réussi à vous impressionner.

Elle exécuta un mouvement circulaire avec son verre.

– Sa femme et lui sont des gens bien. C'est un homme puissant. C'est un homme poli. Un homme très séduisant. Des hommes comme ça n'ont pas besoin de faire le genre de choses que nous avons vues au cinq.

– Peut-être que sa femme oui.

– Pourquoi? Elle a Phil.

Ses processus de pensée l'intriguaient.

– Vous y voyez un crime sexuel.

– Pas vous?

– Peut-être. Ses yeux revinrent à la liste. Le vingt-deuxième était marqué « non vendu ». Vingt-quatrième – Hank Doyle. Le footballeur professionnel?

– En personne.

Cardozo était étonné.

– Ce n'est pas le genre.

– Que voulez-vous dire, Lieutenant? Ce n'est pas le genre à vouloir habiter Beaux-Arts, ou Beaux-Arts ne voudrait pas de son genre?

– Les deux.

– Nous lui avons accordé une ristourne de trente pour cent. Il nous fallait un noir dans l'immeuble.

– Pourquoi?

– Nous devions pratiquer la déségrégation pour obtenir les subventions fédérales.

– Êtes-vous sûre de ne pas vouloir dire un abattement de la taxe municipale?

– Non, Lieutenant. Beaux-Arts Immobilier est plus malin que ça. En plus de l'abattement de la taxe municipale, nous avons obtenu les subventions fédérales destinées aux résidences pour revenus moyens pratiquant la déségrégation.

– C'est revenu moyen, ici?

– D'après certains.

Cardozo secoua la tête.

– Vingt-quatrième. Joan Adler.

– Elle écrit sur la politique. C'est un croisé sur papier imprimé, mais en chair et en os c'est une souris. Toujours recroquevillée dans un coin de l'ascenseur. Elle a un tremblement dans le bras. Je pense qu'elle souffre peut-être de sclérose en plaques.

– Je vois que le vingt-cinquième et le vingt-sixième ont été transformés en duplex pour Johnny Stefano. C'est le compositeur?

Melissa acquiesça.

– Il a collectionné les spectacles à succès vers le milieu des années soixante-dix. Il était en retard pour payer ses charges les deux dernières fois. Il a peut-être quelques ennuis d'argent. Il donne l'impression d'avoir des goûts sexuels bizarres. Il porte des vêtements de cuir. Evidemment il n'est pas le seul aujourd'hui. Ça peut ne pas vouloir dire grand-chose.

– Vingt-septième – William Benson.

Melissa Hatfield s'éclaira.

– C'est un adorable vieux monsieur. D'une modestie absolue. Jamais on ne croirait qu'il a construit la moitié des immeubles qui font que New York est New York. Y compris cet immeuble et le musée en dessous. Bien sûr il est vieux maintenant et il doit marcher avec une canne, mais il fait des journées de douze heures.

Cardozo trouva ça curieux : Melissa Hatfield avait un mot dur pour presque tout le monde dans l'immeuble – et pourtant le président de la chaîne de télévision et le vieil architecte semblaient avoir gagné son cœur. Il se demanda comment.

Il barra le vingt-huitième étage, l'appartement où ils étaient assis. Ce qui les amena aux étages 29 et 30.

– Esmée Burns, dit Cardozo. Je vois que c'est un autre duplex.

– Burns fabrique des cosmétiques, précisa Melissa Hatfield. Avec beaucoup de succès.

Cardozo avait le souvenir de dizaines de petites bouteilles roses sur l'étagère de la salle de bains.

– Ma femme se servait de sa marque.

– Pourquoi a-t-elle arrêté?

– Elle est morte.

– Oh! Je suis désolée.

– Ça va. Je m'y suis habitué depuis longtemps.

– Vous portez toujours votre alliance.

– Dans mon travail on porte une alliance que l'on soit marié ou non. Ça simplifie les choses.

– Pas bête. Je devrais peut-être essayer.

Cardozo fronça les sourcils devant la liste des habitants.

– Il y a beaucoup d'endroits vides dans l'immeuble.

– Un septième des appartements est libre, Lieutenant. Avec les nouvelles lois sur les impôts, l'immobilier de Manhattan va tout doux.

Cardozo replia la liste et la glissa à nouveau dans la poche de sa veste.

– Qu'avez-vous fait samedi? demanda-t-il.

– Moi? Rien de spécial. Pourquoi? Vous me soupçonnez?

– Vous avez accès à la clé.

Elle quitta le divan. Elle avait une jolie silhouette. Il pouvait voir qu'elle se donnait du mal pour l'entretenir.

– Je mène une vie tranquille, Lieutenant. Le samedi est une de mes journées vraiment sans intérêt. J'ai fait la grasse matinée. J'ai donné à manger à Zéro.

– Qui est Zéro?

– Zéro, c'est mon chat. Ça vous va comme alibi? C'est un chat domestique à poil court, orange, coupé, trois pattes – il a eu un cancer l'année dernière. Il a douze ans.

– Je parlais de vous, pas de Zéro. Votre chat est au-dessus de tout soupçon.

– Excusez-moi. Je suis une mère à chat. Avez-vous un chat, Lieutenant?

– Un abyssinien de gouttière.

– Jamais entendu parler de cette race.

– C'est plus un accident qu'une race. Ma fille a été le chercher au refuge.

– J'espère qu'il a eu ses vaccins.

– Il les a eus, merci de votre intérêt. Dites-moi, seriez-vous par hasard sortie un seul instant hier?

– Je suis désolée, je ne peux pas m'empêcher d'aimer les chats. Quand je commence à en parler, on ne m'arrête plus. Oui, je suis allée me promener à Central Park.

– Qu'avez-vous fait pour le déjeuner?

– J'ai sauté le déjeuner. Ai dîné tôt.

– Où?

– Où je prends tous mes dîners – dans ma cuisine. Et puis j'ai vu un film.

– Quel film?

– *Victoire sur la nuit* – Bette Davis.

– Où est-ce que ça passe?

– Je l'ai loué à la boutique de vidéo. Quand je suis rentrée à la maison j'ai trouvé un message sur mon répondeur. Mon patron voulait que je montre le cinq à des acheteurs aujourd'hui.

– Vous avez passé tout l'après-midi à aller et venir?

– New York est une ville fantastique pour se balader quand il fait beau.

– Où vous êtes-vous baladée?

Elle s'approcha de la fenêtre. Elle avança le menton d'un petit coup sec.

– Tout là-bas le long du fleuve. J'adore les bateaux, et les garçons qui plongent dans l'East River, et j'adore les mouettes, même si ce sont des charognards, et ces îles, même s'il y a des prisons dessus.

– Êtes-vous à la disposition de votre patron tous les week-ends?

– Je touche une commission en plus de mon salaire, Lieutenant. Je ne trouve pas que mon employeur m'exploite, si c'est ce que vous demandez.

Elle revint au divan d'une démarche ondulante, les mains dans le dos, invisibles.

– Ce n'était pas exactement ce que je demandais. A propos, qu'est-ce que je viens de dire à l'instant qui vous a contrariée.

Son regard revint sur celui de Cardozo.

– Ce n'est pas ce que vous avez pu dire. Je sais que ça a l'air naïf, mais je n'avais encore jamais vu de cadavre.

– Ce n'est pas de la naïveté, c'est de la chance.

– Je crois que ça commence à m'affecter. Est-ce qu'on s'y habi-
tue?

– Non, je n'y suis pas habitué.

Il finit son verre.

Elle rapporta les verres à la cuisine.

– Quelle patte? demanda-t-il.

Elle se retourna et lui lança un regard interdit.

– Quelle patte a perdu Zéro?

– Le postérieur droit.

– Comme le type en bas.

– J'essayais de ne pas y penser.

Elle rinça les verres et les mit dans le lave-vaisselle.

– Nous lui avons fait de la chimiothérapie, nous lui avons fait des
rayons. Rien n'a pu sauver sa patte. Elle ferma le lave-vaisselle. C'est
idiot de penser à un chat quand un homme est mort.

– Zéro va bien maintenant?

– En pleine forme. Saute partout, ne sait même pas qu'il n'a plus
sa patte.

– Formidable. Un champion de la survie. Nous devrions tous être
des champions de la survie.

Ils se dirent au revoir debout dans le hall d'entrée, et Cardozo lui
demanda ses numéros de téléphone au travail et à la maison.

Il la regarda quitter l'immeuble. La jeune femme qui avait failli
pleurer sur son chat à trois pattes passa d'une démarche de lionne
devant le portier de l'après-midi, lui adressa le plus imperceptible des
saluts, sa chevelure ruisselant derrière elle en une longue crinière
châtain. Sa main s'éleva, rapide et sûre de son pouvoir. Comme par
enchantement, un taxi se matérialisa au bord du trottoir pour
l'emmener.

Dans son travail Cardozo avait rencontré des centaines de femmes
new-yorkaises névrotiquement attachées à leurs animaux familiers –
des grosses femmes, des femmes entre deux âges, des femmes riches
qui se tournaient vers leur Pékinois ou leur Persan pour trouver la
chaleur et le sens qu'aucun amant ni aucun travail ne donneraient
jamais à leur vie.

Mais Melissa Hatfield ne correspondait pas au profil. Elle était
intelligente, séduisante; elle n'était pas forcée de passer un samedi
entier toute seule. De plus, Cardozo ne pensait pas qu'elle l'avait fait.
On ne flairait pas en elle la femme new-yorkaise privée d'homme; ni,
plus triste, le new-yorkais sans ami. Il ne pensait pas qu'elle était gay
et ne croyait pas à son histoire de balade sans but toute la journée, ni
à la location d'un vieux film de Bette Davis pour passer la soirée.

Il était flic depuis assez longtemps pour savoir que quatre-vingt-quinze pour cent de l'humanité mentait. Même les religieuses déformaient un peu la vérité de temps à autre. Mentir ne faisait pas de quelqu'un un assassin.

Pourtant, il avait le sentiment que Melissa Hatfield avait essayé de le berner, et il était curieux de savoir pourquoi. Il griffonna une note dans son calepin : « Hatfield – seule samedi? »

4

Ils ne voyaient pas Babe qui observait la scène.

Elle se tenait debout à l'extérieur de la porte ouverte, dans l'obscurité, et regardait fixement dedans.

Ils bougeaient au ralenti dans un doux océan de chandelles éclairées, des coupes de champagne à la main. Ils portaient des smokings et des robes du soir, et des masques en caoutchouc pareils aux masques de carnaval des enfants. Babe reconnut Winnie l'Ourson, Mickey Mouse, Richard Nixon, le Chapelier fou.

Un majordome affublé d'un masque de John Wayne se faufilait parmi la foule, et remplissait les coupes avec le contenu d'un jéroboam vert portant une étiquette Moët.

Babe voyait les masques onduler de haut en bas, et bavarder entre eux avec animation.

– Bonjour [1], dit Porky. Ça va [1]?

Ça ne collait pas. Porky ne pouvait pas avoir dit bonjour.

Un moment Babe fut perdue, plana entre deux mondes. Puis ses yeux papillotèrent et s'ouvrirent. Les personnages oniriques s'effacèrent et la chambre d'hôpital devint nette petit à petit.

– Bonjour ma petite [1].

Encore cette voix, familière maintenant.

Le regard de Babe alla vers la porte. Elle vit un homme grand et élancé, aux épaules larges, à l'allure saine, proche de la soixantaine. Il s'avança dans la lumière, vêtu d'un blazer, d'un pantalon magnifiquement coupés, et d'une cravate de soie marquée des insignes du New York Racquet and Tennis Club. Il se pencha sur le chevet du lit pour l'embrasser. Il avait les cheveux gris, des traits élégants et vigoureux, et il sentait l'eau de Cologne au vétiver. A cet instant elle reconnut son vieil ami le baron Billi von Kleist.

– Ça fait un bout de temps. Il parlait avec l'agréable accent

---

1. En français dans le texte.

d'Oxford d'un aristocrate européen. Tu as une mine superbe. Comme d'habitude.

Il prit un siège, s'assit et la regarda. Il était très bronzé, et elle devina dans ses yeux quelque chose qui ressemblait beaucoup à de la compassion.

— Cesse d'être charmant, lança-t-elle, en souriant comme elle en avait l'habitude quand il la taquinait. Toi, tu as une mine superbe. Moi, je ressemble à un cadavre qu'on a exhumé.

Il alluma une cigarette et se carra dans son fauteuil. Il croisa un genou par-dessus l'autre. Le pli de son pantalon gris était comme le fil du rasoir.

— Chacun son goût [1], dit-il. En vérité, je suis ici en mission, pas en visite. Je t'ai amené une vieille amie — elle est venue te voir fidèlement deux fois par semaine pendant que tu étais au pays de La Belle au bois dormant, mais maintenant que tu es réveillée, elle est un peu intimidée à l'idée de te retrouver. Elle m'a demandé de l'accompagner. Ou plutôt, ta mère m'a prévenu que tu étais de retour parmi nous, et quand j'ai annoncé que j'allais te voir, elle m'a délégué pour amener Cordélia.

Cordélia! s'écria Babe.

— Bonjour, mère.

C'était une voix de femme, pas de petite fille, et quand Babe tourna les yeux vers la porte de la chambre d'hôpital, c'était une femme, pas une petite fille, qui se tenait là. Babe plissa les yeux.

— Cordélia?

Au lieu d'une réponse, sa fille lança à Babe un regard inquisiteur, tout en vacillant sur ses jambes dans un moment de léger déséquilibre, comme si elle avait les pattes d'un faon nouveau-né. Puis elle retrouva son aplomb et entra avec grâce dans la chambre.

Babe dût reprendre sa respiration. La dernière fois qu'elle avait vu Cordélia c'était une enfant de douze ans, dégingandée et malheureuse, mais la jeune femme qui pénétrait dans la chambre d'hôpital était une blonde éblouissante : maquillée de manière saisissante, vêtue de façon très éclatante d'un jean et d'un chemisier en soie jaune, parée de chaînes et de colifichets sonores, et d'un épais jonc en or au poignet gauche.

La jeune beauté se pencha au-dessus du lit et embrassa Babe. Ce n'était pas un baiser d'une fille à sa mère, tendre et généreux, mais réservé et précis — un baiser entre comtesses.

— Bon retour parmi nous, lança Cordélia. Ses yeux étaient du bleu profond, presque cobalt dont Babe se souvenait.

— C'est bon d'être revenue, soupira Babe. Laisse-moi te regarder.

---

1. En français dans le texte.

La main de Cordélia échappa à celle de sa mère. Elle recula et exécuta un tour de 360 degrés, comme un mannequin dans un salon de couture présentant une nouvelle robe.

— Ne le dis pas. J'ai grandi. J'ai cinq centimètres de trop pour être danseuse et ça m'a vraiment tuée quand j'ai dû laisser tomber l'école de ballet.

— Mais tu as une taille parfaite.

— Je le dois à tes gènes, maman. Et à Billi qui n'a pas cessé de me harceler pour que je me tienne droite. Exactement comme un père ou une mère.

— N'étais-je pas supposé agir comme un père ou une mère? intervint Billi. Après tout, Cordélia est ma pupille — et une pupille très bien élevée qui plus est.

— Oui.

Babe se revit assise dans le bureau de l'avocat, signant un papier faisant de Billi le tuteur de Cordélia au cas où il lui arriverait le moindre accident. Scottie et elle avaient failli se tuer en roulant du mauvais côté de la route à Gstaad, et ça paraissait une bonne idée — une de ces dispositions légales, au-cas-où, dont elle n'avait jamais pensé qu'elle serait vraiment appliquée.

— As-tu été un bon tuteur? demanda-t-elle.

— Demande-le à ma pupille, répondit Billi.

— Billi a été fantastique, assura Cordélia. Il a empêché Grand-mère [1] de trop m'embêter, et il m'a emmenée au moins deux fois par mois dans des soirées extraordinaires — et puis il m'a engagée.

— T'a engagée? Pour quelle tâche l'as-tu engagée, Billi?

— Cordélia te le racontera. C'est une excellente employée. Billi se leva. Je vais vous laisser toutes les deux. Je reviendrai, Babe. Nous bavarderons rien que nous deux.

Il l'embrassa, et elle eut la sensation qu'il voulait ajouter quelque chose. Mais il tourna les talons et partit.

Mère et fille restèrent assises à se regarder. Les yeux de Cordélia souriaient, mais un malaise passait furtivement au travers.

— Tu es belle, remarqua Babe.

— Tu veux dire que je suis luxueuse. Il le faut. Je suis un mannequin professionnel.

« C'est mon enfant, songea Babe. Cette étrangère. »

— Raconte-moi tout.

— Ça prendrait des jours et des jours.

— Parfait. Ils disent que j'ai des semaines et des semaines à tuer dans cet endroit.

Cordélia remua sur sa chaise. Babe remarqua la faible palpitation

---

1. En français dans le texte.

sous une tache d'un blanc laiteux à l'intérieur du bras de Cordélia, à peine creusé d'ombre.

– Tu me manges des yeux, protesta Cordélia.

– Pardon. C'est simplement que tu étais si petite et perdue, et maintenant tu es si adulte et tu n'as pas l'air perdue du tout.

– Ça te dérange que je fume? demanda Cordélia.

Rien qu'un instant Babe fut saisie : une enfant de douze ans qui fume? Babe devait se rappeler que cette enfant-là avait dix-neuf ans. Elle regarda sa fille allumer une Tareyton filtre king size. Cordélia le faisait à merveille, comme une actrice dans un vieux film de la Warner Bros – l'odieuse fille riche – rejetant la tête en arrière, projetant deux serpents de fumée blanche par ses narines ouvertes.

Cordélia examina sa mère.

– Tu as bonne mine, Mère.

Babe se sentait sans bijou, sans robe, en retard de sept ans.

– Mets-moi dans le bain. Tu avais douze ans la dernière fois que nous avons bavardé. Tu avais des tresses et tu te cognais partout.

Une moue passa sur le visage de Cordélia.

– Et j'allais à l'école à Spence, et tu m'obligeais à porter ces horribles appareils.

– Ils n'étaient pas si horribles que ça, et regarde comme tu as de jolies dents maintenant.

– Je les détestais. Mais on me les a enlevées quand j'ai eu treize ans, et au moins je n'ai pas eu l'air d'un monstre quand je suis entrée à Madeira.

– Ç'a t'a plu, Madeira?

– Un peu collet monté. Je partageais une chambre avec une fille de Richmond. On s'est presque fait virer parce qu'on fumait de l'herbe.

Les yeux de Cordélia se rétrécirent, songeurs, et puis elle abaissa son regard.

– J'ai été collée pendant un trimestre.

Une angoisse passagère frappa Babe au creux de l'estomac. Elle la dissimula sous un sourire intéressé.

– Ç'a a dû améliorer ton travail.

– Oui, j'étais bonne en musique.

– Tu tiens ça de ton père.

– Et j'étais bonne en français, en histoire et en art, aussi.

– L'art, ça vient de moi.

– J'ai eu mon bac avec mention.

– J'aurais vraiment voulu assister à la remise des diplômes.

– Réjouis-toi de ne pas y avoir été. Il pleuvait. Et devine. On a découvert que la directrice était une meurtrière. Elle purge une peine de vingt-cinq ans pour avoir tiré trois balles sur son amant juif.

Babe observa attentivement Cordélia, en se demandant si elle se moquait d'elle.

Cordélia sourit. Le sourire monta jusqu'à ses yeux, et puis sa mâchoire et son menton se crispèrent. Soudain elle posa la tête sur les genoux de Babe. Babe se mit à caresser le flot de cheveux d'or pâle.

Au bout d'un moment Cordélia se rassit, en étouffant un reniflement.

– J'ai fait mon entrée dans le monde ce printemps, dans la maison de campagne de Newport. Grandpère [1] était mon cavalier. Il était génial avec ses vieilles décorations de la Première Guerre.

Babe s'étonna – pourquoi Grandpère, pourquoi pas Scottie?

– Les décorations de Grandpère sont de la Seconde Guerre, ma chérie.

– Tu sais bien ce que je veux dire. Et j'ai été admise à Vassar. Mais au bout de six mois j'ai compris que ce n'était pas mon truc. Alors je suis rentrée à New York, et j'ai rencontré un agent à une soirée, et voilà [1], je suis mannequin. Je n'ai pas encore décidé de travailler ou non à plein temps. Être mannequin, c'est tellement assommant – on passe la moitié de son temps plantée là à perfectionner son air morfondu.

Elle fit une démonstration de son air morfondu, et Babe dut rire.

– Tu veux voir mon book?

Cordélia ouvrit un grand porte-documents de cuir. Il était bourré de magazines de luxe. Elle les sortit de leurs pochettes de plastique et les tendit un par un.

Babe examina des photos de sa fille à dos de cheval, à dos de chameau, à dos d'éléphant, sa fille courant sur des plages, dans des prés irlandais, à travers des pelouses de Newport, sa fille flânant en tenue de soirée, en tenue décontractée, en fourrures, dans une Scaasi, en jeans Calvin Klein, sa fille souriant à des chiens, à des bijoux, à des voitures étrangères, à de l'argenterie, à de jeunes hommes. Et puis il y avait les magazines avec Cordélia en couverture : *Vogue, Harper's Bazaar, Mademoiselle.*

– Tu as beaucoup de succès, remarqua Babe. Mais tu as abandonné l'université?

– Je gagne trois mille cinq cents dollars de l'heure. L'université ne me rapportait pas autant.

Babe se demanda ce que valait l'argent aujourd'hui. Elle se demanda ce que valaient des études.

– Je suis le logo de Babemode, lança Cordélia.

Babemode – la société que Babe avait fondée pour vendre ses créa-

---

1. En français dans le texte.

tions. Elle ne savait pas qui la dirigeait maintenant ni comment elle marchait.

– Je suis sous contrat. Je fais les publicités presse et télévision. A chaque fois qu'il leur faut un visage ou un commentaire, c'est moi. Alors, d'une certaine façon, je suis célèbre. J'ai été interviewée par les magazines *People* et *Interview*, je suis passée dans des talk-shows, et je suis invitée dans toutes sortes d'endroits fantastiques.

Les pensées de Babe galopaient, essayant de suivre tout ce que sa fille lui racontait.

– Et tu as des petits amis?

Les yeux de Cordélia se détournèrent brusquement.

– En ce moment il y a Rickie... je te le présenterai. J'adore Rickie, c'est un super joueur de tennis et il danse comme un dieu. Il veut m'épouser mais vraiment, moi, je ne sais pas. Son père est Sir Rickie Hawkes, de la Barclays Bank.

– Ah oui, dit Babe, reconnaissant la banque, pas Sir Rickie. Sans doute les Britanniques avaient-ils fait un bon nombre de nouveaux « sirs » depuis qu'elle avait plongé.

Cordélia parla de ses autres goûts – les boîtes, les fêtes, les voitures, les pur-sang et les gens intéressants qui faisaient des choses intéressantes dont on parlait dans les journaux.

– Et t'arrive-t-il de voir ton père? s'enquit Babe.

– Ernst est merveilleux. Chaque fois qu'il joue à New York je vais en coulisses. Nous sommes très proches. *Vanity Fair* a publié un article « père et fille » sur nous. Il a joué une *Troisième* de Rachmaninoff fantastique avec le Cleveland à Carnegie le mois dernier. Je t'ai gardé les critiques.

– Avez-vous jamais le temps de discuter? S'intéresse-t-il à toi?

– On discute tout le temps. Ernst me téléphone de partout – Budapest, Berlin, Le Cap – la semaine dernière, c'était Tokyo. Bien sûr il mélange les fuseaux horaires, alors le plus souvent nous parlons à quatre heures du matin – mais je l'adore.

Babe reconnut bien là ce bon vieux Ernst, aussi costaud à soixante-dix ans qu'à cinquante-cinq, arrivant d'un coup d'aile en jet, entraînant Cordélia au Palm Court prendre une coupe de champagne et des gâteaux, lui fourrant deux places dans la main, la jetant en pâture à la presse au foyer après le concert.

– Et t'arrive-t-il de voir Scottie? demanda Babe.

Cordélia se figea. Babe trouva cela précoce, une fille si jeune capable de se figer à ce point et à cette vitesse.

– Et pourquoi devrais-je voir Scottie?

– Parce que c'est ton beau-père.

– Mais non – pas depuis qu'il a divorcé d'avec toi.

Babe sentit une secousse douloureuse parcourir ses nerfs. Elle se redressa dans son lit : elle tremblait. Il fallait qu'elle se force à croire que c'était vrai : les mots qu'elle venait d'entendre, sa fille qui l'observait, le choc qui tourbillonnait en elle.

Maintenant les yeux de Cordélia étaient fixés sur sa mère, écarquillées et scrutateurs.

— Grandmère à dit qu'elle t'expliquerait tout. Je vois que j'ai mis les pieds dans le plat.

Seule la pensée qu'elle devait se montrer forte devant sa fille empêcha Babe de tomber en miettes.

— Bien sûr que Grandmère m'a expliqué. Êtes-vous encore amis, Scottie et toi?

La surprise et le chagrin se mêlèrent sur le visage de Cordélia.

— Comment le voudrais-tu, Mère? Après ce qu'il t'a fait?

L'instinct de Babe la poussait à aller de l'avant, à faire semblant.

— Ne le condamne pas, ma chérie, souffla-t-elle, en se disant qu'elle s'en était douté, qu'elle avait été préparée à entendre de mauvaises nouvelles. Tu ne peux pas demander à un homme de rester marié sept ans à une femme qui risque de ne jamais se réveiller.

Cordélia serra les poings.

— Pourquoi es-tu si gentille envers lui? Tu dois l'aimer à la folie. Encore.

5

– Avez-vous remarqué la présence d'inconnus dans l'immeuble pendant le week-end? demanda l'inspecteur Sam Richards.

– D'inconnus? dit la femme. Il y a toujours des inconnus dans l'immeuble. Ces boutiques n'amènent rien d'autre, et cette clinique psychiatrique au quatrième étage occasionne des rencontres fort étranges.

Sam Richards faisait ce boulot depuis assez longtemps pour connaître le monde et ses bêtises. Pourtant le mot princesse continuait à lui en imposer. Il évoquait les images d'un livre sur le roi Arthur et ses chevaliers qui l'avait passionné quand il était gamin. C'est vrai, Lily Kowitz n'était pas une beauté. Peut-être l'avait-elle été. Il restait des vestiges – une étincelle bleu vif dans les yeux qui l'observaient avec nervosité, une assurance mal feinte dans l'inclinaison de son menton très rond. Mais son visage était ridé et fatigué, et de la poudre s'était répandue sur son chemisier foncé. Il avait l'impression qu'elle s'était maquillée après son coup de sonnette.

Elle était assise absolument immobile sur le divan de chintz, pas avec une raideur royale, mais prudente; comme si elle craignait, au cas où elle se pencherait dans un sens ou dans l'autre, de ne pas pouvoir s'arrêter et de descendre jusqu'au sol. Elle sentait la vodka.

– Avez-vous vu des inconnus pendant le week-end? demanda-t-il.

– Non, pas pendant le week-end – pas que je me souvienne. Ses dents touchèrent sa lèvre inférieure. Évidemment, je suis restée enfermée tout le temps, pour essayer de me débarrasser de ce rhume d'été.

Le salon de la princesse était spacieux, meublé confortablement; la causeuse et les fauteuils somptueux étaient assortis au divan. Un portrait d'une femme coiffée d'une couronne de pierreries était accroché au-dessus de la cheminée. Au-delà du piano à queue, des stores rayés abritaient la terrasse de l'éclatant soleil de l'après-midi.

– Êtes-vous sortie un seul instant samedi, madame?

Il avait dans l'idée qu'elle n'aimait pas se faire livrer par le magasin de vins et spiritueux; elle ne voulait pas que le personnel de
l'immeuble tienne des comptes. Alors elle y allait elle-même. Elle
avait probablement deux ou trois fournisseurs dans le quartier et prenait soin d'alterner ses visites. C'était navrant, une princesse passant
un week-end prolongé seule avec sa Stolichnaya.

   – N'avez-vous rien vu d'inhabituel?

Ce même regard lointain, où l'agacement filtrait maintenant.

   – On peut à peine qualifier ça d'inhabituel – Hector le fait tout le
temps.

   – Fait quoi, madame?

   – Il laisse la porte sans surveillance.

Sam Richards sortit son calepin et passa les pages où il avait noté
le lait et les œufs que sa femme voulait qu'il prenne au Supermarché.
« Inscrivez tout, avait recommandé son instructeur à l'École de
police. Peu importe que ça ait l'air complètement idiot ou insignifiant
sur le moment, ça pourrait s'avérer être une preuve ».

La princesse resta silencieuse un moment.

   – La deuxième fois que je suis sortie chercher mes comprimés
contre le rhume, je dirais qu'il était dans les deux heures.

L'inspecteur Sam Richards sortit de l'ascenseur.

Le thunk-thunk-thunk d'une basse lui parvint à travers la porte. Il
appuya sur le bouton de la sonnette poliment, et en l'absence de
réponse il appuya dessus impoliment, pesant de ses cent dix kilos sur
son pouce.

Une voix de femme hurla « Qui est-ce? » et il cria « Police! »

La musique se tut. Il y eut un silence paniqué.

Le vestibule ne s'enorgueillissait pas de table de laque ni de tapis
d'Orient, ni d'aucun des riches petits objets que Richards avait
remarqués aux autres étages de l'immeuble.

La porte s'ouvrit de cinq centimètres. Une jeune femme regarda
par la fente. Les yeux verts larmoyants révélaient sa myopie.

Sam Richards présenta sa plaque au-dessus de la chaîne de sûreté.

   – Inspecteur Richards, vingt-deuxième commissariat.

   – Vraiment loin.

   – Êtes-vous Deborah Hightower, la propriétaire de cet appartement?

   – Debbi.

Elle avait la voix rauque de quelqu'un qui fume ses trois paquets
par jour.

   – Pas de e à Debbi.

   – Pourrais-je entrer un instant?

   – Si c'est pour le paiement de mes charges, voyez mon avocat.

– Ce n'est pas pour les charges.

Elle décrocha la chaîne et recula, pour le laisser passer. Elle portait un short de jogging en nylon noir et un tee-shirt Coca-Cola c'est ça!, ses pieds étaient nus.

L'entrée ouvrait sur un salon meublé de deux saccos noirs et deux baffles stéréo Techtronic. L'ampli et la platine étaient posés sur l'étagère d'une bibliothèque à-vernir-soi-même qu'elle n'avait pas vernie. Aucun voilage n'adoucissait la vue de la tour de l'autre côté de la rue. Des éraflures sombres sur le parquet révélaient que de gros meubles avaient été traînés dans l'appartement puis traînés de nouveau hors de l'appartement. L'air sentait le désodorisant au citron fraîchement vaporisé. Le citron ne masquait pas tout à fait l'odeur de marijuana.

Mlle Hightower proposa du café.

– Soluble. Désolée.

– Ça me va très bien.

Sam Richards se laissa tomber sur un sacco et regarda les marques sur les murs où six tableaux avaient été accrochés. Le sol avait besoin d'un coup d'aspirateur.

Elle revint de la cuisine avec deux tasses en plastique et lui en tendit une. Il remarqua que l'ongle vert très long de son médium était un faux, qui commençait à se décoller. Elle s'assit dans le sacco face au sien et souffla sur son café.

– Savez-vous qu'un homme a été assassiné dans l'immeuble? demanda-t-il. Nous l'avons trouvé il y a deux heures au cinq. Pas d'identité.

– C'est dingue.

– Étiez-vous chez vous ce week-end?

– Chez moi? Elle parut déconcertée. Vous voulez dire ici? Ce n'est pas chez moi, coco, c'est un dépannage. J'ai une part dans une résidence d'été des Hamptons. Elle but à petites gorgées. Mais c'est triste à dire, j'ai passé ici ces trois derniers jours. Je suis dans un spectacle au World Trade Center.

– Ah, oui? Quel spectacle?

– *Toyota Présente.*

Elle cherchait une réaction sur son visage.

– Ah, oui. *Toyota Présente.*

– Un tas de stars ont fait leurs débuts dans les spectacles d'entreprises. Shirley MacLaine a dansé pour General Motors.

– Exact. J'ai entendu ça quelque part. Sam Richards ouvrit son calepin. Debbi, pourriez-vous me dire quand vous étiez dans l'immeuble hier, quand vous êtes entrée, quand vous êtes sortie, à quelle heure vous étiez dans le hall d'entrée, l'ascenseur, ou n'importe où d'autre sur les lieux.

Elle répondit qu'elle avait travaillé tard, était rentrée vers midi, samedi, avait dormi jusqu'à l'heure précédant le spectacle, quitté l'immeuble vers sept heures, était revenue tôt le matin.

– Avez-vous vu ou entendu quelque chose d'inhabituel dans l'immeuble? Il lui vint à l'esprit que si Debbi Hightower avait été aussi défoncée la veille qu'elle le semblait aujourd'hui, elle n'aurait pas remarqué un éléphant tombant du ciel.

Elle hissa une jambe et plaça un pied sur le bord du sacco. Ses ongles de pieds étaient roses, ce qui n'allait pas avec les ongles des mains verts.

– Tout m'a paru beaucoup plus tranquille que d'habitude.

– Aucuns bruits ni individus bizarres?

Elle réfléchit un moment.

– Tout est relatif, non? Je veux dire, qu'est-ce que vous trouvez bizarre?

– Des inconnus dans l'immeuble?

William Benson, le propriétaire de l'appartement du vingt-septième étage, secoua la tête. C'était un petit homme mince d'environ quatre-vingts ans. Avec une négligence élégante, sa main droite fit tournoyer une paire de double-foyers à monture d'écaille. Des boutons de manchettes en or clignotaient aux poignets de sa veste d'intérieur bordeaux.

– Non, aucun que j'aie remarqué.

– Aucun bruit étrange? demanda l'inspecteur Monteleone.

– Je crains de ne pouvoir vous répondre. Le week-end de Memorial Day est un week-end formidable pour travailler. J'ai débranché mon appareil acoustique.

Pour la première fois, l'inspecteur Monteleone remarqua le petit bouton de plastique beige dans l'oreille gauche de Benson.

Derrière l'architecte, le salon rutilait comme une galerie d'art, avec des rampes de spots qui mettaient en valeur des tableaux abstraits expressionnistes et pop'art sur les murs.

– Il y a eu une chose, reprit Benson, mais on peut à peine qualifier ça d'inhabituel, ça arrive si souvent. Je suis sorti chercher le journal, et j'ai dû utiliser ma clé pour rentrer dans l'immeuble. Notre portier du samedi, Hector, n'était pas à la porte. Je crois qu'il s'installe dans le bureau du personnel pour regarder les matchs à la télé.

– Dites-moi donc que ce n'est pas une tactique digne de la Gestapo. Dites-le-moi.

Fred Lawrence, le propriétaire de l'appartement du dixième étage, expliquait à l'inspecteur Sam Richards comment il se trouvait qu'il soit à New York durant un week-end prolongé pendant que sa femme et son fils s'amusaient dans leur location d'été à Ocean Beach.

– Téléphoner un vendredi – même pas avoir eu la politesse d'écrire – et convoquer une audit mardi – en sachant que lundi c'est Memorial Day. Ça fiche mon week-end en l'air, ça terrifie mon client, ça gaspille le temps de tout le monde. Je n'ai jamais laissé un client exagérer les déductions. Ce n'est pas ma façon de travailler.

Sam Richards acquiesça, et tenta un sourire conciliant.

– Nous avons tous eu nos ennuis avec le fisc.

– C'est du harcèlement, pur et simple.

Fred Lawrence – son ventre faisant ballonner à un rythme précipité sa chemise polo sport rose, le visage rouge betterave et creusé – était visiblement un homme sous tension. Sa frange de cheveux noirs luisait de sueur. Derrière des lunettes à montures en or, ses yeux lançaient des éclairs, sans jamais croiser ceux de Sam Richards. Il arpentait la pièce, ses doigts frôlant les bords de fauteuils hi-tech en cuir et chrome et des tables à plateaux de verre.

– Et puis cette atrocité au cinq – comment diable une chose pareille est-elle arrivée? Nous sommes censés être protégés dans cet immeuble.

– Avec votre aide, M. Lawrence, nous espérons découvrir ce qui s'est passé.

Fred Lawrence lança un regard ahuri à l'inspecteur.

– Vous semblez penser que j'ai des informations – eh bien, non.

– A quelle heure êtes-vous revenu dans l'immeuble?

– Hier vers midi.

– Vous vous êtes garé dans le parking?

– Oui, je loue un emplacement.

– Avez-vous remarqué quelque chose ou quelqu'un de bizarre dans l'immeuble pendant le week-end?

– Comme j'ai essayé de vous l'expliquer, Inspecteur, je suis dans un état de tension terrible, je suis extrêmement préoccupé, et je m'excuse, mais ma réponse est non, je n'ai rien remarqué jusqu'à ce que vous, les policiers, débarquiez en masse.

Cardozo se gara dans la ruelle obscure à côté du bâtiment vieux de quatre-vingt-quinze ans du commissariat. Il y avait une place pour se garer sous l'escalier de secours. Il pensa à fermer à clé sa Honda Civic. Des voitures de police banalisées avaient été cambriolées dernièrement dans le parc de stationnement du commissariat.

Dans le noir il faillit trébucher sur une pile de barrières métalliques. Elles avaient été empilées là en réserve deux ans plus tôt pour canaliser une foule éventuelle. Les foules étaient venues et reparties, les barrières étaient restées.

Au-dessus des globes verts brillant de chaque côté de la porte du poste de police, le drapeau du commissariat, qui portait un sceau froissé de la Ville de New York et le numéro 22, flottait mollement sur sa hampe. Le deux deux était l'un des six commissariats de quartier qui formaient autrefois la Septième Division. Les changements dans les administrations municipales avaient fait tourner les numéros, mais les briques noires de suie, le fer rouillé et la peinture écaillée étaient toujours là sur la Soixante-troisième Rue, nettement déplacés au cœur du quartier huppé de Manhattan.

L'intérieur du 22e commissariat était aussi miteux que l'extérieur, peut-être un peu plus puisqu'il ne pleuvait jamais dessus sauf dans certaines parties du quatrième étage, où le toit fuyait. Depuis trente ans la Mairie promettait de le reconstruire.

La Muzak jouait « *One for My Baby* ». Cardozo détestait la Muzak, et il détestait particulièrement cet air. Il ne voyait pas pourquoi la police, qui réduisait les patrouilles pour joindre les deux bouts, avait besoin de musique en boîte.

Il salua le lieutenant de garde à l'accueil, puis suivit deux sergents en haut de l'escalier à rampe de fer. Les radios attachées à leur hanche émettaient des explosions de parasites synchronisés. Ils tiraient une tapineuse, menottes aux poignets, dans une pièce. Elle lançait des coups de pied, poussait des cris stridents, et commençait à perdre sa perruque blonde.

Le secteur était calme ce soir.

Cardozo s'arrêta dans le couloir du premier étage et regarda les sergents pousser la femme dans la cellule du commissariat. Elle se mit à secouer les barreaux, hurlant qu'ils avaient volé sa perruque et que son avocat les enfoncerait comme des sales Blancs pourris qu'ils étaient.

Les marches de marbre menant à l'étage du dessus étaient granuleuses de vieille crasse. Sur un banc dans le hall un inspecteur recueillait la déposition d'un plaignant assez âgé qui venait de se faire dévaliser sous la menace d'un couteau sur Lexington Avenue.

— La ville n'est plus sûre, maugréait l'homme.

Cardozo fut navré qu'un type de cet âge commence tout juste à comprendre.

Il pénétra dans le bureau des inspecteurs. La grande pièce était encombrée de bureaux métalliques, de classeurs et de vieilles tables en bois. Les fenêtres étaient bouchées par un grillage, et le grillage et le verre avaient été peints d'un vert industriel presque assorti aux murs.

Il était tard et la pièce était déserte excepté la présence de l'inspecteur qui assurait la permanence de nuit.

— Quoi de neuf? demanda Cardozo.

— Un R.I.P. sur Madison, répondit Tom Sweeney. Deux latinos ont été repérés entrant par effraction dans une boutique de chocolat.

Cardozo jeta un coup d'œil à Sweeney. La plupart des flics faisaient leurs huit heures et puis rentraient chez eux. Pas Sweeney, du moins pas ces derniers temps. La rumeur courait que sa femme était en train de le quitter pour une femme. Désolant pour ce pauvre type.

Sweeney ajouta qu'un dix trente – un braquage – avait été signalé un quart d'heure plus tôt : un Blanc armé d'un 38 était entré au Bojangles sur la Soixantième et avait emporté quatre cents dollars, des portefeuilles, des bagues et des montres-bracelets. Pas de victimes.

La pièce sentait le café.

– Quel sombre crétin pourrait avoir une idée pareille? Au Bojangles, il n'y a que des gens avec des montres Timex, et des bagues en fer-blanc. Autrefois les criminels étaient intelligents dans cette ville.

Un Sola de méchante allure servant à recharger les piles des radios trônait sur un classeur cadenassé. Le classeur était l'endroit où les inspecteurs fatigués de porter un kilo et demi de métal pouvaient ranger leurs armes. Deux machines Mr. Coffee fumaient tranquillement à côté du Sola. L'équipe partageait le prix du café filtre bon marché et laissait les machines branchées vingt-quatre heures sur vingt-quatre. Cardozo se versa dans une tasse en polystyrène expansé une mixture qui semblait avoir pris en gelée au fond de la cafetière depuis deux jours. Il déchira un sachet de saccharine et laissa la poudre s'enliser dans son café.

– Qu'est-ce qu'elle fait en bas, cette pute? demanda-t-il. Le racolage est redevenu un délit?

– Elle a proposé de la coke au lieutenant Vaughan.

Cardozo fit une grimace. Encore une tapineuse qui essayait de vendre du talc à un policier en civil. Il n'arrivait pas à croire que Vaughan se casse la tête avec une arrestation, la paperasserie et des tracas pour si peu.

– Qu'est-ce qu'il veut tirer d'une imbécillité comme ça, Vaughan?

– Tu sais ce que dit le principal : il faut augmenter la productivité.

Sweeney pointa le menton vers le tableau d'affichage où les instructions sur traitement de texte sorties quinze jours avant du bureau du commissaire avaient été punaisées.

– Saison du budget à Nueva York. El capitano veut faire grimper ses pourcentages.

Cardozo traversa la pièce en direction de son bureau, un box aux murs vert commissariat.

Son meuble de bureau était du même métal gris que les autres. Le téléphone était un des premiers modèle à clavier que Bell avait abandonné en 1963; il était fêlé sous le support depuis 73 et on changeait le scotch sur la fêlure à chaque fois qu'il se desséchait. La machine à écrire était un modèle T Underwood dont on n'aurait pas pu faire don à une maison de redressement.

Il fronça les sourcils. Des imprimés de service s'étaient accumulés autour de la machine à écrire depuis samedi. Aujourd'hui, c'était supposé être son JCH, son jour de congé habituel; il aurait dû être à Rockaway avec sa fille.

Il s'assit sur le fauteuil pivotant et vit sur la feuille de papier du dessus une note griffonnée à la main : « Appeler le principal O'Brien chez lui de toute urgence » suivie du numéro de téléphone personnel du capitaine et des initiales du sergent qui avait pris l'appel.

Cardozo composa le numéro du quartier de Woodlawn.

En attendant une réponse il jeta un coup d'œil aux autres papiers. En majorité c'étaient des imprimés modèle cinq, des rapports de plaintes complémentaires DD5, les triples que les inspecteurs remplissaient résumant les progrès des affaires en cours. Au fur et à mesure que les crimes perdaient de leur fraîcheur, les règlements exigeaient un mininum de deux rapports annuels. Les modèles cinq s'accumulaient – plus le rapport était ancien, plus la poignée d'imprimés bleus qui y était agrafée était épaisse.

Une voix s'infiltra dans la sonnerie. Bourrue.

– O'Brien.

– Patron? Vince. Je viens d'avoir votre message.

– Vince. Un sale truc. Vous vous souvenez de cette histoire Babe Vanderwalk il y a sept ans – le mari avait essayé de...

– J'étais dans votre détachement spécial. Je me souviens.

– Nom d'un chien, voilà que Babe Vanderwalk est sortie de son coma. L'hôpital a téléphoné. Et puis un avocat a téléphoné. Représente la famille, ils ne veulent pas de vagues, ils ne veulent pas de publicité.

– Mazel Tov aux Vanderwalk. Peut-elle parler?

– Elle peut parler. Elle est normale. Elle a perdu un peu de poids, articulations un peu raides, mais elle a toute sa tête.

– Se souvient-elle de quoi que ce soit?

– Allez lui rendre visite et voyez ça. Je vous en charge.

Cardozo souffla bruyamment.

– Patron, vous venez de me confier un John Doe [1] unijambiste.

– Vous connaissez les circonstances, Vince. Allez à Doctors Hospital, prenez une déposition, et classez-moi l'affaire. Cinq minutes.

– Je ne peux pas être sûr de ce qu'elle va raconter. Sa déposition risque de relancer l'affaire.

– Prenez une déposition qui classe l'affaire. Allez là-bas demain. Ils réveillent leurs malades à six, sept heures. Inutile d'attendre les heures de visites.

---

1. L'américain moyen : M. Dupont (*N.d.T.*).

– Patron, honnêtement je...

– Merci, Vince, je savais que je pouvais compter sur vous.

Le récepteur devint silencieux dans la main de Cardozo. Il le considéra un instant et puis raccrocha brutalement.

Bien que cela remontât à sept ans, l'évocation de l'affaire Vanderwalk soulevait en lui de vieilles amertumes. Il s'était cassé la tête à recueillir des preuves solides, il avait évité les sacs d'embrouilles juridiques des résolutions Miranda et Esposito, le jury avait voté coupable, et puis en appel le procureur avait accepté un arrangement entre juge et accusé qui graciait l'assassin.

Sauf que si Babe Vanderwalk était réveillée, l'assassin n'était plus un assassin.

« De toute façon, c'est demain, se rappela Cardozo. A chaque jour suffit sa peine. »

Il chassa Babe Vanderwalk de ses pensées et commença à écumer les rapports. Ils étaient tristement familiers : prostituées éventrées, hommes d'affaires sans identité morts dans des boîtes à ordures, disputes familiales au cours desquelles quelqu'un avait sorti un couteau ou un revolver, hôtesse de l'air sautant de leurs appartements partagés à plusieurs sur la Troisième Avenue – à moins qu'elles aient été poussées? C'étaient comme de vieux amis pour lui. Certains, il les voyait depuis plus de dix ans.

Et ils se terminaient tous par les mêmes mots : « Pas de nouvelles pistes d'investigation depuis le dernier rapport. »

Les affaires continuaient à affluer, des cadavres qui avaient tous été des êtres humains, chacun d'eux ayant droit à la vie jusqu'à ce que l'accident ou la mort naturelle les réclament et, à défaut, ayant droit à la justice. C'était son boulot de s'assurer qu'ils bénéficient de la justice. Aucune affaire d'homicide n'était jamais classée avant d'être élucidée, mais moins d'un tiers étaient élucidées aujourd'hui. Ça signifiait un arriéré de travail de plus de cinq cents affaires rien qu'au 22. Un tas d'assassins se baladaient dehors en toute impunité.

Il jeta un regard coupable au classeur. Le tiroir du bas était coincé avec une cale pour contenir un trop-plein de circulaires de service qu'il devait encore trouver le temps de lire. Le commissariat était noyé sous la paperasserie. La paperasserie était devenue la mesure de toute chose. Elle vous faisait promouvoir, vous rétrogradait, décidait de votre salaire, de votre grade, de l'estime dont vous jouissiez dans le service. Hors de la paperasserie, point de salut.

– Hé, Vince.

Tommy Daniels, du laboratoire photographique, passa la porte d'un bond et empoigna l'épaule de Cardozo.

– J'ai les photos que tu voulais, du 10 × 18.

Il lui fourra une enveloppe sous le nez.

Cardozo fit glisser les tirages sur papier glacé hors de l'enveloppe en papier kraft. La jeunesse du mort le surprit : vingt-deux ans peut-être, très blond, des cheveux mi-longs et lustrés. Les yeux étaient bordés de longs cils, le menton fort, presque provoquant, avec une fossette, les lèvres pleines mais pas vraiment boudeuses. Un beau garçon. Il paraissait rêver avec ravissement.

— Superbe, hein? lança Daniels.

Cardozo considéra les épais cheveux bruns de son expert-photo, sa chemise chartreuse qui illuminait trois murs du box, son visage habité par un désir de faire plaisir qui aurait été adorable chez un cocker.

— Tu aimes les hommes, Daniels?

— Les clichés, Lieutenant. Je parle des clichés.

— Ils sont dignes de l'Oscar.

Daniels croisa fièrement les bras sur sa poitrine.

— Le procédé habituel avec les éclairages de la morgue, c'est d'utiliser une vitesse d'obturation rapide, mais ça donne le genre morgue. J'ai tenté une expérience, utilisé une vitesse lente, trois dixièmes de seconde, et puis j'ai passé le film sept minutes dans un bain d'hydroxide. Ça ajoute de l'éclat à la peau.

— Tu lui trouves de l'éclat à cette peau?

— Ce n'est pas le cliché morgue standard, voilà ce que je veux dire.

— Daniels, t'es speedé aujourd'hui, ou quoi?

— Moitié heures supp. et moitié jour de vacances.

C'était bien le genre d'un battant comme Daniels d'imaginer les combines d'heures supplémentaires.

— Aujourd'hui n'est pas un jour de congé, corrigea Cardozo. C'est demain.

— Le week-end, c'est des vacances.

Cardozo secoua la tête, en considérant un cliché du corps entier.

— Le coupable doit être un drôle d'engin, remarqua Daniels.

Un vrai M.M. M.M. était l'abréviation des psychiatres de la police pour malade mental.

— On le relâchera, pas vrai?

— Daniels, tu es coroner, ou tu es psy? Je suis assez amer aujourd'hui sans ton avis de spécialiste.

— Aujourd'hui? Tu es amer aujourd'hui? Cite-moi un jour où tu n'es pas amer?

— Tordant. Aujourd'hui c'était censé être mon jour de congé. Je pardonne beaucoup, mais pas qu'on me mette là-dessus mon jour de congé, et je te le promets, l'animal qui a fait ça ne sera pas relâché.

— Okay, okay, je parlais des tribunaux – tu sais.

— Je les emmerde, les tribunaux. Nous sommes des petits malades mentaux – toi, moi – ça ne nous confère pas le privilège exceptionnel de scier les gens en morceaux. Cardozo tapota une photo. Recadrons celle-ci un peu plus haut, qu'il paraisse porter une chemise à col ouvert. Mets le visage sur un prospectus : toute personne ayant des informations prière de contacter, etc. Tire-le à quelques milliers d'exemplaires. On les collera en ville.

Daniels reprit la photo.

— 10 × 4.

Cardozo lui lança un coup d'œil. Les flics à la télé employaient les abréviations radio de la police, pourquoi pas les vrais flics. La vie qui imite l'art. Daniels dans sa chemise vert liqueur imitant les rediffusions de *Capitaine Furillo*.

Une association se déclencha dans la tête de Cardozo.

— Dis-moi... qu'est devenue la camionnette-photo que nous avions utilisée pour la surveillance de Mendoza?

Les Services spéciaux avaient vidé un vieux camion de réparation de la Consolidated Edison [1]. Du dehors il avait l'air de l'habituelle guimbarde de la Con Ed, une petite camionnette bleue et blanche. A l'intérieur il y avait des appareils photo, des radios, et des tables d'écoute téléphonique.

— Le dix-sept l'a emprunté.

— Redemande-le. Je veux une équipe à la tour Beaux-Arts — tes gars — vingt-quatre heures sur vingt-quatre pour surveillance photographique. Clichés de quiconque entrant ou sortant du bâtiment, de tous les véhicules se garant devant la porte ou s'engageant dans la rampe qui descend au garage. Un registre avec les dates et les heures, les plaques minéralogiques, les numéros des taxis.

— On dirait qu'on a un budget là-dessus.

— On a un budget.

Cardozo s'assit, seul dans son box. Il but une petite gorgée de son café. Il dégagea un espace sur le dessus de son bureau. Il fit tourner les photos de Tommy Daniels comme les pièces d'un puzzle. Il n'arrivait pas à comprendre la jambe en moins.

Cardozo avait vu des cadavres où la tête avait disparu, où les seins avaient disparu, où le sexe ou les couilles avaient disparu. C'étaient les découpages classiques.

Mais la jambe. Pourquoi la jambe?

Il but une gorgée de café. Il pensa qu'il approchait de la cinquantaine. La plupart des flics avec qui il travaillait étaient plus jeunes, encore aptes à courir et aptes à passer par-dessus les clôtures, aptes à regarder ce genre d'images sans vomir. La pression commençait à monter, le grand patron réclamant des résultats à cor et à cri, *Le New York Times* sur son dos la seule fois en une éternité qu'un de ses

---

1. Ou Con Ed, qui fournit le courant électrique à la Ville de New York. (*N.d.T.*)

hommes avait tiré en état de légitime défense. La peur commençait à le gagner, aussi, la peur d'avoir l'air d'un idiot ou d'un lâche, la peur d'ouvrir la bouche et de se mettre mal avec des gens importants.

Il s'écarta du bureau et s'approcha de la fenêtre.

Il plongea les yeux dans la nuit noire de la courette. Ses doigts tambourinèrent sur le dessus du classeur. Y avait-il eu quelque chose sur cette jambe que le meurtrier voulait cacher : une tache de naissance, un tatouage, une difformité ?

Cardozo choisit une photo du visage du mort et l'apporta à l'inspecteur de permanence.

— Envoie-moi ça à la Recherche dans l'intérêt des familles, John Doe. Demande qu'ils la fassent circuler, et vérifient si on a signalé sa disparition.

Il y avait peu de chances que ça réussisse : on n'avait peut-être rien signalé, la victime n'avait peut-être pas disparu depuis assez longtemps pour que ça soit fait, elle avait peut-être disparu de Trifouillis-les-Oies. Mais il fallait couvrir les bases.

Cardozo retourna dans son bureau, décrocha le téléphone, et composa un numéro. Il attendit, mâchoire crispée, pendant huit sonneries. Finalement une voix annonça :

— Stein, médico-légal.

— Lou, c'est Vince. T'as encore rien sur le meurtre de Beaux-Arts ?

— Tony ne t'as rien dit ?

— Tu crois que j'appellerais si Tony était ici ?

— Il doit être là, ça fait une heure qu'il est parti.

Cardozo retourna dans le bureau des inspecteurs. Un des enquêteurs avait trouvé une Sony Trinitron dans une poubelle de la rue et l'avait rapportée, et les inspecteurs qui faisaient la pause s'asseyaient en rond à regarder la télé.

Cardozo traversa la pièce. Il entendait des coups de feu et des crissements de pneus. Un polar. Il se demanda comment des inspecteurs, des hommes adultes, pouvaient regarder ça.

Il jeta un coup d'œil dans l'obscurité vacillante.

— Tony est là ?

Une des formes s'extirpa lourdement d'un fauteuil.

— La barbe. La femme flic allait coincer le pyromane.

Tony Bandolero émergea dans la lumière, c'était un homme lourdement charpenté approchant de la trentaine, aux cheveux noirs et mous sur un front bas et ridé.

— Comment peux-tu regarder ça ? demanda Cardozo.

— Tu veux que je m'améliore, Vince, en lisant des grands classiques ? *Divina Commedia*, c'est comme ça que je devrais passer ma pause café ?

Cardozo ferma la porte du box.

– Qu'est-ce que tu as?

– Huit empreintes partielles.

Cardozo prit la feuille et fronça les sourcils.

– Tu peux tirer une identité formelle de ça?

– Pourquoi pas?

– Foutaises. On va trouver les mêmes, et il s'agira d'un des ouvriers de l'immeuble, quelqu'un qui n'a rien à voir avec ça.

– Tu n'en sais rien, Vince.

– Je le sais. Quoi d'autre?

– On a retiré du sang humain de la scie circulaire.

– C'est le sien?

– Ça risque de ne pas suffire pour classifier, Vince. On va essayer. Mais tout ce que nous pouvons affirmer à l'heure qu'il est, c'est que la victime appartient au groupe O et que le sang sur la scie est du sang humain.

– C'est tout?

– Pas tout à fait. Le masque de cuir est du matériel s.m. ordinaire – ce qu'ils appellent un masque de bondage là-bas au Pink Pussy Cat.

– Aucune empreinte dessus?

– Sur du cuir c'est presque impossible de relever les empreintes.

– Alors où en sommes-nous?

Tony Bandolero lui tendit un magazine. Cardozo le feuilleta.

– Mais qu'est-ce que c'est, du porno gay?

– C'est un catalogue d'articles en cuir, Vince, d'un sex-shop de Greenwich Village qui s'appelle Plaisir Brut. C'est « le » magasin d'articles de cuir et de bondage.

– Ça sort de la bibliothèque de la police?

– Tu m'écoutes, Vince? Le masque est fait main, et il se trouve dans le catalogue, numéro de référence 706.

6

Le bureau du M.L. se trouvait Trentième Rue et Première Avenue dans l'un des ensembles d'immeubles de parpaing près de Bellevue. Une fille aux cheveux noirs était de garde au bureau d'accueil du niveau bas, et parlait avec un flic qui demandait un reçu pour un dépôt.

Cardozo lui donna son nom et demanda à voir le médecin légiste.

La fille lui adressa un joli sourire et consulta un écritoire à pince qui pendait sur le côté de son bureau.

— Il vous attend. Vous connaissez le chemin?

Cardozo hocha la tête. Il ne put s'empêcher de penser qu'elle était terriblement jeune pour travailler dans une morgue.

Il descendit jusqu'au second sous-sol avec ses rangées familières de plafonniers fluorescents et ses murs de casiers en inox pour les corps, fermés à clé. Des trous d'écoulement tachetaient le sol en ciment tous les deux mètres.

Ce niveau-ci grouillait de silhouettes pressées en blouses blanches. Nombre d'entre elles, Cardozo le savait, étaient des étudiants en médecine qui rôdaient à la recherche de Jane Doe enceintes. La ville leur laissait emporter les fœtus morts.

Alors qu'il passait une porte aux lourds bords de caoutchouc vert, son nez fut assailli par une soudaine puanteur de formol et de pourriture humaine.

Il vit d'un coup d'œil que quatre des tables dans la salle d'autopsie étaient occupées. Trois des corps, deux hommes blancs et une femme noire, avaient eu la cage thoracique ouverte, découvrant les poumons et les viscères. Le quatrième était couvert. A côté de chaque table se trouvait une balance pour peser les organes.

— Hé, Vince!

Dan Hippolito traversa la pièce. Il portait une blouse de chirurgien et un tablier en caoutchouc. Il avait relevé une visière arrondie en Plexiglas sur son front dégarni.

– Nous avons fini de le saigner et il est prêt. Juste là-bas.

Hippolito guida Cardozo vers la table où John Doe gisait sous un drap blanc, sa jamœ unique pointant dehors avec le pied à l'oblique. Du coude, Hippolito repoussa le drap et le laissa tomber sur le sol.

– Les incisions sur la poitrine sont superficielles, ne signifient rien. Le teint de la peau et les contusions au cou indiquent l'asphyxie. Comme je l'ai déjà signalé, il semblerait qu'il a été étranglé. Nous en serons sûrs quand nous arriverons aux poumons. La jambe a été coupée une heure, deux heures après que son cœur ait cessé de battre. Les marques de cisaille sur l'os fémoral ont été produites par une lame rotative.

– Dan, je ne comprends pas. Pourquoi prendre une jambe morte?

– C'est ton rayon. Je te dis ce qui s'est passé, tu trouves pourquoi. Le testicule gauche, d'autre part, a été enlevé avant la mort.

Cardozo n'en revenait pas d'avoir laissé passer ça.

– Il a perdu une couille?

Hippolito souleva le scrotum. Maintenant Cardozo le voyait. Un seul testicule.

– Combien de temps avant la mort?

– Disons au moins un an – c'est complètement cicatrisé.

– C'est un médecin qui a opéré?

– Soit un médecin a opéré, soit un médecin a recousu.

– Pourquoi est-ce qu'on retire une couille?

– Un tas de raisons. Un cancer peut-être.

– Un typɛ aussi jeune?

– L'environnement n'est pas sain, Vince. On voit des pathologies se développer précocement chez un grand nombre de mammifères. Leurs organes reproducteurs sont particulièrement vulnérables.

Hippolito enfila une paire d'épais gants de latex. Il retira les cathéters d'aspiration des poignets du mort. Il inclina la lampe verticale et commença à parler dans un microphone suspendu au-dessus de la table.

– Le corps est celui d'un jeune homme de race blanche, entre vingt et vingt-deux ans, taille approximative un mètre quatre-vingts, poids du corps avant la saignée soixante-sept kilos cinq cents, poids léger dû à l'absence de jambe droite, qui a été sectionnée au milieu du fémur. Testicule gauche manquant. Incisions cutanées superficielles.

Il ouvrit la bouche du mort et regarda à l'intérieur.

– Un plombage, seconde molaire supérieure gauche.

Hippolito se déplaça saisit la cheville, et la fit tourner lentement.

– Comment va ta gamine? demanda-t-il. Toujours le charme en personne?

Cardozo se sentit mal à l'aise de parler de sa fille dans une salle peuplée de cadavres. Cela semblait provoquer le mauvais sort.

– Terri va très bien merci.

Hippolito se dirigea vers l'autre bout de la table et souleva la tête, testant la résistance des muscles de la nuque. Il leva la tête vers le microphone.

– La rigidité cadavérique est prononcée, indiquant que la mort remonte au moins à trente-deux heures avant l'examen.

Il souleva les paupières l'une après l'autre et plongea son regard dans les globes oculaires aveugles.

– Elle doit commencer le lycée maintenant, ta gamine?

– La sixième.

Hippolito examina la gorge attentivement, puis parla dans le micro.

– Contusions sur avant du cou, probablement des empreintes de pouces. Une rougeur est visible autour du cou. Il dirigea la lampe plus bas sur le corps. Et autour de la taille et de la cheville.

– Quel genre de rougeur? coupa Cardozo.

Hippolito leva une main pour détourner le micro.

– Peut-être une allergie, mais la localisation est inhabituelle. Très probablement un genre d'abrasion.

– Tu crois qu'il était ligoté?

– Il faudra que je pèle la peau et observe ça au microscope. Ressemble à une réaction à un genre de particules ou de granulés. Je ne crois pas qu'une corde donnerait ça, mais nous verrons.

Hippolito, sans se presser, examina les bras et les poignets du mort.

– Qu'est-ce que c'est que ça? lança brusquement Cardozo.

La main gauche s'arrondissait en un poing serré.

Hippolito fronça les sourcils, tira sur un doigt après l'autre.

– Vince, il tient quelque chose.

Le M.L. prit une paire de pinces chirurgicales, ajusta la prise autour de l'index du mort, et tourna d'un coup sec. Le doigt se détendit avec le craquement d'un gressin. Encore trois craquements et Dan réussit à déplier la main et à l'ouvrir.

Cardozo pouvait voir quelque chose de petit et blanc, de la taille d'une chenille dodue, calée dans le vallon charnu et gris à la base du pouce.

Hippolito dégagea l'objet avec une pince à épiler.

– Un mégot de cigarette. Hippolito fronça les sourcils. Bout filtre. Vérifier la marque. Il le tendit à Cardozo.

Il y avait un cerne rouge autour du filtre.

– Rouge à lèvres, remarqua Cardozo.

Le M.L. désigna un sachet à indices en plastique. Cardozo y laissa tomber le mégot.

Hippolito examinait la main, en secouant la tête.

– La cigarette a été éteinte sur sa paume. Je vais te dire un truc,

Vince. C'est arrivé quand il était encore vivant. Et voici ce qui est bizarre.

Hippolito pointa son scalpel sur un cercle de six millimètres de cendre et de sang séché.

– Il a fermé la main sur la cigarette allumée. Normalement ça ne devrait pas arriver, le réflexe serait de l'éjecter ou de l'éviter d'une façon ou d'une autre.

– L'assassin aurait-il pu lui fermer la main de force?

– Tu vois comme les tendons sont crispés? Cela montre qu'il a lui-même serré le poing. Ce n'est pas un réflexe normal à la douleur.

Hippolito considéra le corps.

– Ce qui me frappe, c'est la remarquable absence de blessures défensives. Pas que le symbole de paix sur la poitrine soit mortel, mais quand même on pourrait penser que la victime aurait essayé de se défendre d'une façon ou d'une autre.

Cardozo repensa aux égratignures sur le visage du portier.

– Pas de peau sous les ongles?

– Un peu, mais on dirait bien la sienne.

– Que fait sa propre peau sous ses ongles?

– Il avait des démangeaisons, il se grattait. Hippolito remonta la lampe. Maintenant on attaque. Vaut mieux reculer.

Il abaissa sa visière. A l'aide d'une scie circulaire ultra rapide, il commença une incision dans la poitrine. Du sang et des tissus giclèrent.

Cardozo battit en retraite.

– Dan, je vais te dire bonsoir.

En roulant le long de la Seconde Avenue pour rentrer chez lui, Cardozo n'aperçut pas une seule voiture de patrouille. Il grilla trois feux rouges.

Quand il entra dans l'appartement, Mme Epstein, la voisine, était au salon et regardait la télévision. Elle se leva précipitamment.

– Terri dort. Votre côtelette d'agneau est au four. Je l'ai laissée à feu très doux. Maintenant elle est desséchée. Nous avons cru que vous rentreriez plus tôt.

– Moi aussi, je l'ai cru. Combien est-ce que je vous dois?

– Vous m'avez donné vingt dollars la dernière fois. C'est moi qui vous dois de l'argent.

– Alors nous sommes quittes. Merci.

Mme Epstein était une femme fortement charpentée, aux cheveux gris, et elle ne cessait de repousser une mèche qui lui tombait dans les yeux.

– C'est une enfant magnifique. Vous devriez passer plus de temps avec elle.

– J'aimerais beaucoup.

Il raccompagna Mme Epstein sur le palier.

– J'espère que ça n'était pas trop moche, ce que vous avez dû faire aujourd'hui.

– Pas trop moche.

Il la regarda entrer dans son appartement. Il attendit le déclic de sa porte, et puis revint au salon. Il jeta son enveloppe en papier kraft sur la table et coupa la télé.

Ses yeux errèrent sur le canapé-lit avec sa couverture en laine bleue tricotée main, les lampes aux abat-jour recouverts de plastique, le petit piano droit blanc avec les exercices de doigté de Terri ouverts sur le pupitre, le bocal du poisson rouge, le tableau encadré d'une vallée près de Lourdes où il avait été en voyage de noces. Ce n'était pas la plus belle pièce sur terre, elle ne gagnerait jamais de prix de décoration intérieure, mais chaque objet lui parlait. Il se sentait bien ici, le monde ne pouvait pas démolir la porte.

Il était trop enervé pour dormir. Il ramassa le journal de Mme Epstein et posa ses pieds déchaussés sur le divan. Il passa à la page des sports.

– Salut, P'pa. Terri se tenait là, en chemise de nuit, et se frottait les yeux. Qu'est-ce que c'est? Elle montra du doigt l'enveloppe sur la table.

– Des photos.

– Je peux voir?

Il hésita, avec le même instinct qu'il avait eu à la morgue, l'instinct de laisser sa fille et ses cadavres dans deux compartiments séparés de sa vie.

– Tu ne veux pas voir.

– Il est mort, hein? Terri avait ouvert l'enveloppe de papier kraft et, assise en lotus sur le tapis, examinait le tirage sur papier glacé du visage de John Doe.

– Ma chérie, je t'ai dit de ne pas ouvrir ça.

– Tu as dit, « Tu ne veux pas voir. »

– Je voulais dire, ne l'ouvre pas.

– Tu devrais t'exprimer clairement.

– Toi, tu vas devenir une avocate parfaitement odieuse un de ces jours, tu sais?

Elle leva les yeux vers lui, le regard sérieux.

– Qui c'était?

– On essaie de le découvrir.

Elle fit pivoter le tirage de quatre-vingt-dix degrés.

– Il était gay, pas vrai?

Cardozo fut intéressé.

– Pourquoi dis-tu ça?

– Oh, parce qu'il est beau.

– Allons. Il y a des tas d'hommes normaux qui sont beaux et pleins de gays affreux, aussi.

– Tu es beau et tu es normal, mais ce genre de foutu beau mec...

– Hé, surveille ton langage.

– Désolée. Mais il affiche sa beauté comme une reine de bal. Je-sais-que-tu-me-veux-et-que-tu-peux-pas-m'avoir. On voit bien qu'il passait deux heures par jour à se bichonner la peau et les cheveux.

Lui apprenait-on ça à l'école, se demanda-t-il? Il doutait un peu que les sœurs et les professeurs laïcs de Sainte-Agnès en soient capables.

– Tu vois ça, toi?

– Bien sûr. Il se teignait les cheveux?

– Je ne sais pas.

– C'était un mannequin?

– Un mannequin? Cardozo réfléchit à cette possibilité. Je ne le sais pas non plus. Il faudra que je me renseigne.

Cardozo arriva à Doctors Hospital un peu après sept heures du matin. Sa plaque lui permit de franchir l'obstacle du gardien et il trouva la chambre de Babe Devens.

– Mme Devens?

La femme assise dans le lit d'hôpital en position redressée le considéra avec des yeux extraordinairement grands et bleus.

– Oui?

Il ne l'avait jamais rencontrée, mais elle ne lui était pas inconnue. Il avait étudié sa vie, ses amis, ses habitudes. Il avait contemplé ce visage endormi et s'était demandé à quoi elle ressemblerait éveillée. Quel son aurait sa voix. Maintenant il savait. Avec sa chevelure blonde et sa peau pâle et transparente, elle n'avait pas vieilli d'un seul jour en sept ans. On aurait dit qu'elle avait été dans un congélateur.

– Puis-je entrer un instant?

Il n'attendit pas sa permission.

– Lieutenant Vince Cardozo, vingt-deuxième commissariat, criminelle. J'ai travaillé sur votre affaire.

Il lui montra la plaque dorée. Il y eut un silence. Il la sentait s'attarder sur ce mot *criminelle*, ses yeux songeurs fixés sur son visage.

Il tira un fauteuil près du lit. L'air dans la pièce embaumait le parfum des bougainvillées. Un vase de fleurs rouge sang trônait sur la commode.

– Je sais que ce n'est pas le moment idéal pour vous, s'excusa-t-il, mais nous aimerions classer l'affaire aussi vite que possible. Nous avons pensé que, grâce à votre guérison, vous pourriez peut-être éclairer un peu plus notre lanterne.

Elle ne disait rien et ses yeux non plus.

— Je me rends compte que ce n'est pas agréable pour vous, et je m'en excuse, mais il faut que je vous demande ce que vous savez, ce dont vous vous souvenez. En particulier, vous souvenez-vous qu'on a attenté à vos jours?

— M. Cardozo, voudriez-vous, je vous prie, m'expliquer de quoi vous pouvez bien parler?

Il la regarda. Son visage était intelligent, alerte.

Son cœur chancela. Il se rendit compte qu'elle ne savait pas. Soudain il comprit qu'il avait été piégé.

Il se leva et se dirigea vers la fenêtre. Tête dressée, épaules en arrière, il contempla la ligne dentelée de buildings, bien haut dans la lumière du matin.

Il repensa sa stratégie. En tant que flic il avait quelques capacités : savoir baratiner, savoir observer, savoir jouer d'un certain charme populaire. Ce n'était pas le genre de charme auquel Babe Devens était habituée, mais il pouvait sortir de temps à autres un mot long comme le bras et au moins ne pas avoir à foncer aux abris si un mot encore plus long lui revenait dans la figure.

Il s'approcha de la commode en décrivant des cercles et prit la photo dans son cadre d'argent.

— Est-ce que c'est votre petite fille? Cornélia?

— Elle l'observait.

— Cordélia.

— Cordélia. Oui. On rencontre tant de gens qu'on finit par confondre les noms.

— Vous avez rencontré Cordélia?

— Parlé avec elle. Superbe enfant. Beaucoup d'aplomb. J'ai une fille d'environ le même âge – douze ans.

— Cordélia n'a plus douze ans.

— Non, j'imagine que non. Il inclina le cadre d'argent. Magnifique jardin. Où la photo a-t-elle été prise?

— Mon mari et moi avons – nous avions une maison à East Hampton.

— Vous ne l'avez plus?

Ses yeux rencontrèrent ceux de Cardozo.

— On m'a appris que je n'ai plus de mari.

— Mme Devens – j'ai le sentiment que vous commencez à comprendre pourquoi je suis ici.

— Vous pensez qu'il a essayé de me tuer.

— Nous pensons que vous vous en souviendriez peut-être.

— Je ne me souviens de personne essayant de m'assassiner.

– La mémoire est traître. Surtout quand on est resté inconscient pendant un bon bout de temps.

Elle le regarda attentivement, en prolongeant le silence un petit peu gênant. Un regard interrogatif passait dans ses yeux.

– Est-ce vous qui avez mené l'enquête?

– Je n'ai pas dirigé l'enquête. Je n'étais même pas lieutenant à l'époque. Mais j'ai fait du travail de recherches sur le terrain. Posé des questions. Obtenu des réponses. Je ne sais pas si les réponses valent quoi que ce soit. Pour autant que cela soit important je sais ce que vous portiez ce soir-là.

– Une robe longue bleue.

– Ce que vous avez mangé.

– Pigeonneau farci au riz sauvage. Mousse de framboises avec coulis de chocolat blanc.

– Ce que vous avez bu. Quelles drogues vous avez prises pour vous amuser.

Elle baissa la tête, comme une petite fille.

– Avec qui vous avez dansé. Avec qui votre mari a flirté.

Elle lui jeta un bref regard.

Il sourit. Elle ne lui rendit pas son sourire.

– J'aimais les vêtements que vous dessiniez, dit-il. Je ne suis pas spécialiste, mais je trouvais que vous mettiez les femmes en beauté. Bien dans leur peau. Et ça ne leur coûtait pas une fortune. Je connais certaines femmes flics qui ne juraient que par vous. C'était formidable que ça soit à leur portée. Les femmes flics ne sont pas très bien payées. Les hommes non plus. Vous allez vous y remettre? Au stylisme?

– Dès que je le pourrai.

– Épatant. Vous avez beaucoup de fans dehors.

– M. Cardozo, mon mari est-il passé en justice pour avoir tenté de m'assassiner?

– Exact.

– A-t-il été jugé coupable ou non coupable?

– Coupable de mise en danger par imprudence.

– Étiez-vous de cet avis?

– Pour moi c'était une tentative d'homicide et les preuves le confirmaient. Mais je suis flic – pas procureur. Je rassemble les faits. Je ne juge pas l'affaire.

– Alors vous pensez que mon mari a essayé de me tuer?

– Je pense qu'il vous a injecté l'insuline qui a provoqué votre coma. J'appelle ça essayer vraiment sérieusement.

Il regarda Babe Devens et sentit qu'elle n'était plus là. Elle était partie ailleurs, dans un lieu de sa mémoire, et elle avait laissé une poupée Babe Devens dans le lit d'hôpital. Une poupée qui essayait de toutes ses forces d'empêcher des larmes de couler le long de ses joues.

– Voyez-vous, je ne sais rien de tout ça. Sa voix était basse et mal assurée. Personne ne m'a parlé d'insuline, ni de piqûres, ni de tentative d'assassinat, ni de je ne sais quoi par imprudence.

– Il y avait un témoin.

Elle était immobile, appuyée au dosseret. Ses yeux étaient fixés sur ses mains jointes, puis ils montèrent pour rencontrer ceux de Cardozo.

– Puis-je demander qui?

– Votre gouvernante a trouvé un sac brun dans le vestiaire de votre mari. La seringue et l'insuline se trouvaient à l'intérieur.

Elle redressa les épaules et regarda droit devant elle.

– Je me souviens du retour à la maison en voiture. Je me souviens d'avoir ouvert la porte d'entrée et laissé tomber la clé. Nous riions et zigzaguions. Je ne sais pas ce qui s'est passé ensuite. J'imagine que je me suis déshabillée.

– Vous vous êtes déshabillée et mise au lit.

– Et ensuite vous dites que mon mari... Un pli se creusa entre ses sourcils. Je ne crois pas que mon mari – mon ex-mari – a essayé de me tuer.

– Scott Devens a avoué. L'accusation a fait l'objet d'un marchandage et a été très réduite, mais il a reconnu.

Elle regardait le mur fixement. Cardozo savait qu'elle ne voyait pas le mur. Il savait qu'elle regardait au-delà, quelque chose d'autre.

– Mais vous n'en êtes pas sûr, insista-t-elle. C'est pour ça que vous êtes ici.

– Jusqu'à ce que vous vous souveniez d'un détail qui démente ses aveux, j'en suis sûr. Mon sentiment est que vous allez vous souvenir d'un détail qui les appuieront. Et quand ça vous reviendra vraiment, téléphonez-moi.

Il lui donna sa carte avec son numéro au bureau.

– Ça aidera vraiment si je me souviens?

– Franchement, ce pourrait être la barbe. Mais j'aime que les méchants reçoivent ce qu'ils méritent.

– Et les gentils?

– Ils devraient vivre heureux et avoir beaucoup d'enfants.

Leurs yeux se rejoignirent.

– Êtes-vous un gentil, M. Cardozo?

– Très gentil, tout compte fait.

– Peut-être n'avez-vous pas réfléchi à tout au sujet de mon mari.

– Peut-être.

– Et si je me souvenais que c'était le majordome?

– Ça m'intéresserait.

Elle le regardait, avec le sourire maintenant.

– Vous êtes drôle. Je suis contente d'avoir fait votre connaissance.

– Moi aussi.

Il s'arrêta à la porte.

– Oh! Mme Devens.

– Oui?

– Bon retour parmi nous.

7

Cardozo arriva au commissariat un peu avant 8 heures. Sa conversation avec l'héritière l'avait mis de bonne humeur.

Trois inspecteurs, plantés autour des machines Mr. Coffee, jacassaient à propos du match du samedi soir, en traînant encore un peu avant d'affronter la journée.

Cardozo se dirigea vers le bureau de permanence et jeta un coup d'œil à la fiche soixante – les plaintes du tour de garde précédent.

Il entra dans son box. Les deux fragments de plastique noir qu'il avait trouvés dans l'appartement cinq avaient été placés sur son bureau dans deux sachets à indices, chacun portant une étiquette du bureau du préposé aux accessoires.

Il ouvrit la chemise de l'affaire, repoussa les récépissés des accessoires, et parcourut les pages du rapport. Elles portaient toutes l'entête « Affaire UF61 8139 du 22ᵉ commissariat, inspecteur Vincent R. Cardozo, plaque 1864, désigné. Le 8139 représentait le chiffre total d'affaires signalées à ce jour au commissariat : homicides, chiens perdus, voitures volées, tout et rien, élucidées et non élucidées.

Puis les faits : « Inconnu, masculin, blanc, homicide par strangulation, 24 mai. » Une photographie du visage du mort était agrafée à la page. Là, suivaient l'heure et le lieu de l'homicide; description du lieu du crime; blancs pour le nom de la victime et les détails ayant rapport à sa vie, ses fréquentations, et son travail; blancs attendant noms et adresses des personnes interrogées; noms et numéros de plaque des policiers sur le lieu de l'homicide; notifications, encore en blanc.

Sam Richards, vêtu d'un pimpant blazer vert, frappa à la porte ouverte.

– Prêts, Vince.

Cardozo rassembla son détachement spécial dans la pièce miteuse mais vaste qui servait de bureau de secours à l'équipe d'inspecteurs.

Greg Monteleone se servit d'un couvercle de boîte comme plateau pour apporter cinq cafés, et Ellie Siegel, presque élégante dans une robe bleu pâle, entra avec un gros carton de beignets divers.

Cardozo se mit au tableau. Il prit un morceau de craie et écrivit les mots HOMICIDE JOHN DOE. Puis les numéros d'identification de John Doe : UF61 8139; UF60 6480. UF correspondait à « uniformed force », ce qui signifiait policiers, en civil ou autres; le 60 et 61 étaient les imprimés de service sur lesquels tous les rapports concernant le crime seraient enregistrés.

En dessous il écrivit le numéro de l'Institut médico-légal, 3746-10 et les cinq numéros de récépissés d'accessoires. Ensuite il inscrivit le jour du meurtre, l'heure présumée de la mort selon le coroner, et le lieu de l'événement. Il traça un schéma de l'appartement cinq, plaçant un homme dessiné avec cinq bâtons dans la chambre à coucher où l'on avait trouvé le corps.

Sur le côté gauche du tableau il inscrivit : « deux petits morceaux de plastique, scie électrique, mégot de cigarette, masque de cuir noir ». Il s'agissait des seules preuves matérielles de l'affaire. Il les fit suivre de leur numéro d'étiquette. Du côté droit il écrivit le mot « témoins » et plaça un point d'interrogation en dessous.

Il recula et se retourna pour faire face à son équipe.

— Qu'avons-nous? Pas d'identité de la victime. Notre équipe sur le lieu du crime a trouvé huit empreintes partielles. Nous sommes en train de les comparer aux empreintes de chaque policier et de chaque civil présent sur le lieu du crime. Si nous ne réussissons pas à les faire concorder, elles peuvent s'avérer ou non être les empreintes de notre tueur. Négatif pour ce qui est des empreintes digitales sur le masque. La scie, nous ne le savons pas encore. Le sang dessus est humain, et en trop petite quantité pour être déjà classifié. En plus de ça nous avons deux lambeaux de plastique noir, jusqu'ici pas une particule de tissu ni de cheveux. En bref nous n'avons rien. Okay – dans le sens des aiguilles d'une montre autour de la pièce.

Sam Richards posa son café.

— La princesse Kowitz, pardonnez-moi l'expression, picole un peu, alors ce n'est pas étonnant qu'elle n'ait rien entendu. Mais elle a une dent contre Hector le portier. Le jour du meurtre, vers deux heures de l'après-midi, elle a été obligée d'ouvrir la porte de l'immeuble avec sa clé. Hector aurait dû se trouver à son poste, mais il ne s'y trouvait pas.

— Benson a signalé la même chose, intervint Monteleone.

Cardozo alla au tableau noir et nota : « Hector, pas à porte 14 heures? »

— J'ai aussi parlé à Mlle Debbi Hightower, poursuivit Richards, pas de e à Debbi. Elle n'a rien entendu, rien vu, dit qu'elle participait au spectacle *Toyota* au World Trade Center ces trois dernières nuits, et que ça l'a retenue à l'extérieur jusqu'à midi samedi et neuf heures du matin dimanche.

– Un seul genre de spectacle du vendredit soir dure jusqu'au samedi midi, lança Monteleone, narquois.

Cardozo l'ignora.

– Et le comptable?

– Fred Lawrence est un homme qui n'est pas dans son état normal, répondit Richards. Le fisc a décidé de faire subir un contrôle surprise à un de ses clients, il a dû abréger son long week-end et revenir à New York pour préparer le dossier. Il est arrivé dans l'immeuble samedi midi, assure qu'il n'a rien vu, rien entendu. Pourtant, je crois qu'il a dû entendre quelque chose ou voir quelque chose.

– Qu'est-ce qui te fait penser ça?

– Une remarque au sujet du garage. Il a déclaré qu'il était très contrarié par les conditions d'emploi de ce parking, qu'à la prochaine réunion il allait se plaindre à l'assemblée des copropriétaires.

– Quelles conditions?

– Il n'a rien voulu dire d'autre que, « Rien de criminel, mais très contrariant étant donné les sommes que nous payons – nous pourrions au moins avoir droit à un peu de respect. » Nous avons tous déjà entendu ça.

Cardozo sourit. C'était la rengaine des civils contre les flics.

– Après quoi, continua Richards, j'ai parlé avec l'un des portiers, Jerzy Bronsky, dans son bistrot de Chelsea. Il dit que samedi et hier il a assuré la tranche de minuit, et puis il a conduit son taxi de huit heures du matin à huit heures du soir – il travaille au noir – et puis il a dormi.

– Yezhi, corrigea Monteleone.

Richards leva les yeux.

– Pardon?

– Yezhi, pas Jerzy. Les Polonais prononcent J-E-R-Z-Y Yezhi.

– On dirait Jésus en yiddish, remarqua Richards.

– Yezl! intervint Siegel. Le mot yiddish pour Jésus, c'est Yezl.

– Pas la peine de me regarder, lança Monteleone. Je ne discute pas du yiddish, ce n'est pas mon rayon.

– Ma grand-mère disait Yezl, intervint Malloy. Tous les mois de décembre elle ouvrait les cartes de Noël, et s'il y avait un petit Jésus bambino, elle disait, « Encore un Yezl ».

– Tu es juif? demanda Monteleone. Je ne savais pas ça.

– Juste ma grand-mère, précisa Malloy.

– Les juifs et Jésus ça suffit comme ça, lança Cardozo. Pouvons-nous poursuivre, je vous prie?

– Je n'ai pas réussi à toucher Claude Loring, l'homme à tout faire, déclara Richards. Je me suis rendu à l'adresse que m'avait donnée le gardien, 32 Broome Street. J'ai parlé au camarade de chambre de Loring, qui prétend maintenant être son ex-camarade de chambre, un monsieur qui répond au nom de Perfecto Rodriguez.

– C'est un nom, ça? railla Greg Monteleone. Ils appellent leurs mômes Perfecto?

– Qui ça « ils »? s'enquit Ellie Siegel.

– Tu sais bien ce que je veux dire.

Siegel le fusillait du regard.

– Alors dis-le, Greg.

– Les Latinos.

– Greg, remarqua Siegel, on ne t'a jamais dit que tu étais raciste?

– Je n'arrive pas à croire que des parents puissent appeler un gosse Perfecto, je trouve que c'est un nom horrible pour n'importe qui. Est-ce que cela fait de moi un raciste?

– Mesdames et messieurs, intervint Cardozo, fermez-la.

Richards poursuivit.

– Perfecto prétend que Loring ne vit plus à cette adresse depuis le premier de ce mois-ci. Loring n'a pas laissé d'adresse où faire suivre son courrier, Loring doit de l'argent pour la Con Ed et le téléphone, Loring a laissé aussi un tas de disques classiques et de linge sale, pourrions-nous avoir l'amabilité de prévenir Perfecto si nous trouvons Loring.

– Perfecto ne sait pas où travaille Loring? demanda Monteleone. Mais nous le savons...

– Te voilà sur le dossier Perfecto? demanda Siegel.

– Crois-moi, je m'en fiche de ce type, mais il me paraît un peu bouché.

Cardozo consulta ses notes.

– Les feuilles de service de la tour Beaux-Arts indiquent que Loring était au boulot tous les jours de la semaine dernière, de huit heures du matin à quatre heures de l'après-midi.

– J'ai revérifié avec le gardien, reprit Richards. La seule adresse qu'il a pour Loring est la chambre de Perfecto à Broome Street.

– Où envoient-ils les chèques des salaires? demanda Cardozo.

– Ils ne les envoient pas. Le gardien les distribue dans l'immeuble deux fois par mois. Loring n'est pas attendu au travail aujourd'hui, mais il est attendu demain, alors j'imagine qu'à ce moment-là je pourrais lui mettre la main dessus.

– A moins qu'il n'ait quitté la ville, intervint Monteleone.

– Il y a autre chose, ajouta Richards.

– Vas-y, dit Cardozo.

– J'ai eu l'impression que le personnel de l'immeuble cachait quelque chose. Je ne veux pas dire que leurs histoires ne collaient pas, mais il y avait quelque chose qu'ils ne racontaient pas. La femme de

Revueltas était plantée à côté de lui, et de temps en temps elle lui lançait un avertissement en espagnol.

– Quel avertissement?

– Je n'ai pas saisi les mots exacts, mais elle lui lançait des regards style « Tais-toi ». Le langage du corps, c'est universel. La femme de Joshua Stinson m'a fait la même impression.

Le regard de Cardozo alla se poser sur Monteleone.

– Greg?

Monteleone acquiesça.

– J'ai eu exactement la même impression quand j'ai interrogé Andy Gomez et Fred Johnson. Mme Gomez et Mme Johnson ne tiennent pas à ce que leurs maris perdent leur boulot à la tour Beaux-Arts. Cela se lisait sur leur visage. Même chose quand j'ai parlé à Herb Dunlop et Luis Morro. Dunlop a une très jolie petite maison à Kew Gardens, une cour, des roses. Tous les quatre peuvent justifier de leur emploi du temps. Si l'on en croit les témoins, impossible de les situer sur le lieu du crime.

– Quels témoins? demanda Cardozo.

– Famille.

Cardozo nota quelque chose dans sa tête.

– Et les résidents de l'immeuble?

– Benson n'a rien entendu, répondit Monteleone, mais c'est un architecte et il dit qu'il coupe son appareil acoustique quand il veut se concentrer. Le révérend Madsen n'a rien entendu non plus.

Très vaguement, Cardozo commençait à entrevoir des connexions. Conditions d'emploi du garage, quoi que ça puisse bien vouloir dire. Un portier pas à son poste quand il aurait dû y être. Des femmes d'employés de l'immeuble angoissées par les flics.

– Sam, retourne là-bas, parle à Lawrence. Renseigne-toi sur ces problèmes dans le garage. Ce qui nous amène à la jambe.

Cardozo se tourna pour faire face à Ellie Siegel.

– Ellie?

– Négatif sur toutes les poubelles accessibles de la rue, publiques et privées, dans un rayon de cinq pâtés de maisons. Je n'ai pas pu vérifier les ordures de Beaux-Arts : elles sont parties dimanche matin.

Cardozo fronça les sourcils.

– Dimanche pendant un week-end prolongé?

– J'ai trouvé ça bizarre, moi aussi, Vince, mais quand on considère les heures supplémentaires que se font les entreprises de ramassage d'ordures pour travailler pendant le week-end de Memorial Day – deux fois leur rétribution normale – on comprend. Surtout que l'agent de l'immeuble est le propriétaire de l'entreprise de ramassage d'ordures.

– Je croyais que les ordures, c'était une maffia, observa Sam Richards.

Siegel lui jeta un coup d'œil.

— Et tu crois que l'immobilier dans cette ville ce n'en est pas une? Cardozo la relança.

— Et les ordures commerciales?

— Le quartier présente une forte concentration de restaurants de luxe — surtout français, quelques-uns italiens. Dans le rayon de cinq pâtés de maisons, huit seulement déposent leurs ordures directement dans la rue. Les autres utilisent des poubelles cadenassées. Sur les huit, il y en avait six dont les ordures n'avaient pas encore été ramassées. Tous les sacs contenaient des os, et tous les os sont partis au labo pour analyse. Entre parenthèses, c'était vraiment un travail dégoûtant.

— Désolé. Et les deux autres restaurants?

— Malheureusement, aucun d'eux n'emploie la même entreprise de ramassage que la tour Beaux-Arts. Nous avons affaire à trois entreprises et trois décharges. Il n'y a pas eu de ramassage municipal pendant le week-end, mais veux-tu considérer la possibilité que l'assassin ait emporté la jambe lui-même dans une décharge municipale? Ça nous mettrait à six décharges.

— Commençons par les trois.

— Nous avons commencé.

— Carl, que ressort-il des numéros d'immatriculation? demanda Cardozo. Qu'est-ce que tu as trouvé?

— Ce que nous avons trouvé jusqu'ici, répondit Carl Malloy, ce ne sont ni des voitures volées, ni des voitures appartenant à des criminels.

— Ce que vous avez trouvé jusqu'ici, en d'autres termes, railla Monteleone, c'est que vous avez trouvé que dalle.

Malloy le toisa.

— Merci, Greg. Merci du tuyau.

— Une raison quelconque de croire que l'individu qui a fait ça conduisait? intervint Siegel.

— Voyons, il conduit, assura Monteleone. Tout le monde conduit.

Monteleone faisait exprès d'être provocant. Il avait la manie des « tout le monde » qui faisait grimper Siegel aux rideaux.

— Mon frère ne conduit pas, déclara Siegel.

— Et tous les conducteurs n'ont pas un casier, souligna Richards. Moi, je suis blanc comme neige.

— Il conduit, insista Monteleone, les yeux fixés sur Siegel.

— L'assassin pourrait être une femme, suggéra Siegel.

— C'est la meilleure, railla Monteleone. Où étais-tu le soir du meurtre, Ellie? Garée en double file?

Ellie Siegel but une grande gorgée de café.

— Ça serait un pari drôlement risqué que l'assassin soit en liberté conditionnelle pour avoir scié quelqu'un d'autre en morceaux.

– Les paris risqués, ça peut rapporter, observa Cardozo.

– Si ce pari risqué-là rapportait, lança Monteleone, il y a un contrôleur judiciaire qui va se faire passer un sacré savon.

Les yeux de Cardozo errèrent sur les visages de ses inspecteurs. Malloy et Monteleone étaient des rappels de l'époque où la police n'était que masculine, blanche dans une écrasante majorité et pour la plus grande partie irlandaise et italienne. Siegel et Richards étaient des rappels des changements démographiques qui avaient secoué la police ces dernières années. Bien que la Mairie ait exercé des pressions incroyables pour recruter des femmes et des minorités dans les grades supérieurs, il n'y avait rien de politique dans le fait qu'ils aient gagné la plaque dorée d'inspecteur et le droit de travailler en civil. Chacun des quatre inspecteurs avait eu des états de service remarquables en tenue, et chacun – malgré les différences de caractère et d'allure – avait les jambes solides, les articulations dures, et la patience nécessaire pour faire un bon inspecteur.

Cardozo répartit les tâches.

Richards continuerait à frapper aux portes et à poser des questions. Il montrerait des affichettes du visage de la victime à tout le personnel et à tous les résidents de la tour Beaux-Arts; il collerait une affichette dans le hall d'entrée. Malloy contrôlerait les véhicules du personnel et des résidents de la Beaux-Arts.

Monteleone rendrait visite aux instituts psychiatriques locaux pour vérifier si aucun délinquant sexuel n'avait été relâché ou ne s'était échappé au cours du mois précédent.

En plus de surveiller les ordures, Siegel mettrait ses antécédents artistiques à l'œuvre.

– Apporte une photo du mort à l'équipe photographique, demande-leur de la travailler à l'aérographe et de lui mettre des vêtements sport de grand couturier.

Cardozo expliqua que l'équipe ferait des heures supplémentaires, pour avancer aussi vite que possible.

– Et je veux un modèle cinq sur tous ceux à qui vous parlez.

Un grognement général s'éleva.

Cardozo était de retour dans son bureau quand Lou Stein téléphona de l'Institut médico-légal.

– Nous avons vu les ordures que tu nous as envoyées, Vince. Aucun des os n'est humain.

– Avez-vous fait coïncider les huit partielles?

– Trois d'entre elles. Une est le pouce de la victime et deux appartiennent à – le nom ressemble à Hatfield. Aucune des empreintes du personnel de l'immeuble ne coïncident, mais il nous manque encore les empreintes de Loring, Gomez, Revueltas, et Stinson.

— Et la scie?

— Essuyée. Pas la moindre empreinte dessus. Mais nous avons trouvé un poil masculin noyé dans l'huile du rotor. De race blanche. Pas pubien. Sans doute avant-bras. Dingue. Pas à la victime. Qui a manipulé la scie?

Cardozo y repensa.

— Moi. Monteleone. Nous portions des gants.

— Il me faut quand même un poil de chacun de vous. Dès que possible, Vince.

8

Surprise, Babe leva la tête de l'oreiller. De la lumière ondoyait sur les murs, au rythme des rideaux flottant dans la brise du climatiseur.

– Avons-nous réveillé notre petite fille?

Lucia Vanderwalk se tenait là debout dans un ensemble rayé en coton blanc et un chemisier à pois bleu marine.

– Aucune importance, Maman.

Le bracelet en or au poignet de Lucia Vanderwalk tinta doucement tandis qu'Hadley Vanderwalk l'aidait à s'installer dans un fauteuil.

– Babe, tu as une mine épatante, s'exclama Hadley. Absolument épatante.

Hadley portait un costume trois-pièces sombre, et quand il s'assit dans le fauteuil à côté de celui de Lucia, elle se pencha pour redresser son nœud papillon.

Babe poussa le bouton qui redressait son lit jusqu'à la position assise.

– Te sens-tu assez solide pour affronter tous tes rendez-vous? s'enquit Lucia.

– J'ignorais que j'avais des rendez-vous, répondit Babe.

– Hadley?

Lucia allongea une main.

Hadley Vanderwalk tendit à sa femme un sac à main gigantesque. Elle plongea la main dedans et posa sur ses genoux un grand agenda relié. La couverture était en maroquin brillant, le nom « Béatrice » s'étalait en lettres dorées à la feuille sur la couverture.

– Un merveilleux relieur sur la Vingt-septième Ouest a fait ça en dernière minute, pendant les petites vacances – tu te rends compte? Quel métier.

Elle passa rapidement vers le milieu du cahier ou presque, aux pages marquées MAI. Babe vit qu'il s'agissait d'un calendrier de rendez-vous, et que beaucoup des blancs étaient déjà remplis, de l'écriture ornée style Miss Porter's de Lucia.

– Tu verras le Dr Eric Corey, ton neurologue, deux fois par semaine, les lundis et mardis à onze heures. Tu verras ton spécialiste des os tous les jours à neuf heures du matin, sauf les week-ends bien sûr.

Babe se taisait, sachant qu'il valait mieux ne pas refuser en bloc l'organisation de sa mère.

– Tu verras tes kinésithérapeutes tous les jours à trois heures, week-ends compris. Le Dr Corey assure qu'il est important d'aller de l'avant, de ne pas perdre une seule journée. Et tu verras ta psycho-thérapeute deux fois par semaine.

– Psychothérapeute? s'étonna Babe.

Hadley leva les yeux et considéra Lucia en silence.

– Ruth Freeman, précisa Lucia. C'est une célébrité. Ton père et moi l'avons rencontrée à un dîner chez Cybilla de Clairville – Quelle chance! Non? – et bien sûr nous avons passé la soirée entière à parler de toi.

Le mot psychothérapeute ramena une image dans l'esprit de Babe, une vision vacillante d'une pièce blanche et d'étranges silhouettes masquées évoluant en tenues de soirée.

– Je rêvais quand vous êtes entrés, lança-t-elle brusquement.

– Merveilleux.

– Richard Nixon, Winnie l'ourson et Porky donnaient une sorte d'horrible fête. J'ai déjà fait ce rêve.

Lucia inspira à fond, en étudiant sa fille attentivement.

– Ça arrive de faire un rêve à répétition. Je rêve souvent de Southampton pendant l'été 1948. Ton père m'avait offert le plus magnifique des cadeaux d'anniversaire – un bal costumé. Nous avions Eddy Duchin et son orchestre.

– Un homme merveilleux, ce Duchin, intervint Hadley. Il se défendait vraiment aussi bien au golf qu'au piano.

– Tu te souviens qu'il a joué *Just One of Those Things*, Hadley? Notre chanson préférée.

– C'est ta préférée, Maman – pas celle de Papa.

– Ton père aime *Just One of Those Things* – n'est-ce pas, Hadley?

Hadley sourit aimablement.

– Passionnément.

– Tu sais bien que tu ne l'adores que pour lui faire plaisir, Papa.

– Tu es mal lunée, mon petit cœur, remarqua Lucia. Ton rêve était-il si bouleversant?

– Je ne m'en souviens plus maintenant.

– Pourquoi ne pas en parler avec le Dr Freeman? suggéra Lucia. Elle sait tout sur le mental. Elle a écrit *le* livre sur la guérison de la schizophrénie. Elle te verra ici à l'hôpital, bien sûr. Personne ne te demande de te mettre déjà à courir partout.

— Je ne suis pas schizophrène. Mon esprit n'est pas dérangé. C'est mon cerveau qui était dans le coma.

— Bien sûr. Tu as absolument raison.

Lucia plongea ses yeux dans ceux de Babe et esquissa son sourire le plus conciliant cherchant à provoquer celui de Babe.

Babe ne sourit pas.

— Je veux que Scottie vienne me voir.

Le visage de Lucia devint inexpressif. Babe pouvait sentir sa mère rassembler des arguments de refus.

— C'est plutôt délicat, observa Lucia.

— Je crois que j'ai mon mot à dire sur ma vie.

— Béatrice, pourrais-tu du moins, je t'en prie, nous faire confiance à ton père et à moi? Nous t'avons soutenue pendant sept ans alors que la moitié des spécialistes du pays nous assurait que c'était sans espoir. Aussi étrange que cela puisse te paraître, nous te soutenons encore.

— Maman, crois-tu que j'ignore de quoi Scottie a été accusé?

Lucia lança à Babe un regard inquiet.

— Qui te l'a dit?

— Un inspecteur est venu.

Lucia se tut un moment.

— Il ne s'agissait pas d'une simple accusation. Scottie était coupable.

— D'avoir essayé de m'assassiner? C'est absolument stupide.

— Il l'a reconnu.

Le silence s'enroula autour de la chambre.

— Il ne l'a pas reconnu devant moi, insista Babe.

Lucia soupira avec indulgence.

— Le premier ordre du jour est que tu te rétablisses.

— Comment veux-tu que je me rétablisse si tu me traites comme un bébé? Maman, je veux retrouver ma vie. Et je veux commencer en recevant des visites des gens qui comptent pour moi.

Lucia enveloppa sa voix de douceur.

— Mais tu as commencé. Qu'appelles-tu ton père et moi, et Cordélia et Billi? Ne comptons-nous pas? Ne sommes-nous pas assez pour un début?

— Je veux voir mon mari. Je veux voir des amis.

Lucia se pencha pour tapoter le bras de Babe. Sa main était fraîche et douce, avec ce contact dont Babe se souvenait de son enfance, le contact qui disait : « Fais confiance à Maman, et tout ira bien. »

— Je sais, mon petit cœur.

— Je veux voir Ash Canfield.

Lucia mit un moment à s'installer dans son fauteuil, un moment pour respirer à fond, recomposer la neutralité prudente de son expression.

— Ash meurt d'envie de venir. Bien sûr que tu vas la voir.

— Je connais Ash depuis que je suis petite, c'est ma meilleure amie, et j'ai le droit de la voir maintenant.

— Oui, oui, mon petit cœur. Lucia embrassa le bout de ses doigts et les pressa contre les lèvres de Babe. Papa et moi allons nous en occuper.

— Pourquoi Babe ne peut-elle être autorisée au moins à voir Ash? demanda Hadley.

— L'état de Béatrice est beaucoup trop fragile pour le permettre, décréta Lucia d'un ton sec.

Ils étaient revenus à la Bentley. Le chauffeur de maître les reconduisait à la maison.

— Je ne suis absolument pas de cet avis, protesta Hadley. Babe est sacrément solide. Rire un peu lui ferait du bien, pourtant. Je te parie qu'Ash lui remonterait le moral.

— Ash Canfield est la pire commère écervelée qui soit. Elle va épuiser Béatrice. Franchement, je m'oppose même à ce qu'elle sache que notre fille s'est rétablie.

— Tu veux garder la nouvelle secrète?

— Une semaine ou deux. Le temps de décider.

Hadley considéra sa femme, subitement intéressé par ce qu'elle avait en tête.

— Le temps de décider quoi?

Lucia se tourna et regarda Hadley fixement, comme s'il lui fallait toute son énergie et sa volonté pour ne pas lui reprocher sa stupidité.

— Le temps de décider de l'avenir de notre fille. Et j'espère que nous aurons la possibilté de le faire dans le calme.

— C'est ridicule. Ce n'est pas à nous de décider de l'avenir de Babe.

Quelque chose de dur s'insinuait dans les yeux de Lucia.

— Si, le temps que la Cour en juge autrement.

Hadley fronça les sourcils.

— Une visite de cinq minutes d'Ash Canfield, une femme qu'elle connaît depuis la maternelle – comment diable cela pourrait-il gâcher l'avenir de Babe?

— Ash a toujours eu un talent fou pour faire des sottises et elle a toujours encouragé le même talent chez Béatrice.

Le chauffeur commença à tourner. Lucia se pencha en avant et frappa avec irritation sur la vitre de séparation à demi baissée.

— Kingsley, combien de fois faudra-t-il que je vous répète de ne pas emprunter Roosevelt Drive tant qu'ils n'auront pas fini ces travaux?

Hadley Vanderwalk attendit que la télévision s'allume à l'étage, dans le boudoir de Lucia. Sa femme refusait d'admettre qu'elle suivait les feuilletons de l'après-midi, d'ailleurs elle ne les regardait jamais sur le téléviseur du salon. Il savait pourtant qu'elle ne pouvait plus s'en passer. Elle programmait le magnétoscope pour les enregistrer quand elle n'était pas à la maison, et il savait aussi de source sûre qu'elle échangeait des cassettes avec d'autres fanatiques de son cercle de bridge et des bals de bienfaisance.

Dès qu'Hadley entendit les voix familières de la télé, leur émotion assourdie par le plafond, il décrocha le téléphone dans la bibliothèque et à toute vitesse tapa un numéro.

— Ash? Il parlait à voix basse. Content de t'entendre, ma chérie. C'est Hadley Vanderwalk... Oui, bien sûr que nous venons à la soirée, pas question de rater ça. Maintenant assieds-toi. J'ai un message pour toi d'une amie à l'hôpital.

— Ma puce, s'écria une voix. C'est vraiment vrai — tu es de retour!

Babe tourna les yeux vers la porte. Une silhouette s'était figée sur le seuil, une femme en rose aux grands yeux et aux cheveux clairs.

— Je n'ai pas changé tant que ça. Voyons, c'est moi — Ash!

Elle la reconnut d'un coup.

— Ash... mon Dieu!

Bras ouverts, Ash traversa la pièce en courant. Et s'arrêta de nouveau.

Les deux femmes se dévisagèrent, silencieuses, presque sans respirer, et sans tout à fait croire à ce qu'elles voyaient.

— Est-ce que je ne mérite pas au moins un gros baiser? demanda Babe.

— Tu mérites dix millions de baisers.

Ash se pencha au-dessus du lit, serra Babe dans ses bras, et Babe la serra à son tour, tandis que la gratitude montait en elle et envahissait le moindre centimètre carré de son être.

— Ma puce, tu m'as manqué. Tu ne sais pas à quel point.

Ash serra les paupières. Les larmes lui causaient des problèmes de lentilles et un sourire dessinait de minuscules parenthèses autour de sa bouche.

— Tu es splendide. Pas un gramme de trop. Et pas une semaine de plus, bon sang. Le coma a dû te réussir.

— Le coma, c'est une vraie saleté. Je peux à peine m'asseoir ou me nourrir seule. Mon estomac a rétréci. Je suis un régime de liquides et quelque chose qu'ils appellent semi-solides. Deux infirmiers doivent me faire marcher une heure par jour. Ma mémoire est pleine de trous, je suis crevée la moitié du temps, j'ai été coupée de tout si longtemps que je ne peux pas soutenir une conversation, je ne connais pas la moitié des noms que les gens citent. Et par-dessus le marché, je dois me déplacer dans cette horreur.

Du menton, Babe désigna le fauteuil roulant.

— Tôt ou tard tu passeras aux béquilles, j'imagine?

— C'est ce que promet le docteur. Et ensuite une canne.

— Ça sera très distingué.

— Je m'en fiche du distingué. Je veux rejouer au squash, et danser, et monter à cheval.

— Ça viendra, ma puce, ça viendra.

Ash prit possession d'un fauteuil, et croisa les jambes.

Babe examina son amie d'enfance. Ash Canfield semblait très différente de l'image qu'elle avait gardée en mémoire : plus vieille, plus maquillée, plus extravagante dans le choix des couleurs et des bijoux.

Et il y avait quelque chose d'autre, de plus difficile à définir – une tension nerveuse qui avait instantanément envahi la pièce.

— Ça t'ennuierait de me mettre au courant du mystère? demanda Ash.

— Mystère?

— Ton père m'a fait promettre de ne pas dire à âme qui vive que tu es rétablie. Je crois comprendre que c'est un grand, grand secret. J'adore les secrets, et surtout j'adore être au courant. Alors dis-moi vite. De qui te caches-tu?

Il y eut un silence.

— Je ne sais pas, répondit Babe doucement.

Petit à petit le sourire d'Ash se figea et quelque chose dans ses yeux changea. Elle regardait Babe comme si elles étaient toutes les deux loin de chez elles, perdues, et qu'elles voulaient bien l'admettre, un peu effrayées.

— Tu ne devineras jamais qui je suis devenue.

La voix d'Ash et tout en elle avait subi un léger ajustement.

— Tu t'es remariée? demanda Babe.

— Non, je suis toujours mariée à Dunk, mais il a eu droit à la Queen's Honors List il y a trois ans. Il est Sir Duncan et je suis Lady Canfield, rien que ça. On parle de nous dans tous les potins et nous sommes invités partout.

— Mais vous avez toujours été invités partout.

— Eh bien maintenant nous pouvons refuser deux fois plus d'invitations. Ash se tourna sur sa chaise. Tu habites dans un vrai palais!

— Je préférerais être à la maison.

— Bien sûr, mais quand même...

Ash quitta son fauteuil et inspecta la chambre d'hôpital, rôdant comme un chat qui parcourt son territoire. Elle jeta un coup d'œil dans la salle de bains et revint avec deux gobelets.

– Regarde ce que j'ai passé ici en fraude. Elle plongea la main dans un sac Bergdorf [1] et en tira une bouteille de Moët, fraîche et luisante. Qu'en penses-tu?

– Merci, mais pas pour moi, dit Babe.

– Mais ma puce, c'est liquide.

– Ça ne fera que m'endormir.

– Ah, bon.

Ash défit le fil métallique, força sur le bouchon avec ses pouces jusqu'à ce qu'il saute, et dirigea rapidement la mousse qui débordait dans le gobelet le plus proche. Elle prit une petite boîte à pilules dans son sac. Le couvercle était équipé d'un miroir, et les comprimés à l'intérieur étaient des ovales roses.

– Qu'est-ce que c'est? demanda Babe.

– Des euphorisants. Je suis déprimée. J'ai six kilos à perdre, et Duncan me quitte.

Babe et Ash se connaissaient depuis la maternelle. Elles avaient partagé la même chambre et l'école Miss Porter à Farmington, et avaient failli être renvoyées pour avoir mis une soupière de velouté de tomates Campbell dans le lit d'une maîtresse détestée. Elles avaient fait leur entrée dans le monde ensemble au bal du New York Infirmary, et puis partagé la même chambre à Vassar. Pendant des années elles avaient eu la même coiffure, la même taille de vêtements, partagé habits, secrets, soûlographies et drogues, avaient aimé et détesté les mêmes garçons. Elles avaient toutes les deux voulu épouser le même homme – mais Duncan Canfield avait fini par demander sa main à Ash, et Babe avait aussitôt épousé le pianiste de renommée internationale Ernst Koenig, de trente-huit ans son aîné. Elle l'avait fait pour rendre Ash jalouse. Le mariage avait duré sept années désastreuses et Ash, empêtrée dans son désastre n'avait jamais exprimé la moindre jalousie. Babe lui avait pardonné depuis longtemps.

– Duncan te quitte toujours, remarqua Babe, et il revient toujours.

– Ça m'a l'air permanent cette fois-ci. Et ça arrive au pire moment possible. Nous donnons une soirée en l'honneur de Gordon Dobbs.

– Qui est-ce?

– Bien sûr, tu ne le sais pas – pauvre puce. Dobbsie est le grand échotier mondain en ville. Charmant, adorable, drôle, je l'adore. Ce sont les deux cents autres personnes qui me pèsent. Oh, bon, ce sont les risques habituels quand on organise une soirée. Ash se versa un autre verre de champagne. Mais parlons de toi. As-tu eu des expériences extra-corporelles? As-tu vu Dieu, ou des anges, ou les piliers de la sagesse?

---

1. Bergdorf Goodman, grand magasin chic de New York (*N.d.T.*).

– Je ne me souviens pas.

– Quel gâchis.

Ash avala les comprimés posés sur sa paume, finit son champagne et se servit de nouveau. Elle devint très volubile au troisième verre.

Elle connaissait des kilomètres de scandale sur les derniers dirigeants mondiaux, les légendes vivantes et les nouvelles célébrités : elle raconta à Babe qui était riche ce mois-ci, qui était beau, qui volait qui, qui couchait avec qui. Les noms avaient changé, mais sinon c'était bien la même fange qu'Ash avait toujours remuée.

Soudain elle s'arrêta net.

– Nom d'un petit bonhomme! s'écria-t-elle. Tu as vu l'heure? Je vais être en retard pour les traiteurs. Tu permets? Elle souleva le combiné du téléphone au chevet du lit et tapota les fourches. Ton téléphone ne marche pas.

– Je soupçonne Maman de s'être arrangée pour qu'il ne prenne que les appels de l'extérieur. *Ses* appels venus de l'extérieur. Moi, je ne peux pas appeler.

– Tu n'as pas un petit délire de la persécution?

– Elle ne veut pas que je téléphone à Scottie. Il n'est pas venu me voir, tu sais.

– Ah non?

Ash la regada bizarrement, et Babe sentit quelque chose se fermer chez son amie.

– Mes parents refusent de parler de lui. Cordélia dit qu'il a divorcé de moi.

– Cordélia t'a raconté ça?

Il y eut un temps de silence.

– Un inspecteur de police m'a expliqué que Scottie a essayé de me tuer.

Ash redressa les épaules et regarda Babe.

– Alors tu sais?

– Ash, je ne sais rien du tout. Quand je me suis couchée j'avais un mari, une fille et une carrière. Je me réveille et il manque sept ans. Je tâtonne dans une chambre les yeux bandés, et quelqu'un a déplacé tous les meubles.

– Pauvre ange. Cela doit être horrible.

Ash prit la main de Babe.

– S'est-il remarié?

– Les docteurs tiennent-ils vraiment à ce que tu parles de ça? s'enquit Ash.

– Qu'est-ce que les docteurs ont à voir là-dedans? C'est ma vie.

Un sourire triste apparut sur le visage d'Ash.

– Il ne s'est pas remarié.

Babe étudia Ash, ses yeux vitreux et fuyants, ses mains agitées.

— Mais il a quelqu'un, insista Babe.

— Doria Forbes-Steinman.

— Cette rouquine et tout son pop'art?

— Ses cheveux sont blonds cendrés maintenant, et elle a liquidé une grande partie du pop'art. Elle s'est lancée dans le réalisme magique.

Babe lutta pour empêcher le chagrin de percer dans sa voix.

— Est-ce qu'ils vivent ensemble?

— Ils ont un immense appartement, des tonnes d'antiquités rustiques anglaises mélangées à de l'art déco et du moderne. On peut voir l'Empire State Building de la baignoire.

— Tu as pris un bain là-bas?

— Bien sûr que non. Je l'ai lu dans l'*Architectural Digest*.

— Est-ce qu'il l'aime?

— Qui sait s'il aime qui que ce soit.

Babe se tut un moment, plongée dans ses souvenirs.

— Je sais qu'il m'aimait.

9

La circulation était arrêtée derrière un camion de réparation de la Con Ed quand Cardozo termina son déjeuner et sortit du restaurant-épicerie. Il traversa la rue au feu vert, en se frayant un chemin entre des taxis qui klaxonnaient et des camionnettes de livraisons. Arrivé sur le trottoir d'en face, il se retourna.

Ses yeux s'attardèrent un instant sur le restaurant-épicerie. Il occupait le rez-de-chaussée d'un immeuble de briques rouges de six étages sans ascenseur bâti avant la Première Guerre. La bâtisse était la seule survivante d'un pâté de maisons qui témoignait des trois stades de la frénésie immobilière de New York : démolition, parking, et construction.

Cardozo prit un moment pour examiner le building en construction. Avec ses vingt-sept étages sur Lexington Avenue, il était d'un genre inconnu vingt ans plus tôt, une tour sans échafaudage où chaque étage servait de fondation au suivant, et que le propriétaire pourrait élever dans le ciel aussi haut que son avocat réussirait à en convaincre les autorités municipales.

Et son œil vit quelque chose d'autre. Sur Lexington, au niveau du second étage de la tour inachevée, le propriétaire avait érigé une grande pancarte au-dessus des têtes de la foule bouillonnante. Le lettrage, style faire-part de mariage, annonçait : « Le Xanadu, immeuble de luxe, livrable au printemps, offre uniquement sur documentation, renseignez-vous auprès de Balthazar Immobilier, 555-8875. »

Cardozo fronça les sourcils. Il sortit son calepin de sa poche de poitrine. Il passa les pages des notes de la veille et trouva une carte de visite professionnelle avec le même numéro, 555-8875.

Un sceau du NYPD[1] portant l'avertissement INTERDIT D'ENTRER LIEU DU CRIME avait été collé sur la fente entre la

---

1. New York Police Department (*N.d.T.*)

porte d'entrée et le chambranle. Il le trancha avec sa carte VISA et puis sortit les deux clés du sachet à indices – une Médéco et une Fichet à quatre faces aux dents de carnivore.

Il déverrouilla la porte et pénétra dans l'appartement 5.

Quelqu'un avait laissé le climatiseur en marche. L'air était agréablement frais. Une douce lumière d'après-midi filtrait à travers les stores Levelor gris argent, et miroitait sur les sols foncés en polyuréthane.

Une couche de poudre à empreintes digitales recouvrait les poignées de portes. Elle recouvrait de la même fine neige noire le réfrigérateur, l'évier, et les placards de la cuisine.

Cardozo glissa tant bien que mal les doigts dans une paire de gants de plastique épais comme une peau. C'était un article médical. Le service les achetait en gros.

Il entra dans la chambre.

Sur le sol, l'unijambiste à la craie avait une allure dingue et malvenue, une silhouette de courbes et d'angles dans un espace où rien d'autre n'était courbé ni anguleux. La ligne droite où la jambe avait été coupée paraissait absurde, comme si l'artiste s'était brusquement désintéressé de son travail.

Il le contourna pour s'approcher de la fenêtre et passa le doigt sur le bord des stores. Ils émirent un doux claquement comme les roseaux d'un marais agités par une brise. Il tourna la tige de Lucite, changeant l'inclinaison des stores, laissant la lumière entrer petit à petit.

Cinq étages en dessous il aperçut le jardin du musée, le bassin miroitant de six mètres, les bronzes de femmes nues aux os énormes. Il y avait des tables avec des parasols bleu et blanc. Des amis du musée, impeccables et détendus dans leurs vêtements d'été, flânaient ou étaient assis seuls, par deux ou par trois, un livre à la main, devant des tasses de café, des carafes de vin.

Quel genre de ville était-ce aujourd'hui, se demanda-t-il. Comment les pièces s'assemblaient-elles? Ça devenait bien plus dur qu'à l'époque où il était un agent en tenue, un bleu, et que le plus grand danger qu'il ait affronté avait été de s'interposer dans une bagarre familiale un samedi soir dans le South Bronx.

South Bronx – son premier secteur – à huit kilomètres et vingt-deux ans de là.

A cette époque, dans toute la ville de New York, il y avait peut-être 300 meurtres par an. Dans environ 60 pour cent des cas on pinçait les coupables dans les 24 heures. Le taux de condamnations s'élevait à 80 pour cent et il fallait au maximum trois mois pour qu'une affaire passe en justice. L'héroïne avait été le passe-temps de 20 000 paumés au nord de la Quatre-vingt-seizième Rue, et Coke désignait le truc qui n'était pas du Pepsi. Le NYPD devait encore inventer le numéro d'appel d'urgence 911, ou se bagarrer avec des ordinateurs, des commissions Knapp, ou des conseils d'examens civils. Il fallait une moyenne de 22 minutes à une patrouille pour répondre à un appel.

Maintenant le taux de meurtres frôlait les 2 000 par an, on avait de la veine d'identifier le cadavre, et encore plus l'assassin; on pinçait les coupables dans 40 pour cent des cas, les chances d'obtenir une condamnation étaient de une sur vingt, et les chances de voir le jugement cassé ou rejeté en appel étaient de 50-50. Tout était informatisé – empreintes digitales, casiers judiciaires, appels au 911 – et les ordinateurs étaient en panne 40 pour cent du temps. Il fallait à une voiture de patrouille une moyenne de 70 minutes pour répondre à un appel d'urgence par le 911. New York était devenue la capitale junkie du monde, avec un accro sur dix habitants. Et la coke avec un c minuscule avait tellement de succès que même les bleus de la police volaient les saisies provenant des perquisitions et les remplaçaient par du talc pour bébé, une habitude découverte quand un procureur surmené cherchant un second souffle avait sniffé un dixième de gramme de preuve à conviction.

New York était devenue la ville du plus – plus de désordre, plus de cadavres, plus de richesses, plus de pauvreté, plus de drogues que jamais auparavant ni nulle part ailleurs, et cela continuait à grimper.

Pourquoi est-ce que j'aime cette ville, se demanda Cardozo.

Ses yeux allèrent se poser sur le mur de marbre couvert de lierre et les barrières de fer forgé que le musée avait dressées pour séparer son jardin du reste de la ville.

Et puis son regard revint à l'intérieur.

Il n'avait pas d'idée précise de ce qu'il cherchait. Il laissait aller son regard, ouvert à la moindre suggestion que les pièces pourraient lui lancer. Il fouilla les placards vides. Dans la salle de bains, il ouvrit la porte miroir de l'armoire à pharmacie. De la poudre noire s'envola et moucheta la blancheur du lavabo.

Il jeta un coup d'œil dans la baignoire et puis son œil remonta jusqu'à la tringle du rideau de douche. Quelque chose attira son attention. Il ôta ses chaussures, grimpa sur le bord de la baignoire et examina l'inox étincelant.

De toutes petites éraflures couraient dans le sens de la longueur. Il inspecta la tige un mètre plus loin et trouva les mêmes éraflures.

Un voleur à l'étalage défoncé à l'héroïne gueulait des injures depuis la cage de détention provisoire. Les oreilles de Cardozo tressaillirent tandis qu'il montait l'escalier. Il s'arrêta devant le bureau de l'Inspecteur Monteleone.

– Greg, le gardien affirme qu'il y avait des rideaux de douche dans tous les appartements non vendus – plastique transparent avec un bord blanc. Le rideau de douche du 5 a disparu. Qu'en penses-tu?

Monteleone leva les yeux de son Underwood d'avant la Seconde Guerre mondiale. Il avait glissé un modèle cinq vierge dans le rouleau.

– Je pense exactement ce que tu penses que je pense. L'assassin a enveloppé la jambe dedans.

– Il n'y avait pas d'éclaboussures. Comment l'a-t-il attachée?

Monteleone haussa les épaules.

– Corde.

– Il n'y avait pas la moindre fibre dans la chambre.

– Fil de fer.

– Il n'y avait pas la moindre éraflure sur le polyuréthane. Et s'il a utilisé le rideau, pourquoi avons-nous trouvé les fragments de sac poubelle?

– Il a étalé le rideau pour faire le boulot salissant, et puis il a utilisé les sacs pour mettre de l'ordre, et puis il s'est débarrassé de la jambe et du rideau.

Montcleone lui tendit un petit pain beurré déjà mordu.

– Merci, je n'ai pas faim. Les sillons sur le front de Cardozo se creusèrent. J'ai trouvé des éraflures sur la tringle du rideau de douche. Il y avait des anneaux. Ils ont disparu aussi. Métalliques, pas plastique. Qui utilise des anneaux métalliques aujourd'hui?

– Ma belle-grand-mère. Personne d'autre.

– As-tu déjà essayé de décrocher ces anneaux? Pourquoi se serait-il donné ce mal?

– Je ne crois pas qu'il se le donnerait, Vince. N'importe qui utilisant un rideau de douche pour jeter une jambe arracherait le rideau de ses anneaux. Mais si les anneaux ont disparu, c'est autre chose. Peut-être que les agents de l'immeuble faisaient visiter un des autres appartements, un rideau de douche a été déchiré, alors ils ont pris celui du cinq.

– La douche de l'autre salle de bains serait déjà équipée d'anneaux. Ils n'auraient pris que le rideau.

Monteleone se gratta la moustache.

– Que dit le gardien?

– Il dit que la dernière fois qu'il a vérifié il y avait un rideau au cinq, mais il ne se souvient pas quand c'était.

– Je ne crois pas que ça ait un rapport avec le meurtre.

– Quelqu'un l'a quand même pris.

– Délit mineur.

10

Le baron Billi von Kleist avait pris sa position préférée : celle d'observateur. Appuyé à la cheminée, il haussa une large épaule, rétablissant ainsi le tombé de sa veste de smoking. Son regard continua à balayer l'assistance.

Des serveurs passaient discrètement avec des plateaux de champagne. Le maire était assis au Boesendorfer, faisant ruisseler du Cole Porter pour une des veuves d'Alan Jay Lerner.

— Hé, fais un petit effort! Tu es une de mes vedettes.

Ash Canfield portait sa chevelure, blondie par les rinçages, relevée et étalée sur la tête; de longs cils noirs voilaient à demi son regard.

— Présente-toi tout simplement à ceux que tu ne connais pas.

— Ma chère Ash, le baron Billi sourit, d'abord je connais quatre-vingt-dix-neuf pour cent des gens présents, et en plus je connais la moitié des vêtements — intimement.

Il avait compté plus d'une douzaine de ses créations ce soir. Les robes émettaient un message massivement contradictoire : « Regardez mon corps, désirez mon corps et allez vous faire foutre, je suis trop bien pour vous. » Frimeur agressif, le style que Billi avait lancé après avoir pris le contrôle de Babemode, avait non seulement changé du tout au tout l'image tendresse-et-grâce de la maison, mais il avait triplé le chiffre d'affaires.

— Connais-tu Irina, princesse de Serbie? demanda Ash.

— Oh, je t'en prie, s'agit-il d'une menace?

Billi aperçut Lewis Monserat, marchand de tableaux, parlant avec Dina Alstetter, la sœur de son hôtesse. Ils se tenaient dans l'une des embrasures de porte de la terrasse à ciel ouvert, leurs corps à la minceur régime rayonnant dans la lumière d'une lampe Lalique.

Billi se fraya un chemin à travers la pièce.

— Alors, beau Billi, lança Dina.

Elle porta une main à ses cheveux auburn aux ondulations amidonnées.

– Jolie, jolie Dina. Si bronzée et maigre. La soirée promet d'être bonne – enfin.

Billi prit la main de Dina Alstetter et éleva cérémonieusement les longs doigts manucurés jusqu'à ses lèvres.

– Et quand pouvons-nous espérer ton rapport sur les Barbades?

– Les Barbades étaient fabuleuses. Le yacht de Karim insensé. Il faut que tu te raccommodes avec lui. Trois stewards, et ma femme de chambre.

– New York doit être une sacrée retombée.

– De bien des façons.

Dina était vêtue de soie grise et ne cessait de tripoter les intercalaires de quartz rose et d'or de son collier de perles.

– Je vois que ma petite sœur a réuni sa collection habituelle d'avant-gardistes branchés et de terroristes de la mode qui répandent tous activement perles, cendres, et bons mots [1] empruntés.

– On voit la paille dans l'œil du voisin...

Lewis Monserat battit la flamme d'un briquet en or et la porta à la cigarette de Dina. Il avait peigné ses cheveux noirs luisants complètement en arrière, et non plus sur le front, et ceci donnait à ses orbites un aspect beaucoup plus creux que d'habitude.

– Dis-moi, demanda Billi, cette femme dans cette immonde copie de Fortuny est-elle la princesse Irina de Serbie? Ne te retourne pas trop ostensiblement, juste derrière toi à gauche.

Dina se retourna et ses yeux bleu-gris ne feignirent pas la discrétion.

Lewis Monserat regarda et déclara que la femme était un des nouveaux conservateurs de la collection de mode du Metropolitan Museum, tout juste débauchée de Dallas – « Ça ne te donne pas envie d'aller faire tes salamelecs? » – et puis il commença à désigner les autres vedettes dans la nouvelle récolte de célébrités-minute d'Ash.

– On peut toujours compter sur le réseau d'Ash, soupira Dina. Que l'on ait besoin d'un agent de change ou d'un avorteur, d'un juge compatissant ou d'un traiteur, Ash connaît toujours quelqu'un qui connaît quelqu'un. Mais avez-vous remarqué qu'il manque une personne très importante?

Billi inspecta la pièce.

– Qui ça?

– Notre hôte.

Dina passa les doigts dans ses cheveux avec un regard de gaieté glacée.

– Voulez-vous bien m'excuser tous les deux? J'ai une faim de loup.

---

1. En français dans le texte.

Dina força son chemin à travers des blocs humains en pleine conversation. Des invités rejetaient la tête en arrière avec l'hilarité béante des jeunes de la télévision. Du dehors parvenait le son d'une musique de danse.

Saisissant l'un des plats Lowestoft d'Ash, Dina passa en revue la table du buffet.

Il y avait des soupières d'œufs brouillés montés en mousse et coiffés de truffe blanche, tenus au chaud sur des chauffe-plats; des plateaux où s'amoncelaient des langoustes [1] de la Méditerranée rafraîchies; de la mousse de crevettes [1]; des crudités [1] variées accompagnées d'une sauce au Pernod; des cygnes de glace emplis de caviar gris iranien qui n'avait pu être obtenu que par l'intermédiaire du représentant à l'O.N.U.; du filet de veau [1] froid en gelée au porto tranché fin comme du papier, avec une béarnaise moelleuse à napper dessus; des œufs de cailles à la coque marinés dans de la vodka polonaise à l'herbe de bison; des carafes de vin; et au bout de la table réservée aux desserts, des tours de fruits exotiques fraîchement importés, des glaces crémeuses, et des sorbets à la saveur relevée dans des coupes de cristal givrées.

Émergeant de grappes de raisins et contemplant, tel un maître d'hôtel embaumé, le homard froid farci, se dressait le buste de Socrate en marbre dix-septième siècle français.

Ash Canfield entra dans le champ, intervertissant une grappe de raisins blancs avec une grappe de noirs. Elle recula, pour juger de l'effet.

– Salut, sœurette, lança Dina. Un vrai festin de roi.

Ash sourit un peu mal à l'aise.

– Sers-toi.

– La mousse a l'air délicieuse. Quand arrive notre hôte?

Ash cligna des paupières sans rien dire.

Dina donna à sa sœur une petite tape espiègle sur la main.

– Menton haut. Le spectacle doit continuer.

– Excuse-moi, dit Ash. Le groupe a joué cet air trois fois.

Elle rejoignit en hâte la marée qui s'écoulait sur la terrasse par les portes-fenêtres.

Une piste de danse de chêne ciré avait été installée. Des hommes en smoking et des femmes en robes longues d'été tourbillonnaient au son de la musique d'un orchestre de neuf musiciens. Derrière eux, la ville poussait vers le ciel la ligne de crête des buildings de verre et d'acier qui flamboyaient avec l'éclat dur de diamants sur un lit de velours noir.

Ash trouva Gordon Dobbs près du kiosque à musique, chuchotant avec un saxophoniste et notant quelque chose dans son calepin.

---

1. En français dans le texte.

– Ash, ma chère, toi seule peut réunir cette foule-là. Quand Gordon Dobbs glissa son calepin dans sa veste de smoking, des boutons de diamant scintillèrent sur sa chemise empesée. Je sais de source sûre que Jackie de Fonseca a envoyé des excuses de dernière minute à la vicomtessc de Chambord pour pouvoir venir ici. Demain matin New York ne parlera que de ça.

Gordon Dobbs tenait une chronique au *New York Magazine*. Ash le voyait comme une sorte de protecteur dans un monde sauvage et inflammable. Il ne prétendait pas être autre chose que ce qu'il était, et il avait un sérieux talent pour réduire les ennemis en petits morcceaux à la taille-potins.

– Pourquoi le calepin? demanda Ash. Tu ne travailles pas, là.

– Et comment je travaille, mon trésor. Je traîne dans la maison, regarde qui est avec qui et qui ne l'est pas, qui dit quoi et qui ne le dit pas.

– Mais tu ne peux pas écrire toute la soirée – tu es l'invité d'honneur!

– Ma chère petite, un échotier a une obligation envers ses lecteurs. Il est de service vingt-quatre heures sur vingt-quatre.

Ash lui prit le bras.

– Tu ne vas rien dire sur Dunk – s'il te plaît, Dobbsie.

– Il faudra au moins que je signale qu'il était souffrant. Sinon on croira que Suzi et Liz m'ont piqué la nouvelle. Les yeux noirs de Gordon Dobbs pétillaient sous des cheveux noirs bouclés qui commençaient à grisonner. Et on ne tient pas à ce que l'on raconte que tu m'as choisi comme invité d'honneur rien que pour me faire taire, hein?

– Tu ne peux pas écrire sur un autre sujet? Dunk n'est pas la seule personne importante qui ne soit pas là. Ash hésita. Si je te donne un scoop, laisseras-tu Dunk en dehors de cet écho?

– Cela dépend du scoop.

– Babe Devens est sortie de son coma.

Les sourcils de Gordon Dobbs montèrent en flèche.

– Tu te moques de moi?

– C'est l'absolue vérité certifiée par témoin oculaire.

– Alors vas-y, vas-y.

Ash tira Gordon Dobbs dans un coin de la terrasse et le mit au courant des détails.

– Mais surtout ne t'avise pas de me citer.

– Donne-moi l'exclusivité. Une semaine. Gordon Dobbs reboucha son stylo. Et montre-moi d'où les gens sortent ce superbe sorbet au pamplemousse rose.

Devant le buffet, Hadley Vanderwalk aidait Lucia à vider le contenu de deux coupes de sorbet dans une seule.

– Tante Lucia, sourit Ash. Oncle Hadley. Je suis si heureuse que vous ayez pu venir.

– Magnifique soirée, dit Hadley. Un de tes délicieux élans d'impétuosité.

– Tante Lucia, tu te souviens de Gordon Dobbs.

Lucia s'était vêtue de noir, avec une veste de brocart. Elle avait noué un ruban rose dans ses cheveux. On aurait dit qu'elle continuait à se voir comme une petite fille brillante et irrésistible. Elle avait charmé son père quand elle avait six ans, pourquoi pas le monde maintenant?

– Oui, répondit Lucia, bien sûr que je me souviens de M. Dobbs.

Gordon Dobbs porta un canapé asperge-et-Saint-André à ses lèvres et hocha la tête d'un air mystérieux.

– La nouvelle n'est-elle pas sensationnelle? demanda Ash.

Lucia Vanderwalk réunit ses sourcils impeccablement épilés.

– Nouvelle?

– J'y ai été, lança Ash. Oncle Hadley ne t'a pas...

– M. Dobbs, coupa Lucia, voudriez-vous nous excuser? Son regard étréci alla d'Ash à Hadley et retour. Où pouvons-nous parler en privé?

Dans la bibliothèque, des collections d'Eugène Sue et Macaulay reliés en maroquin s'alignaient sur des étagères aux rebords de cuivre biseauté.

– Tu avais donné ta parole. Les lèvres de Lucia étaient pincées en un fin trait de fureur.

– Ma parole?

Hadley parut sincèrement déconcerté.

– Que tu ne dirais rien à personne au sujet de Béatrice. Et entre tous, il a fallu que tu ailles le lui dire, à elle.

Les lèvres d'Ash tremblèrent. Une main jouait avec le fermoir d'une boucle d'oreille à cabochon d'émeraude.

– Je m'excuse, Tante Lucia. Je voulais simplement remonter le moral de Babe.

Lucia se tenait là, rigide et inflexible, dévisageant Ash figée dans une immobilité absolue.

– Tu n'as jamais été digne de confiance. Pas enfant, pas maintenant. S'il y a la moindre publicité, si qui que ce soit ou quoi que ce soit entrave la guérison de ma fille, je t'en tiendrai pour personnellement responsable.

Ash regarda Lucia, ses yeux bleus bordés de cils épais fixes, vides, interdits. Et puis quelque chose tomba comme un rideau.

– Voulez-vous m'excuser? Mes invités.

En tournant les talons, Ash se cogna contre une chaise. Quand elle traversa l'entrée pour retourner au salon, elle parut un peu perdue, privée de sa grâce habituelle.

– Un peu dure avec la pauvre gamine, tu ne crois pas? remarqua Hadley. Tu ne peux pas vraiment espérer garder la guérison de Babe top secret.

– Nous devons la garder top secret, comme tu le dis si bien, jusqu'à ce que nous soyons sûrs que Béatrice peut sc débrouiller.

– Bien sûr qu'elle se débrouillera. Elle est forte comme un pur-sang, et elle aura droit à ce qu'on fait de mieux comme traitements.

– Et Cordélia, peut-elle se débrouiller? Ceci va rejeter la pauvre enfant entièrement dans l'ombre de sa mère.

– Vois-tu vraiment ta fille et ta petite-fille comme des fleurs rivales luttant pour le même rayon de soleil?

– Comment peux-tu demander ça? En sept ans as-tu compris un seul mot de ce que le psychiatre nous a raconté?

Hadley Vanderwalk avala une gorgée de champagne.

– Tu es beaucoup trop en avance sur moi, ma vieille Lucia.

Il y eut un changement chez Lucia. Elle sourit subitement.

– Cordélia, s'exclama-t-elle. Te voilà. Nous t'avons cherchée partout.

Hadley se retourna. Il était difficile de dire depuis combien de temps Cordélia se tenait sur le seuil. Ses cheveux étaient relevés, ce soir. Elle portait un chemisier à corselet en dentelle 1900 fermé au col par une broche en camée sertie de petites émeraudes, et elle avait l'air chic, éclatante, et étrangement indifférente.

– Et tu portes la broche de ton arrière-grand-mère, remarqua Lucie. J'adore la voir sur toi.

– Personne ne voudrait danser? demanda Cordélia.

– Ce serait un grand soulagement, avoua Hadley.

Sur la piste de danse, Hadley huma le parfum de sa petite-fille – Joy, le plus cher au monde. Les bijoux qui étincelaient aux poignets de la jeune fille étaient des diamants.

– Grandmère et toi, vous vous disputiez à mon sujet? demanda Cordélia.

– Grandmère pense que tu vas traverser une sorte de crise, maintenant que ta mère est de retour.

– Et toi, qu'en penses-tu, Grandpère?

– Je pense que tu es assez mûre pour te comporter comme la grande dame que tu donnes tous les signes d'être.

– Merci, Grandpère.

Le groupe jouait un *I'll Be Seeing You* très lent, et Cordélia dansait comme une petite fille, la joue inclinée sur son épaule, les yeux levés vers son grand-père.

Une main tapa Hadley sur l'épaule. Hadley tourna la tête. La main appartenait au comte Léopold de Savoie-Sancerre, un gentleman chauve et bedonnant dans les soixante-cinq ans, la poitrine disparaissant sous les décorations militaires danoises de la Seconde Guerre mondiale.

— Changement de cavalière, je vous prie, lança le comte Léopold.

Sa partenaire était Lucia Vanderwalk, et elle fronçait les sourcils à l'adresse de son mari.

Tout en remettant Cordélia au comte, Hadley chuchota à sa petite-fille : « Prie pour moi ». Il saisit la main de sa femme.

— On dirait que je passe mon temps à tomber sur toi, ma chère.

Le groupe se lança dans un « Darktown Strutters » beaucoup trop rapide. Le comte Léopold entraîna méthodiquement Cordélia en boogie vers le bord de la piste de danse.

— La comtesse a de la très bonne sniffe. Qu'en dis-tu?

Cordélia sourit.

— Tu en es.

La comtesse Victoria de Savoie-Sancerre, de quarante ans plus jeune que son mari, était penchée au-dessus d'une desserte Chippendale dans la seconde chambre d'amis. De longs cheveux noirs cachaient à demi son visage, et ses yeux verts écarquillés restèrent baissés quand le comte Léopold et Cordélia entrèrent.

— De la compagnie, chantonna le comte.

— Ferme la porte.

Avec un rasoir mécanique en or, la comtesse pulvérisait soigneusement le petit tas de cocaïne sur un miroir de poche Cartier. Une énorme bague de rubis et diamant clignotait à l'articulation de son doigt. Personne ne sait pourquoi Dunk n'est pas à la soirée?

— Dunk et Ash sont de nouveau en train de rompre, expliqua Cordélia.

— C'est vrai que Dina Alstetter avait une aventure avec Dunk et qu'il l'a plaquée pour Ash?

— Il y a des années, dit Cordélia.

— Pas étonnant que Dina ait l'air tellement ravie.

Elle disposa la coke en lignes.

— La jeunesse avant la beauté.

Cordélia prit un billet de cent dollars dans son sac et le roula en un petit cylindre serré. Elle se pencha au-dessus du miroir.

— Attention, prévint la comtesse. J'ai eu cette came par un guérillero nicaraguayen. Elle est pure à quatre-vingts pour cent.

11

A 7 h 59 du matin, Cardozo pénétra dans le commissariat. Le tohu-bohu était revenu à la normale après le long week-end. Le hall fourmillait de flics, la taille épaissie par l'attirail habituel : ceinturons à cartouchières garnies de calibre 38, revolvers de service, matraques gainées de cuir, radios crachotantes, et menottes qui tintaient à chaque pas avec un bruit de casserole.

Saluts et tapes dans le dos étaient échangés à la façon des appels à la corbeille de la bourse. Cardozo en reçut quelques-uns, en se joignant au flot qui montait l'escalier.

Dans son box le bouton trois du téléphone était allumé. C'était Dan Hippolito, qui parlait du sang de John Doe.

— Il avait assez d'alcool en lui pour mettre un éléphant en conserves. Assez de coke pour balancer un hippo en orbite. Plus de considérables quantités d'héroïne et de méth.

— C'était un camé?

— Non, chez les camés la circulation est si mauvaise qu'on trouve des tissus nécrosés dans les orteils, mais notre gars ne porte pas de traces de piqûres et a cinq bons orteils.

— Qu'est-ce qu'il t'apprend, ce mélange de drogues?

— Rien de spécial. On peut l'acheter pré-emballé dans les rues. D'habitude il y a une autre saloperie dedans, mais qui se métabolise sans trace.

Cardozo remercia Dan, puis appela le labo.

— Lou, as-tu vérifié les cheveux de John Doe? Aucune chance qu'il les ait teints?

— C'est la première chose que nous vérifions avec les blonds. La couleur est naturelle. Il utilisait un baume démêlant très cher — à haute teneur en vitamine E. Mais ça s'achète sans ordonnance.

Cardozo tira un trait sur le mémo dans son calepin. A 8 h 05 il traversa le hall pour la réunion de son détachement spécial.

— Quoi de neuf côté ordures? demanda-t-il.

Siegel secoua la tête.

— Pas encore de jambe.

— Et la photo?

— Très bien sortie.

Elle avait apporté une photo du mort au laboratoire photographique, l'avait faite travailler à l'aérographe pour le mettre en vêtements haute couture sortis du *Vogue* du mois précédent. Elle la passa à Cardozo.

Il la considéra d'un œil critique. Les types de la photo avaient habillé John Doe de façon classique : chemise à col boutonné, cravate club, veste en tweed.

— Apporte ça aux agences de mannequins. Vois si jamais elles ont travaillé avec lui.

Il se tourna vers l'inspecteur Malloy.

— Carl, et les plaques minéralogiques?

— Toujours rien, répondit Malloy. Sauf pour Bronski. Il a des contraventions sur son taxi — et des plaintes à la commission.

Cardozo sourit : la commission des taxis de la ville était une assiette au beurre de pots-de-vin et de détournements de fonds, et les membres de la commission — qui ne faisaient pas grand-chose à part imposer un code d'habillement aux chauffeurs — étaient à présent les cibles d'inculpations pour délits majeurs.

— Quel genre de plaintes?

— Charge des passagers sur n'importe quelle file, brûle les feux, pique les clients des autres taxis. Un battant comme ça, tu penserais qu'il mettrait les bouchées doubles pendant les heures creuses. Mais de midi à deux, il devait faire la sieste. A onze heures quarante-cinq il a emmené un client de Broadway et Park Place au coin de la Cinquante-quatrième Rue et la Sixième Avenue. Le client suivant il l'a chargé à une heure, de la Quatre-vingt-dixième et Broadway à la Cinquante-neuvième et la Sixième. Et puis à une heure quarante-cinq, de la Cinquante-quatrième Rue et la Sixième à la Douzième Rue et la Troisième Avenue.

— Ces courses ne sont-elles pas un peu trop espacées? demanda Cardozo.

— Absolument, comparées aux relevés des autres chauffeurs. Autre chose. Bronski dépose son premier client à un pâté de maisons de la tour. Il dépose son deuxième à six pâtés de maisons de la tour. Il charge son troisième à un pâté de maisons de là. Je suppose que c'est possible, mais ça paraît étrange.

— Comment était son compteur à la fin de la journée? s'enquit Cardozo.

— Bas. Les relevés des autres chauffeurs atteignaient une moyenne de vingt dollars de plus pour la même période de travail.

— Mieux vaut y regarder de plus près, conclut Cardozo. Greg, les instituts psychiatriques?

Monteleone avait enquêté sur les délinquants sexuels relâchés ou en fuite depuis le mois dernier. Aucune évasion n'avait été signalée, quinze délinquants avaient été relâchés.

— Continue sur eux. Trouve-moi où ils étaient samedi. Sur quels résidents as-tu mis la main?

— Jessica Lambert, Esmée Burns et Estelle Manfrey sont absentes de New York de façon semi permanente. Lambert est à Hollywood, elle tourne une mini-série sur Ellie Siegel.

L'inspecteur Siegel leva les yeux.

— Vilaine plaisanterie. Ça parle d'une femme détective. — Burns passe toujours avril et mai à Paris, elle a une usine de parfums là-bas. Manfrey est dans un fauteuil roulant à Palm Beach, défoncée aux calmants.

— A qui as-tu parlé personnellement?

Il avait parlé à Joan Adler, la timide rédactrice de pamphlets politiques au vitriol, qui était rentrée après une série de réceptions dans des maisons de campagne des Hamptons. Elle n'avait pas reconnu le visage de la victime sur l'affichette. Il avait aussi montré l'affichette au personnel de Beaux-Arts, avec le même résultat. Il avait convaincu Bill Connell, le gardien, de le laisser coller une affichette dans le hall d'entrée.

— Aujourd'hui, dit Cardozo, emporte l'affichette dans les magasins et les cliniques. Et prend les noms des employés et des malades.

— Ils ne vont pas vouloir me les donner.

Cardozo ignora l'objection.

— Passe les noms au service de l'Identité Judiciaire. Demande au bureau des passeports de nous envoyer des photos.

— Tu comptes que tous les noms de la liste aient un passeport?

— Ceux qui n'en ont pas, demande les photos au service des permis.

— Vince, ça pourrait représenter deux cents photos.

— Et alors? Nous allons avoir un tas de visages à faire coïncider.

Cardozo se tourna vers Sam Richards.

— Sam, comment marche la suite de l'enquête sur Debbi Hightower?

— J'ai vérifié au World Trade Center. En gros elle disait la vérité. Il y avait un spectacle d'entreprise dans la salle de bal de l'Hôtel Helmsley et ça s'appelait *Toyota Présente*.

Sam Richards tendit un programme à Cardozo.

— Mais Hightower ne figure pas sur le programme. J'ai vérifié la liste des employés de l'hôtel. Pas de Hightower là non plus. J'ai demandé aux serveurs et aux barmen s'ils avaient vu une femme correspondant à la description de Mlle Hightower. C'était oui. Elle venait par une agence – Nanas d'Amanda – personnel intérimaire pour le spectacle.

– Quel genre de personnel intérimaire?

– Hôtesse. Elle servait le café et souriait.

– Qui était le public?

– Des provinciaux. Concessionnaires Toyota, futurs concessionnaires Toyota, concessionnaires Ford que Toyota essaie de piquer.

– A quelle heure commençait ce spectacle? demanda Cardozo.

– Huit heures.

– Je ne crois pas une seconde que Debbi Hightower ait servi le café et souri à une bande de vendeurs de voitures de province de huit heures vendredi soir à midi samedi. Nanas d'Amanda – c'est une boîte sérieuse, ça?

– Ils sont dans les Pages jaunes – Intérim. La boîte est au registre de commerce de New York.

– J'aimerais qu'elle rende compte de cet emploi du temps, Sam.

– C'est une pute, dit Monteleone. Ne me raconte pas qu'elle a acheté cet appartement avec un salaire d'intérimaire.

– Elle n'a pas payé ses charges dernièrement, précisa Sam Richards.

– Ne la lâche pas, recommanda Cardozo. Trouve avec qui elle était. Peut-être qu'elle a ramené le gars chez elle. Peut-être qu'il a vu quelque chose et pas elle. Peut-être qu'il a fait quelque chose qu'elle n'a pas vu. Creuse. Comment tu t'en es sorti avec Fred Lawrence et ce problème dans le garage.

– J'ai fini par lui tirer les vers du nez. Il loue une place dans le garage, elle est supposée être à lui et rien qu'à lui. Il est rentré de Fire Island samedi midi, et un taxi s'était garé à sa place.

– Un taxi? Cardozo fronça les sourcils. Pourquoi ne voulait-il pas te le dire?

– Parce qu'il a honte. Il dit qu'il est type A, impulsif, candidat à l'infarctus, ne peut pas supporter la frustration. Ça l'a rendu dingue et il a téléphoné à la compagnie de taxi. A dit qu'il était de la Ligue de défense des juifs et qu'il allait leur passer un savon maison.

– Quel était le nom de la compagnie de taxi?

– Ting-a-ling Taxi, quelque chose comme ça. Il préférait encore ne pas s'en souvenir.

Cardozo était songeur.

– La compagnie de Bronski est Ding-Dong Transport. C'est rudement proche de Ting-a-ling Taxi. Bronski aurait pu laisser son taxi dans le garage de Beaux-Arts de midi à deux. Ça expliquerait le compteur bas et pourquoi toutes les courses sont près de la Sixième Avenue et de la Cinquante-quatrième. Carl, vérifie ça.

Malloy acquiesça.

— Réussi à trouver l'homme à tout faire? s'enquit Cardozo.

— Je suis en contact avec le gardien, dit Richards. Il me préviendra dès que Loring se montrera.

— Peut-être que l'homme à tout faire est parti pour Rio, intervint Monteleone. Avons-nous l'extradition pour Rio?

— S'il nous la faut, riposta Cardozo, nous l'aurons. Sam, comment t'en es-tu sorti avec les autres résidents?

Richards avait été interroger Billi von Kleist, le styliste; Phil Bailey, le président de chaîne TV, et son épouse Jennifer; Johnny Stefano, le compositeur de Broadway. Aucun d'eux ne pouvait jeter la moindre lumière sur les événements survenus dans l'immeuble le samedi, et aucun d'eux ne reconnaissait le visage sur l'affichette.

Cardozo soupira.

— Ça laisse encore trois résidents dans la nature.

Sam Richards sourit.

— Doyle est à la clinique Betty Ford, pour décrocher de la cocaïne. C'est sa troisième tentative. Les sources bien informées disent qu'il ne réussira pas. Notre Dame est chez l'Aga Khan en Sardaigne, à la colle avec la femme du sénateur Behrend du Nebraska. Le duc et la duchesse sont à Issy-les-Moulineaux avec une Rothschild, qui est en train de mourir d'un cancer de la moelle osseuse.

— Comment as-tu dégotté tout ça? demanda Cardozo.

— J'ai trouvé un très bon informateur. Tu aimerais peut-être le rencontrer.

— Franchement, c'est à cause d'eux que nous avons des cafards dans l'immeuble.

Gordon Dobbs parlait de Saveurs de Paris, la boulangerie au troisième étage de la tour Beaux-Arts.

— Leurs croissants ne sont même pas frais. Ne vous inquiétez pas, je n'achète jamais chez eux. Il gloussa. Il n'ont rien fabriqué de tout ça.

Le regard de Cardozo vint se poser sur l'assortiment coloré de petits fours glacés disposés sur un plateau d'argent. Il mordit dans un autre, son troisième, malgré la hantise de son poids. C'étaient de superbes pâtisseries, le genre de pâtisseries qui devaient exister dans les rêves d'enfants. A travers une bouchée de noisettes, il se renseigna sur le gardien.

— Bill Connell est divin — si vous avez besoin de faire réparer une fuite, il vous envoie l'homme à tout faire en trois secondes et demie. Sa femme est invalide, vous savez, c'est pour ça qu'il court le jupon.

De nouveau la remarque superficiellement drôle, le dard dans sa queue. Cardozo demanda à Dobbs ce qu'il savait de la clinique dentaire du troisième.

– N'ayons pas peur des mots. C'est un vrai moulin de l'aide sociale. Des gens très bizarres entrent et sortent de ce bureau. Tout le monde sait que les bons médecins sont, dirons-nous, généreux avec leurs ordonnances de calmants.

Cardozo sentit que Dobbs n'avait pas de preuve, pas de renseignement, pas même un soupçon fondé : il faisait ça parce qu'il voulait deux flics dans son salon, parce qu'il voulait, ce soir, à dîner, se tourner vers la blonde couverte de bijoux assise à côté de lui et lancer, « Devinez qui est venu prendre le thé chez moi aujourd'hui... les flics. »

Cardozo lui demanda ce qu'il savait des psychothérapeutes du quatrième.

L'explosion du rire de Dobbs emplit la pièce. Il se balança d'avant en arrière dans son fauteuil.

– Pauvres chéries – elles en voient des vertes et des pas mûres. La concurrence est dure. New York donne le permis d'exercer à beaucoup trop de travailleurs sociaux en psychiatrie. Je veux dire, qu'on se décide! Ce sont des médecins ou des aides-maternelles? J'ai parlé à l'une d'elles dans l'ascenseur, mentionné Jung et fait chou blanc sur toute la ligne. Manifestement, elles travaillent beaucoup pour l'État. Quelqu'un paie le loyer et, croyez-moi, pas leurs patients miteux.

– Vous n'en connaîtriez pas un, par hasard?

– Un patient? Mon Dieu, non.

Le sourire de Dobbs était doucereux et semblait dire, « nous nous comprenons, c'est juste vous et moi contre la racaille du monde ».

Cardozo mentionna Lily Kowitz.

– Princesse Lil? Son ex-mari est polonais, c'est une Copa girl de Enjy.

– Enjy?

– Jôrsey. Sa sœur est la femme du sénateur Galucci. La princesse a un petit problème d'alcoolisme. Un petit sherry et elle bat la campagne. La pauvre, elle me fait vraiment de la peine. Elle n'est jamais plus invitée nulle part. Son beau-frère lui a offert l'appartement – le tuyau, c'est qu'elle a dû aller voir un prêtre et lui jurer sur la Vierge Marie d'arrêter de voler à l'étalage chez Bendel.

Dobbs ne ressemblait pas du tout à l'idée que Cardozo s'était faite d'un échotier. Il ressemblait plutôt au genre d'homme qui gagne sa vie comme mercenaire sur les champs de bataille, pas dans les salons. Quant à son ton, c'était encore autre chose.

– Le duc et la duchesse de Chesney? demanda Cardozo.

– Ils sont britanniques, évidemment; la crème des britanniques. Ne se vantent jamais de leur rang. Très brillants causeurs – très recherchés. Ils sont en France parce que leur amie est en train de mourir et qu'elle voulait s'entourer de gens distrayants pendant son déclin. Eh bien, pour moi ça en dit long.

– Debbi Hightower? s'enquit Cardozo.

– Elle prétend être une actrice-trait d'union-mannequin, mais je doute qu'elle saurait surgir d'un gâteau d'anniversaire à une soirée entre hommes. Pauvre enfant; certaines personnes ne devraient pas prendre de cocaïne. Tout à fait entre nous, j'ai entendu dire que c'est une call-girl.

– Connaissez-vous un de ses michetons?

– Eh bien, j'ai vu quelques messieurs à l'air très penaud s'arrêter à son étage.

– Vous n'en avez reconnu aucun?

Une vague rougeur monta aux joues de Gordon Dobbs. Il prit une tasse de porcelaine et but à petites gorgées.

– Je ne me sens pas le droit de les nommer... Non, il faudra lui demander à elle. Je regrette d'avoir mis ça sur le tapis; cela ne me regarde pas.

Cardozo poursuivit.

– Will Madsen?

– Le recteur de l'église du coin? Il a fait des merveilles pour amener les gens à des services entre midi et deux, et ses concerts sont un plaisir. C'est un parfait gentleman, qui ne parle jamais de religion. Je respecte ça chez un homme d'église, pas vous?

« Cet homme me demande ce que je respecte? » pensa Cardozo.

– Fred Lawrence?

Il remplit les déclarations d'impôts pour des gens très prestigieux. Je dois dire qu'il a fait des miracles pour moi – le fisc ne m'a pas contrôlé depuis sept ans, et c'est un record mondial.

Le salon de Dobbs avait un confort frais, pareil à celui d'une grotte. Un mur était couvert de rayonnages, avec de discrètes rampes de spots localisant des idoles de terre cuite et des statuettes, des masques d'or martelé, des bronzes et des ivoires sculptés, des fragments de poterie peinte. Dobbs était de toute évidence un collectionneur. La cheminée était en marbre sculpté, et des rideaux de soie et de velours pêche faisaient apparaître les fenêtres plus hautes ici qu'au cinq.

– Baron Billi von Kleist? demanda Cardozo.

Il se demanda s'il n'y avait pas un instant d'hésitation avant que ne vienne la réponse.

– Billi est un génie du marketing, et très proche de la Maison-Blanche. La première dame – je ne blague pas – la femme du président est venue dîner dans son appartement il y a deux mois. Et bien sûr ses vêtements sont nouveaux et originaux – pourtant je dois avouer qu'il faut un petit moment pour s'habituer à sa dernière collection.

– Notre Dame?

– Inutile que je vous dise, Lieutenant, que n'importe quel jeune homme dans un Saint Laurent déchiré avec des cheveux punk verts chantant des chansons comme *On va vous faire la peau*, est tout à fait inoffensif. Toute cette imbécillité punk est strictement réservée à l'Amérique profonde. Il est scientologiste, ne touche jamais à la drogue ni à l'alcool. Il est tout le temps en tournée – on ne le voit jamais dans l'immeuble.

Il y eut un bruit de claquettes. Les semelles de l'inspecteur Richards cliquetèrent sur le marbre du sol à damiers blanc-noir. Il se tint sur la terrasse, une tasse de thé à la main, contemplant la vue.

– Phil Bailey? demanda Cardozo.

– Phil est président de NBS-TV – tout à fait sans prétention – plus homme d'affaires qu'artiste, mais tout aussi à l'aise quand il parle à David Bowie qu'au roi Juan Carlos. Sa femme a un charme fou. Elle aurait pu devenir harpiste de concert, mais elle a abandonné pour l'épouser. Elle est israélienne, mais très raffinée. J'adore les Israéliens comme ça. Et j'ai entendu dire que le fils est un architecte doué.

Cardozo saisit un certain tranchant, comme une lame luisant sous une manche : Dobbs n'aimait pas les juifs, faisait des exceptions, ne se doutait pas que Cardozo était un nom juif portugais; se considérant probablement sacrément libéral sur la question, Dobbs jouait pour lui la condescendance qu'il réservait aux catholiques.

– Hank Doyle?

Dobbs leva les mains. Une alliance en or étincela. Pas d'autre bijou aux doigts.

– Quelle affreuse tragédie. La femme d'Hank et moi avions de longues conversations dans l'ascenseur. Elle lui a dit qu'il devait choisir, la sniffe ou Charlayne, et il a choisi la sniffe. Maintenant il est à la clinique Betty Ford – mais sérieusement, connaissez-vous quelqu'un qui se soit sorti de la coke? C'est beaucoup trop bon marché et trop facile à trouver. Et maintenant avec cette idiotie de crack. Épouvantable.

Une sonnette retentit. Les yeux de Cardozo se tournèrent vers le vestibule.

La porte d'entrée s'ouvrit et un homme blond, trapu, d'un mètre quatre-vingts, en bleu de travail, entra en empochant une clé. Il était affecté d'une légère claudication comme celle que les vétérans touchés par des éclats d'obus avaient ramené du Vietnam. Son nez présentait une bosse comme s'il avait été cassé autrefois.

Dobbs se retourna.

– Dans la grande salle de bains, Claude, le robinet en porcelaine.

L'homme disparut au bout du couloir.

– Qui était-ce? demanda Cardozo.

– Claude? C'est l'homme à tout faire. J'ai une fuite.

Les regards de Cardozo et Richards se rencontrèrent.

Sam Richards frappa à la porte ouverte de la salle de bains. L'homme à tout faire leva les yeux de son travail, et son front se plissa quand il vit le portefeuille et la plaque.

– Inspecteur Sam Richards, vingt-deuxième commissariat. Où étiez-vous samedi, Claude?

Loring s'accroupit, les sourcils froncés, puis se remit debout très lentement. Il posa une clé à écrous en travers de l'évier.

Il y eut un silence tandis que les deux hommes, les yeux dans les yeux, se mesuraient du regard.

Richards regardait un homme de la trentaine au visage large, au corps trapu, avec des cheveux blonds, des pattes, une moustache – un homme bougeant avec toute l'aisance d'un mur de pierre apprenant à marcher.

Loring passa un doigt sali sous sa moustache blonde.

– Samedi j'ai dormi chez une copine.

– Toute la journée?

La poitrine de Loring se gonfla sous son tee-shirt, dévoilant des chaînes de muscles fabrication gymnase. Il acquiesça.

– Où étiez-vous dimanche? Et hier?

– Même endroit.

– Pouvez-vous le prouver?

Loring ouvrit la bouche... et puis la referma, lèvres serrées. Ses yeux étaient bordés de rouge, comme s'ils n'avaient pas connu le sommeil depuis longtemps.

– Claude, vous feriez mieux de parler – pour votre bien.

– Mon bien, qu'est-ce qu'il a à voir là-dedans?

– Il y a eu un meurtre ici samedi.

– Je n'ai rien eu à voir avec ça.

– Vous avez une clé de l'appartement où le corps a été découvert.

– Moi et quelques autres.

– Nous les interrogeons.

Loring fit sauter une Camel du paquet froissé glissé dans sa poche revolver.

– Qui était cette copine chez qui vous étiez, Claude?

– Vous allez lui casser les pieds? Écoutez, je viens de m'engueuler avec mon copain de chambre et il m'a mis dehors. C'est assez difficile de trouver un endroit où dormir dans cette ville sans que vous, les mecs, fonciez chez elle et lui flanquiez la trouille de sa vie. Qu'est-ce qu'elle va penser, si vous enfoncez sa porte pour demander si j'ai tué un pauvre couillon?

Richards croisa les bras sur sa veste, et la manche de son costume marron remonta, dévoilant une Seiko neuve à son poignet.

– On lui demande simplement si vous étiez là, Claude.

Loring prit sa clé à écrous et resta planté là, à la tapoter dans sa paume.

– Vous êtes obligé de lui parler du meurtre?

– Bon sang, s'exclama Richards, en écrasant le frein, regarde-moi ça.

Une camionnette vert foncé, arborant un énorme logo représentant un geai bleu, s'était garée devant une bouche d'incendie. Richards considérait les bouches d'incendie comme un stationnement réservé à la police.

– Plaque du Tennessee, observa Cardozo. Au cas où tu ne saurais pas.

Richards trouva une bouche au coin de la Sixième et de la Trente-troisième et se gara en trois savants tours de volant. Ils se faufilèrent à travers des jungles sur trottoir de palmiers en pots et de pieds de maïs; la jungle était en vente à des prix ridicules – deux cents dollars un arbre et plus – et le feuillage vert était assez épais pour donner refuge à un commando entier de Vietcongs. La chaussée fumait dans la grosse chaleur d'été. C'était le quartier du marché aux fleurs en gros, et l'industrie de l'immobilier, prête à promouvoir les vieux immeubles du secteur, avait baptisé ses blocs FloHo.

La copine et alibi de Loring habitait un immeuble de vieux lofts dont la peinture, qui datait de la Première Guerre mondiale, s'écaillait sur le porche voûté en pierre calcaire. Cardozo trouva le bouton avec un bout de carte de visite professionnelle coincé dans la fente réservée au nom : « Faye di Stasio Associés. » Il le pressa, et après une seconde pression l'interphone émit un son strident et la porte vitrée se débloqua avec un déclic.

Ils commencèrent à grimper les marches branlantes. L'air dans la cage de l'escalier pesait comme une couverture imbibée d'eau chaude. Une jeune femme attendait sur le palier du troisième.Il sembla à Cardozo qu'il y avait quelque chose de meurtri et d'amer dans la façon dont elle se tenait là, défendant sa porte.

– Faye di Stasio? demanda-t-il.

Elle fumait sa cigarette et se contenta de le dévisager et de laisser sa cendre tomber mollement vers le sol.

– Qui la demande?

– Police.

Cardozo montra sa plaque, présenta Richards.

– Il y a un désordre terrible.

Elle les laissa passer.

Une télévision marchait. La pièce était mal tenue, et l'air sentait le vieux divan.

– Vous avez eu un invité pendant le week-end? Cardozo posa la question d'une voix prudemment naturelle, comme si c'était la chose la plus normale au monde pour cette femme que de tout raconter à Vince Cardozo sur les hommes qui partageaient sa chambre.

Son regard s'éleva jusqu'à celui de Cardozo.

— Qui a des ennuis — lui ou moi?

— Pas vous. Peut-être que lui non plus.

— Je buvais du café — je peux vous en offrir?

Cardozo lança un coup d'œil à Richards. Richards acquiesça.

— Voudriez-vous vous asseoir?

Ses mots étaient étrangement distingués pour une femme aux pieds nus et sales.

Cardozo n'en revenait pas de la pauvreté des lieux : murs tachés et délabrés, lattes pointant au travers du plâtre comme des os à nu; rideaux pourrissant dans l'air acide de la ville; chaises aux pieds cassés recollés au papier collant de déménageur.

Les deux policiers choisirent des chaises qui paraissaient fiables.

Cardozo laissa son regard rôder dans l'appartement. Une machine à coudre avait été installée dans la cuisine; des jouets en tissus débordaient de cartons d'un mètre de haut entassés à côté de la salle de bains; de la nourriture pour chat, dans un bol au pied de la porte, se couvrait d'une peau vieille de deux jours. Une installation de climatisation pompait bruyamment l'air dans une fenêtre sur l'arrière. Au-delà des barreaux des fenêtres, des cimes de sumacs hirsutes se dressaient dans la cour noircie de suie.

Elle apporta trois tasses de café.

— Un homme qui s'appelle Claude Loring est resté avec moi.

— A quelle heure était-il ici ce week-end? demanda Cardozo.

Elle alluma une nouvelle cigarette et la tint sur le côté, le coude sur la table et le poignet incliné en arrière.

— De vendredi soir tard à ce matin.

— Que voulez-vous dire par vendredi soir tard?

— Eh bien, c'était peut-être samedi matin. Le soleil n'était pas levé.

— Il était ici tout le temps?

— Ici exactement.

Elle désigna un lit-loggia construit par un amateur au-dessus de la cuisine.

— Vous êtes restée à la maison tout le week-end?

Un silence s'étira trop longtemps. Elle acquiesça de nouveau.

— Pas sortie une seule fois?

— Je travaillais. Je suis sortie prendre un café, des cigarettes.

— Alors comment savez-vous qu'il a été ici tout le temps?

— Je ne suis pas sortie plus de dix, quinze minutes. Il est comme un ours qui dort deux, trois jours d'affilée.

– Vous le connaissez depuis combien de temps?

– Oh, ça dure depuis plusieurs années.

– Quel genre de travail faites-vous?

– Je dirige ma propre boîte – jouets créatifs pour animaux de compagnie.

Il ramassa une souris en tissu posée sur une table : les yeux s'ouvraient comme ceux d'une poupée et un petit cri aigu en sortit.

– C'est vous qui l'avez fabriquée? demanda-t-il.

Elle hocha la tête.

– Joli, dit-il. Il n'était pas vraiment sincère.

Son visage s'éclaira comme une ampoule de cent watts.

– En vérité je sculpte sur tissu. Cette affaire est temporaire, en attendant qu'on m'expose.

Le téléphone sonna et un répondeur intervint. « Bonjour. Vous êtes au siège de Faye di Stasio Associés. » C'était sa voix. « Veuillez laisser votre nom et votre numéro de téléphone, un membre de notre personnel vous contactera. »

Il y eut un bip et puis une voix d'homme, bourrue. « Hé, Faye, c'est moi. Décroche. »

Elle lâcha son café, traversa la pièce et saisit le récepteur.

– Je suis désolée, dit-elle après avoir écouté un moment, nous avons eu quelques problèmes. Cela ne se reproduira pas.

– Quel genre de problèmes? demanda Cardozo quand elle revint vers sa chaise.

– La camionnette est tombée en panne. Rien n'a pu partir samedi. Aujourd'hui tout est prêt et nos revendeurs prétendent qu'ils ont perdu la clientèle des vacances, ils veulent réduire leurs commandes. Quel sale boulot.

– Claude doit beaucoup vous aider.

– Oui. Claude est formidable.

— Je devrais être en colère contre vous, déclara le D⁻ Éric Corey.

— Pourquoi? Babe, en blouse, était assise sur une table couverte de papier-rouleau dans la salle d'examen du docteur.

— D'abord, vous vous êtes réveillée pendant que j'étais aux Bermudes. Vous m'avez forcé à écourter mes vacances. Et ensuite, vous vous portez si bien que vous êtes presque une fausse alerte. Il n'y a pas grand-chose que je puisse faire pour vous. La nature semble se charger du gros travail.

Grand, avec un bronzage foncé qui mettait en valeur ses yeux bleu-vert, le Dr Corey avait un comportement envers les malades qui allait avec sa voix : doux, peut-être trop doux pour qu'on se fie totalement à lui. Il l'examina avec lenteur et prudence pour ne pas risquer de lui faire mal.

— Vous êtes mon sujet d'étude favori. J'ai plongé en vous durant sept ans. Il lui manipula la cheville. Ça va? Mieux qu'hier?

— Beaucoup mieux.

— Là?

— Aïe.

— Juste une pointe d'épingle. Nous voulons être sûrs que vos nerfs se réveillent. Tortillez votre gros orteil.

Elle fit un effort. Le gros orteil réagit avec une secousse.

— Bravo. Croisez les jambes.

Il lui tapa sur le genou avec un marteau de caoutchouc.

Sa jambe bondit en l'air.

— Vous avez de bons réflexes, madame, et ils s'améliorent, et un de ces jours ils seront absolument normaux pour une femme de votre âge.

— Docteur, quel est mon âge?

— Ça dépend de votre date de naissance.

— Mais suis-je plus vieille qu'au moment où je suis tombée

dans le coma? Ou mon corps et mon esprit sont-ils simplement restés congelés?

– Intéressante question. Faudrait peut-être un philosophe pour y répondre – ou un avocat. Hé, vous voyez dans quelle forme sont vos ligaments? Pas mal – pas mal du tout. Nous vous avons fait marcher un kilomètre et demi tous les jours pour qu'ils ne rétrécissent pas.

– Merci.

– Remerciez votre patrimoine héréditaire. Vous êtes une femme solide. Tout ce qu'il nous reste à faire maintenant c'est accroître vos forces, entraîner vos muscles, vous nourrir. Comment va l'appétit?

– Je rêve de nourriture correcte.

– Bon signe. Nous vous ferons passer aux solides petit à petit. Votre estomac est resserré. Nous devons le distendre lentement. Pas de homard Newburg pendant le premier mois.

Les yeux de Babe se posèrent sur le fauteuil roulant.

– Quand serai-je capable de marcher?

– Nous vous mettrons sur des béquilles dans quelques semaines, et dans deux mois, vous devriez pouvoir vous débrouiller avec une canne.

– Deux mois!

– Peut-être plus tôt.

– Quand puis-je quitter l'hôpital?

– Nous verrons.

Il nota quelque chose sur un écritoire à pince.

– Comment vous sentez-vous mentalement, émotionnellement?

– Furieuse d'avoir perdu sept ans. Curieuse de savoir ce qui a provoqué mon coma.

Les yeux du docteur se posèrent sur elle une demi-seconde.

– Difficile à dire sept ans après les faits. Cela pourrait avoir été un choc sur la tête, ou des drogues...

– Insuline?

Il posa l'écritoire.

– Qu'est-ce qui vous a donné cette idée?

– Un inspecteur de police.

Il la regarda.

– Les policiers ne sont pas des médecins, vous savez. Les seules personnes que leurs pathologistes examinent sont mortes.

– Ce n'est pas une réponse.

– C'est tout ce que vous tirerez de moi car c'est tout ce que je sais. Maintenant sautez dans ce fauteuil, que l'on vous fasse décamper d'ici en vitesse.

13

Un peu après 14 heures, un camion portant le logo Andy Eboueur, Astoria, pénétra dans la décharge de Fountain Avenue dans le Queens. Son chargement avait attendu dans un dépôt de Manhattan pendant le week-end prolongé. Le camion chercha, continua plus loin, trouva une zone de décharge sous la petite bruine, et recula : il y eut, dans l'air, une soudaine intensification de la puanteur tandis que les détritus glissaient sur le sol en une pile miroitante. Dix ans auparavant il n'y avait rien d'autre ici que Jamaica Bay, un doigt de l'Atlantique. Maintenant c'était un terrain bâti avec des déchets, élevant leurs montagnes pourrissantes vers la chaleur du soleil, et poussant leur rivage mou dans l'océan. Toute la journée un cortège sans fin de bennes à ordures, escortées par des nuées de mouettes tournoyantes, étaient venu déposer leur chargement.

Depuis dimanche une armée d'hommes et de femmes en ciré de la police avait laborieusement exploré cette nouvelle terre. Depuis plus de trente-six heures ils avaient enfoncé des sondes d'acier d'un mètre cinquante dans la gadoue, retourné des trucs visqueux, escaladé des crêtes et des vallées, scruté l'intérieur des réfrigérateurs rouillés et des fourneaux qui parsemaient le paysage lunaire, pareils à des sondes spatiales naufragées venues d'une autre planète.

Dans un hurlement mécanique assourdissant le camion changea de vitesse, décrivit un large U, et ressortit pesamment de la zone de décharge.

L'agent de police Luis Estevez, prêté au 22e commissariat par les Services Spéciaux, inspectait la bande nord de la décharge. Il avança un peu, en déplaçant son regard en courts demi-cercles sur les ordures quand un objet ou une forme retint son attention, il s'approcha pour piquer, puis continua.

Dans le monticule que venait de laisser Andy Eboueur quelque chose d'entr'aperçu l'incita à se retourner et à regarder de plus près.

A environ un mètre cinquante en haut du nouveau talus, il y avait une masse noire et brillante pointant à travers la putréfaction compressée, et il se demanda ce que c'était.

Dans un barbotage de bottes, il se dirigea par là.

La montagne changea de forme sous lui, l'aspira vers le bas.

Il était à un peu moins de deux mètres avant de pouvoir discerner nettement le plastique noir, assez près pour suffoquer dans la puanteur, et il dut se rapprocher encore pour distinguer les renforts d'acier entrecroisé, le tortillon de fil métallique gainé de papier qui fermait le col du sac.

Il réfléchit une minute, puis se pencha, plaça ses deux mains gantées de caoutchouc autour du col et donna une secousse lente et puissante. Petit à petit la montagne livra le sac. L'agent de police le descendit dans la décharge plus ancienne où l'on ne s'enfonçait pas. Il prit un couteau à sa ceinture et d'un air lugubre et pressé fendit le plastique.

Une masse de rouge palpitante d'asticots se répandit à l'air libre.

De la viande – rien que de la viande. Ceci en soi était inhabituel.

Ses yeux aperçurent quelque chose de blanc. Avec une prompte efficacité, il passa sa lame le long de la crête blanche.

Son visage se glaça.

Il savait ce qu'il avait trouvé, et ça lui faisait froid dans le dos.

Il retourna en courant à sa voiture de patrouille bleu et blanc et appela son chef par radio. Les transmissions radio de la police n'étaient pas sûres et des journalistes charognards passaient leur temps à écouter, alors il se contenta d'un message bref et vague. « Hé Lou », dit-il à son lieutenant. « C'est Estevez. J'ai trouvé quelque chose qui va t'intéresser. »

C'était le début de l'après-midi. La pluie avait presque cessé et Sheridan Square tourbillonnait de conducteurs du New Jersey, de piétons et de pigeons, tous acharnés à ignorer les feux de circulation.

Cardozo s'avança vers le seuil d'une porte obscurcie et pénétra dans la fraîcheur de la boutique pour adultes, Plaisir Brut.

L'air sentait l'encens à la banane. Il n'y avait pas de bruit sinon le vrombissement d'un climatiseur, le murmure d'une radio réglée sur une station musicale. Il regarda autour de lui.

Un homme à l'air timide farfouillait nerveusement dans un casier de magazines pornos sur papier glacé. Deux adolescentes pouffèrent soudain de rire devant une vitrine de godemichés chatouilleurs.

Un vendeur était assis derrière le comptoir, les yeux fixés sur un problème de mots croisés du *Times*, et mâchonnait un chewing-gum d'un air sombre.

– Excusez-moi.

Cardozo, planté devant le comptoir, plongea la main dans le sac de papier brun qui contenait le sachet à indices en plastique. Il ouvrit le sachet et en sortit le masque de cuir.

— Sale gueule, remarqua le vendeur. Vous voulez le rendre?

C'était un homme svelte d'environ quarante-cinq ans avec des cheveux bruns grisonnants et une barbe et une moustache très soignées.

— Non, mais je désirerais quelques renseignements.

— On ne vend pas en gros.

— Pas de problème. Ceci est la référence 706 dans votre catalogue, pas vrai?

— Non, c'est fini. La dernière fois que nous avons fait de la publicité pour un de ces articles, c'était dans le catalogue de mars.

— Mais vous avez vendu ce masque?

— A-t-il un défaut quelconque?

— Je voudrais savoir qui l'a acheté.

Cardozo posa tranquillement son portefeuille ouvert sur le comptoir.

Le regard du vendeur s'abaissa sur la plaque et remonta, transformé. Il prit le masque, le manipula, en l'examinant d'un air hésitant.

— Ceci n'est pas un produit Plaisir Brut. C'est de l'arnaque. Ces masques sont fabriqués par Nuku Kushima.

— Vous dites ce nom comme si je devais le connaître.

— Elle expose dans les galeries de Soho, ce qui fait de ses masques des œuvres d'art. Les nôtres sont pour le divertissement en privé. Les siens se vendent treize mille dollars. Les nôtres se vendent trois cent cinquante. Nous lui avons intenté un procès, mais elle touche une subvention du Conseil des Arts de l'État de New York, et la Cour a jugé que l'affaire tombait sous le principe Warhol – vous vous souvenez, Warhol avait signé deux boîtes de soupe Campbell et les avait vendues comme œuvres d'art?

Cardozo ne se souvenait pas : les procès civils n'étaient pas son rayon.

— Pourriez-vous me montrer la différence entre vos masques et les siens?

— Les nôtres sont cousus à la machine sur des machines à coudre le cuir industrielles et les siens sont cousus à la main par des couturières – alors ils ne tiennent pas. Le vendeur retourna le masque sur l'envers et tira sur une couture. Ses points sont à intervalles de six millimètres. Les nôtres tous les millimètres et demi. Elle utilise du fil de nylon, nous utilisons du boyau. Le boyau peut supporter huit fois la tension. Vous voyez comme celui-ci a déjà commencé à se découdre? Ce mignon-là il en a vu, je vous le garantis.

— Ces masques sont-ils populaires?

— Le prix ne les rend pas trop populaires – mais des touristes de New Jersey en achètent depuis ce meurtre.

De manière prévisible, le cadavre du cinq s'était divulgué dans la presse; et de manière tout aussi prévisible, la presse avait déformé la plupart des détails.

— Nous en avons vendu quelques-uns aujourd'hui.

— Combien?

Le vendeur s'approcha d'un classeur et ouvrit un tiroir. Il compulsa des factures.

— Trois.

— Puis-je voir ça?

Cardozo passa en revue les fiches de vente : il y en avait deux par cartes de crédit. Une vente était en liquide. Joan Smith, 3 Park Avenue, 350 plus vingt-huit, quatre-vingt-huit de taxes.

Il y réfléchit.

— Joan Smith a payé en liquide?

Le vendeur fit une grimace style j'essaie-de-me-souvenir.

— Première vente aujourd'hui. Elle était ici à dix heures moins cinq, sur des charbons ardents parce que je n'ai pas ouvert la porte avant dix heures. Certaines personnes sont comme ça. On dit de dix heures à vingt-deux heures sur la porte, il faut qu'elles arrivent à moins cinq.

— Vous prenez toujours le nom du client, pour une vente en liquide?

— Oui, nous leur envoyons notre catalogue.

Cardozo se donna à dix contre un qu'il n'y avait pas de Joan Smith au 3 Park Avenue; et à vingt contre un que s'il existait bien un 3 Park Avenue, c'était un immeuble de bureaux.

— Vous souvenez-vous à quoi elle ressemblait?

— Taille moyenne, jolie silhouette. Elle était habillée à la punk de Soho. Vous savez, sac poubelle haute couture. Cheveux blonds, naturels je crois; elle portait une grosse ceinture de cuir cloutée, lunettes de star.

— Quel genre de ceinture cloutée?

— Genre poule de luxe. Un tas de grosses fausses pierreries.

Ça parut étrange à Cardozo : première vente le premier jour après un week-end prolongé, client anxieux, presque quatre cents dollars de liquide en main. Comme si un masque de bondage en cuir était un de ces articles sans lesquels on ne pouvait absolument pas commencer la journée, au même titre que du lait dans son café, de l'essence dans son réservoir, ou le premier fixe de cocaïne.

— Vous avez un annuaire?

— Oui.

Le vendeur passa par-dessus le comptoir un exemplaire corné des Pages Blanches de Manhattan.

L'annuaire dressait la liste d'un tas de J. Smith et quelques Joan

Smith, aucune au 3 Park Avenue. Il y avait une N. Kushima dans Prince Street à Soho, et Cardozo nota le numéro.

– Je voudrais acheter un de vos masques, dit-il.

– On n'en a plus. L'expression du vendeur était teintée d'obligeance prudente. Mais comme vous êtes du NYPD, je pourrais vous céder le modèle en vitrine – je vous le descendrai de cent dollars.

– Vous prenez la carte VISA?

– Bien sûr.

Cardozo tendit la main.

– Je m'appelle Cardozo. Vince Cardozo.

– Moi c'est Burt.

Cardozo appela N. Kushima d'une cabine, annonça qu'il était de la police et avait besoin de lui parler.

– Je serai chez moi encore une demi-heure, répondit-elle. La femme qui lui ouvrit la porte était une petite japonaise avec un visage comme une noix; elle portait un jean, des sandales, une blouse d'hôpital constellée de peinture, et ses cheveux étaient attachés avec un mouchoir à carreaux.

– Entrez, je vous prie.

Le seul trait oriental en elle était son visage. Son accent était cent pour cent New York, un mélange incongru de juif et d'hispanique populaire. Elle lui adressa un sourire contraint.

Il pénétra dans un loft inondé de lumière jaune. Le soleil avait paru, et l'endroit regorgeait de plantes en pots sur des rebords de fenêtres, des tables et des guéridons; un avocat de deux mètres cinquante poussait dans une urne de céramique posée sur le sol.

Les tableaux au mur étaient des toiles d'un mètre quatre-vingts avec du fil de fer barbelé cloué dessus, des chaussures de jogging, des moufles de bébé et, empalés sur les pointes, des sacs de toile de jute vomissant de la peinture rouge et des viscères enchâssées dans du plastique transparent. Les intestins semblaient vrais, comme s'ils venaient d'une boucherie ou d'une salle d'autopsie.

Elle le regardait contempler les tableaux.

– C'est de vous? demanda-t-il.

– Bien sûr.

– C'est ce que vous ressentez, ou simplement ce que vous voulez que les autres ressentent?

– Notre époque est une époque sauvage. Je suis sûre qu'un policier voit des scènes bien plus épouvantables qu'aucune de celles-ci. Je bois une tasse de miso, vous en voulez une?

– Non, merci.

– Je vous en prie.

Son geste engloba des fauteuils et des gros coussins disséminés par terre. Elle s'assit dans un fauteuil paon, remonta les jambes, et le regarda.

– Comment puis-je vous aider?

Il sortit les deux masques de cuir de leurs sacs et les étala sur le sol devant elle.

– Les reconnaissez-vous?

Un froncement de sourcils circonspect obscurcit son front et elle but son bouillon à petites gorgées prudentes. Du pied elle repoussa avec mépris le masque Plaisir Brut.

– Celui-ci, c'est une vulgarisation. Son pied plana au-dessus de l'autre. Celui-ci est de moi.

– Comment pouvez-vous l'assurer?

– Comment une mère reconnaît-elle ses enfants? Je l'ai fabriqué. Il est moi.

– Combien en avez-vous fabriqué?

– Cinq seulement. Cinq, c'est ma limite – au-delà c'est de la prostitution.

– Qui vous a acheté vos masques?

Elle était assise là, buvant son miso à petites gorgées.

– Je ne sais pas qui achète mes œuvres.

– Je veux l'acheteur.

– Ma galerie se charge de toutes les ventes – Lewis Monserat sur Prince Street.

Cardozo emporta les masque et rejoignit les étroites rues de Soho encombrées d'une circulation cahotique.

La galerie Lewis Monserat sur Prince Street était sobrement impressionnante, avec un haut plafond percé d'un skydome, une atmosphère calme, et pas un seul visiteur.

La réceptionniste était assise dernière un vaste bureau; c'était une femme guindée vêtue d'un chemisier à col Peter Pan. Elle sourit en voyant approcher Cardozo, mais quand il montra sa plaque et demanda à parler à M. Monserat le sourire disparut.

– Je vais voir s'il est là.

Elle passa dans une autre pièce, en fermant la porte derrière elle.

Cardozo en profita pour regarder l'exposition, des tableaux de personnages sans visage qui semblaient devenir plus petits et plus solitaires à mesure que les toiles devenaient grandes.

La femme réapparut et le fit entrer dans un autre bureau.

Un homme avec des cheveux noirs qu'il semblait avoir fait mariner dans de l'huile d'olive se leva et tendit la main.

– Lewis Monserat. Que puis-je pour vous, monsieur?

Il portait un costume italien coûteux et très bien coupé. Ses grands yeux expressifs donnèrent à Cardozo l'autorisation de se laisser tomber dans le fauteuil de cuir capitonné.

Cardozo sortit le masque Kushima du sac en papier kraft et le posa sur le bureau.

— Vous avez vendu ceci. Qui l'a acheté?

Monserat avança la main et souleva le masque. Il le retourna, puis le mit sur l'envers. Quand enfin il parla, sa voix avait une sonorité douce.

— Ceci a une vague ressemblance avec le travail de ma cliente Nuku Kushima, mais...

Cardozo le coupa aussitôt.

— Mlle Kushima a identifié le masque. Qui l'a acheté?

Ce qu'il y avait pu y avoir de cordial dans l'attitude de Monserat s'évanouit d'un coup. Le silence dans la pièce devint soudain dur et plat.

— C'est contraire à la politique de la galerie de divulguer la liste de nos clients.

— J'apprécierais que vous renversiez cette politique.

— Attendez un instant, je vous prie.

Monserat se leva et passa dans la galerie. Cardozo l'entendit donner un coup de téléphone.

Sur le bureau, une pendulette dix-neuvième siècle sonna quatre coups discrets.

Monserat revint.

— Vous ne pouvez pas m'obliger à divulguer cette information sans une ordonnance du tribunal.

— Qui le dit?

Le regard de Monserat croisa le sien à la même hauteur, froidement.

— Mon avocat... M. Theodore Morgenstern... Je suis sûr que vous avez entendu parler de lui?

— Voudriez-vous l'appeler au téléphone, ou me faut-il une ordonnance du tribunal pour ça aussi?

Avec un sourire acide, Monserat décrocha le téléphone. Il composa un numéro, tendit le combiné à Cardozo, et se carra dans son fauteuil.

— Ted Morgenstern, annonça une voix trop empressée.

— C'est Vince Cardozo.

Morgenstern et lui étaient entrés en collision dans des salles de tribunal, des cabinets de juges, devant des grands jurys : assez souvent pour ne pas pouvoir se piffer. Personnage public et pourtant plein de zones d'ombre depuis plus de trente ans, Morgenstern avait établi sa réputation et sa fortune en tenant le rôle du négociateur dans des transactions commerciales, des transactions de justice pénale, des transactions d'otages politiques, des transactions internationales d'armes et d'espionnage, des transactions immobilières – et ce n'étaient là que les transactions connues du public.

— Nous enquêtons sur un crime capital, déclara Cardozo. Il ne me faut pas deux heures pour obtenir une ordonnance exigeant la divulgation de cette liste.

– Alors je suggère que ce seraient là deux heures fort bien occupées, Lieutenant. Il est temps que vous, les soi-disant représentants de la loi, appreniez à opérer selon la loi.

Il fallut à Cardozo moins de vingt minutes pour apprendre qu'il n'obtiendrait pas d'ordonnance du tribunal imposant la perquisition, pas en deux heures, ni en vingt. Son juge, Tom Levin, n'était pas au tribunal, dans aucun cabinet, impossible à joindre. La secrétaire de Levin, qui au bout du fil avait l'air excédé, assura qu'elle ferait de son mieux pour le joindre. Sa voix n'était pas encourageante.

Au moment où Cardozo reposait le combiné sur ses fourches, Carl Malloy fit irruption dans le bureau. Il se déplaçait comme une balle de caoutchouc, ses cheveux s'élevant et retombant au-dessus de son front.

– Vince, on est devenu fous, où étais-tu, on a passé l'après-midi à te chercher?

– Cela m'étonnerait, j'ai mis des Duracell neuves dans ce bipeur pas plus tard que ce matin. Le regard de Cardozo vint se poser sur le paquet intact de piles Duracell trônant sur le tas de modèles cinq. Je perds la boule.

Les yeux de Malloy croisèrent ceux de Cardozo, zélés et surexcités.

– Vince, nous avons trouvé la jambe.

Il y eut un instant de silence, et l'estomac de Cardozo bougea un peu.

– Où?

– Elle était dans une décharge du Queens, la benne l'a ramassée dimanche à la tour Beaux-Arts. Nous avons retrouvé la benne, nous avons retrouvé les ordures, nous avons tout retrouvé, tout concorde.

– Dans quel état est la jambe?

– Appelle Dan Hippolito, il est en train de l'examiner.

Au moment même où Cardozo avançait la main vers le téléphone un bouton se mit à clignoter et une voix cria du bureau des inspecteurs:

– Vince, téléphone pour toi, sur la trois!

– Qui est-ce?

– Un type.

– Bon sang, personne ici ne sait prendre des messages?

Il y eut un grésillement et la voix de Dan Hippolito arriva sur la ligne.

– Vince, j'ai examiné cette nouvelle matière osseuse. Elle est humaine, une cuisse droite d'homme. Comment vas-tu, au fait?

– Très bien. Qu'est-ce qu'on a?

– Nous pouvons classifier le sang à partir de la moelle, groupe O, comme John Doe. Il y a un peu de tissu cutané, drôlement déchiqueté, une supposition éclairée : il est blanc ou noir très clair ou hispanique.

– En d'autres termes toute la race humaine.

– Il n'est pas oriental. Il y a une marque à la fracture, caractéristique d'une lame rotative, et ça concorde en gros avec John Doe, mais en gros, parce que le tissu osseux a été compressé dans le compacteur.

– Y a-t-il quoi que ce soit que tu puisses voir que l'assassin voulait cacher : une tache de naissance, un tatouage une difformité?

– Vince, impossible de trouver une tache de naissance ou un tatouage là-dessus. C'est du hachis. Ce nouveau tissu ne va pas nous révéler pourquoi l'assassin voulait faire disparaître la jambe. Pour ce qui est de la difformité, le fémur est raisonnablement intact, Dieu seul sait pourquoi, et il n'y a pas de fractures, pas de courbures, pas de pathologie osseuse. Il y a une mycose dans les cellules graisseuses de la moelle, mais nom d'un chien, cette viande pourrit depuis trois jours et a été enfouie sous tous les parasites de la ville de New York. Alors contente-toi de ça, Vince, je ne peux pas faire mieux.

Cardozo sentit une vague de déception lui prendre les tripes.

– Merci, Dan.

– Embrasse ta fille pour moi.

– Je n'y manquerai pas.

14

Cardozo téléphona à Melissa Hatfield et lui demanda de prendre un verre avec lui après le travail.

– Je peux vous retrouver à six heures et quart chez Morgan, répondit-elle. Cinquante-troisième et Sixième. Vous connaissez l'endroit?

Cardozo le connaissait. Dix ans plus tôt Chez Morgan s'appelait Chez Reilly, c'était le bistrot de son commissariat. Chez Reilly était le terrain au coin de Rockfeller Center qui n'avait pas vendu son fonds. Depuis quatre décennies, écrasé par des gratte-ciel art déco étincelant à des millions de dollars, le bar cradingue à deux bâtiments et deux étages avec ses enseignes Schlitz clignotantes et ses affiches Miss Rhinegold dans la vitrine était un vilain bouton sur la face de Prométhée. Cardozo adorait Chez Reilly : pas seulement parce que le propriétaire avait tenu tête à John D. Rockfeller Jr., mais parce que la gnôle n'était pas allongée, parce qu'on pouvait se faire servir un chou corned-beef de huit heures du matin à quatre heures le matin suivant, et surtout à cause de la clientèle : des réparateurs, des Rockettes [1] sorties du music-hall qui faisaient la pause, des secrétaires, des policiers et des pompiers en dehors du service, des gens qui donnaient un dollar de boulot pour un dollar de salaire et ne s'attendaient ni à devenir célèbres, ni à ce qu'on les soudoie ou les piège pour autant.

Cette époque avait pris fin quand Reilly était mort et Chez Reilly était devenu Chez Morgan. Le vilain bouton devint un grain de beauté. Un revêtement extérieur de bois blanc recouvrit les briques effritées, des volets verts style Nouvelle-Angleterre furent cloués au revêtement, des rideaux de café volantés à carreaux rouges apparurent sur des tringles en bronze. Cardozo y était retourné une fois et une fois avait suffi.

---

1. Célèbre équipe de danseuses d'ensemble de Radio City Music-Hall à New York (*N.d.T.*).

Ce soir-là il arriva avec cinq minutes d'avance. Il voulait voir entrer Hatfield, voulait l'observer avant qu'elle ne sache qu'il la regardait.

Choz Morgan faisait le genre d'affaires dont Reilly avait toujours rêvé : clientèle debout au comptoir. Cardozo dut se frayer un chemin dans la foule au coude à coude de l'heure de l'apéritif.

Les barmen travaillaient devant des pyramides d'un mètre cinquante d'alcools de quatre-vingts nations. Ils avaient des moustaches de pirates et des corps à la Jack LaLanne, et leurs chemises à carreaux rouges à col ouvert étaient assorties aux rideaux du café. Ils faisaient du gringue aux clientes, se penchant tout près pour prendre la commande, et des chaînes en or scintillaient entre des pectoraux poilus. Avec les clients ils étaient machos et secs.

– Et pour vous? gronda un arrière d'un mètre quatre-vingts irradiant l'eau de Cologne.

– Scotch à l'eau, répondit Cardozo.

Il laissa un pourboire d'un dollar – il en connaissait l'effet sur le budget d'un bonhomme, et puis il considérait que même les imbéciles méritent un salaire correct. Il n'y eut pas de merci.

L'attitude, songea Cardozo, le cadeau de New York au monde entier. Tout le monde faisait le coup à tout le monde. Les célébrités de Park Avenue montant dans des limousines, la caissière portoricaine du supermarché, leurs yeux croisaient les vôtres avec ce même message déplaisant et impossible à confondre : crève connard. Ça devenait une ville de minables contre minables.

Cardozo prit son verre et chercha un endroit où s'asseoir. Il y avait des lampes tempête électriques sur chaque nappe à carreaux. Des visages penchés dans les ronds de lumière – des visages luttant pour avoir l'air sophistiqué, des visages luttant pour avoir l'air beau et prospère, des visages carburant à la cocaïne et des visages commençant à se brouiller à la Stolichnaya. Des visages essayant de communiquer avec des visages.

Il trouva une table libre; sur le mur où Reilly avait accroché le premier billet d'un dollar que le bar avait gagné et les chèques en bois des clients célèbres, il y avait un compas de marine et un baromètre de cuivre. Une horloge sonna l'heure avec des ding-dong de cloche de bateau. Cardozo avait envie de pleurer.

Une fille petite et frêle avec de longs cheveux noirs et un carnet de commande essaya de l'intéresser au poisson plat du jour. Il lui dit qu'il attendait une amie, et bien qu'il n'en ait pas très envie il sentit que la fille travaillait au pourcentage et il commanda un autre verre.

Melissa Hatfield franchit les doubles portes en cuivre. Elle portait un attaché-case plein à craquer en croco noir d'ébène et était vêtue d'une robe grise ceinturée assez serrée pour lui donner un léger évasement aux hanches. Elle alla droit au bar. Des hommes s'effacèrent, des yeux pleins d'espoir la suivirent et elle le savait. Elle passa directement sous l'éclat aveuglant d'une lampe tempête et il y eut un moment où le gris de sa robe devint des roses rouges, des roses orange, des feuilles vertes, des aubépines. Elle était belle sous la lumière, et ça aussi elle le savait. Elle sourit au barman.

Le pirate body-buildé ignora le type chauve qui attendait un Rob Roy depuis cinq minutes. Il servit à Melissa Hatfield un vin blanc sur glaçons, le couronnant d'un tir de pistolet à soda ostentatoire et d'une absolue précision. Il lui tendit le verre, en souriant.

Melissa Hatfield paya et pivota sur ses talons. Son regard balaya la cohue. Cardozo se leva et lui fit signe, une main levée. Elle l'aperçut, sourit, traversa la salle. Des hommes s'écartèrent sur son passage.

Elle laissa tomber la serviette à côté de la table.

– Trois fermetures à TriBeCa[1], lança-t-elle. Plus de paperasserie que pour le traité d'interdiction des essais nucléaires.

Cardozo n'aurait pu dire si elle attendait de la compassion ou des félicitations. Peut-être les deux. Il se leva.

– Vous n'avez pas besoin d'être galant, Lieutenant.

– Vince, dit-il. Appelez-moi Vince.

Elle s'assit.

Il la regarda siroter son verre avec une sorte de condescendance élégante, et il laissa voguer son intuition. Melissa Hatfield avait une tante dans le Bottin Mondain, et elle avait utilisé cette relation dans une profession qui permettait de rabaisser un petit peu les gens, en vendant de l'immobilier de luxe à de tout nouveaux milliardaires avides.

– Jolie robe, remarqua-t-il. En soie? Il savait que ça n'en était pas. Elle savait qu'il savait.

– Synthétique de Taïwan. C'est un imprimé truqué. On doit y voir des roses sous certains éclairages.

– Ça marche. Je les ai vues.

– Bloomingdale avait pensé en vendre à la pelle l'année dernière. L'échec. Je l'ai achetée dix-huit dollars dans un stand à la sauvette sur la Trente-deuxième Rue.

C'était intéressant ce que les gens racontaient sur eux spontanément. Elle lui expliquait qu'elle n'était pas aussi folle de l'argent que ses clients. Elle lui expliquait de ne pas la mettre dans le même panier qu'eux. Il sentit que ça comptait pour elle.

---

1. TRIangle BElow CAnal St., le triangle sous Canal Street, délimité par Canal Street au nord, Broadway à l'est et l'Hudson à l'ouest. Les nouveaux résidents, installés dans des entrepôts convertis en lofts, côtoient des sociétés toujours en activité. TriBeCa est la zone de Manhattan Sud qui s'est embourgeoisée le plus récemment. Elle est devenue un must pour les obsédés de la belle adresse (*N.d.T.*).

– Où allons-nous maintenant? demanda-t-elle. Dîner et puis spectacle à Broadway? Votre note de frais ou la mienne?

– Pas ce soir. Ce soir, travail.

Ses sourcils se soulevèrent.

– Ne me dites pas que vous allez me faire plaisir et acheter un des appartements de la tour Beaux-Arts. Je pourrais vous décrocher une ristourne. Vous améneriez un peu de sécurité dans l'immeuble.

Il remarqua le pianotage contenu de son doigt sur le cendrier. Elle avait dominé ses yeux pour qu'ils ne vacillent pas quand il fixait son regard sur le sien.

– Il n'y a que les radjahs et les dictateurs philippins qui achètent dans ce marché-là.

Il poussa la lampe tempête contre le mur. Il posa une enveloppe kraft 21 × 27 sur la table. Elle était marquée : « Réservé au NYPD amende pour usage privé $50. »

Elle baissa les yeux dessus.

– Je suis retourné jeter un coup d'œil au cinq cet après-midi, déclara-t-il. Quand les appartements non vendus sont-ils nettoyés?

– Je ne sais pas, mais je peux vérifier.

– Le cinq vous a-t-il paru plus propre que les autres – excepté la différence évidente?

– Excepté la différence évidente, non. Il m'a semblé pareil.

– Laisse-t-on le climatiseur branché dans les appartements non vendus?

– Jamais. Ça gâche de l'électricité. Je viens une demi-heure avant la visite et je le branche.

– Aviez-vous branché le climatiseur au cinq?

– Non. Je n'ai pas eu le temps d'arriver en avance dans l'immeuble.

– Mais il était branché.

– Quelqu'un a dû... le laisser branché.

Ils comprirent tous les deux qu'elle parlait de l'assassin.

– Combien de fois avez-vous fait visiter le cinq ce mois-ci?

– Rien qu'hier. Elle ajouta : l'immobilier à Manhattan est mou en ce moment.

– Melissa, la carte que vous m'avez donnée indique que vous travaillez pour Beaux-Arts Immobilier. Qui est Balthazar Immobilier? Ils construisent un immeuble d'habitation sur Lex et la Cinquante-troisième et ils ont le même numéro de téléphone.

– C'est nous aussi.

– Pourquoi avez-vous deux noms différents?

– Nous avons onze noms différents et nous avons onze sociétés différentes. Ce n'est pas illégal. Nous limitons la responsabilité. Si un immeuble commence à couler ou fait faillite ça ne met pas en danger les autres sociétés.

– Une société par propriété?

– Je ne suis pas la comptable de Nat Chamberlain. Je sais qu'il y a onze sociétés. Je doute que ce soit tout.

– Vous aimez travailler pour Nat Chamberlain?

– Je ne travaillerais pas pour un employeur qui ne me plairait pas, pas plus que vous.

– Pourquoi en êtes-vous si sûre en ce qui me concerne?

– Ce n'est pas votre genre.

– Vous paraissez penser que vous savez juger les gens.

– Je ne suis pas de chez vous, mais je me débrouille bien.

– Que pouvez-vous deviner sur un visage?

– Si la vente se fera.

– Jetez un coup d'œil aux photos dans cette enveloppe.

Il vit sa main qui voulait hésiter, et il la vit l'en empêcher. Elle ouvrit l'enveloppe et en sortit les deux tirages sur papier glacé. Ses yeux allèrent de l'un à l'autre et se rétrécirent.

– Je suppose que c'est le mort.

– Vous devriez prendre mon boulot.

Elle fit tourner les photos sur la table. Le visage sur les photographies avait une beauté virile classique, et la mort lui donnait un vernis patricien, comme un Romain dans une vitrine de musée.

– Il est beau, finit-elle par dire. Dommage.

– S'il avait été laid, ça n'aurait pas été dommage?

Son regard s'éleva vers le sien.

– S'il avait été laid, il ne serait pas mort.

– Vous savez quelque chose que je ne sais pas.

– Ce n'est pas comme ça que meurent les gens laids. C'est comme ça que tuent les gens laids.

Cardozo se carra dans son siège et sirota son Scotch.

Elle demanda :

– Était-il aussi jeune qu'il le paraît?

Cela intéressa Cardozo : les gens voyaient tout sauf la mort : il était jeune, il était beau, voilà ce qu'ils voyaient.

– Le coroner pense qu'il avait vingt-deux, vingt-trois ans.

Les yeux de Melissa ne laissèrent rien deviner, mais son silence, oui. Un silence aussi long signifiait qu'elle avait besoin de réfléchir. Elle reprit une photo en main.

– Mon Dieu. Pourquoi meurent-ils tous si jeune?

– Qui ça, ils?

– Les gens comme lui, jeunes, qui meurent...

Elle était perdue dans ses pensées et ne parla pas pendant une minute.

Quelqu'un de jeune est mort, comprit-il. Un de ses proches.

– Dites-moi, Melissa. Vous avez regardé ces photos et quoi que soit ce que vous y avez vu, vous n'avez pas pu le chasser de votre esprit. Qu'est-ce que c'était?

Elle laissa échapper un soupir.

— C'est difficile à formuler. Parfois on voit des gens mais on ne se rend jamais compte qu'on les voit parce qu'ils sont toujours dans le même contexte.

— Comme qui?

— Comme le type du kiosque à journaux; le portier que l'on croise sur le chemin du métro; la femme qui tient une librairie et que vous saluez de la main en passant devant. Et puis un jour vous voyez ces personnes sorties de leur contexte – et vous ne savez pas qui c'est ni pourquoi vous devriez même penser que vous vous souvenez d'elles. Vous les dévisagez et elles vous dévisagent et c'est presque hostile, comme « qu'est-ce que vous faites hors de votre rayon? » Mon travail n'est pas comme le vôtre, il n'exige pas une mémoire entraînée. Je vois un visage, je traite avec le visage, si la vente tombe à l'eau j'oublie le visage. Avec lui il y a quelque chose... j'ai l'impression que j'aurais pu le voir. Mais cela n'avait aucun rapport avec le travail.

— Quand?

— Je ne sais pas. Ce n'est pas lié à une sensation de temps.

— Où?

— Dans un ascenseur.

— Quel ascenseur?

— Je ne me souviens pas. Tout ce que j'ai c'est « ascenseur ».

— La tour Beaux-Arts?

— Non. Absolument pas. Tout ce qui a un rapport avec nos immeubles, je m'en souviens. Mais si j'ai vu cet homme, je n'étais pas sur mes gardes, je ne faisais pas attention. C'est comme si nous nous étions regardés, souris, et avions décidé d'un commun accord de ne pas nous dire bonjour. Vous savez comment ça peut être avec les inconnus en ville. Ce que je veux dire c'est que c'était chaleureux, mais la distance était très très contrôlée. J'aimerais être plus précise, mais je ne peux que vous donner cette espèce d'impression en point d'interrogation.

— Melissa, je veux que vous me rendiez un service. Gardez ces photographies. Continuez à les regarder. Continuez à mettre ce visage dans chaque ascenseur où vous montez. Dans un de ces ascenseurs, ça vous reviendra. Et dès que ça vous reviendra... Il plongea la main dans son portefeuille, gonflé par une pile de doubles de VISA, et extirpa une de ses cartes de visite. Ce sont mes numéros. Téléphone au bureau en haut, téléphone à la maison en bas. Appelez-moi. Jour et nuit. Il sourit. Mais pas trop tard la nuit.

Un œil de lumière luisait dans le noir. Cardozo régla la lentille du projecteur. L'image devint nette, révélant un ciel new-yorkais de fin d'après-midi, pâle et sans nuage. Un soleil dur et étincelant éclaboussait la chaussée de la Cinquante-troisième Rue, au-delà de la façade art déco du Musée d'Art Contemporain et du hall à fronton de marbre de la tour voisine.

Cardozo examinait les photos prises par la caméra cachée depuis la veille dans la tour Beaux-Arts.

Sur le mur de son box des hommes et des femmes se hâtaient vers des destinations qu'il ne pouvait pas voir. En examinant leurs images, Cardozo fut fasciné : lire la vérité et le mensonge sur le visage humain, il n'y a pas de mystère plus exaltant.

Il poussa un bouton de commande et une nouvelle diapo tomba dans le projecteur.

C'était la photo d'un homme dans la quarantaine avec des cheveux blond roux clairsemés et un costume marron léger. L'homme pénétrait dans la tour Beaux-Arts, mais il regardait derrière lui.

La peau de l'homme était teintée d'ombres : les os de son visage ressortaient en bleuâtre et du gris tachetait ses cheveux. A la main il tenait une mallette. Elle semblait coûteuse, en vraie peau de porc.

L'homme lança à Cardozo un long regard plein d'assurance.

On ne pouvait pas se tromper : le regard le visait directement.

Cardozo éteignit le projecteur.

Les pieds de sa chaise émirent un cri aigu quand il recula en glissant sur le linoléum.

Il ouvrit la porte en grand, entra dans la lumière du bureau des inspecteurs, se versa une tasse de café Mr. Coffee. Il n'y avait pas de sucrettes.

Il retourna dans son box, alluma la lampe de bureau et posa les yeux sur le registre tenu par l'équipe photo de Tommy Daniels.

Chaque personne entrant ou sortant de l'immeuble était enregistrée dans le cahier sous un numéro. Certaines des entrées avaient un nom, quand il était connu. La plaque numéralogique de chaque voiture s'arrêtant devant la porte était enregistrée, ainsi que le numéro de chaque véhicule entrant dans le garage ou en sortant. Chaque entrée était accompagnée d'une heure, et chaque numéro correspondait à une photographie d'une personne ou d'une automobile.

Cardozo passa cette liste en revue.

Le numéro de l'homme en marron était le 79. Pas de nom. Cardozo réfléchit. Tommy Daniels avait juré que personne ne repérerait le camion, mais Cardozo savait comment les hommes en planque pouvaient être gagnés par l'ennui, et devenir négligents.

Cardozo éteignit sa lampe, alluma le projecteur, regarda de nouveau le 79.

Quelque chose dans les yeux du 79 défia Cardozo.

« Merde, pensa Cardozo. Il a repéré le camion. »

Il était beaucoup plus tard.

Des poutrelles filaient à toute allure tandis que Cardozo roulait sur le pont de Brooklyn : les pneus de sa Honda passaient de l'asphalte à l'infrastructure d'acier à nu et le bourdonnement dans ses oreilles grimpa d'une octave.

Il prit la première sortie, qui descendait en virages dans Brooklyn Heights. Un vent chaud et violent courbait les branches des arbres quand il se gara.

La pluie avait cessé. Un clair de lune brillait dans le ciel. La rue était obscure, mais c'était une obscurité chaude, pas la nuit redoutable de Manhattan. Des réverbères projetaient des îlots de lumière. D'aristocratiques hôtels particuliers du dix-neuvième siècle, des maisons de marchands, encadraient la rue bordée d'arbres. La scène avait l'aspect ordonné et irréel d'un décor de théâtre.

La cloche d'une église sonna l'heure tardive. Au loin, un groupe de jeunes Témoins de Jéhovah bien habillés retournaient à leur résidence universitaire.

Cardozo souleva le loquet d'un portail de fer forgé, au numéro 42, notant qu'il était purement décoratif, qu'il n'avait rien de protecteur. Celui-ci retomba avec douceur. Des arbres surplombaient l'allée dallée.

Le juge Tom Levin, en pyjama et robe de chambre, ouvrit la porte.

– J'espère ne pas vous avoir fait attendre, dit Cardozo.

– Bon dieu, non. Entrez.

Pantoufles claquant sur le tapis, Levin conduisit Cardozo au salon. Cardozo s'assit dans un fauteuil tendu de velours côtelé.

La cinquantaine de Levin avait donné un aspect ferme à des traits ascétiques qui dans sa jeunesse avaient probablement parus doux.

– Scotch? proposa-t-il.

– Pourquoi pas.

Le juge se leva, prit des verres sur la desserte, y déposa des glaçons à l'aide d'une pince, ajouta du Johnnie Walker. Cardozo l'observa.

La lueur d'un réverbère tombait en motifs de feuillage par la haute fenêtre.

Le juge apporta son verre à Cardozo, s'assit et sourit.

– Qu'est-ce qui vous amène, Vince? Vous aviez l'air furieux au téléphone.

– Je suis sur le meurtre de la tour Beaux-Arts.

Levin haussa un sourcil.

– Petit veinard.

Cardozo expliqua qu'il lui fallait une ordonnance du tribunal pour obtenir la liste des acheteurs des masques de bondage Kushima de chez Monserat.

— Qui est l'avocat de Monserat? s'enquit Levin.

— Ted Morgenstern.

Levin se leva et se planta devant une fenêtre, les yeux baissés vers le petit jardin à l'arrière de la maison où des fougères poussaient sous les chênes.

— Ce sale con, marmonna-t-il.

Le juge Levin était un diplômé d'Harvard, un ex-libéral. Il gardait chez lui un revolver P38 avec permis, et il gardait des assignations, des citations à comparaître et des ordonnances du tribunal en blanc, pour pouvoir les valider à n'importe quelle heure du jour ou de la nuit.

Il se dirigea vivement vers son secrétaire. Les formulaires se trouvaient là, dans le deuxième tiroir, attendant seulement les indications, qu'il tapa avec violence sur une vieille Olivetti portable.

Le juge Levin tendit l'ordonnance à Cardozo.

— Ceci devrait ajouter quelques souffrances à son existence.

15

— J'ai dit à Bronski que nous avons un témoin ayant reconnu son taxi dans le garage de la tour Beaux-Arts – alors qui était son passager et pourquoi a-t-il falsifié son relevé et marqué Cinquante-quatrième et Sixième?

Aujourd'hui, l'inspecteur Carl Malloy portait une veste vert Kelly.

— Bronski jure que le relevé est juste : il avait envie de pisser, alors il est entré dans l'immeuble pour aller aux toilettes. Il ne voulait pas le signaler parce que c'est contraire aux règlements de l'immeuble. Jamais il n'aurait garé son taxi dans le garage, mais c'était pendant un congé et il s'attendait à ce que la plupart des résidents soient absents pour le week-end.

Malloy hésita.

— J'ai toujours l'impression qu'il cache quelque chose. J'ai de nouveau épluché les relevés de son taxi. Le jour du meurtre et les trois jours précédents, il a eu le même client – prise en charge à Broadway juste avant midi et fin de la course au coin de la Cinquante-quatrième et la Sixième à douze heures trente. Même en considérant les embouteillages de midi, c'est sacrément long.

Un déclic se fit dans l'esprit de Cardozo.

— Où sur Broadway?

— Parfois le relevé indique deux cent vingt-cinq, parfois deux cent cinquante.

— Le Federal Building se trouve là-bas en bas, remarqua Ellie Siegel.

— Et aussi le World Trade Center, fit observer Cardozo. Et Sam, tu as signalé que ce sont les mêmes jours où Debbi Hightower participait au spectacle *Toyota*?

— Mais le spectacle durait de huit heures à dix heures et demie du soir. Siegel fronça les sourcils. Qu'est-ce que vous chantez là, elle ne s'est pas réveillée?

Richards regarda les autres.

– Est-ce que Gordon Dobbs n'a pas raconté que c'était une pute?

– Où est le mystère? Greg Monteleone sourit. Debbi a eu droit au service de taxi gratuit après avoir fait ses petites affaires à l'hôtel, et Bronski s'est moqué de Ding-Dong pour tirer un coup dans la journée.

– C'est peut-être son mac, suggéra Carl Malloy.

– Est-ce que les macs ont des rapports avec leurs filles? demanda Ellie Siegel.

– Si elles sont bien gentilles, une fois par mois, précisa Sam Richards.

– Un mac blanc? lança Monteleone. Vous rigolez.

L'irritation commença à croître dans les yeux d'Ellie Siegel.

– Greg, les macs blancs, ça existe.

– Dans cette ville?

Pendant un instant Ellie Siegel se contenta de contempler le plafond.

– D'autre part, reconnut Monteleone, je ne crois pas que ça prouve que Bronski et Debbi découpent en morceaux des types à poil.

– Tu n'en sais rien, Monte, protesta Malloy. Tu ne les connais pas, ces deux-là.

– Je sais que ce sont des andouilles.

– Les andouilles n'assassinent pas? lança Siegel comme un défi. Greg, comment as-tu pu devenir inspecteur?

– Ils m'ont promu avant que l'embauche contre la discrimination des minorités t'accepte.

– Carl, coupa Cardozo, veux-tu ne pas lâcher Bronski, et vérifier ces courses?

Il hissa son corps hors de son fauteuil, et fit signe à Monteleone et Richards de le suivre.

Dans le couloir, un inspecteur interrogeait une plaignante hystérique qui avait reçu une demande de rançon pour un chien perdu. Dans le bureau des inspecteurs, l'inspecteur O'Shea assurait la permanence de jour, et l'inspecteur Moriarty, debout devant un classeur, cherchait un dossier.

– Hé Vince, cria O'Shea. Lou Stein a envoyé un rapport de labo. Il est sur ton bureau.

Il y avait un tas d'autres choses sur le bureau de Cardozo : une pile de cinq centimètres de nouvelles circulaires de service et un livre relié en papier bleu qui ressemblait à un supplément des listings de téléphone de l'État, en fait une révision de la loi pénale conformément aux décisions du trimestre passé de la Cour Suprême de l'État.

– Messieurs, dit-il, auriez-vous l'amabilité de m'accorder toute votre attention?

Il tapota le projecteur de diapos.

– Savez comment faire marcher ce truc? Aujourd'hui, au lieu de regarder les rediffusions de *Policewoman*, toi, Greg, et toi, Sam, vous allez regarder ça. Il brandit une boîte de diapos. Chaque fois que vous tomberez sur un visage que vous reconnaissez, vous inscrivez le nom ici dans le registre, okay?

Il leur montra le registre du camion de surveillance de la tour Beaux-Arts. Passant aux feuilles volantes de la veille, il expliqua le système de notation.

– Et quand vous aurez terminé, vous prendrez les numéros d'immatriculation et les noms dans le registre et les passerez au Sommier central.

Il emporta le rapport du labo et dévala l'escalier de marbre. Avec un signe de tête au planton de la porte, il quitta le commissariat, et tourna dans la ruelle qui longeait le bâtiment. Il se glissa dans sa Honda, claqua la porte et prit un moment pour lire le rapport du labo.

Lou Stein n'avait pas trouvé de concordance entre les empreintes de Loring, Stinson, Gomez ou Revuelta et celles relevées sur le lieu du crime.

La galerie Lewis Monserat était déserte à l'exception de la réceptionniste tirée à quatre épingles, qui leva le nez du Garcia Marquez en poche qu'elle lisait à son bureau, pour regarder Cardozo. Aujourd'hui il remarqua qu'elle approchait de la cinquantaine.

– M. Monserat ne sera pas là ce matin, annonça-t-elle.

– Tout ce qu'il me faut c'est la liste des acheteurs du masque Kushima.

– Il n'y a que M. Monserat qui puisse vous la communiquer.

– Mademoiselle, déclara Cardozo, voici une ordonnance du tribunal. Il lui tendit le document.

– Je ne suis pas avocat. Je n'y comprends rien.

– Vous savez lire.

– Je ne peux rien faire sans l'autorisation de M. Monserat.

– Vous pouvez me donner cette liste tout de suite, ou vous pouvez téléphoner à votre avocat et lui demander de vous retrouver dans vingt minutes aux Tombs [1].

Elle tressaillit, se dirigea vers un meuble classeur en acajou et tira une feuille.

La liste des acheteurs de l'œuvre de Nuku Kushima *Bondage IX* indiquait trois établissements publics : la Collection Franklyn à Washington, D.C.; le Musée Walter Kizer à Los Angeles; et le Musée d'Art Contemporain de New York; et un collectionneur privé, Doria Forbes-Steinman, avec une adresse à Manhattan.

---

1. Abréviation de Tombs Prison, fameuse prison de New York (*N.d.T.*).

– Mlle Kushima m'a dit qu'il y avait cinq masques, fit observer Cardozo.

– Il y en a eu quatre fabriqués et quatre vendus.

– Je voudrais jeter un coup d'œil dans ce fichier.

– Vous n'avez pas le droit de...

Cardozo la contourna et fouilla dans les K. Il feuilleta des factures de gravures sur bois, huiles, œuvres conceptuelles, et lithos. Il ralentit à « sculptures en cuir ».

La galerie avait placé les *Cordes de pendu* Kushima dans trois établissements publics. Les *Bottes de cuir noir à bouts rasoir* dans deux établissements publics et quatre collections privées. Les *Gants de bourreau* dans un établissement public et quatre collections privées. La *Veste semée rasoirs* n'avait pas très bien marché, une collection privée; *Pinces à mamelons sur courant alternatif avec lanières de cuir* étaient allées à deux musées et deux collections privées.

Bondage IX (masque) avait eu quatre acheteurs. La feuille venait d'être tapée.

– Combien de masques avez-vous fabriqué? demanda Cardozo.

Le petit corps svelte de Nuku Kushima bloquait l'entrée de son loft.

– Quatre.

– Hier vous m'avez dit cinq.

– Je n'ai pas pu dire cinq parce que je n'en ai fabriqué que quatre. Quatre est ma limite artistique.

Il considéra son petit visage impénétrable de menteuse et regretta comme un malade de ne pas avoir eu un magnéto caché sur lui quand il l'avait interrogée. La bande n'aurait eu aucune valeur légale, d'accord, mais au moins il aurait eu quelque chose à quoi la confronter. Dans le cas présent, il n'avait rien et elle le savait.

– Seriez-vous prête à répéter ça au tribunal, sous serment?

Il n'y avait rien dans ses yeux : ni vérité, ni mensonge. Rien qu'un vide zen.

– Naturellement.

Cardozo fit un détour par les Mr. Coffee et se servit une tasse dont son estomac aurait pu se passer mais dont ses nerfs avaient grand besoin.

Ellie Siegel, assise derrière un bureau délabré, essayait de négocier par téléphone avec un ordinateur de Washington, D.C. Elle leva les yeux vers ceux de Cardozo, ils étaient étrangement verts.

– Hé, Vince, cria le lieutenant de permanence. Deux crevés au couteau hier soir. Un au un huit, l'autre au deux un.

Cardozo s'offrit deux sachets de saccharine.

– Quel rapport avec nous?

– On dirait un assassin en série. O'Malley pense que le coupable a peut-être découpé une pute au deux deux.

– Pas ces derniers six mois, mais préviens O'Malley qu'il peut venir consulter nos fichiers quand il veut.

Cardozo ferma la porte de son box et commença à composer les numéros de téléphone indiqués sur la feuille de ventes de Monserat.

Le conservateur de la Collection Franklyn dans le D.C. lui déclara que le masque Kushima était présenté au sous-sol, dans l'exposition des Nouvelles Tendances. Un conservateur-adjoint au Musée Walter Kizer à L.A. répondit que le masque était exposé en ce moment avec les acquisitions récentes.

Le Musée d'Art Contemporain de New York diffusait un message enregistré annonçant les heures de projection des *Deux Orphelines* de D.W. Griffith, dans une rétrospective en hommage à Lillian Gish.

Cardozo emporta son café dans le bureau des inspecteurs et s'assit sur le bord du bureau de Siegel. L'ordinateur à l'autre bout de la ligne téléphonique l'avait mise en attente, et elle lui lança un petit sourire las.

– Ellie, tu étais prof d'art.

– C'est bien pour ça que je suis flic.

– Comment un masque de bondage peut-il être de l'art?

– Parce que les critiques et les vendeurs le disent.

– Alors pourquoi une brosse à dents n'est-elle pas de l'art?

Les yeux d'Ellie étincelèrent de malice et d'intelligence.

– Vince, tu es un merveilleux philistin. Une brosse à dents est de l'art, c'en est depuis l'exposition du MOMA [1] en soixante-seize.

– Un artiste peut faire n'importe quoi et appeler ça de l'art?

– Certains artistes appelleraient le meurtre de la tour Beaux-Arts de l'art conceptuel.

Cardozo resta songeur.

– Tu penses qu'un artiste a fait ça?

– Il ou elle a dû être un artiste passionné, en révolte contre les structures commerciales.

– Pourquoi dis-tu ça?

– Pas de signature. Pas de commission pour le marchand. Les marchands prennent jusqu'à soixante pour cent.

Cardozo but une longue gorgée de café.

– Doria Forbes-Steinman semble s'être lancée dans la collection d'art sur une grande échelle.

– Oui, elle est ce que les critiques appellent une force majeure.

– Je ne l'ai plus suivie depuis le procès Scottie Devens. Et toi?

---

1. Museum Of Modern Art (Musée d'Art Moderne).

L'inspecteur Siegel repoussa d'une chiquenaude désinvolte une mèche de cheveux qui lui tombait sur le front.

– Pas vraiment. Je suis comme tous ceux qui font leurs courses au supermarché et qui se trouvent coincés dans la queue à la caisse. J'attrape le *National Enquirer* sur le présentoir.

– Je ne lis pas l'*Enquirer,* alors raconte-moi.

Siegel abaissa ses longs cils noirs et recourbés.

– Son mari et elle ont déballé leurs divergences en plein tribunal, donc le passé de Doria fait désormais partie du domaine public. Il s'avère qu'elle est une charmante irlandaise, Vince, une enfant de Killarney du fin fond de la Transylvanie. Son vrai nom est Doria Bravnik Forbes-Steinman. Bravnik est yougoslave, comme elle. Forbes est le nom du schnock du service diplomatique britannique qui, prétend-elle, a été son premier mari.

– Il n'était pas son mari?

– Une fille comme Doria déchaîne les ragots. La question reste controversée, parce qu'une fois que son passeport britannique l'a amenée à New York, elle a divorcé de Forbes et épousé Steinman.

– Que raconte l'*Enquirer* sur Steinman?

Ellie parut gênée, comme si c'était admettre sa perversion que de connaître tant de potins. Il y avait chez Siegel quelque chose qui paraissait sans tache : son visage était sophistiqué, et même cynique, sans être méchant. C'était cette qualité qui avait attiré Cardozo vers elle.

– Si certains de ces bonshommes de Wall Street empochent des millions de dollars en un rien de temps, poursuivit-elle, Steinman, lui, ce sont des milliards, et en deux minutes. Mais de nos jours ça ne suffit pas d'avoir seulement de l'argent. Il faut faire quelque chose pour apparaître dans Manhattan, inc., alors Doria et Steinman ont collectionné de l'art moderne. Ils ont joué les artistes comme des actions, et ils ont bien parié. A l'époque du procès Devens, ils avaient accumulé ce que la presse appelle une importante collection. Doria a quitté Steinman il y a six ans et emporté la moitié de la collection. Elle n'a pas divorcé de Steinman, parce que le divorce déshériterait ses deux enfants Forbes, aux besoins desquels Steinman avait accepté de subvenir quand l'amour était au zénith. Les gamins sont relégués à ses frais dans un pensionnat écossais. Steinman a poursuivi Doria en justice pour récupérer sa moitié de la collection, et le procès a divisé le monde de l'art en deux camps rivaux.

De l'autre côté du bureau des inspecteurs une sonnerie de téléphone discordante retentit. L'inspecteur DeVegh, le combiné en équilibre entre l'épaule et l'oreille, cria :

– On a une plainte. Qui est là ce matin? Tu prends, Ellie?

– Ellie est sur une affaire, déclara Cardozo d'un ton sec, et

DeVegh lui lança un regard du style excuse-moi-de-respirer; Cardozo demanda à Siegel,

— Parle-moi du procès Steinman.

— Vince, tu as vraiment du temps pour ces bêtises?

— Je veux tout savoir sur ces gens, y compris quel déodorant ils utilisent.

— Lewis Monserat, le marchand d'art, a témoigné en faveur de Steinman. Doria a déversé la poubelle sur Monserat, l'a accusé d'être un peu plus qu'un marchand d'art.

— Jusqu'à quel point?

— Doria a raconté que Monserat était un nécrophile déclaré, un pédéraste, un réalisateur de films pornos, un chef de réseau de prostitution infantile, un collaborateur nazi qui avait livré sa propre mère à la Gestapo. L'avocat de Monserat a souligné que l'Espagne était un des rares pays européens qui n'ait pas été occupé par les nazis, alors elle a parlé dans le vague et déclaré que Monserat s'était peut-être contenté d'assassiner sa mère.

— Elle a déclaré ça au tribunal?

— Affirmatif. Doria a gagné, aussi déplacé et inadmissible que son témoignage ait pu être. Le seul coup légalement préjudiciable qu'elle a porté a été de prétendre que Monserat l'utilisait pour faire monter les tableaux de ses clients dans les ventes aux enchères.

— Monserat l'a-t-il attaquée en justice?

— Il a renvoyé la poubelle. Raconté que le nom de jeune fille de Doria était Schinsky, qu'elle était pute à Belgrade, qu'elle était déjà mariée à un certain M. Bravnik quand elle avait épousé Forbes et obtenu son visa de sortie du bloc de l'Est. Si Monserat disait la vérité, le mariage avec Steinman n'était pas valable non plus.

— Doria l'a-t-elle attaqué en justice?

— Personne n'a attaqué en justice, ils ont tous donné des interviews et participé à des talk shows. Doria a fait plus scandale que Monserat, parce qu'à ce moment-là son nom était apparu comme celui de l'autre femme dans le procès Scottie Devens. Les gens bien informés pariaient que Doria était la raison pour laquelle Scottie avait essayé de tuer son épouse.

— C'était mon pari aussi, reconnut Cardozo d'une voix douce.

Siegel lui lança un bref regard.

— Et alors? Ça aussi me paraissait évident. Tu as l'air malheureux.

— Je réfléchis, c'est tout. Doria vit-elle toujours avec Scottie?

— A ma dernière lecture au supermarché, ça roulait toujours.

Le sourire de Siegel était un miracle — grave et moqueur vis-à-vis du monde, mais aussi vis-à-vis d'elle-même.

— C'est la vraie vie là-bas, Vince — c'est une autre mentalité; glamour, art, haute couture et gens beaux qui font leur beau truc — pas nous pauvres nullards du vingt-deuxième commissariat.

– Qui détient la collection Steinman?

– Doria a obtenu de garder sa moitié. Y compris ce masque.

Un majordome guida Cardozo dans le salon du duplex de la Cinquième Avenue. La pièce était vaste, somptueuse, ensoleillée, avec des chrysanthèmes jaunes sur le Steinway. La brise d'un climatiseur agitait les plis de doubles rideaux gris perle. Des rampes de spots éclairaient trois tableaux à l'huile de la même cathédrale, chaque panneau exécuté en pointillés d'une couleur primaire différente, comme une bande dessinée monstre.

Une femme entra dans la pièce.

Cardozo regarda Mme Forbes-Steinman, et vit une statue; son visage, beau dans les grandes lignes, lui souriait. Elle tendit la main : son bras un peu potelé était paré de bracelets de saphirs bleu pâle.

– J'ai un grand respect pour la police.

Sa voix était grave, distinguée, et gardait une vague trace d'Europe Centrale.

Il aurait adoré répondre, « Et moi un grand respect pour les femmes qui font bonne figure ».

– Que puis-je pour vous? demanda-t-elle.

– Vous possédez un masque Nuku Kushima?

– *Bondage Neuf.*

– L'avez-vous ici?

– Bien sûr. Aimeriez-vous le voir?

– Énormément.

Il la suivit dans l'entrée. Par une arcade il aperçut le majordome et une jeune fille en uniforme de soubrette dressant en silence le couvert pour douze personnes.

Le masque avait été placé sur un porte-perruque et trônait sur un piédestal en teck. Il remarqua un vague réseau de minuscules lacérations autour des yeux.

– Comment a-t-il été égratigné? demanda-t-il.

Elle soupira.

Le croirez-vous? La bonne nicaraguayenne l'a nettoyé à l'Ajax citron et au Scotch-brite.

Elle se tenait tout près derrière lui, il tourna la tête et l'étudia. Tout en elle le frappa comme étant précis, lisse, artificiel, extrêmement tendu. Même sa peau, très soignée, d'un ton olivâtre pâle.

– Pourrais-je vous poser une question? demanda-t-il.

Elle le regarda aimablement.

– Vous êtes une femme cultivée, commença-t-il. Vous avez du goût. Pourquoi possédez-vous ceci? C'est laid, et ce qu'il représente est laid.

Elle rit, découvrant des dents blanches et parfaites dans la ligne subtilement rougie de sa bouche.

– J'imagine de même que vous pourriez dire que le *Guernica* de Picasso est laid.

– Ceci n'est pas le *Guernica* de Picasso. Ceci est l'équivalent facial des poucettes.

– Le bel art est souvent laid. Je sais que ça semble un paradoxe facile, mais je crois, moi, que le but de l'art n'est pas de plaire, il est de... d'interpeller. J'admire une œuvre d'art de la même façon que j'admire une personne. Elle doit me prendre sans mon consentement, requérir mon attention. Le Kushima requiert mon attention.

– Vous l'avez acheté par l'intermédiaire de Lewis Monserat?

Ses grands yeux songeurs vinrent se poser sur lui.

– Mon mari et moi l'avons acheté par l'intermédiaire de Lewis Monserat. La Cour me l'a attribué comme partie de notre arrangement.

Il prit note du mot arrangement et se rendit compte que Doria Forbes-Steinman avait sa façon à elle de fausser la vérité.

– Avez-vous acheté d'autres pièces à M. Monserat?

– J'ai acheté chez de très nombreux marchands – Leo Castelli, André Emmerich, Ileana Sonnabend, Andrew Crispo quand il travaillait encore. En fait, j'ai été à un cheveu de posséder la tête de Brancusi qu'Andy Crispo a vendue au Guggenheim; l'affaire était conclue, mais Andy avait des ennuis avec le fisc, et le Guggenheim offrait un demi-million de plus. J'ai dit, « Andy, je ne peux pas te contraindre à notre marché, je te libère, tu as besoin de cet argent. » On a de grands chagrins dans ce métier.

– Mais avez-vous acheté d'autres pièces à M. Monserat?

– Je suis si lasse d'être associée à ce monstre.

Doria Forbes-Steinman soupira.

– Oui, j'ai acheté d'autres pièces à Lewis Monserat, malheureusement.

– Pourquoi malheureusement?

– Il a de belles pièces. Mais ce n'est pas le genre d'homme avec qui j'aime traiter.

– Pourquoi pas?

– En Europe, d'où je viens, il a une réputation. C'est un criminel. Plus que ça. Il est malfaisant.

– Est-ce votre façon de dire que vous ne l'aimez pas?

– Je n'aime pas ses actes. Être garçon d'honneur au mariage de Goebbels, vous ne trouvez pas ça écœurant?

– Ce n'est pas un crime.

– Louer des cadavres dans les dépôts mortuaires, ce n'est peut-être pas un crime non plus, insista-t-elle, mais c'est ignoble. La pornographie infantile n'est peut-être pas un crime à notre époque éclairée, mais c'est dégoûtant aussi. A moins que vous n'ayez pas d'enfants?

– J'ai un enfant.

Elle le regarda, avec un demi-sourire.

– Alors nous sommes d'accord.

Le ciel était haut et sans nuage et le soleil chauffait le dos de Cardozo. Des limousines bloquaient la Cinquante-troisième Rue et il dût se frayer un chemin dans un flot d'hommes et de femmes bien habillés pour entrer au Musée d'Art Contemporain.

Une réception était donnée dans une salle contenant des affiches de Toulouse-Lautrec.

Il contourna le brouhaha et partit à la recherche du quatrième masque. Dans une galerie, loin des yeux et de la musique, il trouva une collection de têtes. Il y avait des visages de pierre, de bois et de plastique, tous pris dans des boîtes de verre.

En marchant parmi elles, le nez dans le catalogue, il tomba sur la chose de cuir qu'il cherchait : « *Bondage IX*, sculpture de cuir et d'acier, Nuku Kushima, Américaine, 1941. »

Il regarda le visage qui n'était pas un visage : des orbites sans yeux de la taille et la forme de boutonnières brodées, le bout de nez aplati en groin de porc, l'absence d'oreilles, la brèche de fermeture éclair scellée marquant la ligne où les lèvres auraient dû être.

Le masque semblait communiquer un message qu'il ne réussissait à comprendre qu'à demi. Il ressentit quelque chose d'aussi profond que la terreur.

En un instant suspendu hors du temps il entendit le hurlement zippé d'un mort, cinq étages au-dessus de cet endroit précis.

Des rires de femmes firent irruption. Le bourdonnement joyeux des conversations coula à flot autour de lui, des bouchons sautaient dans une autre pièce, des serveurs s'affairaient.

– Toute cette rougeur autour de la taille, du haut de la cuisse et de la cheville de John Doe – il fallait qu'il y ait un allergène quelconque attaquant l'épiderme. Mais pourquoi ces zones et pas d'autres? Parce que c'est là que frottent les élastiques des chaussettes et du slip. Okay, mais quel type d'allergène?

Dan Hippolito glissa une plaque sous le microscope, se pencha, fit le point.

– Nous pelons la peau de la taille, la cheville, le haut de la cuisse, l'étudions au microscope. Regarde, des granulés gros comme des rochers.

Hippolito fit signe à Cardozo.

Cardozo se pencha sur le microscope. Il vit des rochers.

– Alors nous pulvérisons la peau, faisons tourner les particules et, euréka, la substance étrangère a une densité différente de la peau humaine et nous isolons le coupable : détergent.

Cardozo retira l'œil du microscope.

– Détergent?

Hippolito acquiesça.

– Détergent sans nom de catégorie industrielle générique – le savon qui tue – le moins cher des moins chers – pas vendu dans les supermarchés, même pas dans les supermarchés de ghetto, et que la FDA [1] a songé à proscrire. Il est illégal au Canada, illégal dans douze États de l'Union. Dans l'État de New York il est douteux mais il y a des magouilleurs – l'enquête est en cours au ministère de la Justice – qui vendent la poudre en barils de vingt kilos. Et ce truc est si corrosif que sec – sec – il attaque le carton.

– Alors qui s'en sert?

– En gros, deux sortes d'établissements. Les prisons et les Laundromats de dernière catégorie.

Quand Cardozo revint au Central, seuls Siegel et Malloy étaient encore au commissariat. Cardozo les appela dans son bureau et leur communiqua le nouvel indice du médecin légiste.

– La victime portait ses vêtements dans un Laundromat pas cher et utilisait leur lessive, résuma Ellie Siegel.

– Ou leur laissait ses vêtements à laver, intervint Malloy.

Cardozo repoussa sa chaise.

– Donc nous cherchons un Laundromat qui peut être ou ne pas être en self-service, mais comporte aussi un service laissez-votre-linge-on-s'en-charge. Combien de Laundromats de ce type y a-t-il dans cette ville?

Malloy grimaça, un expert.

– Trois, quatre cents facile.

– Placez des affichettes dans tous les Laundromats de tous les quartiers.

– Et les Laundromats de Jersey? demanda Ellie Siegel. Hoboken est plus près que Staten Island.

– Englobez le comté d'Hudson.

– Prison, dit Carl Malloy. John Doe venait peut-être d'être relâché, ou il pouvait s'être évadé.

– Alors? Vérifie les prisons.

Seul, Cardozo brancha le projecteur et commença à passer les diapos en revue.

Derrière lui, une voix s'éleva.

– Vincent Cardozo?

Cardozo se retourna sur sa chaise. Un jeune homme rondelet, dans un costume d'été léger en shantung gris de coupe italienne, se tenait en contre jour devant la porte ouverte.

---

1. Food and Drug Administration.

– Ray Kane, annonça le jeune homme, avocat. Il tendit une main rose et potelée. Il n'avait pas de cou visible; des bajoues lisses de gros baigneur tombaient sur son col de chemise. Le nom du chemisier était appliqué sur la poche de poitrine, et Kane embaumait comme s'il s'était baigné dans de l'eau de Cologne.

– Que puis-je pour vous, M. Kane?

– Aujourd'hui vous êtes entré dans les locaux commerciaux légaux de Lewis Monserat et avez terrorisé son assistante. Vous avez menacé de l'envoyer aux Tombs et vous avez utilisé une ordonnance de saisie irrégulièrement validée.

– Je croyais que Ted Morgenstern représentait Monserat.

Ray Kane se redressa.

– Je suis un associé de l'étude de M. Morgenstern.

Cardozo saisit le tableau. Toujours la véritable éminence grise, Ted Morgenstern s'était contenté d'envoyer le menu fretin pour s'occuper de la paperasserie sans importance.

Cardozo se leva avec lenteur. Debout, il aperçut un peu de cuir chevelu rose à travers les cheveux coupés au rasoir et dégarnis de Kane.

– M. Kane, je travaille.

– Moi aussi.

Kane brandit un document officiel portant le sceau du tribunal.

– Qu'est-ce que c'est?

– Une ordonnance exigeant le retour de la liste des acheteurs du masque Kushima.

– A quel titre?

– Saisie irrégulière, sans mandat, pas de preuve de crime.

Kane fit claquer ses lèvres comme s'il suçait des macarons avec un dentier.

– Un homme assassiné, vous n'appelez pas ça un crime?

– Je vous préviens, Lieutenant, si vous essayez d'associer le nom de M. Monserat à une enquête criminelle quelle qu'elle soit, nous n'hésiterons pas à attaquer en diffamation.

Cardozo décrocha son téléphone.

– Damato, envoie-moi un des substituts.

Kane considéra Cardozo de derrière des lentilles de contact probablement prévues pour faire de ses yeux marrons des yeux bleus, mais qui en vérité leur donnait l'air d'un effet très spécial dans un film de science-fiction.

Au bout d'un moment on frappa à la porte.

– Lieutenant Cardozo? Lucinda MacGill, substitut du procureur.

La jeune femme tendit la main. Ses cheveux châtains clairs étaient coupés en frange sur le front, et tombaient en cascade sur ses épaules.

– Vous avez fait vite, remarqua Cardozo.

– J'étais en bas en train de prendre une déposition.

C'était le travail de substitut de prendre les déclarations des suspects, et Lucinda MacGill était accompagnée d'un sténographe, un homme d'à peine trente ans, grand et mince avec des cheveux noirs hirsutes et une barbe assortie. Il avait l'allure d'un type qui préférerait écrire des sonnets mais avait besoin d'argent pour payer sa Con Ed.

– Que puis-je pour vous? demanda Lucinda MacGill.

– Mlle MacGill, déclara Cardozo, voici Maître Kane.

Ses lèvres se pincèrent quand elle dit bonjour.

– Maître Kane me présente une assignation, et je veux m'assurer qu'elle est régulièrement validée avant de m'y soumettre.

Les substituts du procureur travaillaient comme les inspecteurs : ils prenaient les affaires sur la base du premier arrivé, premier servi; ou plus précisément, les affaires les prenaient. Il n'y avait ni tri ni choix. La façon dont on se débrouillait avec ce que l'on vous servait déterminait la façon dont se déroulait votre carrière. Lucinda Mac-Gill paraissait savoir se débrouiller.

– Puis-je voir l'assignation?

Ses yeux la parcoururent rapidement et elle rendit le document à Kane.

– Elle est régulièrement validée.

Cardozo froissa en boule la liste de Monserat et la balança par terre.

– Toute à vous, Maître.

Cardozo, assis à son bureau, se demandait pourquoi sa mâchoire était si contractée que des courants électriques semblaient traverser ses plombages, comment son cœur pouvait se trouver en deux endroits à la fois, martelant sa tempe gauche et explosant dans son ventre.

Parce qu'il était furieux.

Contre un coursier.

Un coursier pour un avocat véreux qui avait mené l'opposition sur une affaire élucidée sept ans plus tôt. Une affaire qui s'était officiellement volatilisée quand Babe Devens s'était réveillée.

Y avait-il jamais eu quelqu'un, qui ne fût pas au moins coupable de vol qualifié, pour engager Ted Morgenstern ou aucun de ses associés?

L'esprit de Cardozo s'attarda là-dessus, revint aux accusations de Doria Forbes-Steinman. Elles étaient dingues, certainement exagérées, mais...

Il laissa tomber et descendit au rez-de-chaussée.

La salle des ordinateurs était la seule pièce bien climatisée du commissariat. L'ordinateur méritait la climatisation car, à l'encontre d'un flic, il refusait de fonctionner dans l'inconfort.

– Un coup de main, Lieutenant? demanda Charley Brackner.

Jeune homme aux yeux marrons, prématurément chauve, Charley était le génie de l'ordinateur en poste au commissariat, la seule personne qui sache brancher et débrancher la machine sans démolir le climatisateur. Son attitude joyeusement condescendante reflétait l'assurance d'un homme qui avait compris depuis longtemps le pouvoir unique et intimidant des compétences qu'il possédait.

– Rappelle le casier judiciaire de Lewis Monserat.

Cardozo épela le nom, et les doigts de Charley, volant au-dessus du clavier IBM, introduisirent l'information dans l'ordinateur. L'écran fit clignoter le mot « Recherche » et un instant plus tard les mots « Pas de fichier disponible ».

– Qu'est-ce que ça signifie? demanda Cardozo. Il n'y a pas de fichier ou il y a un fichier mais nous pauvres couillons de mortels nous ne sommes pas autorisés à le consulter?

Charlie tourna sur son fauteuil pivotant, patiemment professoral.

– Ça veut dire que Maisie n'a rien sur lui.

– Maisie?

– L'ordinateur. Soit Monserat a un sacrément bon avocat, soit il n'a pas été coincé, soit ce n'est pas un criminel.

– Même pas un P.V.?

– Croyez-le ou non, Lieutenant, quatre-vingts pour cent des habitants de central et sud Manhattan vivent dans le respect des lois.

Le visage et les mains de Cardozo étaient tachetés par les reflets des diapos. Quand il reconnaissait un personnage il complétait une note déjà existante. Les nouveaux visages avaient droit à de nouvelles notes.

Il projeta une nouvelle diapo et soudain se pencha en avant.

On aurait dit que tout ce qu'il y avait autour s'était effacé et que seule la taille étroite prise dans un ruban noir éclaboussé de couleurs primaires était net.

Il tripota l'objectif. Le personnage sur le mur s'estompa, devint flou, revint en avant, net.

Ses yeux embrassèrent la ceinture de cuir noir de huit centimètres de large, les énormes pierreries fantaisie rouge vif, vert et bleu dont elle était incrustée.

La femme avait un bronzage remarquablement foncé et des cheveux blonds qui s'évasaient dans la brise en une longue vague derrière elle.

Cardozo sentit sa poitrine se serrer.

Il éteignit le projecteur. Pendant une minute le mur parut miroiter là où l'image s'était trouvée.

Il décrocha le téléphone et composa le numéro du sex-shop Plaisir Brut.

Burt, le vendeur de Plaisir Brut, s'adossa contre le mur du box; une colonne de fumée montait de sa cigarette dans l'air immobile. Le carrousel cliquetait au fur et à mesure que passaient les diapos.

Les pieds de la chaise de Burt s'abattirent sur le linoléum avec un « poc ».

– Restez sur cette photo.

Ses yeux étaient plissés, soudain attentifs, sa bouche se ferma et ses lèvres dessinèrent une fine ligne.

– C'est elle.

La jeune femme blonde de la diapo s'avançait à grandes enjambées vers le hall d'entrée de Beaux-Arts. Elle avait des yeux marrons, un nez fort et une mâchoire solide. Une bouffée de vent avait plaqué son chemisier bouffant abricot contre ses seins, révélant une ligne ferme et sans soutien-gorge.

Dans sa main droite elle tenait un paquet de la taille d'une boîte à chaussures.

Cardozo se leva.

– Merci, Burt. Je vous suis très reconnaissant.

Après le départ de Burt, Cardozo resta assis pour réfléchir.

Il y avait un moyen facile de reconstituer tout ça. Cela ne signifiait pas que c'était le bon moyen, rien qu'un moyen facile.

Kushima avait fabriqué un cinquième masque, Monserat l'avait vendu, et voilà qu'il s'avérait faire partie de la parure intime dans un meurtre avec mutilation. Le propriétaire du masque avait joint la galerie, qui avait joint l'artiste, et ils niaient tous que le masque ait jamais existé.

Maintenant rattachez ça au masque Plaisir Brut, acheté en liquide par une femme utilisant un faux nom et une fausse adresse.

Arrivait-il que des femmes achètent du matériel de bondage en cuir? Oui, statistiquement il devait y avoir plus que quelques bonnes femmes vicelardes dans cette zone métropolitaine géante. Avait-elle pu l'acheter de son côté pour des raisons qui n'avaient rien à voir avec le meurtre? Avait-elle pu se sentir gênée, et donc utiliser un faux nom et une fausse adresse.

D'entrée il y avait une contradiction : elle pénétrait dans la tour Beaux-Arts avec un masque, elle ressortait sans.

Cardozo continua à jouer avec les combinaisons, il y en avait une à laquelle il revenait toujours : le propriétaire du cinquième masque avait acheté le masque Plaisir Brut comme assurance, ce qui signifiait qu'il le croyait impossible à distinguer des Kushimas. Il avait utilisé l'inconnue comme coursier parce qu'il ne pouvait pas se permettre d'être vu. Au cas où la piste mènerait à lui, il pourrait dégainer le masque et déclarer : « Voyez, les gars? Ça c'est le mien. Vous cherchez probablement quelqu'un d'autre. »

Ce qui signifiait que quelque part existait un rapport sur les mouvements de ce masque, une piste de bouts de papier qui menait à l'assassin.

Cardozo étudia de près le registre. La fille portait le numéro 28. Nom inconnu. Pas de recoupement avec des patients de l'une ou l'autre clinique. Une seule autre photo y était rattachée : numéro 43. Sur celle-ci elle sortait de l'immeuble, de retour au soleil, sans le paquet.

C'étaient les deux seules photos d'elle. Les deux, mardi 27 mai. Premier jour ouvrable après le meurtre. Cardozo nota les heures dans le registre. Entrée à 11 h 07, sortie à 11 h 18.

Il étudia les deux diapos. Cette fois-ci il regardait le portier. Sur la première le portier semblait observer la jeune femme, d'un air soupçonneux, difficile à dire s'il la reconnaissait ou non. Sur la seconde son expression était beaucoup plus amicale et il semblait en train de lui parler.

Cardozo étudia les photos des employés de la maison, choisit une diapo, la glissa dans le carrousel. Le mur s'éclaira avec un gros plan d'Andy Gomez.

Il était presque onze heures; derrière le clocher de Saint Andrew, la lune montait dans le ciel nocturne. Andy Gomez se tenait à l'intérieur de la porte de la tour Beaux-Arts, et parlait avec animation au téléphone intérieur.

– Salut, Andy.

Cardozo exhiba sa plaque.

Les yeux d'Andy se retirèrent avec méfiance sous leurs sourcils et il raccrocha le téléphone.

Cardozo lui montra une photographie. Le labo avait gommé le second plan pour ne pas trahir la camionnette de surveillance.

– Jamais vu cette femme, Andy?

Andy fronça les sourcils.

– Je vois un tas de femmes.

– Allez, Andy. Tu m'as l'air d'un type rudement futé. Si une femme comme ça est venue dans l'immeuble, tu te souviendrais de l'appartement où elle est allée.

– Peut-être bien que je lui ai dit bonjour, c'est une jolie femme, mais me souvenir qui elle allait voir, bon sang non. Je vois trop de visages.

Cardozo passa en revue les modèles cinq sur le John Doe de Beaux-

Arts arrivés depuis la veille, en fit une pile séparée, réfléchit que le temps passait et que les souvenirs des témoins potentiels perdaient de plus en plus de leur fraîcheur.

Tommy Daniels frappa à la porte ouverte. Aujourd'hui il portait une chemise rose héliotrope qui donnait au box un chatoiement infrarouge.

— Tes photographes font du bon boulot, dit Cardozo. Il tendit à Tommy la photo de la femme mystère aux cheveux blonds.

— Belle femme. Qui est-ce?

— Nous voulons le découvrir. Que tes hommes ouvrent l'œil et la guettent. Si elle revient dans l'immeuble, suivez-la et voyez à quel étage elle monte.

16

— Je me suis contentée de regarder ce buffet et j'ai pris cinq kilos. Mais j'ai reperdu jusqu'au dernier gramme en dansant.

Lucia Vanderwalk était assise et souriait à sa fille.

Je n'avais jamais entendu un tel orchestre de danse depuis que Eddy Duchin avait joué à mon anniversaire. Pas le moindre rock. Et Cordélia n'a jamais été si jolie. Évidemment, elle portait une de tes robes.

— Une de mes robes? s'étonna Babe.

— Une des robes de ta maison. Billi a actualisé tous tes modèles. Mercedes Somoza en portait une aussi.

— Je ne sais pas qui est Mercedes Somoza.

Les doigts de Lucia voletèrent sur son unique rang de perles.

— Mercedes est la femme du nouvel ambassadeur du Costa Rica à l'O.N.U. C'est vraiment l'arbitre de la mode. Billi a un talent fou pour faire porter aux gens qu'il faut les créations Babemode. C'est la moitié du secret de la réussite de ta maison.

Babe, à son tour, regarda Lucia avec des yeux bleus et calmes.

— Si je me souviens bien, la maison marchait très bien quand j'étais présidente.

— Personne ne le nie, mais elle est restée un succès, et c'est une réussite de nos jours. Billi a beaucoup œuvré en ton absence, j'espère que tu en es consciente. Et je ne parle pas que de la maison de couture. Il s'est tendrement occupé de Cordélia — et tu sais comme moi qu'il n'a rien du pater familias. Mais pour Cordélia il a toujours fait une exception.

— Cordélia avait vraiment l'air bien, observa Babe.

— Et elle était divine dansant avec ton papa et le comte Léopold. Tu te souviens du comte?

Babe sourit.

— Un tas de décorations militaires et un crâne dégarni?

— Il est chauve maintenant. Mais la comtesse a plus de cheveux que jamais. C'est intéressant comme tes amis ont changé. J'aurais aimé que tu puisses les voir.

Babe se rassit bien droite.

— Personne n'a demandé de mes nouvelles?

Lucia hésita.

— Nous ne l'avons pas dit. Pas encore.

— Pourquoi pas?

Il y eut un silence, Lucia et Babe se dévisageaient.

— Tant que ton médecin ne te déclare pas d'attaque, ton père et moi ne pensons pas que la publicité soit une bonne idée.

— La publicité ne va pas me faire de mal.

Les lèvres de Lucia esquissèrent un pauvre petit sourire.

— Les temps ont changé. Les journalistes sont diaboliques aujourd'hui. Ils sont capables de déguiser un reporter en infirmière et de l'envoyer pour changer ton bassin.

— Il n'y a pas de danger. Je n'utilise pas de bassin.

— Je suis ravie que tu aies gardé ton humour, déclara Lucia. Toi et ton sens de la répartie auriez été les grandes vedettes à la soirée d'Ash. Oh bon, il y aura d'autres occasions. En temps voulu.

Un autre silence passa.

— Quelle mine avait Dunk? demanda Babe de but en blanc.

— Je n'ai pas vu Dunk.

— Ash a raconté que Dunk et elle se séparaient de nouveau.

— Vraiment? Eh bien, j'imagine qu'Ash doit le savoir.

— Est-ce qu'Ash suit une thérapie quelconque?

— Voilà une drôle de question.

— Elle prenait des comprimés, et je me demandais si un psychiatre les lui avait prescrits.

— Des gens très bien sont aidés par des psychiatres. Il n'y a rien de honteux à cela. L'église n'est plus d'aucun secours, alors vers qui d'autre peuvent donc se tourner les gens s'ils sont déprimés, s'ils nagent en plein divorce ou — si quelqu'un meurt.

— Tu parles comme si tu en avais vu un toi-même.

— Je n'hésiterais pas si j'avais besoin d'un traitement. Mais évidemment je suis de la génération pré-névrotique.

— Et Doria Forbes-Steinman, elle était à la soirée?

Figée dans une immobilité absolue, Lucia resta assise à considérer Babe. Quand elle reprit la parole, ses mots sortirent mesurés et précis.

— Ash ne voudrait pas de cette femme chez elle, et dans le cas contraire, je n'accepterais pas ses invitations, ni Billi, ni — des tas d'autres gens. Pourquoi parles-tu de Mme Forbes-Steinman?

— Ash a dit que Scottie vit avec elle.

— Comme c'est gentil de la part d'Ash de te mettre au courant.

– Il n'y avait rien de méchant à ça. En fait, j'ai dû lui extorquer cette information. Elle ne tenait pas du tout à me parler de Scottie.

Un silence s'étira. Lucia haussa les épaules.

– Scottie a purgé sa peine. Maintenant il joue du piano ici et là.

– Où?

– Pourquoi insistes-tu pour parler de lui? Ça va te déprimer, un point c'est tout.

Babe croisa le regard calme de sa mère, sachant que Lucia ne serait jamais assez mal élevée pour raconter un mensonge, mais sachant aussi que c'était une femme capable de cacher de grands pans de vérité.

Lucia soupira.

– Scottie joue dans un des hôtels de l'East Side. Sincèrement, je ne me souviens pas lequel. Ce n'est pas le Carlyle.

– Je veux lui parler.

– Je n'arrive pas à comprendre à quoi cela pourrait bien servir.

– Je veux connaître la vérité.

– Tu la connais.

– Je connais quelques demi-vérités que toi et la police avez jugé bon de me faire avaler, et une vérité ou deux qu'Ash a laissé échapper.

Il y eut un temps d'hésitation. Lucia baissa les yeux sur ses mains qui suivaient les lettres d'or sur l'agenda de Babe.

– Je pense sincèrement que tu en sais assez pour le moment.

– Très bien, je vais sortir d'ici et trouver Scottie toute seule.

Lucia posa violemment l'agenda et s'approcha de la fenêtre. Elle resta un moment le dos tourné à la pièce. Elle tremblait, à la lisière de quelque chose, mais ensuite elle recula.

– Mon cœur, tu fais de si magnifiques progrès. Pourquoi risquer un choc émotionnel qui n'aurait d'autre résultat que de te retarder.

– Ne penses-tu pas que j'ai *eu* des chocs émotionnels?

– Si, mon cœur, absolument. C'est pour ça que je m'inquiète.

Lucia revint au chevet du lit et reprit possession de son fauteuil.

– Tu as assez souffert. Maintenant tu dois te concentrer sur ta guérison.

– Je vais me concentrer pour découvrir ce qu'il est arrivé à ma vie.

– Autrefois, quand tu es née, la seule façon pour une femme de vraiment se reposer était d'aller à l'hôpital et d'avoir un bébé. Tu te reposes sans rien de tout ça. Pourquoi ne te détends-tu pas tout simplement, loin du stress et des tensions, le Dr Corey te dira quand tu seras d'attaque?

– Il a intérêt à me déclarer d'attaque aujourd'hui, parce que moi je sors demain.

– Ce n'est pas au choix.

La voix de Lucia était atone et d'une certaine façon redoutable.

– Ton père et moi ne pouvons pas t'autoriser à quitter cet hôpital.

– Je ne vois pas en quoi compte ce que vous autorisez ou non.

– Alors apparemment tu ne comprends pas que la Cour a fait de toi la pupille de ton père et la mienne.

– J'étais dans le coma quand la Cour a décidé ça.

– Tu n'es pas encore bien.

– Je suis peut-être faible physiquement, mais je suis consciente et saine d'esprit.

– Pourquoi ne laissons-nous pas ce diagnostic au soin de ton médecin?

– Je connais mon état d'esprit mieux que n'importe quel médecin.

– Je n'insisterais pas.

– Si, j'insiste.

Sa mère lui lança un brusque regard de biais, dur et désapprobateur.

– Alors la Cour devra statuer.

Babe dut combattre un refus immédiat de croire à ce qu'elle venait d'entendre, et puis elle s'émerveilla de la capacité de sa mère à lancer une menace avec tant de désinvolture, sans même changer de ton de voix.

Lucia se tut. Si la menace était un bluff, maintenant elle était embringuée.

– Je suis désolée, Béatrice. Je n'ai pas écrit la loi. Elle exige que trois médecins t'examinent et se déclarent d'accord sur leurs conclusions.

– Alors qu'ils m'examinent aujourd'hui.

– Cela dépend du Dr Corey, le moment où ils t'examineront. Et le Dr Corey considère que tu as besoin d'un séjour ici.

Babe étudia sa mère, ses cheveux gris coiffés avec élégance, l'ossature solide de son visage, et ses yeux noirs. Un sombre pressentiment bourdonna en elle.

– Béatrice, mon cœur, pourquoi nous disputer? Tout ce que nous voulons tous c'est que tu te sentes bien, heureuse, et solide.

– Le Dr Corey t'a-t-il confié combien de temps il prescrit de me protéger?

– Il a mentionné trois mois. A un mois près, j'imagine.

La voix de Babe s'éleva.

– Tu ne veux pas dire à un an près?

Sa mère lui lança un regard qui disait tutt-tutt-allons-allons.

– Ne sois pas sotte. Regarde-toi. Tu es toute rouge. Tu t'es fatiguée.

Lucia rajusta avec soin le pli du drap de Babe.

– Maintenant sois donc gentille, recouche-toi et essaie de faire une sieste.

Quand Cardozo revint au commissariat à dix heures ce soir-là, un message attendait sur son bureau : « Prière me contacter dès que possible, Babe V. Devens. »

Il vit au griffonnage du sergent que l'appel téléphonique était arrivé à 1 h 30 de l'après-midi.

Il téléphona à l'hôpital et demanda sa chambre.

— Désolé, répondit la standardiste, les appels ne sont pas autorisés après dix heures du soir.

Il était 7 h 30 du matin, et Babe Devens, dans sa chambre d'hôpital, regardait le journal télévisé du matin quand Cardozo entra.

— Lieutenant Cardozo.

Elle parut contente de le voir.

La pièce étincelait de soleil matinal. Il ressentit une timidité étrange et soudaine.

— Désolé d'avoir mis si longtemps, s'excusa-t-il. Je n'ai eu votre message qu'hier soir.

— Vous êtes très gentil de venir.

Il ferma la porte. Ils s'observèrent en silence. Il était très conscient de son visage intelligent, de ses yeux verts, de ses cheveux blonds comme le miel.

— Vous vous êtes souvenue de quelque chose? demanda-t-il.

— Non. Je vous en prie, ne m'en veuillez pas. J'ai besoin de votre aide.

Voilà qui l'intéressa. Babe Vanderwalk Devens avait besoin de l'aide d'un inspecteur de la criminelle gagnant quarante-sept mille dollars par an.

— Ma famille veut que je reste à l'hôpital. Je veux rentrer chez moi.

— Vous n'avez pas besoin de moi. Il sourit. Vous avez plus de vingt et un ans. La porte est là.

— Ce n'est pas si facile. La Cour m'a placée sous leur garde. Ils ont ma procuration. Légalement je suis un enfant.

— Vous n'avez pas contacté votre avocat?

La soie du peignoir de Babe Devens émit un léger frou-frou dans la chambre silencieuse.

— D'abord, je ne peux pas. Ce téléphone ne prend que les appels de l'extérieur. J'ai dû demander à E.J. de vous téléphoner de la salle des infirmières. Et ensuite, c'est l'avocat de ma famille. Il travaille pour eux, pas pour moi. Mes parents veulent me garder en détention préventive, et ils ne me laissent voir personne sauf leurs visiteurs triés sur le volet. Regardez. Elle lui tendit un agenda relié cuir. Mère a organisé ma vie pour le mois qui vient.

Cardozo feuilleta les pages, et admira l'écriture aux belles boucles souples.

– Peut-être que votre famille a raison. Peut-être que vous devriez rester à l'hôpital jusqu'à ce que vous soyez solide.

La détermination flamboya dans les yeux de Babe Devens.

– Je ne fais rien ici que je ne puisse faire chez moi. La maison est équipée d'un ascenseur, je peux emmener E.J. avec moi, les thérapeutes peuvent travailler avec moi là-bas. Ça ira très bien.

Il lui vint à l'idée que cette femme se connaissait et connaissait ses limites, et que si elle assurait que ça irait alors ça irait.

– Que voulez-vous que je fasse? demanda-t-il.

– Mettez-moi en contact avec un avocat qui ne soit pas de Wall Street, pas une vieille fortune, et qui n'ait pas peur de Hadley ou Lucia Vanderwalk.

Cardozo trouva Lucinda MacGill au premier étage en train de prendre la déposition d'une femme qui hurlait en yiddish et en russe. Un sergent, de toute évidence un volontaire tiré de la salle de réunion, essayait de traduire.

Un jeune homme attaché par des menottes à une chaise braillait en espagnol et un lieutenant traduisait. A travers tous les cris et les traductions Cardozo déduisit que le jeune homme avait poussé le mari de la dame sous un rame de la ligne F en direction du Queens alors qu'il essayait de lui arracher l'étoile de David en or qu'il portait autour du cou.

Lucinda MacGill aperçut Cardozo et s'approcha du distributeur de café.

– Le gosse est défoncé au crack, expliqua-t-elle. Le mari est mort il y a quarante minutes aux urgences à Saint Clare. La femme voudrait n'avoir jamais quitté la Russie.

– Vous travaillez demain? demanda Cardozo.

– Demain c'est dimanche. Je dors.

– Si vous aviez envie de passer au Doctors Hospital demain et de parler à Babe Vanderwalk Devens, vous pourriez vous faire un petit à-côté.

– Babe Devens? C'est une blague. Je croyais qu'elle était dans le coma.

– Elle l'était mais plus maintenant. La Cour l'a placée sous la tutelle de ses parents. Ils refusent de la laisser sortir de l'hôpital. Elle veut partir.

– Merci, Lieutenant. Ça me paiera peut-être le prêt de ma voiture.

Lucinda MacGill alluma une de ses deux cigarettes quotidiennes et sourit à Babe Devens comme si elles avaient été de très vieilles amies.

– Parlez-moi de vos parents. Que cherchent-ils? Veulent-ils contrôler votre argent?

Babe Devens, assise les bras croisés sur la table d'hôpital, considérait Lucinda.

– Ils n'ont pas besoin de contrôler l'argent de qui que ce soit. Ils en
ont plein les poches.

– Il y a des gens avides.

– Pas mes parents. Ils sont dévoués. Ils croient me protéger.

– De quoi?

– Toutes sortes de réalités sordides.

Lucinda MacGill quitta son fauteuil et se mit à marcher de long en
large.

– Vous avez droit à une entrevue contradictoire – nous convoquons
trois médecins pour vous déclarer capable, votre famille à droit à
trois médecins pour vous déclarer incapable, un juge entend les
experts et statue. Si le juge statue contre vous nous demandons un
procès avec jury. Vous gagnerez certainement avec un jury.

Les yeux creux de Babe s'obscurcirent et son front se plissa.

– Et tout ça, ça prendrait quoi – des mois?

– Des mois, peut-être des années; et quelques centaines de milliers
de dollars.

– Je ne veux pas passer par tout ça.

– Parfait. Moi non plus. Je suis employée par la ville et là je travaille au noir.

Lucinda s'approcha de la fenêtre. Un soleil d'été blanchâtre bor-
dait les gratte-ciel d'un liséré d'argent aveuglant.

– Il n'y a pas eu un mot sur vous dans les journaux, remarqua-
t-elle.

– Il devrait?

– Eh bien, les journaux ont publié le témoignage entier quand
votre mari a essayé de vous tuer.

– Mon mari n'a pas... Babe Devens s'interrompit. A quoi pensez-
vous?

– Vos parents s'évertuent à maintenir votre guérison sous silence.
Poussons-les à exposer leurs raisons. Accordez-leur un nombre x de
jours pour convaincre une Cour que vous ne devriez pas être déclarée
capable. Ça leur laisse deux options : passer devant un tribunal – ce
qui occasionnerait des gros titres – ou éviter le tribunal – et perdre
garde et procuration. A vous de décider. Vous connaissez votre
famille.

– Ils ne peuvent pas supporter la publicité.

– Parfait. Nous prendrons cette voie.

17

A la réunion du détachement spécial Malloy signala que jusqu'ici aucune prison dans la zone des trois États n'avait reconnu la photo de John Doe.

– On devrait peut-être passer au niveau national.

Cardozo expédia un papier de chewing-gum dans un cendrier. Un bourdonnement de frustration montait en lui.

– Eh bien passe, passe.

Greg Monteleone battait trois carrés de papier pour messages téléphoniques.

– Pour ce que ça vaut, deux Laundromats disent qu'elles reconnaissent l'affichette. Malheureusement, elles se trouvent à douze kilomètres l'une de l'autre, alors à moins que John Doe ait trimballé son linge sale par hélicoptère, une des deux doit se gourer.

Cardozo ordonna à Monteleone et Malloy de se charger chacun d'une Laundromat et de vérifier.

Cardozo baissa le store dans son box et installa le projecteur. Il regarda des diapos, les diapos du dimanche, celles du lundi, celles de toute la semaine. Il essaya de regarder chacune comme si c'était la première fois.

Sans cesse il revenait à son unique « peut-être », la femme mystère des diapos 28 et 43 : il embrassa du regard les cheveux blonds flottants, le visage et la démarche assurés, le chemisier, la jupe, la ceinture... le paquet rayé rose qui était entré dans l'immeuble et n'en était jamais ressorti.

Il se dit qu'il devait exister un recoupement, que l'équipe de Tommy l'avait raté, qu'elle était aussi quelque part ailleurs, sur une autre photo soigneusement enregistrée et étiquetée.

Mais elle n'y était pas, elle n'y était pas, elle n'y était pas.

A une heure et demie Monteleone revint du Queens et annonça que le pépé et la mémé qui tenaient la Laundromat s'étaient trompés.

Deux heures plus tard Malloy revint de Staten Island. La balade en ferry avait été géniale; la femme qui tenait la Laundromat était un amour de vieille dame, mais elle avait la manie d'appeler le FBI pour signaler que quelqu'un de louche avait laissé du linge dans sa boutique. Le FBI avait cessé de répondre à ses appels, alors elle s'était rabattue sur les représentants de la loi locaux.

Lundi 2 juin. Cardozo repassait des diapos. Il comparait les visages sur son mur aux visages sur son bureau, des photographies qu'Ellie Siegel avait obtenues auprès des compagnies d'assurances qui remboursaient les cliniques Beaux-Arts.

« Il devrait y avoir un ordinateur pour ce boulot », songea-t-il.

En trois heures il ne trouva que sept concordances qui ne figuraient pas encore dans le registre. Il avait l'impression de tâtonner dans un labyrinthe ne débouchant que sur des gouffres.

Il bâillait et papillotait quand Siegel arriva du bureau des inspecteurs avec un grand sourire. Elle considéra Cardozo la tête posée sur son avant-bras.

– Je tiens quelque chose.

Son visage illuminait la pièce.

– La propriétaire ne prétend pas seulement avoir vu la victime régulièrement, elle a son linge.

Le sourire de Cardozo s'ouvrit comme un éventail japonais, les muscles s'étirant un par un, et il se rendit compte qu'il n'avait pas souri depuis neuf jours.

– Où ?

Le coin du bas de la Huitième Avenue était en plein processus d'anoblissement : gays et yuppies grignotant du terrain, Portoricains grignotés par les envahisseurs. Dans un bloc de dentistes Medicaid [1] et de bistrots chics et mode, la Laundromat Paradis partageait le rez-de-chaussée d'un immeuble de brique avec le salon de coiffure Jean Cocteau et La Carterie.

Cardozo et Siegel pénétrèrent dans l'étroite boutique. Pour atteindre les machines à laver et les séchoirs cliquetants, ils durent fendre une foule hostile de gamins latinos du quartier opposant leur machisme aux jeux vidéo japonais.

De la poussière de lessive flottant dans l'air piqua l'intérieur du nez de Cardozo et lui donna envie d'éternuer.

Une fille attendait à côté de l'un des séchoirs, et observait son reflet dans le hublot de sous-vêtements tournoyants. Elle se maquillait, en prenant bien soin de ne pas mettre de poudre sur le serre-tête de ses écouteurs de walkman.

Au fond de la boutique, une vieille chinoise en robe orientale noire

---

1. Aide sociale.

de Prisunic était assise droite comme un i sur une petite caisse en bois.

Cardozo lui montra sa plaque.

Ses petits yeux noirs l'examinèrent avec méfiance.

Il lui montra l'affichette.

Elle hocha la tête, la peau sèche comme un vieux parchemin, les traits tirés et rabougris.

— *Si*, dit-elle. *Joven.* Jeune.

— Son nom, son adresse?

Pas de réaction. Cardozo essaya son espagnol, une variation du portugais qu'il avait appris à la maison quand il était petit.

— *Su nombre, su direccion?*

La vieille femme secoua la tête négativement.

— *No nombre, no direccion.*

Le coin droit de sa bouche tombait : elle avait une quelconque paralysie d'un nerf facial, et ceci, ajouté à son accent, rendait son hachis de cantonais, espagnol, et anglais très difficile à comprendre.

Cardozo réussit à reconstituer que le jeune homme était venu régulièrement, tous les mardis, et qu'il devait habiter tout près, parce qu'il transportait des sacs de linge tellement gros.

— Vous avez un de ces *sacos grandes*? demanda Cardozo. Donnez-le-moi. *Damelo por favor.*

La forme bridée de ses yeux leur donnait une expression circonspecte.

— Ticket?

— Pas de ticket.

Un doigt pressé.

— Un dollar *màs*.

Elle alla chercher un tabouret et tira un sac de nylon vert d'une étagère encombrée.

Un demi-ticket de blanchisserie y était accroché avec une épingle de nourrice. La date tamponnée dessus était le 23 mai. Le vendredi d'avant le meurtre. Elle défit l'épingle, de ses mains grêlées de taches et tordues par l'arthrite, et la laissa tomber dans une boîte d'épingles semblables.

Elle brandit le demi-ticket et avec un Bic fendu mima une signature. Cardozo signa. Elle lui fit inscrire le numéro de sa plaque.

— Huit dollars cinquante. Son anglais était diablement meilleur quand il s'agissait d'argent.

Quand Cardozo arriva dans la grappe de buildings de verre, l'air avait une senteur forte de pluie imminente. Il monta le linge jusqu'au troisième étage.

Le technicien du laboratoire était déjà là, un civil à l'allure de savant approchant de la trentaine, grand et maigre avec des cheveux roux et bouclés. Il commença à dresser un inventaire du linge. C'était un curieux mélange – des chaussettes de laine à carreaux écossais portant la marque Brooks Brothers, caleçons et tee-shirts Fruit of the Loom, slips de sport Healthknit, chaussettes tube de Prisunic sans marque.

– Beaucoup de chaussettes, commenta le technicien. Il devait en porter deux, trois paires par jour.

– Peut-être qu'il faisait du jogging. Cardozo remarqua que les vêtements étaient tous marqués à l'encre de Chine avec les mêmes initiales – J.D.

Marrant si le nom du type était vraiment John Doe.

Cardozo avait connu des techniciens qui étiquetaient une paire de chaussettes commc un seul article, surtout si un inspecteur attendait, mais ce gars-là appliqua strictement le règlement, étiquetant chaque chaussette avec son étiquette numérotée, déchirant chaque étiquette sur ses deux lignes en pointillés, remplissant chaque côté en lettres majuscules identiques et soignées.

Lou Stein entra d'un pas nonchalant dans la pièce. Son visage portait encore des traces du bronzage des vacances, mais le sourire des vacances avait disparu. Le souci avait repris le dessus.

– Nous n'aurons pas besoin de tout ça, déclara-t-il. Il sortit un caleçon, un tee-shirt, et une chaussette de la pile étiquetée et signa une décharge.

Au sixième étage, dans la douce lueur bleue des lampes de labo, Lou Stein ôta les étiquettes numérotées et laissa tomber les vêtements dans un bain d'eau distillée. Il fit coulisser le couvercle en place, et appuya sur un bouton. L'eau commença à tourbillonner violemment.

Au bout de trois minutes Lou vida l'eau du bac et en remplit une autre cuve. Il manipula une rangée d'interrupteurs. Quelque chose se mit à faire un bruit de Robot Cuisinart.

Lou pointa le menton.

– On peut regarder ici.

Cardozo fixa les yeux sur un terminal d'ordinateur. Sur l'écran noir, des symboles mathématiques et chimiques explosèrent en points verts brillants.

Trente secondes plus tard une analyse imprimée sortit de la bouche d'une imprimante de table reliée à l'ordinateur.

Lou arracha une feuille imprimée et rajusta ses lunettes d'un air songeur.

– Les caleçons et les chaussettes indiquent une forte saturation du même détergent qui a causé les rougeurs sur John Doe.

Cardozo s'arrêta au troisième étage. Le technicien examinait une chemise. Il se mordait les lèvres.

– Que pensez-vous de ça, Lieutenant?

Cardozo prit la chemise. C'était du coton blanc, joli tissage, oxford ou chambray.

– Une chemise de soirée avec un col haut, remarqua Cardozo.

– La plupart des autres affaires sont marquées J.D. Celle-ci est marquée D.B.

Cardozo examina l'intérieur du col et les lettres à l'encre de Chine.

– Et pas d'étiquette.

– Qu'est-ce que c'est, une chemise Mao?

Cardozo ne savait pas.

– Combien en a-t-il comme ça?

– Juste celle-ci.

Sur la table, Tommy Daniels disposa les manches vers l'extérieur comme les bras d'un homme crucifié.

– Je vais te faire une splendeur. Digne de *Vogue*.

– Oublie la splendeur, lança Cardozo. Il me faut six clichés.

Cardozo convoqua l'équipe dans son bureau. Il fit circuler les photos et puis posa les deux mains sur le bord du bureau.

Il y eut un grand silence, l'attente. Trois hommes et une femme fatigués scrutaient les photos.

– Quoi que vous soyez en train de faire les uns ou les autres, déclara Cardozo, laissez tomber. Trouvez-moi ce que c'est que cette foutue chemise, qui la fabrique, où on la vend.

Il faisait nuit quand Monteleone revint. Il n'y avait pas d'erreur, cette obscurité derrière la fenêtre c'était bien les dernières traces du jour.

– C'est une chemise ecclésiastique, annonça-t-il. Les curés attachent leur col à ce trou à l'arrière avec un bouton de col.

Un grand silence tomba sur le box, figeant les voix et le vacarme du bureau des inspecteurs.

– Le type est trop jeune, observa Cardozo. Il ne pouvait pas être curé. Il se rendit compte qu'il disait en fait qu'un curé n'avait pas pu mourir de ce genre de mort. Dieu ne le lui aurait pas permis.

– Tout le monde paraît jeune quand on vieillit, observa Monteleone. Bordel, ce que les flics me paraissent jeunes. Pour parler franchement, Vince, même toi tu me parais jeune.

Cardozo resta assis là un moment, laissant les éléments s'ordonner dans sa tête. Il tapotait un crayon à la mine cassée sur son bloc-notes.

– Supposons qu'il soit curé. Les curés vivent sur leur lieu de travail, pas vrai? Et jusqu'où porterais-tu ton linge – cinq, six pâtés de maisons maximum, non? Collons l'affichette dans toutes les églises dans un rayon de six pâtés de maisons de cette Laundromat.

– Les chemises ecclésiastiques sont simplement des chemises de cérémonie sans le col ni le plastron fantaisie.

Greg Monteleone partageait ses informations avec la réunion du mardi du détachement spécial.

– On les trouve en trois couleurs – blanc et noir pour vos curés du tout venant, et magenta pour les évêques. Les chemises ecclésiastiques noires se portent toujours avec un rabat par-dessus. C'est un gilet. Certains jésuites et anglicans de la Basse Église s'essaient au style col de pasteur, et portent la chemise noire avec le col et sans le gilet.

– Nous avons sous les yeux une chemise blanche, intervint Cardozo. Est-elle catholique ou anglicane?

– C'est pareil, répondit Monteleone. La seule différence tient à qui est dedans. Elles sont toutes cousues par des Portos, des Chicanos, et des bridés illégaux dans les mêmes ateliers galères yiddish.

Ellie Siegel, l'air exaspéré, gratta bruyamment une allumette et alluma une cigarette.

– Si vous achetez une chemise ecclésiastique de modèle courant, poursuivit Monteleone, vous le faites par correspondance ou vous allez dans un magasin catholique et romain et la prenez en confection. Si vous voulez quelque chose de spécial, des maisons comme Brooks Brothers fabriquent des chemises ecclésiastiques blanches à la commande pour les riches catholiques romains et anglicans.

– Je ne savais pas qu'il y avait des curés riches, remarqua Siegel.

– On les appelle des évêques, riposta Monteleone.

– La chemise de D.B. était-elle sur mesure? demanda Cardozo.
Monteleone hocha la tête.

– Le type de chez Brooks Brothers a déclaré que celle de D.B. était un très joli travail sur mesure. Le tissu était d'une qualité supérieure, et la taille cintrée n'est pas standard.

– Le pasteur avait la taille cintrée? s'étonna Richards.

– Il était peut-être fier de sa taille, intervint Malloy.
Siegel paraissait perplexe.

– Fourrer une chemise taillée sur mesure dans la machine avec les sous-vêtements – vous ne pensez pas qu'il aurait envoyé une chemise aussi coûteuse chez le teinturier?

– Je ne sais pas quand tu as regardé un curé ou un pasteur pour la dernière fois, lança Monteleone, mais la chemise se voit rarement. Le gilet noir la dissimule.

– Brooks Brothers avaient-ils confectionné cette chemise? s'enquit Cardozo.

Monteleone secoua la tête.

– Non. Mais une chemise comme celle-ci on peut la faire faire sur mesure dans n'importe quel magasin qui façonne sur commande.

Cardozo soupira.

– Okay, les gars. Foncez sur les pages professionnelles de l'annuaire.

Il ajourna la réunion et alla dans son box.

Il passa en revue les nouvelles diapos de sa camionnette d'observation. Il avait demandé à l'équipe photo d'étiqueter toutes nouvelles apparitions de la fille en 43 – et il remarqua qu'il n'y avait pas d'étiquette.

Il brancha le projecteur et commença à passer les diapos. Hier avait été un jour ensoleillé. De la tour Beaux-Arts émanait une impression de dignité et de tranquillité, un monolithe avec de larges fenêtres teintées contre le soleil.

Il ralentit sur la photo d'un homme aux cheveux bruns en costume de seersucker, portant une mallette, et regardant par-dessus son épaule droit vers l'appareil photo.

Un autre homme qui avait repéré le camion.

Cardozo observa la photo un moment. Non, ce n'était pas un autre homme. C'était le même homme vêtu d'un costume différent.

Il revint en arrière dans le registre et trouva la note précédente : nº 79, lundi 26 mai.

Il glissa 79 dans le carrousel et projeta l'image.

Le même homme portait la même mallette, l'air très pimpant et sérieux. Ses chaussures en cuir verni ressemblaient à des escarpins de danse, à semelles si fines qu'il devait sentir le moindre gravillon sur la chaussée.

Les yeux de 79 neuf croisèrent ceux de Cardozo.

Aujourd'hui Cardozo essaya de regarder la diapo d'une autre façon. Peut-être y avait-il quelque chose de vaniteux et de futile chez l'homme de la photo. Peut-être regardait-il autour de lui non pas parce qu'il sentait le danger, mais parce qu'il sentait l'attention. Peut-être voulait-il voir qui d'autre lui trouvait belle allure.

Cardozo revint à l'autre photo du même homme. Cette fois-ci son attention s'attacha à un autre détail : Hector en service à la porte, qui souriait.

Clic, Cardozo passa à la suivante.

Hector et le visiteur disparurent dans le hall d'entrée.

Suivante : Princesse Lily Kowitz entrant, ayant l'air furieuse de ne pas trouver de portier.

Diapo suivante : 79 quittant l'immeuble.

Trois diapos plus loin, Hector était de retour à son poste, et le baron Billi von Kleist pénétrait dans l'immeuble. Hector lui souriait.

Suivante : un patient de l'une des psychothérapeutes entrant dans l'immeuble. Hector ne souriait pas.

Clic, Cardozo avança jusqu'à une photo montrant une silhouette sombre sortant d'un taxi. Une femme. Elle portait des lunettes noires, un foulard, un jean moulant.

Diapo suivante. Hector faisait signe à la femme. Suivante : Hector et la femme se retiraient dans les profondeurs du hall d'entrée, laissant la porte sans surveillance.

Cardozo s'arrêta. Le taxi et la femme aux lunettes noires déclenchèrent une association avec un meurtre qu'il avait élucidé deux ans plus tôt. L'affaire Mildred Hopkinson.

Hopkinson était aveugle et vivait à Kew Gardens avec sa sœur qui travaillait. Trois ans auparavant son père avait été poussé d'une fenêtre du onzième étage à Manhattan et quelqu'un avait laissé un des gants de Mildred par terre. Ça semblait un genre de machination grossière et cruelle; la vue de Mildred la clouait à la maison, et avec la mort de son père sa petite rente passait à un oncle.

Cardozo avait donné l'ordre de surveiller la maison de Mildred et découvert qu'elle avait un petit ami en secret, un chauffeur de taxi qui la prenait chaque jour à la porte de service, l'emmenait en voiture dans un motel, et la ramenait devant cette même porte à trois heures pétantes.

Mildred finit par reconnaître que son ami l'avait conduite jusque chez son père, le vieil homme s'était disputé avec elle et, ne voyant pas la fenêtre ouverte, elle l'avait poussé. Deux ans pour homicide involontaire.

Cardozo repassa la série de diapos. Il savait exactement ce qu'il cherchait. Il s'arrêta sur le cliché où la femme sortait du taxi.

Pas d'erreur. Elle n'avait pas payé la course. Encore un taxi complaisant.

« Merci du tuyau, Mildred. »

Cardozo revint aux photos du premier jour, en quête d'une femme portant des lunettes noires de star et un turban.

2 juin – seize heures – une femme sortant de la tour portant des lunettes noires, pas de foulard.

Debbi Hightower? Il mit la photo de côté, sortit une Hightower de la pile, la glissa dans le projecteur.

Il passa de la Hightower à la probable Hightower et à la fille dans le taxi. Il fit appel à son imagination, amassant les détails.

« Ils dealent de la drogue. 79 livre, Hector recèle, Debbi achète et en prend bien sûr... »

Il revint au chauffeur de taxi, un homme à casquette grise, flou au premier plan. Il tripota l'objectif. Il ne réussit pas à rendre l'image plus nette.

C'était frustrant. L'homme était là sur la photo et Cardozo ne pouvait pas le voir.

Il téléphona à Tommy Daniels.

Tommy arriva vêtu d'un pantalon jaune canari et de sa chemise classique rose hélio. Il était remarquablement dynamique et Cardozo lui envia son énergie.

— Fais-moi un petit miracle avec cette diapo, d'accord, Tommy?

Tommy Daniels se fourra une boule de gomme rose dans la bouche. C'était écœurant certains des trucs que les membres de la police faisaient pour éviter de fumer. Il tripota l'objectif, réglant et déréglant l'image dans le rayon de lumière.

— Stop, ne touche plus à rien, Tommy.

Le visage était toujours flou, mais le logo sur la porte du taxi était assez net pour distinguer : « Ding-Dong Transport. »

Cardozo tendit à Tommy la diapo de la femme aux lunettes noires.

— Et celle-là, tu peux la rendre plus nette?

Tommy bricola le projecteur. Il secoua la tête.

— Celle-ci il faut que je la traite au labo.

— Merci mille fois, Tommy.

Cardozo pivota sur sa chaise et hurla à l'adresse de Malloy.

— Va me chercher le relevé du taxi de Bronski pour la journée d'hier.

Cardozo lut l'heure sur le registre.

— Je veux la destination de la course à 12 h 20.

18

– On nous ordonne d'exposer les raisons de notre action, s'indigna Lucia Vanderwalk. C'est l'œuvre d'une quelconque avocate prétendant agir en ton nom.

– Je suis désolée, Maman, assura Babe, mais de toute évidence il me fallait un avocat.

– Pourquoi? Tu as ton père et moi pour agir en ton nom.

Pendant un moment Babe resta silencieuse dans son fauteuil roulant.

– Je suis reconnaissante de l'aide que Papa et toi m'avez fournie pendant que j'étais malade. Mais vous avez cessé d'être une aide. Je veux sortir d'ici et vous voulez que je reste, voilà pourquoi j'ai engagé Mlle MacGill.

– Alors tu reconnais avoir agi derrière notre dos.

– Je reconnais avoir engagé un avocat. Ce n'est pas un secret.

– Ce juge Levin qui a signé l'ordre est d'une incompétence scandaleuse. Il a statué contre Cybilla de Clairville dans son procès contre sa couturière.

– Les juges rendent d'étranges jugements. Qui sait comment le juge risque de statuer quand toi et moi irons en justice. Ou ce qu'un jury déciderait, si jamais on en arrive là.

Un très vilain silence s'installa.

Lucia remarqua :

– Tu sembles te délecter à l'idée de rendre cette querelle publique.

– Je ne m'en délecte pas, mais je veux prendre le risque. Ce que je refuse, c'est de rester assise ici et laisser filer une autre minute de ma vie.

– Il se trouve que le Dr Corey est un excellent médecin, et qu'à son avis tu n'es pas assez bien pour qu'on te laisse sortir de l'hôpital.

– Je pense le contraire.

– Tu n'es pas une spécialiste.

– Si, quand il s'agit de moi.

Lucia se tourna vers son mari.

— Hadley, veux-tu faire entendre raison à ta fille?

Il y avait un sourire particulier au coin des lèvres d'Hadley. Babe le comprit parfaitement. Les yeux de son père croisèrent les siens, pour créer une chaleureuse complicité.

— Lucia, c'est une adulte. Si je comprends la loi, elle a cessé d'être sous notre tutelle dès qu'elle a repris conscience.

— Est-ce vrai, Bill? demanda Lucia.

Lucia et Hadley avaient amené avec eux Bill Frothingham, l'avocat de la famille, et Lucia lui adressa son ravissant sourire. Elle avait toute une panoplie de sourires à sa disposition, pas tous ravissants, mais celui-ci était de toute évidence celui qu'elle jugeait de circonstance.

— Pas précisément.

Bill Frothingam, un homme aux tempes grises avec des yeux perçants et un visage frappant aux traits anguleux, avait un don pour bien s'entendre avec les gens, ou du moins les tenir à distance grâce au genre de sourire qu'il esquissait maintenant.

— L'examen concerne la capacité, pas la conscience. Dès que Babe pourra prouver sa capacité, elle deviendra sa propre garde.

— De toute évidence elle est capable, reconnut Hadley. Elle s'est occupée d'engager un avocat.

— On peut difficilement appeler ça capable, riposta Lucia. Elle défie le meilleur neurologue du pays.

— Écoutez.

Bill Frothingham avança les lèvres dans un sourire de conciliateur.

— Nous désirons tous la même chose, que Babe se porte bien. Si elle accepte de passer le temps qu'il faut sous contrôle médical...

— J'emmène mon infirmière avec moi, coupa Babe. Je serai sous contrôle médical dans ma maison.

— Ne t'attends pas à ce qu'un médecin comme Eric Corey fasse des visites à domicile, l'avertit Lucia.

— Il m'aime bien, assura Babe. Je l'inviterai à dîner.

— Pas de sarcasmes avec moi, jeune fille.

— Je te dis exactement ce que j'ai l'intention de faire.

Les yeux verts de Lucia défièrent sa fille.

— Et s'il te fallait passer une radio, ou un ECG ou un EEG ou un scanner?

— Je peux toujours être réadmise.

— Lucia, intervint Hadley d'un ton aimable, je pense que nous devrions reconnaître quand nous sommes battus.

19

Le mercredi matin, à la réunion du détachement spécial, Carl Malloy présenta les relevés du taxi de Bronski pour le 2 juin. Les relevés indiquaient qu'il s'était trouvé à West End Avenue et Quatre-vingt-treizième Rue à 12 h 20, quand la camionnette-photo situait son sosie à la tour Beaux-Arts.

— Je ne crois pas les relevés, lança Cardozo.

Il fit circuler l'agrandissement de la fille au turban tiré par Tommy Daniels.

— Deux semaines de congé à Hawaï à celui qui réussit à l'identifier.

— Debbi Hightower, affirma Sam Richards.

— Tu es dingue, lança Malloy.

— Comment peux-tu le voir là-dessus? intevint Siegel. C'est une tache.

— Debbi est une tache, dit Greg Monteleone.

— Mais pas cette tache-là, insista Malloy.

— C'est fou ce que vous m'aidez, observa Cardozo. Tous autant que vous êtes. Sortez d'ici.

Il retourna au projecteur de diapos et s'attela à la tâche laborieuse qui consistait à passer en revue toutes les photos depuis le jour numéro un, et isoler toutes les femmes non résidentes portant des turbans et des lunettes de grand couturier.

Arrivée la fin de l'après-midi il avait relevé huit possibilités et hésitait sur une neuvième quand on frappa au montant de la porte.

Il se retourna.

Un garçon se tenait sur le seuil, tout à fait perdu, tout à fait déplacé. Son regard était ouvert et vulnérable. Ses cheveux tiraient vers le roux et pendaient en frange sur son front. Il portait un jean délavé, des chaussures de jogging Adidas, et un tee-shirt avec quelques trous bien lavés. C'était la version bcbg du look loubard.

Cardozo voyait bien que son visiteur n'était pas un camé, pas un mac, pas un prostitué, pas un petit voleur à l'étalage.

— Lieutenant Cardozo?

— Vous voulez?

— Je m'appelle Dave Bellamy. La voix du garçon était tendue, mal assurée. Le monsieur en bas m'a dit de vous parler.

Les pieds du garçon ne cessaient de réprimer une impulsion de reculer. Cardozo voyait bien qu'il avait peur.

— C'est au sujet d'un type que je connais. Jodie Downs.

Dans l'esprit de Cardozo les initiales J.D. déclenchèrent un petit jingle intérieur. Il se mit à écouter de tous les pores de sa peau. Il ôta une pile de décombres d'une chaise.

— Assieds-toi.

Le garçon s'assit docilement.

— Si tu veux du café... proposa Cardozo.

— Non, merci, j'ai largement dépassé mon quota aujourd'hui.

Le garçon prononça ces mots d'un ton embarrassé, en s'excusant, comme un ivrogne avouant j'ai trop bu, il fallait que je boive trop pour me lancer.

— J'ai vu l'affiche à la messe hier soir.

Le regard du garçon lutta désespérément pour trouver un genre quelconque de courage, frôlant des surfaces, ricochant sur le regard de Cardozo.

— L'affiche disait « quiconque reconnaît cet homme ». Je l'ai reconnu. Jodie Downs. Il arrosait mes plantes quand je m'absentais.

Cardozo sortit un bloc, commença à prendre des notes.

— Puis-je avoir ton nom et ton adresse, Dave.

Dave Bellamy épela son nom et donna une adresse au Un Chelsea Place...

— C'est le séminaire épiscopal sur la Neuvième Avenue. Je suis étudiant de seconde année. Je suis rentré tard de Chicago hier soir, j'ai été voir ma famille pendant une semaine, et j'ai assisté à la messe à l'église catholique et romaine sur la Vingt-Quatrième. Ils ont une dernière messe magnifique. J'ai vu l'affiche.

Sa main montant dans ses cheveux, tirait sur une mèche blond roux.

— Quand as-tu vu Jodie pour la dernière fois?

Dave Bellamy dût réfléchir un instant.

— Le soir où j'ai pris l'avion pour aller chez moi. Vendredi 16 mai. Il est venu dans ma chambre chercher les clés.

— Tu as une minute, Dave? Je voudrais que tu descendes avec moi au centre-ville voir quelque chose.

L'employé avança jusqu'au numéro 1473. Il fit tourner une clé et tira juste assez pour que le tiroir sorte en glissant. Des roulements à billes grincèrent.

Bellamy lança un regard à Cardozo.

Cardozo lui répondit d'un hochement de tête.

Bellamy s'approcha du tiroir. Sa démarche était prudente, comme si le sol risquait d'exploser sous ses pieds.

L'employé souleva le drap. La lumière tira de l'ombre le visage saigné et cireux du mort.

Bellamy le regarda, les yeux ronds, sans bouger, sans respirer.

Le cadavre paraissait étrangement non né, les yeux clos, perdu dans un rêve placentaire.

Cardozo attendit, avec tant d'acuité qu'il en avait des fourmillements. Il n'y avait pas un bruit sinon le clapotis de l'eau sortant d'un tuyau invisible. L'odeur était celle d'un mélange de formol et de viande restée trop longtemps dans une marinade d'une douceur écœurante.

Dave Bellamy restait planté là, l'air abasourdi. Puis il leva les mains lentement et hocha la tête.

Ils quittèrent le centre-ville; Bellamy était assis sanglé par sa ceinture de sécurité, mais son esprit était ailleurs, dans un lieu secret et isolé.

Une ombre de fin d'après-midi était tombée sur la ville.

– C'est ton premier cadavre, hein, dit Cardozo.

Le garçon lui faisait de la peine.

– C'est comme la virginité. Ça ne se retrouve jamais.

Ils se garèrent sur la Vingtième Ouest.

Cardozo suivit Dave Bellamy dans le séminaire. Par une fenêtre il aperçut l'intérieur d'un bureau, la silhouette d'un prêtre penché sur une table de travail. Il y avait un cliquettement de machine à écrire intermittent et amateur, la sonnerie d'un téléphone, et puis une voix dont il ne saisit rien sinon la douceur. Le prêtre fit signe à Dave Bellamy de passer et sourit comme s'il reconnaissait Cardozo.

Ils traversèrent un cloître paisible avec des sentiers dallés et des chênes tachetés par le crépuscule. Il y avait des barrières de fer, des bâtiments de briques sombres enchevêtrés de lierre et une chapelle avec une haute tour gothique. Une lumière verte filtrait à travers des arbres qui avaient poussé librement depuis une centaine d'années.

Ils gravirent un escalier aux marches de pierre usées. La cage d'escalier avait l'odeur de plusieurs siècles de propreté. Ils s'arrêtèrent au troisième étage.

Dave Bellamy sortit nerveusement ses clés et ouvrit la porte. Il alluma la lumière. Elle révéla un désordre soigné et savant : un bureau, des piles de livres reliés en noir qui rappelèrent le Code pénal à Cardozo, des lampes d'architecte, un crucifix – Jésus en ivoire, qui ne souffrait pas – au-dessus du lit. Un pantalon kaki et une chemise sport avaient été jetés sur le couvre-lit comme si quelqu'un venait de se précipiter sous la douche. Il y avait une valise à côté du lit.

– C'est à lui? demanda Cardozo.

Dave Bellamy acquiesça.

– Et la valise?

– Elle est aussi à lui.

– Tu loues cette chambre?

– Je la loue pour le trimestre d'été, répondit Dave Bellamy.

– Je peux ouvrir la valise?

– Bien sûr.

Cardozo ouvrit le bagage. La couche du dessus se composait de caleçons, chaussettes tubes et tee-shirts aux initiales J.D. La couche suivante était du cuir. Un gilet, une ceinture, une casquette, des gants, portant tous les initiales J.D. à l'encre de Chine. Et puis du caoutchouc noir et de l'acier. Le genre de trucs que les sex-shops vendaient et appelaient nouveautés. Un sac plastique avec de l'herbe, du papier à rouler Bambu, quelques feuilles de papier-buvard, un porte-lentilles de contact avec de la coke à l'intérieur, une bouteille marron de deux onces pleine aux trois-quarts d'un popper liquide.

– Comment as-tu rencontré ce type? demanda Cardozo.

– Nous sommes originaires de la même ville, Mattoon, dans l'Illinois. Il étudiait le stylisme de mode à Pratt, j'étais... ici.

– Tu savais qu'il était dans ces trucs-là – drogues, cuir?

– Je savais qu'il était gay, répondit Bellamy. Je ne connaissais pas les détails.

– Savais-tu qu'il avait une de tes chemises?

– Non.

– A-t-il pris d'autres vêtements à toi?

– Certains habits ecclésiastiques manquent.

– Je crois comprendre que Jodie aimait se déguiser.

– Pour rigoler je lui laissais mettre mon habit ecclésiastique. Mais seulement ici dans la chambre.

– Peux-tu me donner le téléphone de sa famille?

De retour au commissariat, Cardozo donna l'ordre que des affichettes du mort soient distribuées dans tous les bars cuir de Manhattan.

Il regardait fixement le téléphone.

Il savait qu'il commettait sa première erreur, réfléchir, préparer ce qu'il dirait. Ce genre d'annonce ne se prépare pas.

Il décrocha le téléphone. Il composa le numéro et écouta le bourdonnement de la ligne.

Une voix dans le bureau du shérif du comté à Mattoon, dans l'Illinois, répondit. Un instant plus tard un shérif adjoint prit la communication et écouta ce que Cardozo avait à dire. Un soupir courut le long de la ligne téléphonique.

— Je vais aller prévenir Lockwood et Meridee Downs moi-même. Ce sont des amis.

— Voudriez-vous leur donner mon numéro? demanda Cardozo. Peut-être auront-ils des questions.

— Ils auront sûrement des questions.

Un appel de Mattoon arriva dix-sept minutes plus tard.

— Lieutenant Cardozo?

— Lui-même.

— Ici Lockwood Downs. Le papa de Jodie. La voix était étranglée. Ma femme et moi venons tout juste d'apprendre que notre fils... Les mots moururent.

— Je suis navré, dit Cardozo.

Il se sentit vidé à l'intérieur, et glacé, et il savait avec tout son corps ce que ressentait le père du garçon assassiné.

— Ma femme et moi serons à New York demain, annonça Lockwood Downs.

— Ce n'est pas nécessaire, assura Cardozo, essayant de leur faciliter les choses.

— Lieutenant, il le faut.

Cardozo jeta un coup d'œil par-dessus la rampe vers le comptoir d'information de l'Est. Il vit l'homme et la femme plantés devant le tapis roulant à bagages. Ils étaient vêtus de deuil, avec discrétion, et d'une certaine façon paraissaient tristes, gentiment vieux jeu et très rétros. Elle était petite, jolie et très droite, son corps dressé dans une robe blanche moelleuse. L'homme était mince, approchait les un mètre quatre-vingt-cinq. Ses vêtements parlaient d'une autre époque, les premières années Kennedy : costume poivre et sel, une cravate grise et un imperméable léger anthracite sur le bras.

Cardozo descendit l'escalier. Il tendit la main et se présenta.

— Meridee et moi tenons à vous remercier d'avoir téléphoné, déclara Downs.

Sa voix était tendue et maîtrisée, le soleil avait étalé des couches brunes sur son visage aux rides profondes.

— Avez-vous des bagages? demanda Cardozo.

Mme Downs secoua la tête. Elle avait des cheveux souples tirant sur le roux, des yeux verts humides, et il y avait un léger saupoudrage de taches de rousseur sur l'arête de son nez.

— Juste ça, dit-elle.

Ils portaient chacun une valise plate spéciale cabine.

– Nous devrions aller voir Jodie, dit Downs.

– Ce n'est pas nécessaire, assura Cardozo. L'ami de Jodie, Dave Bellamy, l'a identifié.

– Je ne comprends pas, intervint Mme Downs. Son petit front était lisse, sa bouche et son menton bien déterminés. Nous sommes venus sur la côte Est pour dire adieu à notre fils.

L'employé souleva le drap. Les parents contemplèrent les yeux fermés.

Cardozo put sentir l'onde de choc les frapper. Jusqu'au dernier atome de couleur disparut de leurs visages.

Ils vous prenaient toujours au dépourvu, ces moments où l'on sait que la vie n'est pas éternelle, que la mort vous attend au tournant. La Bible vous le disait et la vie vous le disait, et pourtant on ne le sentait jamais au fond de soi, sauf quand c'était quelqu'un de spécial pour vous que la mort réclamait. Cardozo avait vécu un de ces moments. Lockwood et Meridee Downs en vivaient un maintenant.

Mille ans s'écoulèrent au ralenti.

Mme Downs se pencha pour embrasser les lèvres mortes.

Le visage de Downs se redressa et il regarda sa femme si tendrement, si doucement, que ce regard était une vraie caresse. Cardozo se souvenait de ce regard, le regard de quelqu'un qui aime, qui appartient à un autre être.

Elle jeta ses bras autour de son mari et pleura tout simplement.

Cardozo conduisit les Downs au Helmsley Midtown, où la compagnie aérienne leur avait réservé une chambre à deux cents dollars la nuit. Downs ôta sa veste, commanda à boire à la réception et demanda à Cardozo de se joindre à eux.

Ils s'assirent dans de gros fauteuils en tapisserie et bavardèrent – le bavardage surréaliste, à bâtons rompus, que les gens échangent toujours face à la mort. Pour les Downs, c'était le début d'une libération. Pour Cardozo, c'était son boulot.

Cardozo eut l'impression que les Downs avaient été une famille avec le vent en poupe. Il s'occupait d'immobilier et d'adjudication, elle avait un diplôme d'infirmière. Ils vivaient dans les quartiers ouest de la ville, le quartier chic. Ils parlaient avec une fierté non dissimulée de leur maison de bardeaux blancs sur Lincoln Street. Elle comportait deux salles de bains et un sous-sol complet, et elle était à eux, hypothèque payée en totalité.

Downs déclara :

– Je ne suis pas pour les dettes. Ce n'est pas être très américain, pourtant.

– Jodie a grandi dans cette maison, dit Mme Downs doucement.

Elle secoua la tête. Ça paraît incroyable. Il y a si peu de temps que Jodie était encore ici, dans ce monde, et maintenant il n'y est plus.

– Toute sa vie, balayée, dit Downs. Vous regardez en arrière, vous voyez une rue pavée de aurait-pu et de si-seulement. Le téléphone sonne et vous vous attendez à ce que ce soit lui qui lance : « Hé, Papa, envoie-moi cent dollars. »

– Il était toujours à court d'argent, reconnut Mme Downs.

Cardozo commença à apprendre quelques petites choses sur leur fils. Il ne força rien, il se contenta de laisser venir.

– Il jouait du cor d'harmonie avec la fanfare, dit Mme Downs. Il était trop mince pour entrer dans l'équipe de football du lycée.

– Mais il a fait des haltères, intervint Downs, jusqu'à ce qu'il soit accepté dans l'équipe de basket.

– Il avait du succès avec les filles, aussi, dit Mme Downs avec mélancolie. Le problème gay – c'est venu plus tard.

Cardozo repassa la vie de Jodie dans sa tête.

– Comment Jodie a-t-il perdu son testicule?

Downs resta silencieux. Cardozo sentit en lui un puritain qui avait perdu toute confiance en soi. Ce fut sa femme qui finit par rompre le silence.

– Jodie est venu à New York il y a trois ans pour devenir acteur. Il a rencontré un homme dans un bar. Il a ramené l'homme chez lui. L'homme l'a drogué et tailladé.

– La police a-t-elle trouvé cet homme? s'enquit Cardozo.

Mme Downs tira l'ourlet de sa robe sur ses genoux. Elle secoua la tête.

– Après ça Jodie s'est inscrit dans une école de mode, dit Downs.

Cardozo comprit les ténèbres au cœur desquelles les Downs dérivaient. Il fit tourner les glaçons dans son verre, il savait qu'il était sur le point de les blesser encore.

– Il est arrivé autre chose à Jodie, commença-t-il. Vous ne l'avez pas vu. Mais il faut que vous le sachiez. Il pouvait entendre le tic-tac d'une montre. Sa jambe droite a été amputée.

La lèvre inférieure de Mme Downs trembla. Elle cligna fort des paupières. Downs fixa Cardozo sans souffler mot.

– Ça a été fait après la mort, précisa Cardozo, comme s'il s'agissait là d'une pitoyable consolation.

Downs était assis, absolument immobile, comme une tragique montagne brisée, pas un tremblement sur son visage, pas un mouvement sauf la fine pellicule brillante sur ses yeux.

– Y avait-il quelque chose sur cette jambe – une marque distinctive, un tatouage?

– Pas que je sache, répondit Downs.

Mme Downs prit son verre sur la table du bout. Elle but à petites gorgées jusqu'à ce qu'il fût vidé à mi-hauteur des glaçons.

– Ils ont ligoté Jodie et l'ont terrorisé et il était entièrement à leur merci et ils s'en fichaient. Et puis ils ont pris leur plaisir. Personne ne devrait avoir à mourir comme ça pour rien, sans raison, sauf qu'un cinglé drogué jusqu'aux yeux veut savoir ce que ça fait d'être Dieu.

Elle s'approcha de la fenêtre. Elle resta là, tournant le dos aux hommes.

– Qui a tué notre fils? demanda-t-elle d'une voix si calme et si terre à terre que Cardozo en fut glacé.

– J'ai l'intention de le découvrir, répondit-il.

Elle se retourna. Elle le regarda.

– Vous le promettez?

– Voyons Meridee, coupa Downs, le lieutenant ne peut faire que de son mieux...

Elle repoussa la main de son mari.

– Lieutenant, avez-vous un enfant?

– Oui, dit-il. Une fille.

– Un enfant unique?

– C'est ça.

Elle prit les mains de Cardozo dans les siennes.

– Alors vous trouverez l'assassin de Jodie? Vous veillerez... à ce qu'il ait ce qu'il mérite?

Cardozo savait exactement quelle épreuve elle traversait. Ses yeux promirent.

– Je le trouverai. Il aura ce qu'il mérite.

Cardozo retourna au commissariat et fut pris d'une inexplicable envie de douceurs. Il commanda un gâteau aux myrtilles et du lait.

Assis à son bureau, il passa en revue les modèles cinq du détachement spécial et puis il téléphona au dix-neuf et demanda l'inspecteur Barry MacPherson.

– Barry, tu as eu une tentative d'homicide chez vous, première semaine de juin, il y a trois ans.

– Nous avons eu neuf tentatives et six réussites, je me souviens parfaitement de la semaine. Ma femme aussi. Le trois juin, c'est notre anniversaire de mariage. C'était l'année où on n'a pas pu partir dans le Colorado. Cette année on n'a pas pu partir aux Bahamas.

– Insiste. Peut-être que l'année prochaine tu ne pourras pas partir à Paris.

Un petit livreur apporta le gâteau, poisseux et archisucré, une montagne violette; Cardozo fit une grimace. Le nom de la victime était Jodie Downs, vingt ans, ex-aspirant acteur, étudiant en stylisme de mode, gay. Il a ramassé un dingue du couteau dans un bar, et perdu une couille.

– Aïe.

– Tu n'aurais pas par hasard été sur l'affaire Barry?

– C'est déjà assez difficile de se souvenir de ceux qui meurent. Les survivants, je n'ai pas beaucoup de mémoire pour eux.

– Il est mort, maintenant.

– Je ne peux pas dire que je me souvienne de lui.

– Jodie Downs.

– Beaucoup de macchabées sous les ponts en trois ans.

– Voudrais-tu m'envoyer par coursier ce que tu pourrais avoir comme documents?

– Entendu.

Ellie Siegel entra dans le box. Elle regarda longuement Cardozo.

– Jamais entendu parler du Rawhide Bar?

– Raconte-moi ce que je rate.

– Huitième Avenue et Vingtième Ouest. Elle fit glisser un memo interne sur le bureau. Le barman a reconnu l'affichette. Son nom est Hal. Il tient le bar jusqu'à huit heures. Alors tu as le temps de savourer ton gâteau.

Cardozo poussa l'assiette en carton vers elle.

– Goûte, si tu veux.

Elle regarda le colorant violet couler à travers la croûte et imbiber le carton.

– Vince, tu connais ton problème? Aucun respect de soi, avaler des cochonneries pareilles. Un de ces soirs je vais te cuisiner un repas correct. Tu es trop jeune pour te laisser aller.

– Je ne me laisse pas aller.

– Mister Amérique, c'est pas toi.

– Qui cause, Miss Univers? Ça marche plutôt bien pour moi.

– Ça marcherait encore mieux si tu mangeais comme il faut. Perds cinq kilos et peut-être même qu'il se trouverait une « shiksa » pour t'épouser.

– Tu es une nana juive arrogante, tu sais ça?

– Je suis aussi Irlandaise que toi.

– Je n'ai pas un gramme d'Irlandais.

– Alors on va bien ensemble.

– Tu crois que tu vas m'avoir avec des injures, tu crois vraiment que des injures vont m'exciter.

– Qui a besoin de toi, Vince? Tu es un salopard macho.

Cardozo poussa la porte. Il respira à fond, goûta l'air, et détesta l'odeur de bière renversée qui semblait avoir déjà dépassé le stade de la pourriture.

Le barman, un géant à moustaches noires, des gros clous d'acier comme des diamants plein ses habits cuir, longea le bar, en passant un torchon humide sur le bois. Le vieux chiffon s'arrêta à deux coups de serpillière de Cardozo.

– Pour vous ça sera?

– Pepsi Light.

Les ombres dans le bar étaient profondes – presque la nuit. Des lambeaux de lumière de la rue jouaient à travers la peau de daim synthétique qui avait été gréée en travers des fenêtres.

– Vous êtes Hal? demanda Cardozo.

– Exact.

– Vous connaissez ce type? Cardozo posa une affichette sur le bar.

Le barman chaussa des lunettes de grand-mère qui n'allaient pas vraiment avec sa barbe noire de pirate. Une petite boucle d'acier luisait à son oreille droite. Il examina l'affichette un moment, puis replia ses lunettes dans la poche de son gilet.

– Je le connais.

– Parlez-moi de lui.

Cordozo montra sa plaque au barman.

– Jodie et moi on est sortis ensemble.

– Et?

– Vous êtes des stups?

– Criminelle.

Choc sur le visage du barman. Il s'appuya contre le bar.

– Il est mort? Comment?

– Nous voulons le découvrir.

Le barman se mit à essuyer un verre. De la table de billard, clair et net comme le coup de bec d'un pivert, parvint le contact d'une queue contre une boule d'ivoire, puis le fracas d'un poids mort dégringolant dans une poche doublée de feutre.

– Il n'a jamais parlé de menaces? demanda Cardozo.

– On ne le menaçait pas. On lui faisait des avances.

– Qui aurait voulu le tuer?

– Je ne sais pas. Moi, parfois.

– Où étiez-vous le vingt-quatre?

– Il y a une semaine samedi? A la même place que maintenant. Ici même.

– Où était-il?

– L'Inferno.

– C'est quoi, l'Inferno?

– Un sex-club sur la Neuvième. Il vivait pratiquement là-bas. C'est là que nous nous sommes rencontrés.

La pluie, fouettée par le vent, crépitait sur le trottoir et moussait dans le caniveau à l'extérieur du poste de police quand Cardozo se précipita de la ruelle dans le hall d'entrée. Son box était chaud et paisible. Il resta planté là, le doigt sur l'interrupteur électrique, essayant de deviner au monticule posé sur son bureau quelle quantité de détritus de service était arrivée. Il pressa le bouton. La lumière projeta son ombre sur le mur et le meuble classeur.

Le dossier Jodie Downs était posé sur son bureau, avec une note de l'inspecteur Barry MacPherson du dix-neuvième, prière de prendre soin du rapport de l'hôpital.

Il y avait quatre pages de papier à en-tête du NYPD couvertes d'une dactylographie d'amateur, mal disposée, mal orthographiée – manifestement un boulot du service – et il y avait une liasse de rapports des hôpitaux publics, un tout petit peu mieux tapés, avec des photos agrafées.

Le rapport de police était une lecture sinistre et déprimante.

Jodie Downs avait passé en revue des photos de criminels et assisté à vingt et une séances d'identification et n'avait pas été capable de reconnaître son agresseur. L'assaillant n'avait jamais été retrouvé. Le portrait-robot, fondé sur la description de Jodie, montrait un homme trapu, bien bâti, approchant de la trentaine, avec une mâchoire solide, des cheveux noirs bouclés, un front haut et lisse, une moustache couvrant une lèvre supérieure pleine et sensuelle. Peut-être un hispanique ou un italien. Il n'y avait rien de réel chez le coupable : c'était un rêve, un jeune mec qui paradait dans un million de dessins de mode masculine et probablement dix millions de revues gay à lire d'une seule main.

La police et les psychiatres de l'hôpital Lennox Hill brossaient le portrait de Downs comme un jeune homme paumé et tourmenté par la culpabilité, incapable d'accepter les contradictions de sa propre personnalité.

Cardozo regarda les photographies et se sentit mal. Elles avaient été prises, supposa-t-il, pour des questions d'assurances – au cas où Jodie Downs aurait intenté un procès pour la perte de son testicule.

Cardozo alla à la porte et appela Monteleone à tue-tête.

Un moment plus tard la lumière du bureau des inspecteurs découpa en silhouette la solide carcasse de Greg.

– Greg, tu travaillais à la Brigade des mœurs. Que sais-tu d'un endroit qui s'appelle l'Inferno?

– Tu as encore six heures, Vince. Ça n'ouvre pas avant minuit. Ne chauffe pas avant deux heures.

– Qu'est-ce qu'on fait là-dedans?

– Ce qui ne se fait pas. C'est un sex-club. Sexe et drogues.

– Gay?

– Vince, il y a de tout là-bas. Peut-être pas d'animaux, peut-être pas de licence pour les boissons alcoolisées, mais crois-moi il y a des catégories de comportement auxquelles même la Cour Suprême ne saurait donner un nom.

– Quel genre de tenue?

– Tenue? Tu rigoles? Soutiens-gorge de cuir ou bottillons sont facultatifs – mais le vêtement de soirée de base à l'Inferno, c'est la peau.

– Il ne faut pas avoir une tête spéciale pour entrer?

– Tu pourrais ressembler à Godzilla et entrer. En fait, c'est le genre de membres qu'ils recherchent.

– Étais-tu membre?

– Bien sûr. Toute la brigade des mœurs de New York est membre.

– Es-tu toujours membre?

– Je n'ai pas reçu d'avis d'expulsion.

– Parfait. Tu amènes deux invités ce soir.

– Vince, je suis un homme marié.

– Tu n'es pas obligé de briser tes vœux de mariage.

– Cet endroit est ce que le cardinal O'Connor appelle une occasion de péché.

Cardozo lança un regard à Monteleone.

– Son Éminence est membre, elle aussi?

Monteleone leva vers lui un regard gris fumée.

– Je veux l'heure et demie supplémentaire. La paie de sauvegarde.

– Va te faire foutre. Et trouve-moi Ellie. Dis-lui qu'elle est invitée.

Une heure du matin pétante.

20

— Nous sommes cotés en bourse maintenant. Il y avait de la fierté dans la voix de Billi. Nos actions s'échangent à la Bourse de New York. Et marchent très bien.

— Quelle part de nous-mêmes possédons-nous? demanda Babe.

— Nous détenons le contrôle, naturellement. Nous avons gardé la part du lion. Douze pour cent.

— Ça, c'est une part de lion?

— De nos jours. Et je vais te confier autre chose. Nous avons un sacré paquet d'IBM, et le krach ne l'a pas touché.

— Mais nous sommes des stylistes, protesta Babe. Pas une maison de courtage.

— Absolument nous sommes des stylistes. Stylistes plus.

Il plongea dans une description ébouriffante des plus : les nouveaux produits et services, les projets pour développer et diversifier, une histoire de bois de construction canadien.

Babe appuya son front contre la paume de sa main. Ses yeux étaient si lourds qu'ils tiraient toute sa tête vers le bas.

— Billi, je m'excuse, c'est trop à la fois.

Billi resta silencieux un moment. De longs cils noirs voilèrent à demi son regard.

Elle vit qu'elle l'avait blessé.

— Ne me comprends pas de travers. J'adore ce que tu as fait, non, ça sonne faux et superficiel. Je n'arrive même pas à suivre ce que tu as accompli, mais je te fais confiance. Comme toujours.

Elle avait presque épousé Billi. Il lui avait proposé le mariage après son divorce d'avec Ernst Koenig, avant son idylle avec Scottie. Elle n'avait jamais dit oui, jamais dit non — sauf en épousant Scottie, ce qui est le non le plus catégorique qu'une femme puisse prononcer — et pourtant il était resté son ami et son associé en affaires.

– C'est que je me sens impuissante, Billi. Tellement coupée de tout et parallèle à tout.

– Mais non.

Il se leva, coupa le climatiseur et ouvrit la fenêtre, laissant entrer un flot d'air citadin qui semblait bruyant et plein de vitalité comparé à la pureté fraîche et sans vie de cette chambre.

Elle pouvait sentir le monde là dehors, les rues vivantes, trépidantes et actives, les gens vivants, réels et sept ans plus âgés qu'elle ne s'en souvenait. Elle se languissait de rattraper son retard, de faire à nouveau partie de la vie.

– Tu vas sortir d'ici, assura-t-il. Et tu ne céderas pas d'un pouce devant tes fichus parents. Ce n'est pas qu'ils sont contre toi. Ils ont juste peur pour toi.

– Pourquoi?

– Parce que beaucoup de choses ont changé en sept ans. Un tas de gens sont désorientés par la nouvelle société, le nouveau comportement, les nouvelles fortunes.

– Les fortunes, il n'y a rien de neuf à ça.

– De nos jours, énormément.

Une ombre passa sur le visage de Billi, et il y avait une pointe de dédain dans sa voix.

– Les nouveaux nouveaux [1] ne sont pas comme ceux dont tu te souviens. Ils reçoivent sur Park Avenue, et ils invitent les échotiers et les agents de pub. Ils jouent à Wall Street et mettent en banque à Genève, chassent en Afrique du Sud, font leurs courses à Hong Kong, dînent à Paris. Et l'étalent partout. L'ostentation fait fureur – et c'est le plus grand retour à la société dure depuis les drogues. Certains ne s'en sortent pas – ils se cramponnent aux vieilles traditions comme à une planche de salut. Lucia et Hadley se comportent comme si nous vivions toujours au temps de la *Saga des Forsyte* et de *Hantise*. Et ce ne sont pas les seuls à se jouer la comédie.

Billi resta planté un long moment à côté de la fenêtre, les yeux plissés face aux rayons du soleil. Ses bras étaient serrés autour de sa poitrine. Il y avait quelque chose de dissimulé dans sa voix qui n'allait pas avec ses paroles.

– Prends notre amie Ash Canfield, poursuivit-il. Elle fait grande dame avec ses tailleurs Chanel et ses petits chapeaux, et elle a ce caractère passionné et enfantin. Elle pense que la vie devrait être une fête de fin d'année – mais elle s'énerve et s'ennuie quand l'orchestre ne joue pas, alors elle se tourne vers l'alcool et la drogue. Elle vit un cauchemar qui détruit son corps, son âme.

---

1. En français dans le texte.

Babe était silencieuse, pensant à l'Ash qu'elle avait connue des années auparavant, et à l'Ash qu'elle avait vue la semaine précédente.

Billi se retourna. Il la regarda.

— Mais tu n'as pas peur, Babe, et tu n'es pas impuissante. Tu ne l'as jamais été. Tu t'en sortiras très bien. Cordélia est de la même étoffe que toi. Elle s'en sortira très bien aussi.

— Cordélia a changé.

— Elle a grandi.

— Je sais. Il faudra que je refasse entièrement connaissance avec elle.

— Ça te plaira beaucoup.

— Je l'espère.

— Dis donc [1], détecterais-je une toute petite note d'apitoiement sur soi?

Les mains de Babe jouèrent avec une mèche folle, puis elle tenta d'esquisser un petit sourire, n'y parvint pas et opta pour un petit haussement d'épaules.

— Tu détectes un peu d'apitoiement sur moi. Billi, qu'est-il arrivé à ma vie?

Il y eut un jeu de petits muscles sur le front de Billi; dans ses yeux il y avait une expression mêlée de profond chagrin et d'indignation. Babe avait toujours senti que ses sarcasmes étaient un masque, qu'il était un homme plus doux et plus gentil qu'il ne voulait le reconnaître ou le montrer aux autres.

— Tu n'es pas la seule, Babe. Ça nous est arrivé à tous. Ce que c'est, ou était, n'est qu'une question d'opinion. Il faudra que tu le découvres toute seule. Et ça te fera mal. Personne ne peut te faciliter la tâche.

— Surtout pas Billi von Kleist, qui restera muet comme une carpe et ne me dira pas un mot.

— Scottie était mon ami, aussi.

— Était?

Billi revint près du lit et lui prit la main. Une bouffée de son eau de toilette au vétiver lui passa sous le nez, et elle respira avec aisance pour la première fois depuis trois jours. Peu importait combien de mondes venaient s'écraser comme des plateaux qu'on lâche, elle pouvait toujours compter sur Billi et son bon sens tranquille.

— Laisse tomber, Babe. Et commence ici tout de suite. C'est passé, fini. Accroche-toi au présent. Remets-toi au travail.

Les yeux de Billi sondaient les siens : ils étaient d'un bleu ardent qui semblait la fouiller et lire en elle comme un sonar.

---

1. En français dans le texte.

– Peu importe ce qu'il arrive d'autre, déclara-t-il, peu importe ce que tu découvriras d'autre qui s'est passé, accroche-toi au travail. Le travail est la dernière, la plus importante, la seule frontière. Tout le reste va et vient – mais le travail demeure. L'unique ami, l'unique parent, l'unique enfant, l'unique amant. C'est le seul fil que nous ayons pour nous guider dans ce labyrinthe que nous nommons la vie.

21

Ils étaient dans le secteur du conditionnement de la viande de Manhattan, un quartier d'immeubles industriels et d'entrepôts juste au sud de la Quatorzième Rue. L'air sentait la mort mal réfrigérée.

Des immeubles à l'aspect délabré composaient le pâté de maisons. Une cabine téléphonique fournissait la principale source de lumière.

C'était une nuit oppressante, trottoirs encore fumants de pluie. Le plus gros de l'orage était passé, mais une bruine continuait à tomber, luisant dans les phares des automobiles qui passaient, des camions de viande garés en triple position, et des limousines dont le moteur tournait au ralenti.

Un flot régulier de silhouettes, sous des parapluies, quittait à la hâte taxis ou limousines pour se précipiter dans un immeuble sombre au bout du pâté de maisons.

— Qu'est-ce que le jet set va encore inventer après ça, observa Siegel.

L'entrée de l'Inferno se faisait par une cabane en bois qui avait été construite sur le trottoir. Monteleone fit passer Cardozo et Siegel devant un videur à l'air méchant et les mena au bas d'une volée de marches en ciment qui ne descendaient pas en courbe vers la cave du bâtiment mais dans la direction opposée, dans une catacombe sous l'avenue. Les marches étaient étroites, mais pas aussi étroites que ce qui venait ensuite, un espace humide et froid éclairé par des lampes électriques fixées avec du fil de fer barbelé aux murs de ciment. Les membres étaient refoulés en file, attendant de décliner leur identité au directeur des admissions. Il était assis derrière une caisse de bois brut d'un mètre vingt marquée au pochoir des inscriptions « Coffee, café, produito do Brasil », et il portait un cache de cuir sur un œil.

Il alluma un joint soigneusement roulé à un autre. Il jeta un coup d'œil à la file de clients. C'était son moment, son îlot de pouvoir. Rien ne le presserait.

Les gens derrière Cardozo discutaient du prix du mètre carré de bureau sur la Cinquième Avenue. Ils avaient l'air d'agents de change, d'avocats, de petits gratte-papier de l'administration qui avaient sniffé une ligne et rué dans les brancards.

Monteleone montra sa carte de membre.

— Deux invités.

Le visage olivâtre et carrément laid du type des admissions se donna l'air de calculer.

— Vingt dollars.

Monteleone tira vingt dollars de son portefeuille et signa le registre. Cardozo remarqua qu'il signait du nom du maire.

Ils avancèrent dans une zone sombre où les membres ôtaient leurs vêtements et les passaient au vestiaire.

— Mettez vos vêtements au vestiaire.

Monteleone, qui avait déjà quitté son pantalon, portait un caleçon écossais ridicule.

— Gardez un peu d'argent dans vos chaussettes. C'est trois dollars la boisson.

Un vaillant sourire creusa les rides du visage de Siegel. Elle enleva son chemisier.

Cardozo se dénuda jusqu'au slip.

Ils entrèrent dans la pièce suivante. Une caverne. Le plafond bas reposait sur des poutres en bois qui sortaient du sol en terre battue avec des angles dingues. L'acid rock qui s'échappait avec un fracas tonitruant d'une douzaine de baffles conférait à cet endroit caverneux l'atmosphère d'une mine de charbon menaçant de s'effondrer d'une seconde à l'autre. Incontestablement un endroit pour des gens qui aimaient vivre au bord du gouffre.

Le bar se composait d'un tas de cageots disposés en cercle. Des personnages nus étaient assis, debout, tenaient la pose.

Derrière le bar s'étendait une zone encombrée de waterbeds et, cernée par des sections de clôture d'acier, convenant aussi pour enfermer des partenaires de jeu, il y avait un petit bassin d'un mètre quatre-vingts du style de ceux qu'on voit sur les pelouses des jardins de banlieue; des chaises longues disséminées ici et là, des tables de jeu où les membres pouvaient faire des pauses conversation et drogue.

— Alors tu penses que c'est ici que Jodie Downs a rencontré Mr. Right, lança Monteleone.

Ils étaient plantés là, trois flics mal à l'aise en sous-vêtements, sans revolvers, sans plaques, l'œil aux aguets.

Petit à petit des détails commencèrent à ressortir.

Un type avec un sac de glucose suspendu à un déambulateur à hauteur d'homme discutait avec une femme assise sur le bar. Elle lui caressait nonchalamment l'épaule avec un fouet.

— Ville de porcs, marmonna Siegel. Ça dépasse vraiment tout en cochonnerie.

A l'autre bout de la salle, une femme marchait sur un type nu avec des crampons de foot. Quelques numéros solos rôdaient dans les coins sombres, cherchant l'action au flair.

Cardozo se sentait la cinquième roue d'un vaisseau spatial.

— Quelqu'un veut quelque chose à boire?

Personne n'éleva d'objection.

En allant au bar, il passa devant un type avec un baudrier qui se faisait masturber par une grosse femme aux seins nus coiffée d'une cagoule de bourreau. A une table de jeu voisine des femmes nues sous leurs imperméables noirs expliquaient comment leurs maris avaient du plaisir avec cette défonceuse, et pourquoi elle était vraiment mieux que celle du Plato.

Cardozo se tenait devant le bar.

Il fallut un petit moment avant que le barman prenne sa commande.

— Trois scotch.

— Rêve toujours, mon petit gars.

Le barman fit sauter les capsules de trois Schlitz et ne se donna pas la peine d'essuyer ce qui avait éclaboussé son nez ou le bar.

Cardozo déposa douze billets d'un dollar.

Le barman les froissa dans son poing comme un torchon à laver.

— T'es nouveau?

Soudain Cardozo regardait le barman, et le voyait. C'était un homme lourdement charpenté approchant ou ayant à peine dépassé la trentaine, avec des cheveux bruns bouclés, une mâchoire qui avait besoin d'être rasée, une moustache couvrant une lèvre supérieure pleine. Le portrait-robot de Jodie.

— Oui, répondit Cardozo. Je suis nouveau.

— Stan, dit le barman.

Cardozo accepta une rude poignée de main.

— Vince.

Son vrai nom, c'était plus pratique que d'essayer de ne pas s'emmêler avec des faux noms.

— T'es avec eux?

Le barman pointa le menton vers Monteleone et Siegel.

— Oui.

— Amusez-vous bien.

Cardozo rapporta les boissons à ses collègues. Maintenant que ses yeux et ses nerfs s'étaient accoutumés, il remarqua une demi-douzaine d'autres hommes qui ressemblaient au portrait-robot de Jodie. Des clones.

— Ce n'est pas du bidon, remarqua-t-il.

– C'est un bouillon de culture, dit Siegel.

– Je vais me mêler aux autres, annonça Monteleone, et il disparut.

– Personne ne s'amuse, remarqua Cardozo. Je croyais que les orgies c'était censé être drôle.

Siegel le regarda.

– Vince, ce que tu peux être vieux jeu, c'est touchant.

– Oui.

Il avait le sentiment d'être en dehors de tout, de ne pas appartenir à la même race que ces gens. Pourquoi Jodie Downs agissait-il ainsi? Pourquoi tous ces gens étaient-ils là?

– Le sexe? C'est une excuse pour se droguer.

– Pourquoi est-ce qu'ils se droguent?

– Pour prendre leur pied avec le sexe.

– Ellie, le truc exaspérant chez toi, c'est que tu crois sincèrement avoir tout compris.

– Je n'ai rien compris du tout. Mais je ne flippe pas aussi facilement que toi et j'ai les yeux grands ouverts. Tu disais qu'on cherchait un assassin?

– L'Inferno est le dernier endroit où Jodie a été vu vivant. Nous voulons savoir à qui il a parlé, avec qui il est parti. Notre témoin est là-bas. Il se pourrait que notre assassin soit là-bas.

Vendredi 6 juin. Treize jours après le meurtre. Une longue matinée brûlante commençait dans la salle du détachement spécial. Cardozo tourna lentement sur sa chaise et se leva.

– Je déplace la camionnette-photo de la tour Beaux-Arts à l'Inferno. Nous allons photographier chaque personne entrant ou sortant de ce club. Nous comparerons ces photos avec les photos de Beaux-Arts. Nous cherchons des visages que nous pouvons associer au lieu du crime. Nous allons aussi placer l'Inferno sous surveillance.

– Autant poudrer pour relever des empreintes digitales dans une cuvette de W.-C., railla Monteleone.

Cardozo lui lança un regard rapide.

– Cette cuvette contient des preuves. Nous poudrerons.

Cardozo exposa à grands traits l'emploi du temps tournant qu'il avait mis au point : les membres du détachement spécial apparaîtraient seuls ou en groupe à l'Inferno, soir après soir, jusqu'à ce qu'ils deviennent des visages familiers.

– Ce soir Siegel fera sa demande d'adhésion, ils se rappelleront qu'elle était là hier soir, et elle emmènera Malloy comme invité.

– Merci, dit Siegel.

– Demain soir, Malloy emmène Richards.

– Ne vont-ils pas repérer que nous sommes ensemble? demanda Malloy. Une bande de blaireaux qui traînent là sans prendre de coke, sans partouzer?

– Et alors? On est des voyeurs, c'est comme ça qu'on prend notre pied.

Cardozo fit circuler des photocopies de l'agresseur-robot de Jodie.

– C'était le genre d'hommes qui l'attirait. Alors nous cherchons des clients de l'Inferno de ce genre. Nous gagnons leur confiance. Nous demandons si l'un d'eux connaissait Jodie, a remarqué avec qui il était cette dernière nuit.

Les inspecteurs sortirent de la pièce les uns derrière les autres, avec lassitude, tenant à la main des copies du visage imaginaire.

Lucinda MacGill, substitut du procureur, attendait Cardozo dans son box.

– C'est irrégulier et c'est dangereux.

Son ton était impartial, retenu.

– Comme la vie, remarqua Cardozo.

– Nous ne parlons pas de la vie. Nous parlons du Code pénal. Vous n'avez pas de motif sérieux pour placer un camion d'observation à l'extérieur de ce club ni pour envoyer des policiers en civil à l'intérieur.

– Je n'ai pas demandé votre autorisation. J'ai demandé comment je pouvais opérer sans bousiller l'affaire.

– N'importe quel avocat du ministère public en première année en fera une question de libertés civiques : le NYPD n'a pas le droit de photographier des adultes consentants entrant et sortant de leurs lieux de loisirs personnels.

Les yeux de Cardozo montèrent au ciel et roulèrent avec lassitude d'avant en arrière.

– Et, Lieutenant, si vous allez contre cette ordure de Ted Morgenstern dans cette histoire, attendez-vous à ce qu'on vous jette la Déclaration des Droits à la figure.

– Pourquoi dites-vous que je vais contre Morgenstern?

– Les dossiers du State Liquor Authority sont accessibles au public et informatisés. Selon les dossiers, le cabinet de Morgenstern représentait l'Inferno pour la demande de licence de débit de boissons alcoolisées.

– Les clients de l'Inferno sniffent de la coke.

– Nommez dix membres du Sénat des États-Unis qui ne le font pas.

– Au grand jour?

– L'Inferno n'est pas au grand jour. C'est une association fraternelle agréée conformément aux lois de l'État de New York, et comme votre domicile ou le mien, elle est privée.

– Privée pour dix dollars.

– Un cas d'entrée non autorisée pourrait être invoqué si un membre quelconque de la police entre là dedans sous une fausse identité.

– Tous les membres utilisent une fausse identité.

– Ils n'essaient pas tous de faire une descente.

– C'est une fosse orgiaque.

– Comme un tas de chambres à coucher de Park Avenue.

– J'ai passé ma vie à travailler dans le caniveau. Jusqu'à l'Inferno je croyais avoir vu tout ce qui existait en matière d'ordure. J'aimerais savoir combien Morgenstern a payé, et qui, pour décrocher cette licence de débit de boissons.

Elle l'étudia, pour voir si elle avait réussi la moindre percée dans ce crâne de flic. Sans espoir, son regard.

– Je parle à un mur de briques.

– Le mur de briques a des oreilles.

Elle souleva ses lunettes teintées de grand couturier, découvrant l'éclair de deux yeux intelligents et attentifs.

– Votre camionnette photographique est illégale. Si vous tombez sur une preuve, détruisez la photographie et trouvez la preuve autrement. Tout ce que vous ou vos policiers en civil découvriront à l'intérieur du club est de l'incitation au délit. Ça ne peut pas être retenu. Tout enregistrement que vous ferez ne servira que pour votre référence et devra être détruit. Idem pour tout note ou memo. Le mot clé, Lieutenant, est détruire. Je vous préviens maintenant, parce qu'une fois que vous aurez envoyé ce camion, je serai complice d'obstruction. En ce qui concerne tous mémos, enregistrements, ou photographies déjà en votre possession, c'est à vous de jouer. Vous devez lire ses droits à tout suspect ou témoin potentiel. Et souvenez-vous, le témoin potentiel jouit de la même attente de non-violation de sa vie privée que le suspect.

– Vous demandez l'impossible.

– Je ne demande pas, Lieutenant. Vous ne pouvez pas avancer d'un pas sans présomptions sérieuses, et les droits des individus sont un champ de mines. J'ai vu des cas valides détruits parce que des flics avaient utilisé leur bon sens au lieu d'écouter leurs avocats. Jouez-le à ma façon, ou votre assassin sera relâché, et c'est vous qui lui aurez ouvert la porte.

Cardozo la regarda quitter le box : une jolie démarche souple. Elle va faire son chemin, songea-t-il. C'est certain.

Sur un long bloc jaune, d'une petite écriture griffonnée et crispée, Cardozo nota chaque question qui lui venait à l'esprit. Il était étonné par la scène de sexe débridé à l'Inferno – surtout à la lumière du SIDA. A qui appartenait le club, pourquoi n'avait-il pas été fermé?

Il sortit la carte de visite professionnelle de Melissa Hatfield de son portefeuille et fit son numéro de bureau. Il lui demanda si elle voyait un inconvénient à prendre un autre verre avec lui ce soir.

– En quel honneur?

– Vous pensiez peut-être connaître la victime ou l'avoir vue.

Un silence.

– Je voudrais vous montrer quelques nouvelles photographies. Elles vous rafraîchiront peut-être la mémoire.

Quand Melissa finit par répondre sa voix était soudain joyeuse.

– Croyez-vous que je pourrais vous convaincre de venir dîner chez moi ce soir?

L'adresse de Melissa était une tour sur la Soixante-sixième Est, avec un portier en uniforme et un panonceau signalant que tous les visiteurs étaient priés de se faire annoncer.

Cardozo attendit pendant que le portier l'annonçait, tout en le dévisageant comme s'il était un agresseur.

Il monta jusqu'au vingt-neuvième étage, sonna une fois, et attendit.

Quand elle ouvrit la porte, ses cheveux avaient quelque chose de différent; ils semblaient flotter autour de son visage.

– Entrez, dit-elle avec un sourire.

Son appartement offrait les petits charmes de la civilisation : il était propre, douillet, doucement éclairé, avec un tapis d'Orient, un piano droit, des bibliothèques et des affiches encadrées qui avaient l'air d'expositions françaises et allemandes.

Pas un million de dollars, mais d'une certaine façon mieux : intelligence, goût, connaissance de ce qui lui était agréable ou pas.

Un gros lourdaud de chat tigré remuait sur le divan.

– C'est Zéro, précisa-t-elle.

Même avec une patte en moins, l'animal était énorme, une vraie présence.

– Salut Zéro.

Cardozo lui caressa la peau du cou.

– Je vous en prie, dit Melissa. Asseyez-vous.

Il s'assit dans un fauteuil en cuir un peu craquelé et griffé. Un châle de laine grise en tricot avait été jeté sur la zone où les dégâts s'étaient concentrés. Vu la perfection du restant de la pièce, le fauteuil était presque déplacé, comme un vieux parent à un anniversaire d'enfants. Il avait l'aspect d'un fauteuil favori.

– Apéritif? proposa-t-elle.

– Scotch à l'eau.

– Je me souviens.

Elle disparut un moment puis revint avec deux verres et lui en tendit un.

Elle s'assit.

Il but à petites gorgées. La boisson était incroyablement forte.

– Vous essayez encore de me vendre un appartement?

– Je pensais que vous en aviez besoin.

— D'un appartement?

— D'un verre.

— Ça se voit?

— Vous avez l'air mal foutu. Superbe mais mal foutu. L'allure que les flics sont censés avoir.

Il sentit qu'elle risquait de le draguer à sa façon charmante et distinguée, et il ne tenait pas à l'encourager.

Pouvons-nous en finir tout de suite avec les affaires de flics? demanda-t-il.

— Bien sûr.

Il lui montra une photographie de Jodie Downs dans son jean et son sweat-shirt de lycée cent pour cent américains.

Elle la regarda très tristement, un long moment. Elle prit une cigarette dans la boîte en cristal posée sur la table d'érable ciré et l'alluma.

— Mauvaise habitude, remarqua-t-il.

Elle exhala des jets de fumée jumeaux.

— Parlez-moi, dit-elle. De lui.

— Il s'appelait Jodie Downs. Il était étudiant à Pratt. Ça ne vous rappelle rien?

Ses yeux devinrent gris sombre et elle continua à fumer.

— Rien.

— Il avait aussi un goût pour les sex-clubs très vicelards. Peut-être que ça vous rappelle quelque chose?

— Écoutez, je travaille dans un milieu pourri plein d'opportunistes, mais je ne fréquente pas les sex-clubs. Ce n'est pas mon truc.

— Bon, alors nous savons que quel que soit l'endroit où vous vous souvenez avoir vu son visage, ce n'était pas un sex-club. Et nous connaissons son nom. Additionnons les faits.

— Je me suis trompée, avoua-t-elle. L'homme qu'il me rappelait est vivant, il me vend mon *New York Times* tous les matins au kiosque de la Vingt-sixième Rue.

La dernière fois qu'il avait interrogé Melissa Hatfield elle lui avait raconté qu'elle menait une vie solitaire, et cette affirmation n'avait pas collé avec l'impression qu'il avait d'elle. De nouveau il sentit une discordance entre ce qu'elle disait et ce que son instinct lui soufflait. Il voulait bien croire qu'elle ne fréquentait pas les sex-clubs, mais il ne croyait pas qu'elle n'avait jamais vu le visage de Downs. Elle cachait quelque chose.

Cardozo prit conscience du ronronnement du chat à ses pieds.

Melissa lui rendit la photographie.

— Que ressentez-vous quand vous voyez un mort comme ça?

— Je sens que j'ai un boulot.

Il remua son verre, pour faire fondre la glace.

– Et moi colère, haine, et perte.

– Pourquoi perte?

– Si ça peut lui arriver à lui, ça peut arriver à n'importe qui, dit-elle spontanément.

– Ça ne vous arrivera pas à vous.

– Ah non? La mort est partout.

– C'est une pensée joyeuse.

– Je suis une fille joyeuse.

– Okay, affaires de flic terminées.

Il savait qu'il ne réussirait pas à la piéger. Le seul autre moyen à employer était de parler de tout et de rien, qu'elle abaisse sa garde et peut-être laisse échapper quelque chose.

Il dit que c'était une chaude journée, et elle dit qu'elle se transformait en chaude nuit.

Derrière elle, à la fenêtre, la lumière d'été s'estompait, et le ciel, au-dessus de l'horizon d'appartements chics, virait du violet au bleu. Elle dit que même avec la climatisation il était parfois impossible d'obtenir de la fraîcheur sauf en sortant voir un film, alors ils se mirent à bavarder de leurs films préférés, et ce fut comme s'ils se baladaient sans but particulier, en se dirigeant simplement dans la même direction.

Après la troisième tournée d'apéritifs elle lui demanda s'il avait faim.

– J'ai cru que vous aviez oublié. Je dévorerais un zoo.

– Pas au menu. Est-ce qu'une salade de pâtes au basilic conviendra?

La salade était délicieuse. Elle fit renaître l'intense et simple plaisir de manger. Cardozo leva son verre de vin blanc bien frais.

– A la cuisinière.

Elle leva son verre.

– Melissa, dit-il, est-ce facile pour vous de vérifier un acte notarié?

– Quel genre d'acte notarié?

– A qui appartient l'immeuble au trente-quatre bis Neuvième Avenue?

– Qu'y a-t-il au trente-quatre bis Neuvième Avenue?

– Un sex-club qui s'appelle l'Inferno. Si je vérifie, on croira que la police prépare une descente. Si vous vérifiez...

– On croira que Nat Chamberlain monte un nouvel immeuble de luxe. Bien sûr, je peux trouver.

La sonnerie stridente s'insinua dans la conscience de l'inspecteur Greg Monteleone. Il roula sur le côté pour voir l'affichage digital du radio-réveil japonais.

Il était une heure deux du matin.

Sa femme, Gina, étendue sans bouger, abrita ses yeux de la lumière et le regarda en clignant des paupières.

— Ne réponds pas, gémit-elle.

Il s'excusa du regard et attrapa le téléphone.

— Monteleone.

Une voix dit :

— C'est Will Madsen.

Monteleone dût réfléchir avant que le nom se mette en place. Le prêtre épiscopalien qu'il avait interrogé à la tour Beaux-Arts.

— Oui, mon Père.

— J'avais quelque chose sur la conscience. J'ai effectivement vu quelque chose le jour du meurtre — quelque chose que je n'ai pas signalé. Madsen semblait nerveux. Il semblait ivre, aussi. Je déteste causer des ennuis aux autres.

— Je suis exactement comme vous.

— Pourrions-nous retrouver quelque part? Tout de suite?

Monteleone n'allait pas faire de chichis à propos de l'heure. Le renseignement sur les meurtres était un marché vendeur.

— Où voudriez-vous me retrouver, mon Père?

22

Réunion du détachement spécial, samedi 7 juin, quatorze jours après le meurtre.

Siegel terminait son rapport sur l'Inferno, et racontait comment elle s'était branchée avec un des habitués hard-core.

— Il est bisexuel, et il sait tout ce qui se passe dans cette boîte. Il veut me revoir.

— Parfait, dit Cardozo. Vous avez pris rendez-vous?

Elle considéra Cardozo un instant, sans ciller.

— Nous n'avons pas précisé. Il ne m'oubliera pas.

C'était au tour de Malloy. Il parut tremblant et nerveux lorsqu'il prit une profonde inspiration éreintée.

— Le barman – Stan – m'a offert des bières. Le genre bavard. M'a proposé de la coke, j'ai prétendu que mon médecin m'avait ordonné de laisser tomber. Il m'a donné son numéro de téléphone personnel.

— Tu lui as donné le tien? demanda Cardozo.

— Je lui ai dit que j'étais marié, qu'il ne pouvait m'appeler ni au bureau ni chez moi. Ça l'a excité.

Monteleone sourit d'un air narquois.

— Carl, faut se lever tôt pour t'avoir.

— Sors avec lui, lança Cardozo. Deviens intime.

Les yeux irlandais de Malloy étaient songeurs.

— Okay.

Au tour de Monteleone.

— J'ai eu une conversation avec le révérend Will Madsen. Il semble être un poivrot intermittent. S'avère qu'il avait dissimulé une information, mais ce matin vers une heure il s'est soûlé et il a craché le morceau. Le jour du meurtre, un peu avant midi, il a vu Debbi dans le hall d'entrée qui flirtait avec Hector Dominguez.

— Quand Madsen est repassé par le hall d'entrée, Debbi était de retour, complètement hystérique. Elle essayait de mettre Hector en petits morceaux à coups d'ongles. Madsen se sent très coupable d'avoir raconté ça. Il lui a fallu deux semaines et quelques bouteilles de Stoli pour y venir.

Cardozo réfléchit, essayant de faire coller les événements.

– Tu te rappelles les égratignures sur son visage? intervint Siegel.

Cardozo hocha la tête.

– Hector a raconté que c'était le chat. Greg, quand cela s'est-il passé?

– Un peu après quatorze heures.

Le silence tomba, rompu un instant plus tard par Richards qui essayait de tousser pour se remettre d'une gorgée de café avalée de travers.

– Que voulait dire Madsen par Debbi flirtait avec Hector? demanda Cardozo.

– Il a dit qu'on aurait cru que Debbi draguait le type.

– Il n'a pas dit draguer, coupa Siegel. Un prêtre n'emploierait pas cette expression.

– Il a dit flirtait. Ça veut dire draguer, pas vrai?

Siegel grimaça d'impatience.

– Flirter c'est faire la cour, Greg. Draguer c'est de la retape. L'un est flatteur et l'autre est avilissant.

– Compris, dit Monteleone. Gracias mucho.

– Comme si elle s'offrait? s'enquit Cardozo. Comme si elle voulait se taper Hector?

– Le révérend Madsen semblait le penser.

Cardozo songeait aux possibilités, tout lui passait par la tête en même temps. Il avait trois faits : à midi une pute de haut vol pas très futée avait essayé de se gagner les grâces d'un portier de Neandertal, et deux heures plus tard elle l'agressait physiquement. Et à un moment quelconque pendant ces deux heures un homme avait été assassiné au cinquième étage.

– Qu'est-ce qui a fait changer d'avis Debbi en deux heures? demanda Cardozo.

– J'ai vu quelqu'un se transformer comme ça une fois, intervint Siegel. C'était un craquage psychotique provoqué par la cocaïne.

La lèvre inférieure de Sam Richards remua. Il passa sa langue dessus.

– Il y a un autre témoin qui pourrait éclaircir un peu tout ça.

Cardozo le regarda.

– Qui ça, Sam?

– Le taxi de Jerzy Bronski était garé dans le garage. Il prétend qu'il pissait un coup, mais ça va de soi qu'il s'envoyait Debbi, pas vrai?

Cardozo décrocha le téléphone. Il composa un numéro. La ligne bourdonna huit fois.

— Résidence de Mlle Hightower, annonça la voix excédée d'une femme.

— Mlle Hightower, je vous prie.

— Ici son secrétariat. Elle ne sera pas de retour avant dimanche soir.

— A quelle heure dimanche soir?

— Qui est à l'appareil?

— Son père.

— Bonjour, Dr Hightower. Je n'avais pas reconnu votre voix. Debbi rentrera après huit heures.

Une vague de contrariété balaya Cardozo. Il reposa son café. Il regarda le tableau de service du personnel de la tour Beaux-Arts. Hector Dominguez ne travaillerait pas avant lundi, de seize heures à minuit.

Il appela le numéro personnel d'Hector et après deux sonneries réfléchit qu'il valait mieux raccrocher. Et garder ça pour un face à face. Il tira les modèles cinq sur Jerzy Bronski.

Le ciel était devenu gris sombre. Le néon des enseignes teintait les vagues de chaleur montant de la rue.

Le garage occupait un terrain d'angle. Il y avait une pancarte en carton sur la vitre de la porte du standardiste : « Entrée interdite ».

Cardozo entra. Il exhiba son portefeuille ouvert et demanda Jerzy Bronsky.

Le standardiste, touffes de poils noirs sortant de son tee-shirt trempé de sueur, jeta un coup d'œil par-dessus son bureau.

— Pas encore revenu.

Cardozo s'assit sur une chaise libre sans qu'on le lui propose.

Une lumière fluorescente vacillait sur le mur écaillé.

A huit heures et quart un homme grand et mince entra avec ses relevés de taxi.

— De la visite, annonça le standardiste.

Jerzy regarda Cardozo de travers, une ride profonde descendant en zigzag entre ses sourcils.

Cardozo se leva et se présenta.

— Content de faire votre connaissance, Jerzy. Que diriez-vous d'un petit café?

— Que diriez-vous d'un petite verre? dit Jerzy.

Trois minutes plus tard ils s'installaient à une table à la terrasse vitrée de la Sazerac House, de l'autre côté de la rue.

D'une chiquenaude Jerzy libéra une Lucky d'un paquet froissé qu'il posa sur la table à côté du cendrier métallique. Il alluma la cigarette, en grattant d'une seule main une allumette sur une pochette. Il s'adossa à sa chaise.

— C'est mauvais des flics qui viennent dans mon garage s'informer sur moi comme si j'étais un criminel.

— Jerzy, crois-moi, pour un gars qui se défonce au noir comme toi, t'as une mine splendide.

Jerzy forma un O avec sa bouche et souffla un rond de fumée parfait.

— Nous savons que tu t'envoies Debbi Hightower, poursuivit Cardozo. Et nous savons que tu étais avec elle le jour du meurtre.

Les pieds de la chaise de Jerzy revinrent toucher le sol et une expression de dénégation commença à envahir son visage.

— Nous avons un témoin qui peut situer ton taxi dans le garage. Cardozo prit des risques. Et qui t'a vu monter en ascenseur chez Debbi. Hightower n'est pas le problème, tu ne violais aucune loi qu'il nous intéresse de faire respecter. Ce que nous voulons de toi ce sont des renseignements.

Le doigt de Jerzy traça une piste dans la condensation qui s'était formée sur son verre de scotch à l'eau.

— Pourquoi Debbi a-t-elle attaqué le portier?

Jerzy resta muet.

— Nous savons que tu as falsifié tes relevés de taxi. Nous savons que tu raccompagnais Debbi chez elle tous les jours après qu'elle ait tapiné dans l'hôtel. Nous le savons, mais Ding-Dong Transport n'a pas besoin de le savoir.

L'expression de Jerzy était hésitante : il voulait s'en tirer mais il ne voulait pas être pris.

— Elle a craqué, dit-il.

— Pourquoi?

— Jerzy s'essuya le visage avec un mouchoir de Prisunic qui avait bien besoin de voir un peu d'action dans une machine à laver.

— Une livraison était en retard.

— Jerzy, je ne suis pas des stups, alors vas-y, crache. C'était de la coke, pas vrai?

Jerzy posa son verre. Il parla d'une voix calme.

— C'est une de ces filles qui vit de dope. On rigolait bien, et puis elle a flippé. Il imita l'intonation de Debbi en train de flipper : « Faut qu' je voie mon dealer, faut qu' je voie mon dealer. »

— Qui est son dealer?

Jerzy aspira de l'air, en creusant les joues.

— Est-ce que vous devez me traîner là-dedans? Vous avez surveillé l'immeuble, vous savez qui s'occupe de la coke là-bas. Il lui a promis la dope : elle est descendue et il ne l'avait pas. Elle est devenue dingue.

La troisième fois que Cardozo sonna, les décibels de punk rock tombèrent à un niveau frisant le supportable. La porte s'entrouvrit. Le visage d'une jeune femme le regarda fixement au-dessus de la chaîne de sécurité. Ses cheveux blonds tombaient sur ses épaules, bouclés d'une façon qui laissait penser qu'elle sortait de son bain.

Elle considéra sa plaque avec curiosité, et puis le considéra lui avec curiosité.

— Ils ont dit que la police montait.

— Je suis la police.

— Vous n'êtes pas le mec noir qui est déjà venu.

— Non, ce n'est pas moi.

— Il était sympa.

— Moi aussi.

Elle battit des cils.

— C'est à quel sujet?

— Juste quelques questions.

— L'appartement est plutôt mal rangé, la bonne est malade.

— Ça va, nous pouvons parler ici dans le couloir.

— Et puis vous n'êtes pas ma mère, vous n'allez pas me faire des reproches. Hein?

— Promis.

Elle s'écarta de la porte, son peignoir de bain mal fermé.

Le mobilier du salon était minimal : saccos, bibliothèques, objets solitaires dans une caverne sombre. Des magazines et des journaux de spectacles jonchaient le sol.

Elle s'enfonça dans un sacco et il s'assit sur l'autre.

Ses yeux se fixèrent sur lui dans une attente inquiète.

— Vous vous êtes battue avec le portier samedi de la semaine dernière, commença-t-il.

— C'est pas vrai.

— Allons, Debbi. Nous savons pourquoi vous portez un faux ongle et nous savons comment Hector a eu le visage égratigné. Nous avons un témoin.

— Qui?

— Je ne vous le dirai pas.

— J'ai des droits.

— Ces droits, vous ne les avez pas avant que je vous arrête, Debbi. Je vous pose quelques questions dans l'espoir que je n'aurai peut-être pas à en arriver là. Dites-moi simplement à propos de quoi vous vous battiez Hector et vous.

Ses yeux devinrent des océans de dérobade.

— Hector est un salaud, voilà à propos de quoi nous nous battions.

— Debbi, nous sommes au courant du petit commerce d'Hector.

Elle se leva du sacco.

— Pas question que je prenne part à cette conversation.

– Nous savons qu'il vous vend de la coke.

Le visage était provocant maintenant, les yeux flamboyants. C'étaient des yeux bleu-gris, un bleu gris flamboyant et farouche.

– J'appelle mon avocat.

Un téléphone déco beige gisait sur le sol au bout d'un fil de plastique enchevêtré. Elle ne fit pas un seul geste dans sa direction.

– Debbi, nous ne sommes pas intéressés par la coke. Nous sommes intéressés par ce qu'il s'est passé dans cet immeuble il y a une semaine, samedi, quand un homme au cinq a été assassiné.

– Je ne sais rien du tout là-dessus.

– Le nom de Jodie Downs vous dit-il quelque chose?

– Non.

– Inferno?

– Quel inferno?

Elle le dit sans I majuscule. Cela lui suffit.

– Pourquoi avez-vous attaqué Hector?

Elle ne répondit pas.

– Debbi, je me fiche de cette coke, mais quelques-uns de mes amis ne s'en ficheraient pas du tout.

Derrière l'éclat scintillant de ses yeux chargés de mascara, il discerna une soudaine note implorante.

– Dans mon métier, je dois toujours être en forme. Alors de temps en temps je prends un peu de coke. Elle sourit nerveusement. Désolée.

La bouche de Cardozo lui rendit son sourire.

– Un tas de gens prennent de la coke. Bon sang, même des flics en prennent.

– Je ne sais pas. Moi, c'est strictement personnel. Je ne deale pas.

– Nous comprenons, Debbi. Nous ne vous accusons pas d'en vendre.

– J'attendais un gramme de coke. J'avais payé d'avance. Avec Hector on paie d'avance. Il avait promis qu'il l'aurait à une heure et demie. C'est vrai, je suis venue le chercher un peu en retard – mais ce n'était pas une raison pour qu'il ait vendu mon gramme à quelqu'un d'autre.

– A qui l'avait-il vendu?

– Il a dit que c'était un très bon client qui en avait vraiment besoin, plus besoin que moi.

– Avez-vous la moindre idée de qui?

– Écoutez, je mets un point d'honneur à ne pas m'occuper des affaires des autres, vous voyez ce que je veux dire?

– Quelqu'un d'autre dans l'immeuble?

– Je n'en sais absolument rien.

Broome Street était noire quand Cardozo sortit de la voiture.

Un vent d'été soufflait le long de la chaussée, faisant tournoyer des pages de journaux. Il était éreinté quand il pénétra dans l'appartement.

– Tu as l'air crevé.

Terri s'avança vers lui, et le doux cône de la lampe du vestibule la sculpta hors de l'obscurité. Elle avait une démarche bondissante et son corps irradiait le bien-être.

Les bras de Cardozo l'enlacèrent, la serrèrent contre lui.

– Tu as eu un appel. Une femme.

Elle lui tendit le bout de papier avec le numéro.

Il sentit son attention et l'observa du coin de l'œil. Ses yeux plein d'humour et étrangement adultes rencontrèrent les siens, et l'étincelle d'un sourire passa entre eux.

Il entra dans le vestibule et composa un numéro. Son reflet dans la glace lui indiqua qu'il avait besoin de se raser et qu'il avait transpiré quelques heures de trop dans sa chemise.

A la seconde sonnerie Melissa Hatfield répondit.

– Est-ce que j'appelle à un mauvais moment? demanda-t-il.

– Non, je regarde la télé.

Derrière sa voix enjouée quelque chose de solennel attendait de s'exprimer.

– J'ai vérifié cette adresse. Le trente-quatre bis Neuvième Avenue est loué à bail à une société nommée Pégasus International, et Pégasus loue la cave voisine à l'Association Fraternelle Inferno.

Le combiné du téléphone dans une main, Cardozo s'étira au maximum pour attraper un crayon. Il trouva un espace blanc sur un prospectus du Musée d'Art Moderne qu'il avait reçu par la poste.

– Qui est Pégasus?

– Je crois que c'est une société bidon. Ils louent à bail au mois, ce qui est inhabituel pour un immeuble, c'est le moins qu'on puisse dire.

– A qui louent-ils à bail?

Il y eut une pause bizarre avant qu'elle reprenne la parole. C'est à nous qu'ils louent à bail. Balthazar. Nous avons déniché l'immeuble il y a environ quatre mois. Ils étaient déjà locataires. Nous avons déniché quelques lots ici et là dans le secteur du conditionnement de la viande. Mon patron, Nat Chamberlain, essaie de réunir les lots. Alors il loue à bail au mois. Après il démolira et construira un immeuble d'appartements.

– Chamberlain ne se soucie-t-il pas de savoir à qui il loue?

– La théorie est qu'en cas de grabuge il peut prétendre qu'il ne savait pas à qui Pégasus louait. Comme le maire Koch ou le président Reagan qui ne savent pas que leurs adjoints triés sur le volet violent toutes les lois. Je pourrais vérifier les papiers de constitution en société de Pégasus, mais ce sera l'habituel labyrinthe new-yorkais.

— Ne vous donnez pas cette peine. Vous m'en avez dit assez long. Merci.

— Vince, j'ai passé une excellente soirée hier.

— Moi aussi.

A une heure du matin cette nuit-là, les inspecteurs Carl Malloy et Sam Richards pénétrèrent dans les locaux souterrains du club de loisirs Inferno, et signèrent le registre aux noms de M. Warren et son invité, M. White.

23

Le samedi 8 juin, un peu après 20 h 00, l'infirmière de Babe Devens lui fit franchir sur son fauteuil roulant l'entrée latérale du Doctors Hospital, et la poussa jusqu'à une limousine grise rallongée garée en double file sur la Quatre-vingt-neuvième Rue. Le chauffeur de maître contourna la voiture pour aider l'infirmière à hisser Babe sur le siège arrière. Lucia Vanderwalk les observait, et quelque chose se ferma sur son visage sévère.

L'arrière de la voiture sentait les roses fraîches. Babe et son père étaient assis dans le sens de la marche, et Lucia et l'infirmière s'installèrent sur les sièges face à Babe.

Ils prirent le Roosevelt Drive vers le sud. Sept ans avaient creusé une différence, mais Babe fut soulagée de voir que la ville était toujours là. La même East River était inondée de lumière tirant sur le rouge. Les mêmes gratte-ciel dentelés se dressaient violet foncé contre le ciel flamboyant, comme des piliers soutenant le coucher de soleil.

La limousine quitta le Drive, attrapant sans heurt tous les feux verts jusqu'à la Cinquante-septième Rue, où des enfants jouaient dans le petit parc au bord de l'eau. Babe sourit à cette scène paisible nimbée de l'éclat doré du passé.

A un pâté de maisons au nord une foule compacte se pressait en grappes sur le trottoir, hurlant, poussant, et se répandant sur la chaussée. Des exemplaires de lancement du *New York Magazine*, qui paraissait ce jour-là, contenaient une chronique de Gordon Dobbs relatant la guérison de Babe Devens. Une camionnette blanche était garée en double file juste devant l'hôtel particulier de Babe. Sur ses flancs on lisait, WCBS-TV NEWS.

— Révoltant, marmonna Lucia. Hadley, tu avais promis d'empêcher ça.

— C'est un pays libre, ma chère.

Se frayant un chemin à coups de klaxon, le chauffeur amena la limousine le long du trottoir. La foule déferla vers la voiture.

Le chauffeur contourna la voiture au pas de course pour ouvrir la portière. Lucia sortit, tranchant dans la masse à coups de sac à main pour tenir les journalistes à distance.

Le chauffeur déplia rapidement le fauteuil roulant et puis E.J. l'aida à charger Babe sur le siège. E.J. roula le fauteuil à travers la chaussée et Hadley, en boitillant, passa devant et pressa la sonnette du numéro 18.

La foule se rapprocha. Un barbu en pantalon de treillis se précipita en avant, équilibrant une petite caméra sur son épaule. Babe leva les yeux, un éclair brutal. Des micros plongèrent vers son visage.

— L'air en pleine forme, Babe!

— Alors c'est Scottie, Babe?

La porte du numéro 18 fut ouverte par un inconnu qui considéra Babe avec un air d'extraordinaire gravité.

La grille de fer forgé claqua et puis la porte d'entrée se referma. Les bruits de la rue furent effacés, et Babe se trouva une fois encore dans la maison qu'elle n'avait quittée qu'une semaine plus tôt, une semaine que les autres appelaient sept ans.

— Béatrice, déclara Lucia, voici Wheelock, ton nouveau major-dome.

Le visage de l'homme était gris, composé comme une pierre, et il paraissait grand et cadavérique dans sa jaquette de domestique.

— Enchantée, dit Babe.

— Enchanté, madame. Bienvenue, madame.

— Où est Mathusalem?

Babe n'avait pas pensé à Mathusalem, le terrier écossais, jusqu'à ce moment. Soudain ses bonds, ses pattes lacérant sa robe, son haleine humide et son odeur chaude et animale sur son visage lui manquèrent.

— Il a fallu piquer Mathusalem.

Un coup de poignard transperça le cœur de Babe. Elle fit rouler son fauteuil dans le vestibule. Son regard embrassa les photos familières dans leurs cadres au mur, la table Sheraton, le porte-parapluies. Tout racontait une histoire ancienne.

— Je veux voir la maison, déclara Babe.

— Mais oui, répondit Lucia. E.J. va t'aider.

— Merci, je peux me débrouiller toute seule avec ce fauteuil.

Babe monta seule dans l'ascenseur, le même ascenseur lambrissé d'acajou dont elle se souvenait, et pourtant différent. Il lui fallut un moment pour se rendre compte que les boutons d'étages avaient été remplacés, chiffres noirs sur blanc et non pas blancs sur noir comme elle s'en souvenait.

Elle s'arrêta à chaque étage et roula son fauteuil le long des corridors.

Chaque pièce, chaque couloir était silencieux, mystérieux, et changé : nouvelles tapisseries impeccables sur les fauteuils dans la chambre de Cordélia, pas tout à fait du même bleu qu'avant; un écran de cheminée dans la chambre d'amis, en cuivre rouge et non plus jaune – un par un les petits chocs s'accumulèrent, signes que la maison avait été fermée pendant des années et réouverte à la hâte.

Une boule d'affliction se logea dans sa gorge tandis qu'elle roulait jusqu'à la porte ouverte de la chambre principale.

Elle hésita sur le seuil de la belle pièce bien meublée, absorbant des sensations par tous les pores de sa peau. Une senteur de pot-pourri de rose séchée flotta jusqu'à elle. Ses yeux parcoururent le lit double à baldaquin, les fauteuils et la causeuse en bois tourné, l'étagère de figurines en Limoges.

Elle se vit dans le mur équipé de miroirs, une femme inconnue dans un fauteuil roulant inconnu, et vit son désarroi devant ces rappels de la vie qu'elle avait bâtie jeune et perdue jeune.

Elle roula vers la commode. Son esprit était en action, comptait, enregistrait, et se souvenait. Ses yeux s'abaissèrent vers la brosse, le miroir et le peigne à dos d'argent, puis passèrent sur l'endroit où les affaires de Scottie auraient dû se trouver.

Elle sentit une pointe entrer dans son sternum.

Elle roula jusqu'au placard de Scottie et l'ouvrit, avec le besoin de se convaincre que c'était bien vrai. Une agréable odeur masculine de placard bien entretenu s'en échappa, se traduisant petit à petit en obscurité, en vide.

A sa droite, un pâle restant de fin d'après-midi tombait par la fenêtre. Rien qu'une nuit, songea-t-elle, et tout a disparu.

Dans le silence douloureux elle sentit la vibration d'autre chose encore, une autre absence.

Elle roula jusqu'à la porte qui ouvrait sur l'autre moitié du gigantesque placard, son côté. Elle l'ouvrit et resta assise là, goûtant la fraîcheur, l'ombre et son caractère clos. Elle tendit la main devant elle et balaya la rangée de robes – cette rangée qui aurait dû être des robes.

Ses doigts rencontrèrent la nuit.

– Nous les avons données, dit une voix.

Babe se retourna et vit sa mère qui l'observait depuis le corridor. Un goût de trahison l'envahit.

– Vous avez donné mes vêtements?

Les yeux de Lucia croisèrent ceux de Babe, prudemment. Babe décela de l'hésitation sur le visage de sa mère, laissant rapidement place à la décision.

– Seulement les robes. C'était il y a sept ans, mon cœur – pas hier. Que devions-nous faire? Nous n'étions pas sûrs que tu guérirais – et les modes changent – et tant de gens ont besoin de vêtements.

– J'avais créé la plupart de ces robes.

– Et tu en créeras d'autres.

Lucia prit en charge le fauteuil roulant, et ramena Babe au bout du corridor dans l'ascenseur. Elle regardait sa fille comme si elle était très inquiète de bien jouer cette scène.

– Les temps changent, mon cœur.

– Pourquoi as-tu engagé Wheelock? Qu'est-il arrivé à Banks?

– Nous ne pouvions pas payer un salaire à Banks pendant sept ans.

– Et Mme Banks?

– Mme Wheelock te plaira tout autant.

L'ascenseur descendit en bourdonnant jusqu'au premier étage.

– Il y a eu des offres pour cette maison, déclara Lucia, la vivacité de sa voix signalant qu'avec ceci le sujet était clos. Les valeurs immobilières ont grimpé en flèche dans cette ville – multiplié par dix et plus.

– Je n'ai pas l'intention de vendre, protesta Babe.

– Mais tu ne peux pas vivre ici.

– Pourquoi pas?

– Il faut que tu affrontes les faits. Scottie ne reviendra pas.

– Il y a d'autres gens dans ma vie.

L'ascenseur s'arrêta au premier étage. Babe prit les roues du fauteuil et leur imprima une forte poussée en avant, hors d'atteinte de Lucia.

Ses yeux firent l'inventaire du salon, balayant les antiquités et les livres familiers reliés en cuir. Aux boiseries étaient accrochés, comme toujours, le Pissaro, le Sisley, les tableaux de fleurs flamands.

Mais les lambris ivoire clair étaient d'un ivoire à peine plus frais que dans son souvenir, les tapis un peu plus éclatants, et il y avait des bégonias coupés dans un vase sur le Boesendorfer qu'elle avait acheté pour Scottie, qui n'avait jamais rien permis que l'on pose, même pas une photo, sur ce piano.

Sur la tablette de cheminée au-dessus du feu éteint, la pendule rococo en similor qui avait toujours été silencieuse marquait l'heure avec des tic-tac sonores.

La pièce était mieux rangée que Babe ne l'avait jamais vue. Ça lui rappela ces pièces, dans les maisons de ses amies, toujours prêtes pour une photo, dans l'espoir que l'*Architectural Digest* ou le *New York Times Sunday Magazine* passeraient par là.

Elle s'avança en roulant sur l'Aubusson, et Bill Frothingham se leva du fauteuil au coin de la cheminée.

– La maison est magnifique, Babe. Et toi aussi.

– C'est gentil de m'accueillir, Bill. Est-ce que Maman t'as fait venir pour une raison particulière?

– C'est moi qui ai fait venir Bill, déclara Hadley Vanderwalk, et Babe se retourna et vit que son père se tenait près de la desserte et se préparait un whisky sour.

– Oh, alors c'est pour affaires? dit Babe.

– Juste un petit quelque chose qu'il conviendrait de régler, expliqua Hadley.

Babe roula jusqu'à la desserte.

– J'aimerais prendre un verre avant d'entendre cette petite affaire qui ne peut pas attendre lundi.

Avec la pince elle déposa des glaçons dans un verre à whisky.

– Y es-tu autorisée? s'enquit Lucia, qui entrait dans la pièce.

– Ginger ale, Maman.

– Je vais t'aider.

– Trop tard.

Le ginger ale moussa par-dessus le bord du verre. Babe épongea l'inondation en deux coups de serviette à cocktail. Elle vit que la serviette portait un monogramme gaufré, les B et V en volutes de Babe Vanderwalk entourant le grand D de Scottie Devens.

Une domestique aux cheveux gris en uniforme immaculé entra pour passer un plateau d'entrées chaudes.

– Béatrice, annonça Lucia, voici Mme Wheelock.

La domestique esquissa un mince sourire, les yeux opaques et indéchiffrables.

Babe prit un foie de volaille roulé dans du bacon et planté sur un cure-dent.

– Merci, Mme Wheelock. Enchantée.

Bill Frothingham ouvrit sa mallette et en sortit deux documents.

– Comment va ta main droite, Babe? Tu te souviens comment signer?

Bill tendit les documents à Babe et elle vit qu'il s'agissait de deux exemplaires d'une demande de divorce, signées par Scott Devens en tant que demandeur et Hadley Vanderwalk agissant par procuration pour Béatrice Vanderwalk Devens.

– Le divorce a été accordé en supposant que tu ne reprendrais jamais connaissance, expliqua Bill Frothingham. Mais comme c'est arrivé...

– Et Dieu merci c'est arrivé, s'exclama Lucia, en se coulant dans un fauteuil en tapisserie d'un vert feuillu.

– Comme c'est arrivé, Dieu merci, reprit Bill Frothingham, ta signature serait une bonne idée.

Pendant un moment l'esprit de Babe s'emballa, passa en revue toutes les possibilités.

– Mais étant donné que je suis consciente, et n'ai pas signé, Scottie et moi sommes-nous divorcés?

Les gros sourcils de Bill Frothingham se froncèrent.

– Bien sûr que oui. L'État a rendu le jugement.

– Mais est-il valide si je ne signe pas?

– Tu dois te montrer raisonnable, mon cœur, intervint Lucia.

– Se montrer raisonnable semble être une façon de laisser les autres prendre des décisions que je devrais prendre moi.

Bill Frothingham était sombre. Il joignit les mains, entrecroisant ses doigts avec raideur.

– C'est Scottie qui a demandé le divorce. Ta signature est une formalité. Ça signifie simplement que tu reconnais avoir été informée.

– Je ne le crois pas.

Babe considérait l'avocat avec froideur. Scottie a demandé ce divorce en pensant que je ne reprendrais jamais conscience. Tout ça ne doit-il pas être révisé? La loi accorde sûrement à Scottie la possibilité de changer d'avis?

– Scottie ne mérite pas la possibilité de changer d'avis, s'indigna Lucia. Et il ne l'aura certainement pas.

– Et moi, alors? Et si je veux être mariée à mon mari?

Il y eut des échanges de regards.

– C'est de la perversité, Béatrice. Tu sais très bien ce que Scottie a essayé de te faire.

– Non, je ne le sais pas. Tout ce que je sais c'est ce que vous prétendez qu'il a essayé de faire, et il serait en prison si la Cour avait partagé votre avis.

– Je vois que nous sommes partis pour une discussion pénible.

Lucia, hérissée de détermination, s'assit sur le bord du fauteuil.

– Ton mari, déclara-t-elle, ton cher et délicieux Scottie, a avoué à la Cour que la nuit de la fête, après que tu sois tombée ivre morte...

– Je ne suis pas tombée ivre morte, protesta Babe.

Lucia poursuivit à son rythme paisible, comme une pendule au cœur d'une tempête.

– Je m'excuse, mon cœur, mais quatre hommes ont dû te transporter à la voiture. Les témoins ne manquaient pas. Scottie t'a ramenée à la maison et pendant que tu étais inconsciente, il t'a injecté de l'insuline. Suffisamment, ont déclaré les experts, pour tuer une personne normale. Bon, soit les experts ne sont pas particulièrement experts, soit tu n'es pas une personne normale.

– Dieu merci, intervint Hadley.

– Comme tu n'étais pas morte, poursuivit Lucia, Scottie ne pouvait pas vraiment être jugé pour meurtre. Alors ton père et moi avons agi au mieux. Nous l'avons fait accuser de tentative de meurtre.

Babe était assise penchée en avant, raide dans son fauteuil roulant.

– Vous l'avez fait accuser?

– Nous avons prodigué à l'État tous les soutiens possibles, reconnut Hadley.

Babe réfléchit aux implications de cette déclaration.

– Vous voulez dire que vous avez engagé des avocats et des détectives pour aider l'accusation?

– Pour t'aider toi, assura Lucia. Tu es notre seule enfant. Et si nous t'avions perdue?

– Mais je ne suis pas une enfant et les seules personnes qui aient perdu quoi que ce soit grâce à votre obligeance sont Scottie et moi.

– Mon enfant, mon enfant, protesta Lucia d'une voix dont Babe se souvenait d'il y avait longtemps, la voix autrefois apaisante et subtilement minante.

– Scottie a été inculpé et déclaré coupable, dit Hadley.

– Alors pourquoi n'est-il pas en prison? riposta Babe.

– Il s'est pourvu en appel sur un détail technique, répondit Bill Frothingham. La Cour l'a autorisé à plaider coupable d'une accusation réduite de mise en danger par imprudence.

– Ça aurait été homicide par imprudence si tu étais morte, précisa Lucia.

La voix de Babe monta un peu.

– Et c'était quoi, le détail technique?

– La preuve a été présentée de façon irrégulière au premier procès, expliqua Bill Frothingham. Elle a été rejetée au second.

– Ils ne pouvaient pas vraiment rendre un verdict de culpabilité sans la preuve.

Le ton de Lucia laissait entendre qu'elle trouvait ça injuste.

– Quelle preuve? demanda Babe, furieuse de l'impression croissante qu'on ne lui disait pas toute la vérité.

Il y eut encore des échanges de regards. La pièce semblait envahie d'ombres et de dénégations.

– La seringue, dit Hadley.

– Scottie l'a fait pour l'argent, lança Lucia. Il voulait ta fortune et il voulait vivre avec cette horrible femme, cette Doria Forbes-Steinman.

– Je vois au visage de Babe qu'elle n'en croit pas un mot, remarqua Hadley. Tout ça te tombe dessus trop vite, hein, mon petit.

Lucia était assise là, calme, indifférente.

– Si elle ne nous croit pas, peut-être croira-t-elle le *New York Times*.

Lucia passa dans l'autre pièce et revint avec une brassée de journaux. Elle les déposa sur les genoux de Babe.

Lentement, Babe lut un article dans l'une des dernières éditions locales vieille de sept ans. Il exposait avec mesure les détails de l'acte d'accusation pour tentative de meurtre de Scott Devens.

– Comme il est beau, remarqua Babe, même sur cette affreuse photographie.

– Je n'ai jamais beaucoup aimé Scottie, avoua Lucia. Ni jamais fait semblant. Ton papa non plus n'a jamais beaucoup aimé Scottie. Les seules personnes qui l'aimaient bien étaient tes amis mondains, et uniquement parce qu'il jouait si divinement Gershwin au piano. Qu'il joue du Gershwin n'est guère une raison pour épouser un homme qu'on ne connaît ni d'Ève ni d'Adam.

– Il n'y avait pas que ces gens qui l'aimaient bien, protesta Babe. Moi aussi je l'aimais bien.

– Naturellement que tu l'aimais bien, jeta Lucia, impatiente maintenant.

– Et Papa l'aimait aussi.

– Il jouait vraiment bien au golf, reconnut Hadley.

– Ton papa n'aime pas beaucoup Scottie maintenant, reprit Lucia. Personne ne l'aime à part Doria Forbes-Steinman, et c'est une idiote.

– Pas si idiote que ça, peut-être, protesta Babe.

Babe feuilleta d'autres rapports des démentis de Scottie, son pourvoi en appel, sa seconde audition devant le juge Francis Davenport, et son aveu consécutif de mise en danger par imprudence.

– Frank Davenport a jugé en appel? s'étonna Babe. Comment est-ce possible? Ne savait-on pas que c'est un de vos amis?

– Ce n'est plus un ami, corrigea Lucia. Deux mois, tu te rends compte? Un homme essaie d'assassiner un autre être humain et au bout de deux mois on le laisse sortir de prison. On aurait pu penser, après tout ce que nous avions fait pour lui, que Francis Davenport aurait pu se démener un peu plus pour nous. Mais Francis a déclaré que la loi c'est la loi, aussi stupide et injuste soit-elle. Moi je dis que Francis Davenport c'est Francis Davenport, aussi stupide et injuste soit-il. On ne peut vraiment plus compter sur les amis : on ne peut plus compter que sur la famille. Dieu merci, nous avons encore la famille.

– C'est incroyable, insista Babe. Frank Davenport aurait dû être radié pour avoir jugé l'affaire.

– Babe, s'il te plaît, lis donc ceci.

Bill Frothingham lui tendit un autre document.

Babe examina la photocopie jaunie. C'était l'aveu signé de Scott Devens qu'il avait, « imprudemment, délibérément et sciemment mis en danger la vie de Béatrice Vanderwalk Devens en n'appelant pas de secours alors qu'il savait qu'elle était en imminent danger de mort ».

– Il n'a pas avoué m'avoir fait la piqûre.

– C'était un arrangement entre juge et accusé, expliqua Bill Frothingham. Son avocat n'allait pas le laisser reconnaître avoir commis un crime capital potentiel.

– Mais il y avait un témoin, et il y avait une preuve, intervint Lucia.

– Quel témoin, quelle preuve? hurla Babe. Vous venez de me dire que la seringue avait été rejetée.

– Sur un détail technique minable.

– Alors qui était le témoin? insista Babe. On ne fait pas mention d'un quelconque témoin dans ces journaux.

– Je ne t'ai pas donné tous les journaux.

– Je ne suis pas une enfant! Je veux savoir et j'ai le droit de savoir. Ceci est ma vie, mon mariage!

– L'acceptation de Scottie du chef d'accusation mineur, dit Bill Frothingham d'une voix douce, était équivalente à un aveu de tentative de meurtre. Le mot sciemment est une façon diplomatique de dire qu'il savait qu'il y avait de l'insuline dans ton sang.

– Et délibérément, intervint Lucia, signifie qu'il l'y a mise. Et sans cet épouvantable Ted Morgenstern, la seringue aurait été admise comme preuve. Quiconque est défendu par Ted Morgenstern est coupable. Tout le monde le sait. Pour quelle autre raison crois-tu que Scottie se soit adressé à lui?

– Qui a témoigné contre Scottie? demanda Babe.

Dans le silence qui s'abattit, des bruits lointains, dont le sens était inscrit dans sa mémoire, parvinrent distinctement à Babe. La brise faisant doucement flotter les rideaux, les poutres de bois de la maison craquant sous une obscure tension, le bourdonnement de l'ascenseur.

– Tu n'as pas besoin d'un autre choc, décréta Lucia.

– Tu crois qu'un de plus va m'achever? Comme tu as changé en sept ans, Maman – et toi aussi, Papa, assis là avec la peur de prononcer un mot sans sa permission. Vous n'avez pas eu peur de me dire de ne pas épouser Scottie. Vous n'avez pas eu peur d'engager des détectives pour exhumer son passé. Vous n'avez pas eu peur de me raconter toutes les choses sordides et déplaisantes que vous pouviez découvrir sur mon premier mari. Où étaient toutes ces précautions à l'époque? Pourquoi vous préoccupez-vous tant de mes sentiments maintenant?

– Parce que tu t'emportes et que tu es hystérique, dit Lucia.

– J'arrêterai peut-être de m'emporter quand vous me direz qui a témoigné contre Scottie.

Dans le silence une nouvelle voix s'éleva.

– Pourquoi ne pas lui dire? Ce n'est pas un secret, non?

Une jeune femme aux cheveux blonds se tenait dans l'embrasure de la porte.

– Cordélia, souffla Lucia.

Cordélia portait des bottes de daim vert, un jean, un corsage en dentelle, et un collier d'améthyste. Cordélia s'avança vers le fauteuil roulant de Babe et embrassa sa mère sur le front.

– Salut, Mère, tu as l'air en forme. J'étais censée faire partie du comité d'accueil, mais la circulation en venant de l'île était épouvantable.

Cordélia s'approcha de la desserte et fourragea parmi les bouteilles.

– Qui a bu la mandarine?

– Il y a de la poire, signala Lucia.

– La poire est pour après le dîner.

– Tu n'as pas mangé?

– Je n'en ai pas eu l'occasion. L'avion de Marshall Tavistock est tombé en panne. Ça embête quelqu'un que je finisse le Fernet-Branca?

– J'expliquais à ta mère, déclara Lucia, que tu ne vivais plus ici.

– Depuis des années. Est-ce que tu vas vendre la maison, Mère? Tu devrais.

– J'aime le calme ici, dit Babe. Et la vue.

Cordélia se laissa tomber dans un fauteuil tendu de chintz bleu et fit tournoyer son verre, en observant les vagues de son apéritif.

– L'ambassadeur d'Argentine à l'O.N.U. achèterait dans la minute.

– Je ne vends pas.

– C'est affreusement grand pour une personne, observa Cordélia.

– Tu voudras peut-être réemménager, suggéra Babe.

– Ça m'étonnerait.

Il y eut un silence, et Babe déclara :

– J'ai entendu dire que tu avais un superbe loft. J'aimerais le voir.

– Quand tu passeras aux béquilles tu pourras. L'ascenseur ne marche pas.

– Cet ascenseur sera réparé bien avant que ta mère ne soit sur des béquilles, assura Lucia.

– Je ne sais pas. Mère progresse à toute allure. Cordélia sourit. Je vois que tu as lu des vieux journaux. Est-ce que je suis dans un d'entre eux?

– Non, répondit Babe. Tu n'es dans aucun de ceux-ci.

Le regard de Cordélia fit calmement le tour de la pièce.

– Qui va le dire à Mère? Personne? Bill, ton verre ça va? Grand-père, Grandmère, vos verres?

– C'est parfait, répondit Hadley.

– Plus vite nous mettrons ça sur le tapis, déclara Cordélia, plus vite nous n'aurons plus jamais à en reparler.

– Entendu, admit Hadley.

– Cordélia... intervint Lucia, avec un avertissement dans la voix.

– Vraiment, Grandmère, pourquoi Mère devrait-elle l'apprendre à la bibliothèque municipale? Autant qu'elle sache ce que tout le monde sait. Tôt ou tard quelqu'un le lui dira certainement.

– Remettons ça à plus tard, suggéra Lucia.

– Non, intervint Babe. Maintenant.

– Je suis d'accord avec Mère, reprit Cordélia. Ses yeux croisèrent ceux de Babe. C'est moi, Mère. J'ai témoigné contre Scottie au premier procès.

Pendant un long moment Babe ne put ni réagir, ni croire ce qu'elle venait d'entendre. Le refus montait en elle.

– Mais tu n'avais que douze ans.

– Je suppose que c'est pour ça que personne ne m'a crue.

– Ils t'ont crue, assura Lucia.

– Eh bien, ça n'a pas marché.

– Ce n'était pas de ta faute.

– De toute façon, maintenant Mère sait tout, et inutile d'en débattre? A moins que Mère le souhaite.

– Je ne comprends pas.

La voix de Babe hésita. Elle fit une tentative toussotante pour saisir, pour comprendre.

– Cordélia... a vu Scottie...?

– Je l'ai vu sortir de la chambre avec la seringue. Cette fameuse seringue. J'espère qu'ils l'ont mise quelque part dans un musée.

– Tu l'as vu? Babe essaya d'augmenter sa compréhension des faits. Mais tu étais... si jeune, si petite.

– Avoir douze ans ne veut pas dire que j'étais aveugle... ni une lourdaude.

Babe secoua la tête lentement.

– Je ne vois pas comment... vraiment je ne vois pas...

Elle lutta pour retrouver le sens de l'orientation.

– Mère, ça risque de devenir très ennuyeux. Tout le monde sauf toi dans cette pièce a entendu ce contre-interrogatoire déjà neuf cents fois.

Babe ne pouvait plus bouger. Il lui fallait quelque chose vers quoi diriger ses sentiments et il n'y avait rien.

– Je suis navrée, Mère. Vraiment. Comment en sommes-nous arrivés à parler de ça.

– Toute cette histoire, c'est parce que ta mère ne veut pas signer la demande de divorce, dit Lucia.

– Votre demande de divorce à Papa et toi, corrigea Babe.

– Grandpère divorce de toi, Grandmère? Quelle audace, tous les deux!

– Je t'en prie, Cordélia, protesta Lucia. Nous discutons sérieusement.

– Allez, secouez-vous, lança Cordélia. On se croirait à la morgue, ici.

– Si Béatrice voulait signer la demande, reprit Lucia, elle allégerait certainement la tâche de Bill – simplement, Bill est trop gentleman pour le faire remarquer.

– Je ne peux pas signer quelque chose que je ne comprends pas, o'indigna Babe.

– Tu comprends parfaitement bien, riposta Lucia. Simplement tu ne veux pas admettre que tu as commis une erreur en épousant cet homme.

– Tu as raison, dit Babe. Parce que je ne crois pas avoir vraiment commis une erreur. Et je ne le croirai pas tant que je ne l'entendrai pas des lèvres de Scottie.

– Babe, intervint Hadley d'une voix douce, qu'attends-tu donc que Scottie te dise?

– Il peut me dire qu'il a essayé de me tuer.

– Ça, il ne le dira à personne, assura Lucia. Pas maintenant qu'il s'en est sorti indemne.

– Alors au moins il peut me dire en face qu'il veut le divorce. Il peut me rencontrer dans le bureau de Bill – et il peut amener son avocat s'il craint de se compromettre. Mais à moins que vous ne produisiez mon mari, et à moins qu'il ne me dise que cette demande est son fait et sa volonté, je...

L'air dans la pièce devint soudain un mur de glace.

– Tu quoi? demanda Lucia.

– Je contesterai ce divorce.

24

Le lundi matin Cardozo se rendit en voiture à la tour Beaux-Arts. Hector Dominguez s'appuyait paresseusement à une colonne dans le hall d'entrée. Son ventre devenait trop gros pour sa veste verte.

Cardozo lui fit signe de venir en bordure du hall. Hector hésita avant de quitter la porte.

— Je n'arrive pas à m'ôter votre chat de la tête, Hector. J'ai horreur qu'un animal soit accusé à tort.

Les yeux d'Hector croisèrent ceux de Cardozo, prudents.

— Comment s'appelait-il, ce chat? demanda Cardozo.

— Estrellita.

Cardozo prit le bras d'Hector, et le retint légèrement en arrière.

— Nous sommes au courant de vos deux boulots. Vous avez dealé de la came dans cet immeuble. Nous savons qui sont vos clients et nous savons qui est votre fournisseur.

Le visage mou et rougeaud d'Hector s'enflamma et devint un visage dur et rougeaud.

— Foutaises.

— Du calme, Hector. La came, ce n'est pas ça qui nous intéresse. Le samedi vingt-quatre vous avez vendu la coke de Debbi Hightower à quelqu'un d'autre. Qui était l'autre client?

Les battements de paupière d'Hector commencèrent à prendre de la vitesse.

— Quel client? Je suis portier.

— Quelqu'un est entré dans cet immeuble que vous ne nous avez pas signalé, et vous lui avez vendu un gramme.

Hector le regarda. Une artère épaisse et noueuse palpitait à sa tempe.

— Vous êtes fou.

— Il me faut ce nom, Hector.

— J'ai pas de nom.

– Vous dissimulez une preuve, Hector, et je vous promets, je vais me fâcher pour la coke.

– Cette Hightower, c'est une pute bourrée de coke jusqu'aux yeux. Elle raconterait n'importe quoi pour sauver sa peau. Je suis un père de famille. Je ne vais pas me laisser embringuer là-dedans. Vous voulez accuser, voyez mon avocat.

– Je vais garder ça entre quat'z-yeux pour le moment. Allons faire un tour. Je suis garé devant la bouche d'incendie en bas au bout du pâté de maisons.

Hector lança à Cardozo un regard oblique.

– Hé, mec, tu rigoles.

– Je ne rigole pas, Hector. Il faut que tu me donnes quelques réponses et je vois bien que ce n'est pas la bonne ambiance, ici.

– Je bosse, mec.

– Moi aussi, mec, et appelle-moi Lieutenant, vu?

Cardozo désigna à son invité une chaise à dossier droit, se réservant le fauteuil pivotant pour lui. Il commença en bon gars. Procédure normale d'interrogatoire.

– Tu peux fumer, proposa-t-il.

Hector sortit un paquet de Malboro de sa chemise et en alluma une. Cardozo poussa le cendrier à travers le bureau.

– L'heure de vérité, Hector. Qui a acheté le gramme?

– Vous vous trompez de bonhomme.

Cardozo ramassa une poignée de papier sur le bureau. Il commença à feuilleter les derniers mémos interservices. Dix minutes passèrent. Il leva les yeux.

On ne décelait aucune agitation chez Hector, sauf à la façon dont il écrasait sa cigarette avant d'allumer la suivante.

– Pourquoi tu les protèges, Hector? A qui as-tu vendu le gramme de Debbi Hightower?

Il n'y avait pas d'aération dans le box. Les yeux bruns d'Hector se plissaient pour échapper à la fumée de sa cigarette.

Cardozo se pencha en avant et releva l'articulation de la lampe de bureau. Le réflecteur projeta l'éclat aveuglant de l'ampoule de cent watts direct dans la figure d'Hector.

Hector ne tressaillit pas, ne cligna pas des paupières.

– Nous avons des photos, Hector. Des clichés de ton distributeur en train de faire la livraison. Des clichés de toi en train de dealer.

– C'est de la foutaise. Je veux parler à mon avocat.

– Tout ce qu'il me faut c'est un nom, Hector. Et puis tu sortiras d'ici.

– Je n'ai pas de nom à vous donner. La voix d'Hector monta jusqu'à la plainte. J'en ai pas vendu un gramme, je ne deale plus de coke. Hightower ment.

Cardozo reprit sa lecture.

Au bout d'un quart d'heure Hector dit :

– Vous pouvez déplacer la lumière? Je l'ai dans les yeux.

Cardozo écrasa son poing sur le dessus du bureau. La lampe sauta et Hector bondit de cinq centimètres sur sa chaise.

– Dis-moi le nom! hurla Cardozo. Allez, triple andouille d'espingouin! Arrête de gaspiller mon temps!

Cardozo tordit le bras droit d'Hector dans son dos et l'emmena tambout battant dans le bureau des inspecteurs.

– Hé, mec, tu me fais mal.

Cardozo poussa Hector vers le bureau de permanence. Le sergent Goldberg leva les yeux.

– Besoin d'aide, Vince?

– Ouais – mets les menottes à ce salopard et fous-le dans la cage.

C'était de la pure mise en scène policière. La loi stipulait que les suspects ne pouvaient pas être bouclés sans être arrêtés, et la plupart des suspects le savaient. Mais la presse publiait tant d'histoires d'horreur sur les brutalités policières, que les suspects ne pouvaient jamais être sûrs que les flics respecteraient la loi. La presse – en créant le doute – aidait les flics. Le scénario était le suivant : Cardozo allait retourner dans son box et Goldberg allait dire à Hector, « Tu m'as l'air d'un brave type, je ne vais pas te mettre les menottes ni te boucler. » Et Hector allait rester assis là à fixer la cage vide, et à croire que c'était seulement le bon cœur du sergent Goldberg qui lui évitait ça, en sachant aussi que le bon cœur, comme la patience pouvait s'user.

Cardozo ferma sa porte et employa l'heure suivante à passer en revue les photos des entrées et sorties à l'Inferno.

Des détails aiguillonnaient son attention. Le chapeau de cet homme, le bracelet de cette femme. Il s'étonna du nombre de limousines aux vitres noires à la queue leu leu devant l'entrepôt, tel un cortège se rendant à un enterrement dans le Queens.

Il compara les photos de l'Inferno et de Beaux-Arts, et nota dans le registre qu'il avait procédé à la comparaison et que le recoupement donnait un résultat négatif.

Une voix rompit sa concentration.

– Je veux parler à mon client.

Cardozo pivota sur son fauteuil, en allumant au passage la lampe de bureau.

Ray Kane portait une veste en madras et un pantalon vert. Il avait sur le bras un imperméable brun.

– De quel client s'agit-il, Maître?

– Hector Dominguez.

– Hector sait-il qu'il est votre client?

– Je suis son avocat dans une affaire encore en cours devant la troisième circonscription.

– Quelle est cette affaire?

– Je n'ai pas à le révéler.

Cardozo se reprit et se leva.

– Dominguez n'a pas droit à un avocat avant d'être accusé. La loi nous accorde huit heures de garde à vue.

– Vous en avez utilisé trois.

– Et je vais en utiliser cinq autres.

– Lieutenant, vous n'avez pas de présomptions sérieuses.

– J'en ai à la pelle.

– J'aimerais les entendre.

– Le fait qu'un homme de votre classe, un associé de Ted Morgenstern, représente un modeste portier.

Ils se dévisagèrent, chacun tenant l'autre dans le défi glacé de son regard.

– Vous faites lecture de l'acte d'accusation de M. Dominguez dans une demi-heure ou je demande l'*habeas corpus*.

Kane tourna les talons et sortit de la pièce en se dandinant.

Cardozo trouva le substitut du procureur Lucinda MacGill assurant la garde de nuit dans le bureau des inspecteurs du premier étage.

– J'ai en garde à vue un homme du nom de Dominguez, déclara-t-il. Je ne veux pas l'inculper, mais il détient des informations sur un meurtre. A-t-il droit à un avocat?

– Dans la mesure où il s'agit d'une inculpation capitale, ce serait recommandé. Elle se pencha en avant pour prendre sa tasse de café sur le bureau, et une fluorescence tombant des plafonniers étincela dans ses cheveux. Si vous lui refusez un avocat mais ne l'inculpez pas, vous êtes dans une zone de flou.

– Le flou je peux vivre avec. Cardozo posa les deux mains sur le bord du bureau. Un jeune loup du cabinet de Ted Morgenstern représente Dominguez dans une affaire en cours. Pouvons-nous découvrir quel est le chef d'inculpation?

MacGill posa son café et fit signe à Cardozo de l'accompagner de l'autre côté du couloir. Elle s'approcha d'un terminal d'ordinateur et introduisit des données. Un instant plus tard sur l'écran germa un champ de caractères d'un vert éclatant.

– C'est Hector ou Hernando Dominguez? demanda-t-elle.

– Hector.

Elle introduisit d'autres données.

– Raymond L. Kane Trois représente Hector C. Dominguez, crime condamnation possession de cocaïne tentative de vente, peine de trois ans avec sursis, Dominguez a coopéré avec le procureur.

– Coopéré comment?

– On ne dit pas. Il est relâché sous la caution de Kane.

– Alors où je vais si je ne laisse pas Kane lui parler?

– Rien de ce que vous tirerez de Dominguez ne peut être retenu pour l'inculper ou le détenir.

– Je me fous de Dominguez. L'information peut-elle être retenue contre une autre personne?

– Ça dépend. Incrimine-t-elle Dominguez?

– De deal de came, oui.

– Elle sera rejetée, violation du droit du cinquième amendement de Dominguez à ne pas témoigner contre lui-même.

– Hector a vendu un gramme de coke à une personne inconnue dans la tour Beaux-Arts à quatorze heures le jour du meurtre. Il me faut le nom du client.

– Vous avez le sentiment que cette personne inconnue pourrait – être quoi – un témoin du meurtre?

– J'ai le sentiment que n'importe qui dans cet immeuble à cette heure-là pourrait être l'assassin. Il faut que ça soit vérifié.

– Vous êtes coincé, Lieutenant. Si Dominguez vous donne le nom et que c'est l'assassin, vous n'avez pas obtenu cette information de façon légale et votre enquête est entachée.

– Une fois que j'aurai ce nom, je peux pincer le suspect pour d'autres motifs.

– Quels motifs?

– Je serai en meilleure position pour le savoir quand j'aurai le nom.

– Ne prenez-vous pas ça à reculons, Lieutenant?

– Vous avez quelque chose à me proposer?

– Vous n'avez pas le choix. Maintenant vous devez inculper Dominguez de dissimulation.

– Pourquoi? Je peux le garder à vue huit heures. La menace de cette cage risque de lui faire changer d'avis. Ça ne sera pas le premier.

– Vous vous rendez compte que les probabilités sont très fortement contre vous.

– Ça fait vingt-deux ans que je suis dans la police. Depuis le temps, je suis immunisé contre les probabilités.

Il croisa son regard. Ses yeux étaient pleins d'interrogation, et il savait que cette interrogation le concernait.

– Vous ne vous rappelez peut-être pas qui est au tribunal de nuit, dit-elle. Le juge Joseph Martinez.

Martinez, un des sept juges hispaniques du comté de New York, prétendait que la police municipale exerçait une discrimination envers les hispaniques, et quand il ne relaxait pas, il fixait une caution ridiculement basse. Les flics l'avaient surnommé Joe Lâche-Les; des plaignants avaient essayé, par le truchement de trois administrations municipales, de le déboulonner. Il jouissait de la protection du maire parce qu'il assurait le vote hispanique.

— À moins que vous n'inculpiez Dominguez, reprit MacGill, Martinez accordera l'*habeas*.

— Si j'inculpe Dominguez, il a le droit de parler à Kane et je n'obtiendrai jamais ce nom.

— Si vous ne l'inculpez pas, Kane fait équipe avec Martinez et ils vous choppent pour arrestation arbitraire. Nous parlons de votre peau maintenant, Lieutenant.

Cardozo considéra les caractères verts sur l'écran.

— D'accord. Dissimulation de preuve dans un crime.

MacGill se leva et s'approcha de la Cour. Son regard tranquille croisa celui du juge.

— Votre Honneur, Hector Dominguez dissimule d'importantes preuves dans une affaire de meurtre.

Le juge Martinez avait un visage aux mâchoires carrées qui respirait l'ennui, une chevelure argentée, et une moustache tombante à la Pancho Villa. Il croisa ses mains sur sa poitrine et ferma les yeux.

— Je n'ai pas été informé de la détention de mon client, déclara Ray Kane.

Sa veste en madras s'ouvrit d'un coup, découvrant un beau ballonnement de chemise.

— On m'a refusé la visite. Hector Dominguez n'a même pas été interrogé, mais il a été tenu au secret pendant quatre heures. Il s'agit là de harcèlement policier, pur et simple, et de violation des droits constitutionnels de protection contre la perquisition et la saisie déraisonnable de mon client.

Le juge Martinez ouvrit les yeux.

— Maître Kane, modérez vos éclats. Y a-t-il quoi que ce soit de vrai? demanda-t-il à MacGill.

— Votre Honneur, répondit Lucinda MacGill, le Peuple a des présomptions sérieuses de croire qu'Hector Dominguez...

— Votre Honneur, coupa Kane, le lieutenant Cardozo a eu l'impudence de traiter mon client de triple andouille d'espingouin.

Le juge Martinez se carra avec lassitude dans son fauteuil, et baissa les yeux vers la salle de tribunal, vers les bancs bruissant de tapineuses et de dealers les menottes aux poignets, de flics, de défendeurs, de substituts du procureur. Ses yeux trouvèrent Cardozo et un éclair noir en fusa.

— J'ai deux motifs pour rejeter ceci. Un, l'attitude du lieutenant Cardozo constitue un cas recevable de brutalité policière. Deux,

M. Dominguez aurait dû étre inculpé avant et non après quatre heures de détention.

Pas une ride ne vint agiter les traits de maître MacGill. Elle avait une maîtrise parfaite de son visage.

– Votre Honneur, l'interrogatoire de police serait impossible si chaque témoin potentiel ou mal disposé devait être inculpé avant d'être interrogé.

– Parlez-en à la Cour Suprême, Maître.

Le juge Martinez abattit son marteau.

– La triple andouille d'espingouin est relâchée. Affaire suivante.

25

Dans la salle de conférence des associés principaux il y avait une immense table ovale, des tableaux du port de New York et de la Statue de la Liberté sur un mur, et une photographie jaunie de la Bourse après les explosions anarchistes de 1894 sur l'autre.

Davis Hobson et Michael Williams, cadres supérieurs de la société, attendaient, plus grisonnants et beaucoup plus forts que dans le souvenir de Babe, et en plus de Bill Frothingham il y avait trois associés en second.

— Vous avez l'air en forme, Hadley, remarqua Davis Hobson. Comment vous maintenez-vous ?

— En préparant moi-même mes martinis, répondit Hadley, et des rires fusèrent.

— Et vous, Babe, poursuivit Davis. Vous paraissez plus jeune que jamais. Tout comme vous, Lucia.

— Il devrait y avoir des cartons sur cette table, observa Lucia. Où sommes-nous censés nous asseoir ?

— Notre équipe occupe la face nord, précisa Bill Frothingham, et celle de Scottie la face sud.

Scottie, comprit Babe avec une soudaine boule dans la gorge. Elle regarda l'homme qu'elle avait supposé être un partenaire, et elle ressentit le choc de voir quelqu'un qu'elle aurait dû reconnaître et qu'elle n'avait pas reconnu.

Il s'avança vers elle, grand, cheveux noirs, démarche souple, l'homme qui avait été autrefois la force la plus importante de son univers. Ses yeux noirs et écartés, et ses pommettes hautes, toujours combinés en un visage d'une beauté saisissante. Peut-être était-ce la faute des plafonniers qui projetaient des ombres dans ses orbites, mais Babe n'était pas préparée à l'aspect émacié, aux rides.

— Ça fait longtemps.

La voix de Scottie était douce, et sa bouche dessina la promesse d'un sourire, une fraction de seconde.

– Babe, connaissez-vous Ted Morgenstern? s'informa Davis. Ted représente Scottie et nous avons pensé qu'il devrait être présent lui aussi.

L'homme qu'elle avait pris pour le troisième associé en second s'avança.

– C'est un grand plaisir de vous rencontrer enfin, déclara-t-il, en lui prenant la main. Il avait un visage très bronzé, et ses yeux étincelants semblaient essayer de déchiffrer ses intentions.

Babe se força à sourire.

– Pouvons-nous nous mettre au travail, maintenant? demanda Davis Hobson.

Ceux qui étaient debout s'assirent, et E.J. plaça le fauteuil roulant de Babe devant la table à côté de Lucia.

Davis Hobson suggéra des modifications de diverses clauses de l'accord de divorce « en vue du fait que Babe Devens est vivante et en bonne santé, Dieu merci ».

Ted Morgenstern consentit aux modifications d'une voix monocorde.

Babe essaya de suivre la discussion. Elle voyait la pièce comme de loin, à travers des jumelles de théâtre qui se seraient par hasard trouvées à l'envers.

Scottie l'observait de l'autre côté de la table. Elle recula son fauteuil roulant.

– Béatrice, siffla sa mère, tu as demandé cette réunion, maintenant ne file pas. Ceci te concerne.

– J'écoute, dit Babe.

Elle roula jusqu'à la fenêtre. Elle écouta calmement pendant plusieurs minutes tandis que Bill Frothingham proposait de plus amples modifications dans la formulation, et puis elle fit pivoter son fauteuil.

– Scottie, lança-t-elle, emmène-moi déjeuner.

Scottie connaissait un restaurant français correct à deux pâtés de maisons de là. E.J. dirigea le fauteuil roulant de Babe à travers la foule de Midtown qui se pressait sur le trottoir. Quelques personnes seulement se donnèrent la peine de reconnaître Babe et d'ouvrir des yeux ronds. A la porte du restaurant Babe demanda à E.J. d'être un amour et de disparaître pendant une heure.

E.J. hésita.

– Ça ira?

– Bien sûr que ça ira. Je suis avec Scottie.

Babe tendit le bras vers l'arrière et lui toucha la main.

E.J. leur lança un regard indécis.

– D'accord.

Le restaurant était bien choisi : il y avait un large hall d'entrée, pas d'escalier, un bar aux reflets sombres sur la gauche. La salle principale avait un plafond haut et des murs peints d'un doux rose orangé, comme l'intérieur d'un melon parfaitement mûr.

La foule du déjeuner commençait à s'amenuiser. Scottie put obtenir une table agréable près de la fenêtre; le maître d'hôtel ôta une chaise et Scottie plaça Babe et son fauteuil roulant à sa place.

— Un apéritif? proposa le maître d'hôtel.

— Juste du vin avec le déjeuner pour moi, répondit Babe.

Scottie hocha la tête pour indiquer qu'il ferait de même.

Et puis ils ne furent plus que tous les deux, silencieux devant leur assiette.

Pour Babe, il y avait quelques heures que cet homme et elle s'étaient tenus enlacés, ressentant la plus profonde unité de corps et d'esprit. Et maintenant Scottie était lointain, assis au garde-à-vous sur sa chaise, la regardant sans un mot avec ses yeux marron et creux. Elle ne pouvait même pas deviner ses sentiments.

— Je ne m'attendais pas à ça, déclara-t-il. Franchement, je ne me suis jamais attendu à ce que tu veuilles me revoir.

Le serveur apporta les menus et ils commandèrent du saumon et de la cervelle. Scottie demanda une bouteille de vin blanc Gavi de Gavi.

Elle ne put s'empêcher de voir qu'il remarquait les autres tables, et surveillait les dîneurs sans en avoir l'air.

— Est-ce que tu regrettes d'être venu déjeuner? demanda-t-elle. Des regrets d'être ici, seul avec ton ex?

Ses sourcils se rejoignirent.

— Pourquoi aurais-je des regrets? C'est toi qui prends un risque.

— Vraiment? Vas-tu me tuer autour d'un plat de saumon?

— Pas drôle, Babe.

Il y eut un silence. Quand enfin la nourriture arriva, Scottie leva son verre en un toast muet et puis lui demanda si elle ne trouvait pas que le petit goût de silex du vin accompagnait à la perfection le saumon.

— C'est toi? demanda Babe. C'est toi qui as voulu me tuer?

— Est-ce pour discuter de ça que nous sommes ici?

— Je ne sais pas pourquoi nous sommes ici. Tu me manques, Scottie.

— Je suis désolé.

— Je ne te manque pas? Du tout?

Elle aurait aimé qu'il avoue qu'elle lui manquait horriblement, mais tout ce qu'il dit fut qu'après sept ans il avait fini par s'habituer à la plupart des changements de son existence.

Elle lui expliqua que pour elle ça n'avait pas été sept ans. Elle s'était endormie avec une vie, une famille et un mari, et elle s'était réveillée le lendemain pour découvrir que tout s'était évaporé.

– Tu t'adapteras, assura-t-il. L'expression de son visage était résolue et froide.

Le serveur apporta le second plat, la cervelle barbotant dans un beurre noir aux câpres avec de magnifiques citrons soigneusement coupés en deux avec des ciseaux à denteler.

Le serveur remplit à nouveau leurs verres de vin, et quand il fut hors de portée de voix Babe dit :

– Tu ne peux pas avoir voulu me tuer. Je n'ai pas pu me méprendre à ce point sur ton compte.

– Tiens-tu vraiment à discuter de ça pendant le déjeuner? demanda-t-il.

– Quand aurons-nous l'occasion de le faire?

– Tu te rends bien compte que l'accusation de tentative de meurtre a été réduite, dit-il.

– Maman prétend que ton avocat a invoqué un détail technique pour te tirer de là.

– Ta mère n'a jamais caché ses sentiments à mon égard. J'ai plaidé coupable de mise en danger par imprudence et voilà tout.

– Je ne comprends pas pourquoi tu as plaidé coupable de quoi que ce soit.

– Je ne pouvais pas affronter un autre procès. Mon avocat a assuré qu'un arrangement était la meilleure façon de s'en sortir.

– J'ai parlé à l'inspecteur qui a mené l'enquête. Vincente Cardozo. Il est certain que tu as essayé de me tuer.

– Babe, tu vas rencontrer des tas de gens et chacun d'eux aura une opinion. Je pourrais te dire oui, j'ai essayé de te tuer, ou non, je n'ai pas essayé, et te connaissant, tu ne me croirais ni dans un cas ni dans l'autre. Soit tu acceptes la conclusion de la Cour, soit tu tranches pour toi. Rien de ce que je peux raconter ne va t'aider à te faire une idée. Et en ce qui me concerne, l'affaire est classée.

– Elle n'est pas classée pour moi. Il faut que je sache.

– C'est de l'histoire ancienne maintenant, Babe.

– C'est mon histoire. Ma vie qui a trinqué. Mon mariage.

– Il te reste ta vie.

– Est-ce que tu aimes Doria Forbes-Steinman?

Les yeux de Scottie avaient une expression sombre et triste.

– Pourquoi poses-tu ces questions? Ce qui est fait est fait.

– As-tu cessé de m'aimer?

– Babe, c'est inutile. J'ai cessé de t'aimer il y a longtemps, longtemps avant le coma.

– Je ne te crois pas.

– Tu ne croyais jamais aux choses que tu ne voulais pas entendre. Deux ans avant cette nuit j'avais cessé de te désirer, cessé de vouloir coucher avec toi ou même être avec toi. Tu as dû le sentir.

– Tu couchais avec d'autres femmes?

– Seulement Doria.

Elle n'osait remuer, de peur que la douleur et la frustration qui étaient en elle n'explosent.

– Pourquoi as-tu cessé de vouloir de moi?

– Ça s'est fait petit à petit, au cours des années. Un jour j'ai compris qu'il me fallait quelque chose à moi, quelque chose qui n'était ni ta carrière, ni ta célébrité, ni ton argent.

– Tu m'avais moi.

– Si peu. Rien ne pouvait te sortir de ton fameux bureau... et les interviews, les séances de photos, les défilés... tout l'imprévu non-stop. C'était comme d'être marié à un chirurgien. Tu étais toujours appelée pour les autres.

L'entendre l'affirmer, que le mariage avait représenté des années d'existence dans son ombre, d'anéantissement de ses désirs personnels. Tandis qu'elle écoutait, elle sentit un grand vide lourd se former entre eux. La voix de Babe se fit grave et lasse.

– Étais-tu jaloux? demanda-t-elle.

– Même pas jaloux. Je me sentais bon à rien.

Elle se rendit compte qu'elle ne savait rien de lui. Soudain il y eut un vide en elle si profond qu'elle put presque sentir du vent lui souffler au travers.

– Je ne l'ai jamais su. Je n'en ai jamais eu la moindre idée. Te sens-tu bon à rien maintenant?

– Non.

– Doria t'a appris ça?

– Je l'ai appris tout seul.

– Pourquoi ne m'as-tu pas dit que tu étais malheureux?

Les muscles de son visage se crispèrent, il eut une expression lointaine, sillonnée de rides.

– Je te l'ai dit... et tu n'as jamais entendu.

Il rejetait la responsabilité sur elle et elle sentit l'agressivité percer dans sa propre voix.

– Je ne lis pas dans les pensées. Si tu m'avais dit que mon travail nuisait à notre mariage, j'aurais changé.

– Babe, nous ne sommes plus au dix-neuvième siècle. Les femmes ont des carrières.

– Elles tiennent toujours au mariage.

– C'est un peu tard pour le nôtre.

Elle le regarda et se demanda si un jour, un jour, il cesserait de lui manquer.

– Tu ne veux pas de moi, Babe. Tu ne voulais pas de moi à l'époque et tu ne veux pas de moi maintenant. Tu es simplement contrariée de perdre quelque chose que tu considérais comme tien.

Crois-moi, tu t'y habitueras et tu seras heureuse de ne pas m'avoir à côté de toi à traîner mon ennui.

– Je ne t'ai jamais accusé de traîner.

– Tu es aveugle. Nous nous sommes engagés dans le mariage en voulant deux choses différentes. Il fallait bien que ça craque.

– Que voulais-tu donc?

– Je voulais que ça continue comme c'était au début. Quand nous nous faisions la cour – drôle de mot, hein – tu m'adorais. Nous faisions l'amour dès que nous étions seuls une minute. Et quand nous étions séparés nous étions pendus au téléphone dix, douze fois par jour. Une fois tu m'as téléphoné pour me dire de regarder par la fenêtre parce qu'il y avait un orage magnifique au nord. A cette époque-là, j'étais le centre de ta vie. Tout ce que tu faisais, tu voulais le partager avec moi. Tu ne peux pas imaginer comme je me sentais veinard, important, aimant et aimé. Et puis, quand nous nous sommes mariés et que j'étais à toi, les règles du jeu ont changé. Nous faisions l'amour le week-end – point final – sauf si nous étions invités, et puis nous ne l'avons plus fait parce que ça aurait pu s'entendre à travers les murs.

– C'était une seule fois, chez Cybilla de Clairville, et tu sais comme elle est vieux jeu.

– Cela s'est passé plus d'une fois.

– Scottie, c'était de ma faute, je m'excuse.

– Tu es une femme remarquable, Babe. Tu peux passer des années sans voir qu'il y a un problème, et puis quand on finit par te le signaler, tu n'essaies même pas de le résoudre, tu en endosses la responsabilité. Tu ressembles beaucoup à ta mère dans ce domaine. Ni l'une ni l'autre ne paraissez admettre qu'il y a certains événements dans ce monde qui ne sont pas de votre fait. Et des tas que vous ne pouvez maîtriser.

– Quelqu'un a été la cause de nos problèmes. Ils ne sont pas arrivés juste comme ça. Peut-être étais-je trop occupée et trop aveugle. Mais si j'avais l'air de penser que tu faisais partie du décor au fond de moi, je ne le pensais pas.

Il était assis voûté, fixant le vide. Elle eut le sentiment de l'implorer de façon infâme.

– J'ai adoré le temps que nous avons passé ensemble, assura-t-elle. J'adorais nos conversations au petit déjeuner, les balades dans la campagne, le bateau à voile et les voyages. J'adorais tous ces repas dans nos petits restaurants préférés. J'adorais les moments où nous étions seuls et ils me manquent.

– Moi aussi je les adorais. Il se tut. Mais ils ne me manquent pas.

Le vide tourbillonna autour d'elle, et elle eut la certitude qu'elle allait s'y noyer.

— Je ne te crois pas, lança-t-elle. Tu changes les choses, tu réécris le passé. Tu étais heureux avec moi. Je te manque vraiment.

— Babe, tu te trompes.

— Je n'ai pas pu me tromper à ce point. Je ne suis pas une imbécile.

— Si. Ne peux-tu voir les choses en face, Babe?

— Voir quoi?

— Mais bon Dieu, j'ai fait ce dont ils m'ont accusé.

D'abord la perplexité, puis le choc l'envahirent.

— Qu'est-ce que tu racontes?

Elle le regarda, en reculant dans son fauteuil roulant comme si elle pouvait se dérober à ces mots. Il y avait de la douleur en elle, pareille à une poignée d'épingles acérées.

Le visage de Scottie était un masque de totale et tranquille inexpressivité.

— J'ai essayé de te tuer.

26

Quand elle roula son fauteuil hors du restaurant climatisé, Babe heurta un rideaux de lumière brûlante et aveuglante. Elle resta assise là à cligner des yeux, pensa qu'elle allait s'évanouir, mais son étreinte sur les bras du fauteuil roulant la retint.

Se voulant calme, alerte, elle manœuvra son fauteuil lentement le long du trottoir, pour laisser la foule au coude à coude la dépasser.

Quand Babe sortit de l'ascenseur sa mère attendait dans le salon de réception du cabinet juridique, le visage figé, les yeux remplis d'un dégoût absolu. Elle posa son exemplaire de *Town and Country* et considéra sa fille, sans rien bouger que ses yeux verts impitoyables.

— Tu m'as laissée absolument sans voix. Elle parlait d'un ton égal et avec une colère phénoménale. Tu as une tête épouvantable. Que t'as donc fait ce misérable?

Babe se redressa avec raideur dans son fauteuil roulant, se sentant nue et vulnérable. Elle ne pouvait pas s'en aller, il fallait donc qu'elle en passe par là.

— C'est une longue histoire.

« Toutes ces années, songea-t-elle. Enfuies comme un seul tic-tac de la pendule. »

— Tu trouves toujours une raison de te couvrir de honte, oui.

— Maman, je t'en prie. Ne nous disputons pas maintenant.

— D'accord, remettons ça à plus tard.

Lucia ouvrit la marche en direction du bureau de Bill Frothingham, et Babe roula derrière elle.

Bill Frothingham offrit son plus beau sourire. Ses mains saisirent celles de Babe avec force et elle répondit à sa pression, reconnaissante de ce contact. Elle ne s'était pas rendu compte jusque-là combien il y avait de douleur et de rage en elle.

Elle tendit le bras et prit le stylo sur l'encrier d'argent Tiffany.

— Où dois-je signer?

Babe rendit les deux volumes NY-P-3567 : « le Peuple contre Scott Devens. »

– Il y a eu appel, dit-elle. Pourrais-je consulter ce dossier?

Le bibliothécaire regarda son fauteuil, puis la regarda. C'était un homme de la cinquantaine, il avait un visage de porcelaine rosâtre.

– Il faut me donner le numéro.

Son haleine sentait l'odeur désinfectante d'huile d'eucalyptus, et elle sut d'instinct qu'il avait bu pendant son heure de déjeuner.

Elle lui donna le numéro, soigneusement tapé sur une feuille de papier à lettres du cabinet de Bill Frothingham.

Il disparu dans les rayons, en se retournant pour lui jeter un regard indécis. Enfin il revint, les mains vides.

– Je suis désolé. Ces dossiers sont scellés.

La limousine s'arrêta à l'adresse de Green Street, le chauffeur fit le tour et aida Babe à s'installer dans son fauteuil. Le ciel au-dessus de Soho était bleu vif.

Il y avait une galerie d'art dans la boutique élégamment rénovée du rez-de-chaussée. Babe jeta un coup d'œil aux tableaux dans la vitrine – natures mortes hyperréalistes représentant des aliments enveloppés dans du plastique, éclaboussés d'étiquettes autocollantes de supermarché. Le nom du propriétaire de la galerie déclencha un souvenir – Lewis Monserat : ils se rencontraient dans des dîners et des vernissages. Puis son esprit corrigea : c'était il y a sept ans; ils s'étaient connus.

Le chauffeur de Babe la poussa dans le vestibule. L'ascenseur – un monte-charge remis à neuf – attendait.

– Merci, à partir d'ici je peux me débrouiller, déclara Babe. Elle appuya sur le cinq, l'étage de Cordélia.

Cordélia ouvrit la porte et considéra sa mère avec un sourire surpris et heureux.

– Mère – pourquoi ne m'as-tu pas annoncé que tu venais?

– Je ne resterai qu'une minute.

– Laisse-moi te faire visiter. Tu as besoin d'aide avec ce fauteuil?

– Non, je deviens un as.

Cordélia marcha devant, et Babe roula derrière.

– Ça c'est l'espace vie.

Le bras chargé de bracelets de Cordélia balaya un arc de cercle, tintant comme une harpe éolienne d'or, de plastique et de breloques de Prisunic.

– Et ici c'est l'espace sommeil, et ici l'espace repas. Tout est un espace cloisonné, tu vois. Un de ces jours la plomberie sera remise à neuf, et je pourrai me mettre à quelque chose de gai – comme d'installer des étagères. Tu veux du café? J'étais en train d'en boire une tasse. Il est torréfié à la française, je le trouve en bas chez DeLucas.

– Ce serait merveilleux.

Babe observa sa fille devant la cuisinière, qui installait avec soin le Melita, déposait du café à la cuillère dans le filtre de gaze dorée, puis saupoudrait de cannelle sur le dessus et enfin, aussi consciencieusement qu'un peintre tachiste répandant goutte à goutte de la couleur sur une toile, versait l'eau bouillante.

Babe était assise là, tenant une tasse provençale peinte à la main. Gênée, presque timide, elle garda les yeux fixés sur son café et puis leva les yeux vers sa fille.

– Lewis Monserat est-il toujours vivant?

Cordélia rit.

– Bien sûr qu'il est vivant. Pourquoi?

– Je le connaissais à l'époque, et j'ai vu son nom en bas.

– C'est le plus grand marchand de tableaux de la ville.

– Il l'a toujours été.

Cordélia but à petites gorgées.

– Comment trouves-tu ton café?

– Parfait. Babe n'avait pas goûté son café. Elle y goûta. Cordélia... je me demandais... je me demandais si tu voudrais... si tu imaginerais revenir vivre à la maison.

Cordélia traversa la pièce, s'agenouilla devant le fauteuil roulant de Babe et enlaça les genoux de sa mère.

– Oh, Mère, c'est si gentil de ta part. Je pensais bien que tu me le demanderais... mais je ne crois pas, non merci.

Babe resta assise immobile, regardant le plancher, qui avait été ramené au chêne brut puis verni, et de nouveau Cordélia.

– Je t'aime, Mère... et je comprends... vraiment. Mais tu dois me comprendre. Quand tu... es partie... mon monde s'est écroulé. J'ai fait la seule chose que je pouvais. J'ai appris comment prendre soin de moi. Maintenant que tu es de retour, tu veux reprendre là où tu as tout laissé. Tu veux que j'aie à nouveau douze ans, ne vois-tu pas que c'est impossible. J'ai fait trop de chemin. J'ai ma vie, ma carrière, ma maison... je ne peux pas tout abandonner.

– Je n'essaierai pas de te rendre dépendante.

– Oh, Mère, les mots ne vont pas me ramener à Sutton Place. J'ai grandi. J'ai été de l'avant. Et il y a eu beaucoup de chagrin, plus que tu ne le réalises. Pas question que je retourne en arrière.

Babe balançait entre la peine et l'acceptation.

Cordélia décrocha un jeu de clés d'une cheville plantée au-dessus de l'évier et le fourra dans la main de Babe.

– Écoute... elles sont à toi. Les clés d'ici... pour que tu ne te sentes jamais exclue.

La main de Babe se referma sur les clés.

– Je sais comme ça a dû être dur pour toi.

Une boule brûlante s'était coincée comme une bouchée à moitié avalée dans la gorge de Babe. J'ai lu la transcription du premier procès.

— Pourquoi diable as-tu fait ça?

— Je suis navréc quc tu aics dû vivre ces événements. Ils ont dû te faire tant de mal.

— Les blessures se referment, Mère. Mais il faut les laisser tranquille. Tes blessures et les miennes.

— Ils m'ont dit que la transcription du second procès était scellée. Cordélia regarda sa mère.

— Que s'est-il passé pendant ce procès? demanda Babe.

— Tu ne penses pas vraiment que je m'en souviens.

— Tu dois te souvenir de quelque chose.

— J'avais douze ans et je mourais de peur. Je ne me souviens de rien. Je ne veux pas me souvenir de quoi que ce soit. Et je pense sincèrement que tu devrais laisser tout ça derrière toi aussi.

Il pleuvait quand Babe rentra chez elle. Tandis que l'ascenseur montait, une légère pulsation battait entre ses yeux.

Elle roula le long du corridor jusque dans sa chambre et resta assise devant la fenêtre. Les toits d'ardoises des hôtels particuliers voisins luisaient d'humidité.

Elle décrocha le téléphone et appela Ash Canfield. Un répondeur dévida son message.

— Ash, dit-elle au bip sonore, c'est moi, décroche.

Des glaçons s'entrechoquèrent dans un verre. Une voix dit :

— Que se passe-t-il, ma puce?

— Ton message est horrible, tu as une voix de morte.

— Je n'y peux rien, je me sens morte. Tu ne me parais pas tellement en forme non plus.

— Je suis descendue au tribunal lire la transcription du procès.

— Beuârk.

— Ils ont scellé le dossier du second procès de Scottie.

— C'est aussi bien. Tu ne vas pas fourrager dans toute cette boue.

— Je veux savoir ce qui s'est passé.

— Ce n'est pas un secret. Scottie s'en est tiré avec une semaine dans ce country club où ils ont envoyé le mari de Martha Mitchell, et maintenant il joue du piano au Winslow et il fait un tabac avec tous les vampires du coin.

— Comment s'en est-il tiré?

— Comment le saurais-je?

— Allez, Ash, avant tu savais toujours tout.

— Je sais toujours tout. Pourtant il se trouve que je n'ai pas les détails sous la main. Mais je peux les trouver.

– Pour quand?

– Es-tu toujours enchaînée à ce fauteuil roulant et à cette infirmière.

– Rien que le fauteuil roulant.

– Retrouve-moi pour déjeuner vendredi chez Archibald.

– C'est quoi, Archibald?

– Un lieu très chic et très branché de l'Upper East Side. Et la nourriture y est presque mangeable.

27

Jeudi soir à l'Inferno. Une musique pilonnante martelait les oreilles de Siegel. L'odeur de l'alcool et de la sueur s'infiltrait par tous ses pores.

Son ami moustachu se donnait à fond.

– La bonne baise y a rien de mieux, assura-t-il.

– Rien, reconnut Siegel.

– J'ai été marié huit ans mais côté baise c'était pas ça. La bonne baise c'est ça qui fait tourner le monde.

Siegel s'excusa, dit qu'elle revenait tout de suite. Elle trouva Richards sur un banc qui surveillait le flot des gens entrant dans le bar. Bruit et mouvement se déversaient comme une cascade fluide et puante.

Il lui lança un regard, pour qu'elle tourne ses yeux vers le bar. Un homme blond, lourdement charpenté se tenait à moins de deux mètres de là.

– L'homme à tout faire, dit-elle. Claude Loring.

Et puis elle vit quelque chose d'autre.

Un homme s'écartait du bar d'une démarche traînante. Il avait deux ailes de cheveux noirs sur les oreilles et des yeux sombres et hagards. Il était vraiment mal en point dans son caleçon Jockey.

Siegel le reconnut.

– Lewis Monserat. Le marchand de tableaux qui vendait les masques.

Richards regarda attentivement.

– Tu penses qu'ils sont ensemble?

– Ils ne sont sûrement pas ensemble ce soir, remarqua Siegel.

– Loring me connaît, signala Richards.

– Okay, je prends Loring. Tu prends le roi du monde de l'art new-yorkais.

Lewis Monserat rôdait. Ses mains se pétrissaient l'une l'autre. Quoi qu'il cherchât, il sembla à l'inspecteur Sam Richards que ça ne pouvait être une de ces substances chimiques dispensatrices de plaisir.

Le marchand de tableaux paraissait incroyablement maigre, ses côtes saillaient et sa peau était creusée à l'exception du ventre.

Il trouva un coin attirant. Les épaules voûtées, il scruta l'obscurité comme s'il essayait de compter combien d'ombres s'y tordaient.

Siegel luttait pour ne pas perdre Loring de vue : il se déplaçait dans une sorte de danse, se faufilant ici et là, disparaissant dans la foule, réapparaissant à nouveau. Il s'arrêtait pour observer des actions de groupe, achetait de la coke, prenait de la coke, vendait de la coke.

Puis, silhouetté par la lumière du bar, il s'appuya contre une colonne, raide, solitaire, semblable à une colonne lui aussi. Son regard passa doucement de visage en visage, de corps en corps, d'ombre en ombre. Il stoppa.

Siegel suivit la direction de ses yeux.

Un groupe de danseurs avait envahi une zone près des poteaux de bondage. L'un d'eux était plus grand que les autres, un garçon dégingandé d'une vingtaine d'années avec de jolis cheveux clairs et bouclés. Il respirait la santé blonde et bien propre.

Son teint rappela Jodie Downs à Siegel.

Loring regarda le garçon danser et puis il le regarda aller au bar chercher une bière. Le jeune homme emporta sa bière et s'assit à une table inoccupée le long du mur.

Loring se planta devant la table. Il jeta au garçon un long regard impassible qui était direct et plein de convoitise.

Le garçon fixait l'étiquette de sa boîte de bière. Il y avait quelque chose en lui qui paraissait pur : son visage n'était pas encore calculateur.

Loring dit quelque chose. Le garçon leva les yeux. Loring sourit nonchalamment. Le rouge monta lentement au visage du garçon.

Loring alluma un joint et le lui tendit. Le garçon tira une longue bouffée.

Loring s'assit. Il regarda le garçon et lui posa une question.

Quelque chose se raidit entre eux et le garçon secoua la tête.

Loring acquiesça et se leva. Il s'éloigna sans se retourner, s'ouvrant un chemin parmi la foule jusqu'au vestiaire.

Le garçon restait assis, les yeux inquiets, perdus dans le vague, comme s'il ne savait où aller.

Siegel apercevait Loring sur le banc du hall, bataillant pour enfiler un pied dans une botte. Un moment plus tard il se fraya un passage vers le haut de l'escalier.

Soudain le garçon parut prendre une décision. Il fendit la foule à toute allure en direction du vestiaire. Siegel le vit demander ses habits.

Elle se fraya elle-même un chemin jusqu'au vestiaire, récupéra ses vêtements, et s'habilla à la hâte.

Le garçon était déjà à mi-chemin vers la sortie.

Siegel gravit l'escalier mal éclairé, un brouillard de chaleur corporelle pesant derrière elle tandis qu'elle débouchait dans la rue. Une épaisse brume s'étirait parmi les voitures en stationnement. Des bruits de pas résonnèrent sur le trottoir crevassé.

Loring louvoyait entre les limousines et les camions. Il traversa le cône de lumière d'un réverbère.

Le garçon apparut dans les intervalles entre les camions en stationnement, lancé à sa poursuite.

Loring s'arrêta devant une camionnette en stationnement, une Ford délabrée avec un geai bleu en logo sur le côté. Il déverrouilla la portière de la cabine et se hissa à l'intérieur. Il ne ferma pas la portière.

Le garçon courait maintenant.

Siegel traversa l'avenue, sans les quitter des yeux.

Le garçon atteignit la portière du camion. Loring fit une grimace ennuyée, en s'affalant toujours plus sur le siège du conducteur.

Le garçon était planté là, ct regardait Loring, les yeux pleins d'attente. Loring tendit une main et l'aida à grimper dans le camion.

Siegel nota dans son calepin le numéro d'immatriculation sur la plaque du Tennessee. Elle fit le tour jusqu'à l'avant du camion, en titubant comme une droguée puis s'accroupit contre un mur. Une ambulance hurla dans la nuit.

Loring sortit un autre joint. Un briquet flamboya. Pendant un instant la cabine s'emplit de lumière, tirant de l'obscurité les deux visages réunis près de la flamme.

Les visages restèrent proches. Le joint alla de l'un à l'autre.

Loring posa les deux mains sur la tête du garçon, la fit pivoter, et l'embrassa sur la bouche.

Puis il se pencha pour glisser une clé dans le contact. La camionnette quitta le bord du trottoir. Siegel bondit du trottoir sur la chaussée. Elle leva une main et sauta dans le pinceau des phares d'un taxi jaune en maraude.

Le taxi s'arrêta dans un cahot. Siegel sauta dedans, et d'une chiquenaude ouvrit son portefeuille à l'endroit de la plaque.

— Suivez ce camion.

La camionnette roula bruyamment sur les nids de poule de la Quatorzième Rue et puis vers le nord sur les nids de poule de la Sixième Avenue. Elle se gara devant une bouche d'incendie au coin de la Trente-troisième.

— Déposez-moi après le coin.

Siegel donna cinq dollars de pourboire au chauffeur.

Quand elle déboucha sur la Sixième Avenue, elle vit du mouvement dans la camionnette. Le garçon penchait son nez vers la main
de Loring, et sniffait une ligne de coke.

La portière du camion s'ouvrit et Loring et le garçon en descendirent.

Siegel recula dans une entrée de magasin.

Ils traversèrent le trottoir jusqu'à l'entrée voûtée d'un bâtiment de
lofts de cinq étages. Un moment plus tard ils étaient à l'intérieur et la
porte se referma derrière eux avec un déclic.

— Le gamin est redescendu seul deux heures plus tard, dit Siegel.
J'ai décidé que ça suffisait comme ça et je suis rentrée chez moi.
Désolée, Vince. Je me sentais aussi démolie qu'il en avait l'air.

— Tu as fait du bon boulot, assura Cardozo. Il y avait un détail
dans son rapport qui le titillait. La camionnette.

— Loring est notre gars, lança Monteleone.

Cardozo fit une moue sceptique.

— Si c'était Loring, alors comment expliques-tu Monserat?

— Qu'est-ce qu'il y a à expliquer? demanda Monteleone.

— Il a vendu le masque et menti à ce sujet.

— Un tas de gens mentent.

— Monserat est très mal en point physiquement, intervint
Richards. Celui qui s'est payé Jodie Downs était capable de porter un
poids lourd.

— Loring est baraqué, observa Malloy.

— Et aussi, poursuivit Richards, ça peut ne rien vouloir dire... mais
Monserat est un type très inhibé. Il regarde, il se branle, et c'est tout.

— Ellie, demanda Cardozo, pourrais-tu venir avec moi un moment?

Siegel le suivit dans son box. Il alluma le projecteur de diapos et fit
défiler rapidement les photos de la nuit précédente. Taxis, limousines
et camions de viandes jaillissaient sur le mur, et se hâtant entre eux,
comme des cafards fuyant la lumière, il y avait des hommes et des
femmes avec des yeux fous et morts, fantômes plongeant par une
entrée noyée d'obscurité vers la quête éternelle de la jouissance et de
l'oubli.

Il stoppa sur la première photo de Claude Loring : elle montrait un
homme blond et costaud en jean et barbe de deux jours. Il y avait un
espace au bord du trottoir, une ligne de camions embouteillant l'avenue. Une camionnette était garée de l'autre côté de l'avenue. Sur le
flanc s'étalait un énorme logo : un geai bleu.

— C'est la camionnette de Loring?

Siegel acquiesça.

— C'est elle.

Cardozo considéra l'oiseau, et puis il appela Richards.

– Cette camionnette avec le geai bleu, Sam, où l'avons-nous vue?

Le regard de Richards vint se poser sur l'image projetée sur le mur du box. Un froncement de sourcils assombrit son front.

– Le jour où nous avons parlé à l'alibi de Loring... la novice en came là-bas dans le quartier aux fleurs... cette camionnette était garée en face de chez elle, devant la bouche d'incendie.

– Exact, dit Cardozo. Plaque du Tennessee. N'a-t-elle pas reçu un appel téléphonique... son répondeur s'est déclenché et elle a décroché?

Richards dut réfléchir un moment.

– Comme si elle connaissait d'avance le message et qu'elle ne voulait pas que nous entendions?

– Qu'est-ce qu'elle a raconté à propos des livraisons?

– Quelqu'un ne la lâchait pas parce qu'elle n'avait pas assuré les livraisons du week-end. Elle a expliqué que sa camionnette était en réparation.

D'abord Cardozo fut seulement conscient du silence. Puis faiblement, à travers des murs de parpaings, vinrent le battement et le vrombissement, le bourdonnement et le martèlement d'un immeuble habité.

Il était planté là dans le garage de la tour Beaux-Arts.

Son regard allait des ombres aux mares vert acide de lumière fluorescente, balayant des Rolls et des BMW. Il y avait des noms inscrits en blanc sur le mur à côté de chaque place de parking. Sur l'emplacement marqué Lawrence, une superbe Porsche rouge était rangée.

Cardozo effaça mentalement la Porsche et mit là un taxi jaune, un taxi avec les mots Ding-Dong Transport sur le côté.

Au bout d'un moment il franchit la porte du garage en direction de l'ascenseur de service. Il leva les yeux vers la caméra du circuit fermé TV qui balayait le garage. Fixée sur le mur à trois mètres au-dessus du sol en béton, elle tournait lentement vers lui.

Il se tint dans la travée de chargement vide jusqu'à ce que l'objectif de la caméra le prenne de front. Il se rendit compte que si un camion était garé à cet endroit la caméra ne prendrait aucun de ses deux côtés. Voilà pourquoi un portier surveillant le circuit fermé TV n'aurait pas vu un camion avec un geai bleu peint sur le flanc.

Cardozo avait une sensation de pression derrière les yeux et en même temps se sentait étourdi. Il commençait enfin à voir les deux faces de la pièce de monnaie.

Il téléphona au garage de Jerzy Bronski et leur fit appeler Jerzy par radio. Vingt minutes plus tard Jerzy était assis sur un banc de l'esplanade du parc Carl Schurz, le visage sombre et impassible, tiré vers le bas d'un côté comme par le poids de la cigarette qu'il fumait.

– Merci d'avoir attendu, dit Cardozo.

– Ça a été moins une.

Cardozo s'assit sur le banc. Son œil s'attacha à un remorqueur qui passait en glissant sur l'eau luisante et grise de l'East River.

– Joli coin. Vous venez beaucoup ici?

Les lèvres minces de Jerzy était figées en une ligne tendue.

– Je ne vais beaucoup nulle part. J'ai deux boulots et aujourd'hui je me paye deux tours au volant de cette épave qu'ils appellent une Chrysler. Et puis j'ai déjà perdu vingt dollars à rester assis.

– Voyez ça comme ça, Jerzy. Maintenant vous avez des potes au commissariat. Il se pourrait que ça serve.

– Ça paiera peut-être mon loyer?

– Ça pourrait même payer votre dealer.

Jerzy lui jeta un regard.

– Vous avez dit qu'on passait l'éponge là-dessus.

– Oui. Mais j'ai besoin d'un petit coup de main.

– Je vous ai déjà donné un coup de main. Et devinez, Debbi sait que c'est moi qui vous ai parlé.

– Ce n'est pas par moi qu'elle l'a su.

– A d'autres. Debbi n'est pas Einstein, mais ce n'est pas une imbécile non plus.

Cardozo ne releva pas.

– Samedi vingt-quatre mai, le jour où l'homme a été assassiné au cinq et où Debbi n'a pas eu sa coke, pourquoi vous êtes-vous garé sur l'emplacement de Fred Lawrence?

– D'accord, je me suis peut-être garé sur l'emplacement de quelqu'un. C'est un crime?

– Pourquoi n'avez-vous pas utilisé l'espace réservé aux camions?

– Il devait y avoir quelqu'un d'autre garé là.

– Vous vous souvenez qui?

Jerzy dût réfléchir un moment.

– Une camionnette.

– Pouvez-vous la décrire?

– Une camionnette est une camionnette.

– Certaines sont grosses. D'autres pas. Certaines sont rouges, d'autres sont vertes. D'autres sont bleues.

Quelque chose agita les paupières de Jerzy et il les releva.

– Il y avait un oiseau dessus, un oiseau bleu. Je me souviens de cet oiseau.

– C'était un geai bleu?

– C'était un oiseau qui était bleu, à vous de me dire si c'est un geai.

– Est-ce que c'est la camionnette?

Tommy Daniels avait fait du bon boulot en agrandissant la camionnette, et en recadrant le premier plan.

Les lèvres de Jerzy esquissèrent une moue indécise.

– C'est le même oiseau. Peut-être que c'est la même camionnette. Comment reconnaître une Ford 78 déglinguée d'une autre?

– Avez-vous remarqué quoi que ce soit concernant les plaques minéralogiques? Si elles étaient d'un autre État, par exemple?

Jerzy lui lança un regard.

– Non mais, j'ai une gueule d'agent de la circulation, moi?

– Vous avez déclaré que Claude Loring a dormi ici tout le week-end et que vous n'aviez pas assuré vos livraisons parce que votre camionnette était tombée en panne.

– C'est ça.

Faye di Stasio portait un vieux tee-shirt et un jean délavé, et Cardozo avait l'impression qu'elle les avait enfilés deux minutes plus tôt quand son coup de sonnette à la porte du bas l'avait réveillée.

Cardozo lui tendit la photo.

– C'est votre camionnette?

Elle regarda la photo, puis le considéra avec des yeux troublés.

– Peut-être.

– Ce geai bleu est votre logo de société, non?

Elle acquiesça, l'air anxieux.

– Alors que ferait-il sur la camionnette de quelqu'un d'autre? Les logos ne sont-ils pas déposés, comme les marques?

– C'est exact, mais...

– Donc c'est votre camionnette.

– Je suppose.

– Vous reconnaissez la rue sur cette photo?

– Non.

– Quelqu'un d'autre a-t-il garé votre camionnette là-bas?

– J'imagine.

– A qui prêtez-vous votre camionnette?

– Claude.

– Pour quoi Claude emprunte-t-il cette camionnette ?

– Pour se balader.

– C'est lui qui l'a bousillée?

– Personne ne l'a bousillée.

Mais vous n'avez pas pu assurer vos livraisons du week-end de Memorial Day.

– La camionnette est tombée en panne mais maintenant elle marche.

– Qu'est-ce qui ne fonctionnait pas?

– Elle ne démarrait pas. Les freins patinaient. Vous savez, les ennuis habituels des camionnettes.

– Qui a réparé la camionnette?

– Un garage.

– Quel garage?

– Je ne sais pas. Un garage où Claude l'a emmenée.

– Quand ça?

– La semaine avant Memorial Day.

– Et quand a-t-il ramené la camionnette?

– La semaine d'après.

– Pouvez-vous me montrer la facture?

– Je ne sais pas où est la facture.

– Vous prenez beaucoup de coke, non?

Elle cligna des yeux, se tint immobile.

– Est-ce que j'ai raté un enchaînement?

– J'ai dit vous prenez beaucoup de coke. Claude aussi prend beaucoup de coke.

Elle se pencha en avant. Son sourire mit un temps fou à se déployer jusqu'à lui.

– Vous rigolez, dit-elle, et puis, en l'observant, Okay, vous ne rigolez pas.

Le silence était pesant. De la lumière éclaboussait le sol : un chat entra dedans d'un pas nonchalant. Elle alla dans une petite pièce derrière la cuisine et revint avec une cigarette.

– Avez-vous déjà rencontré le dealer de Claude? demanda Cardozo.

Elle trouva un cendrier.

– Claude a sa vie privée, je ne fourre pas mon nez dans ses affaires.

– Il ne vous a jamais parlé du portier de la tour Beaux-Arts... le type qui porte une moumoute?

– Je ne me sens pas bien et cette conversation n'arrange rien.

– Le portier à l'immonde perruque vend sa coke à Claude. Vous n'avez jamais été à la tour Beaux-Arts?

– Pourquoi serais-je allée à la tour Beaux-Arts?

– Je crois que vous y avez été. Cardozo alla vers la salle de bains et ouvrit la porte d'un coup de coude. L'odeur d'une litière à chat vieille de trois jours s'échappa. Il alluma la lumière et désigna la baignoire. Je crois que vous leur avez volé ce rideau de douche.

– Je ne sais pas d'où vient ce rideau de douche.

– Il vient de la tour Beaux-Arts.

– Je ne l'ai pas piqué.

– Alors comment se fait-il qu'il soit ici et non dans l'appartement cinq dont il fait partie?

– Claude me l'a donné.

– Vous dites que Claude l'a piqué.

– Je n'ai pas dit ça. Je veux dire, je ne sais pas d'où il vient. Alors n'essayez pas de m'associer au délit de quelqu'un d'autre.

– Je parle d'homicide.

– Je ne vous suis pas du tout.

– Vous avez aidé Claude. Vous lui avez prêté votre camionnette et vous lui avez permis de roupiller ici. Et il vous a donné de la coke et ce rideau de douche et un peu de vin et d'alcool et des plats surgelés de l'appartement-témoin, c'est ça?

Elle resta plantée là à le regarder.

– Ce n'est pas un meurtre.

– Non. Mais tuer un gars, c'en est un.

Soudain ses doigts ne fonctionnèrent plus. Elle lâcha la cigarette. Elle se pencha et la ramassa, laissant une brûlure toute neuve parmi un million de vieilles marques sur le sol. Elle s'effondra dans un fauteuil.

– Vous êtes complice, déclara Cardozo.

– Connaître quelqu'un n'est pas être complice. Elle parut lointaine, isolée tout là-bas, le teint pâle, le visage enfermé derrière des lunettes à montures d'or avec une légère teinte framboise dans les verres.

– Vous admettez que vous savez, insista-t-il.

– J'admets que je sais qui c'est.

– L'assassin?

– Claude. Je ne vois pas ce qui se rapporte à un meurtre.

– Si vous n'avez pas encore compris, votre cervelle n'est pas bien rapide. S'il était innocent, pourquoi vous a-t-il demandé de mentir?

Elle éprouvait des difficultés à avaler.

– Dissimuler où était Claude et où était le camion c'est agir en complice. C'est un crime. Pourquoi voulez-vous aider ce crétin?

– C'est un ami. J'aide mes amis.

Cardozo eut la sensation qu'elle voulait dire qu'il n'y avait rien qu'elle ne ferait pas pour ne pas être seule.

– Je devrais peut-être appeler un avocat, remarqua-t-elle.

– Vous pouvez appeler un avocat depuis la prison ou vous pouvez me parler ici, maintenant, entre nous.

– Je ne sais rien du tout.

– Je pourrais vous épingler pour coke. J'ai un mandat de perquisition sur moi.

Il tapota le renflement du 38 sous sa veste.

– Pourquoi faites-vous ça?

– A cause de ce qu'il a fait à un type.

– Vous n'en savez rien.

– Je vais vous dire ce que je sais. Votre camionnette a été vue à la tour Beaux-Arts samedi vingt-quatre mai. Elle a été vue dans le garage et elle a été vue sur l'écran de surveillance et vingt personnes ont identifié cette photo. Ce même jour sept personnes ont vu Claude

Loring dans l'immeuble et l'une d'elle lui a vendu un gramme de coke et vous avez sniffé cette coke. Alors ne me racontez pas que Claude Loring a dormi de vendredi soir jusqu'à mardi matin. C'est vous contre vingt-sept témoins oculaires.

— Vous avez vos témoins, vous n'avez pas besoin de moi.

— Mais vous avez besoin de moi. Si le procureur vous inculpe sur votre première déclaration, vous achèterez de la coke en prison et pas dans la rue.

Elle abaissa lentement sa tête entre ses mains. Elle se recroquevilla comme si elle ne voulait pas exister.

Il la laissa souffrir un long moment.

— Dites la vérité maintenant, lança-t-il, et nous oublierons cette première déclaration.

Sa tête se releva et elle avait un regard pathétique.

— Je ne peux que vous raconter ce que je sais.

— C'est bien, pour un début.

Ses doigts s'immobilisèrent. Son visage s'affaissa, blanc comme un drapeau de capitulation. Le silence fut rompu par le bruit du chat grattant violemment dans sa litière.

— Claude n'est pas venu ici avant samedi après-midi. Il a débarqué vers quatre heures.

Ses yeux se fermèrent. Elle paraissait vidée de son sang, cireuse. Elle serra les paupières pour retenir ses larmes.

Cardozo nota une courte déposition et la lui fit signer. Légalement la déposition ne valait rien, mais psychologiquement ce serait une arme puissante pour faire craquer Loring.

— Me donnez-vous l'autorisation de fouiller la camionnette? demanda-t-il.

— Je crois qu'il a paniqué, expliqua Cardozo. A tomber à bras raccourcis sur Hector au point qu'Hector lui a filé le gramme et bousillé la livraison de Debbi. Hector n'aurait pas fait ça à moins que Loring ait été vraiment méchant.

Une ombre ondula sur le visage de Lucinda MacGill.

— Alors nous discutons du meurtre au second degré.

— Non, restons-en à l'assassinat au premier degré une petite minute. Loring avait organisé l'assassinat. Après il s'est envoyé quelques lignes pour se requinquer, a commencé à découper le corps avec une scie électrique, a flippé, est allé chez sa copine pour dormir.

Les yeux de MacGill semblèrent le considérer avec surprise.

— En laissant le corps à demi démembré?

— C'était un week-end de fête, il n'y aurait personne dans le coin, il a branché le climatiseur pour que le corps ne cuise pas, rien ne pressait.

– Vous supposez qu'il raisonne de cette façon.

– La coke peut mener à des raisonnements drôlement tordus. Et nous ne savons pas quelles autres drogues il avait prises.

– Quelles autres drogues pensez-vous qu'il avait prises?

– C'est important? Les drogues ne constituent pas un système de défense.

– Malheureusement, certains juges et jurys les ont acceptées comme un système défense absolu dans des meurtres homosexuels.

Cardozo laissa échapper une longue et lente expiration.

– Je crois qu'il prenait des barbituriques. Smacks, ou quelque chose qui l'a mis hors-circuit pendant deux jours. Alors au lieu de balancer le reste du corps aux ordures pendant le week-end, il est resté dans les pommes pendant deux jours, et entre-temps le corps avait été découvert. Du coup il a demandé à Di Stasio de lui servir d'alibi.

Lucinda MacGill examina la déposition écrite à la main. Un silence tomba sur le box. Il n'y avait que le bruit des téléphones qui sonnaient à l'extérieur dans le bureau des inspecteurs.

– La déposition de Di Stasio est suffisante pour faire subir un interrogatoire à Loring.

– Je veux entrer dans la camionnette de Di Stasio. Loring s'en est servi pour transporter la victime jusqu'à la tour Beaux-Arts et elle pourrait contenir des preuves.

Des rides désapprobatrices descendirent des coins de la bouche de Lucinda MacGill.

– Vous ne pouvez pas y entrer. Di Stasio n'était pas assistée d'un avocat quand vous l'avez interrogée.

– Je ne l'accuse pas de meurtre.

– Quoi qu'elle fasse pour incriminer Loring, il l'incrimine, elle, parce qu'elle l'a protégé. Elle a droit à un avocat et elle n'a pas renoncé à ses droits. Si Loring est en possession de la camionnette au moment de votre perquisition, et s'il l'a empruntée de bonne foi, il est en droit d'attendre qu'on ne viole pas sa vie privée.

Il y eut un silence. Elle continua à le regarder fixement.

– Vous rendez ma vie plus pénible que nécessaire, Maître.

– C'est mon boulot. Sollicitez un mandat, Lieutenant.

Cardozo décrocha le combiné du téléphone et pressa les chiffres du numéro du juge Tom Levin. L'appel aboutit.

– Cabinet du juge.

– Amy, c'est Vince Cardozo. Où est-il?

– Ici même.

Un baryton soudain et jovial vint sur la ligne.

– Grouillez-vous, Vince, j'ai un jury qui revient.

– Il me faut un mandat pour fouiller une camionnette.

– Que vous attendez-vous à trouver?

– Si j'ai de la chance, des preuves dans une affaire de meurtre. Chance ou pas, de la drogue.

– Accordé. Donnez les détails à Amy.

Cardozo précisa à Amy la couleur, l'année, et la marque de la camionnette, le numéro des plaques du Tennessee, le nom et l'adresse du propriétaire.

– Je vous envoie le mandat par coursier immédiatement.

– Amy, je veux vous épouser.

– Ça ne sera pas la peine, mon joli.

28

Le bar de chez Archibald était noir de monde. Babe sentit les têtes se retourner tandis que le maître d'hôtel poussait son fauteuil roulant parmi la foule jusqu'à la table de coin.

Ash, dans une écume de mousseline framboise pâle, était assise devant un Manhattan à moitié bu. Elle portait des pendants d'oreille de diamants qui luisaient comme de douces petites lumières de chaque côté de sa tête.

– Salut, poupée. Elle se pencha pour embrasser Babe sur la joue. Un peu de champagne?

– En quel honneur?

– Je me suis réconciliée avec Dunk. Elle fit signe au serveur. André, nous prendrons du Moët.

Babe déplia sa serviette – elle était en lin pêche, assortie à la nappe et aux murs – et regarda autour d'elle. Il régnait une atmosphère de bavardage frénétique, avec des femmes portant de l'or à midi, des gens gesticulant et criant d'une table à l'autre, et tout le monde se tortillant sur sa chaise de bois tourné pour jeter un coup d'œil sur qui pouvait bien entrer.

A une table de coin, dans un affreux réseau de câbles déroulés sur le sol, deux hommes en blue jeans et chemise de travail dirigeaient un projecteur portable et une caméra d'épaule sur un gros homme et une femme au maquillage épais et criard. L'homme et la femme étaient en grande tenue de soirée; un lourd collier de diamants et d'or s'étalait sur la poitrine à moitié dénudée de la femme, et de grandes émeraudes pendaient à ses oreilles. Un troisième homme en jean tendait un micro au-dessus de la vichyssoise, et enregistrait leur conversation.

– Mais qui ça peut donc être? demanda Babe.

– Ils filment probablement un épisode de *Life Style of the Rich and Famous*, [1] répondit Ash.

– Pendant le déjeuner? Les clients ne se plaignent-ils pas?

---

1. Emission de télévision américaine (*N.d.T.*).

– Se plaindre? Une bulle de rire monta de la gorge d'Ash et explosa. La moitié des gens ici tuerait pour participer à cette émission.

Babe resta perplexe, et Ash parut amusée par l'expression de son visage.

– C'est ça qui est in, expliqua Ash, alors habitue-toi : tapageur is beautiful.

Ash expliqua que le maître d'hôtel plaçait tous les gens bien dans la salle de devant; arrivistes et obscurs étaient relégués dans la salle à manger du fond, affectueusement surnommée Managua par ceux qui n'avaient pas à s'y asseoir.

– Certains ont offert des pots-de-vin de mille dollars pour être installés devant. Là-bas, à côté de la colonne, c'est la loge royale. C'est là que s'asseoit Nancy quand elle est en ville. Et Jackie, et Liz.

Le serveur apporta le champagne. Un instant plus tard il apporta un autre Manhattan que Babe n'avait pas vu Ash commander. Ash ne parut pas remarquer que ce n'était pas le même verre que celui qu'elle venait de poser.

– A nous.

Ash leva sa coupe de champagne vers celle de Babe. Elles trinquèrent.

Elles se mirent à rire et à parler et à se souvenir de choses et d'autres, empruntant des chemins familiers.

– Lasagnes de crevettes, coquilles Saint-Jacques, et épinards sauce safran?

Ash lança un coup d'œil à Babe par-dessus son menu.

– Plutôt saumon froid poché pour moi, dit Babe.

Cinquante-cinq minutes plus tard une grande et belle femme s'arrêta à leur table.

– Tout va comme vous voulez?

Elle avait des yeux très enfoncés et des cheveux noirs et bouclés qui tombaient sur ses épaules.

Ash, qui pignochait ses crevettes leva les yeux vers la nouvelle venue et sourit.

– Faith... regardez qui je vous ai amené.

La femme était plantée là dans sa robe de crêpe de Chine gris perle et regardait Babe. Toute chaleur quitta ses yeux et fut remplacée par de la circonspection.

– Babe, s'écria Ash, c'est notre chère vieille Mme Banks.

Pendant un instant le souffle de Babe se bloqua dans sa gorge. Elle se dit que ce n'était pas possible : la femme avait trop d'assurance, l'autorité émanait d'elle comme un parfum, Mme Banks aurait dans les soixante ans maintenant. Mais alors elle vit les pâles effacements sur le visage, la vacuité chirurgicale autour des yeux, du menton et du front. Elle comprit que cette statue de glace était sa vieille amie et domestique.

— Asseyez-vous avec nous, implora Ash. Prenez donc une coupe de champagne avec nous. C'est le bon vieux temps.

Mme Banks se contenta d'un hochement de tête. Le rubis d'un rouge profond de sa broche était de la taille d'un gland. Elle tira une chaise et s'assit, et Ash versa deux doigts de champagne dans un verre à eau et le poussa vers elle.

— Vous avez bonne mine, Mme Devens.

Le ton des mots de Mme Banks tomba dans un centre affectif mort, sans une trace de souvenir ni de tendresse.

— Vous avez un restaurant ravissant, dit Babe.

— Dieu m'a gâtée. Et les chroniqueurs aussi. Mais c'est bien pour ça que je paie une attachée de presse.

— Pourrait-on se voir un jour? demanda Babe. Prendre le thé et bavarder?

Mme Banks la regarda fixement.

— Je ne parle pas du passé.

— C'est vrai, intervint Ash. Un éditeur a offert une fortune à Faith pour publier un livre sur toi, et elle a refusé.

— Bon appétit, dit Mme Banks.

Et sans avoir touché à son champagne, elle passa à une autre table.

— Tu ne trouves pas que c'est incroyable s'écria Ash. La timide vieille Mme Banks! Tout le monde l'appelle Faith maintenant, et on l'interviewe et on l'invite partout.

Babe regarda son ancienne domestique accueillir les clients, évoluer entre les tables suivant un plan organisé, compliqué et rapide. Elle était si absorbée par la transformation de Mme Banks qu'elle ne prêta pas attention au bel homme décontracté et assez aristocratique qui s'était approché de la table. Il tapa sur l'épaule d'Ash.

Ash se retourna, le vit, et poussa un cri de joie.

— Dobbsie, espèce de démon, où étiez-vous passé?

Elle tendit son visage et il l'embrassa.

— Je tenais la main à cette pauvre chère Jeannie Astor. Son caniche est mort.

— Bon, rappelez-lui de ne pas trop manger. Elle s'empiffre toujours quand elle est déprimée. Dobbsie, voici Babe Vanderwalk. Euh, Babe Devens. Elle connaît tous mes secrets, alors vous pouvez être aussi horrible que vous l'êtes d'habitude.

Les yeux sombres de Dobbsie rencontrèrent ceux de Babe.

— Enchanté.

Babe tendit la main.

— Enchantée.

Il prit la main avec légèreté.

– Gordon Dobbs. Plus connu sous le nom de Dobbsie.

– Dobbsie et moi nous connaissons depuis une éternité, expliqua Ash. Ça a été le coup de foudre. Elle tapota une chaise vide. Asseyez-vous, ordonna-t-elle.

Dobbsie tira la chaise et s'assit, en prenant le temps de rajuster le pli de son pantalon de coton gris. Il examina Babe, d'un regard intéressé et curieux, et esquissa un demi-sourire. Elle vit que ses cheveux bruns un peu dégarnis grisonnaient aux tempes.

– Babe est ma plus vieille copine lança Ash.

– Et toutes les deux étiez de vrais démons chez Miss Spence, enchaîna Dobbsie, vous fumiez des cigarettes au fond de la salle de permanence.

– Vous ne savez ça que parce que je vous l'ai raconté, protesta Ash. Parle-lui des uniformes scolaires que nous devions porter, Babe. Vas-y.

– C'étaient des jupes en flanelle grise, dit Babe. Avec des blazers en laine verte.

– Pas les jupes, coupa Ash, raconte les chaussettes à Dobbsie.

– Elles étaient grises aussi, dit Babe.

– De la laine écossaise de chez Abercrombie, précisa Ash. Les chauffeurs de nos familles nous conduisaient à tour de rôle toutes les deux à l'école – et à l'arrière de la limousine on s'amusait à s'aplatir par terre...

– Et se déshabiller, enchaîna Dobbsie.

– Et échanger les chaussettes gauches, reprit Ash. Et le jour de la lessive ma fraülein et la mademoiselle de Babe se cassaient la tête à essayer de résoudre le mystère des chaussettes dépareillées!

– Vous deux, c'était vraiment la génération perdue, railla Dobbsie.

– Quand même, on a failli rater notre confirmation, reprit Ash. Je vous assure. On s'est servie des laissez-passer CBS de mon père pour arriver jusqu'à Elvis Presley dans l'émission d'Ed Sullivan, et après on a fait circuler l'autographe d'Elvis dans toute la classe de confirmation.

– Et le révérend Endicott Lewes a téléphoné à nos mères, dit Babe.

Ash imita Lucia.

– « Où avez-vous déniché une chose aussi horrible? »

– Je ne trouve pas qu'Elvis soit si horrible, observa Dobbsie.

– A l'époque il était considéré comme une menace pour la moralité de la République. Ash gloussa. Il était certainement une menace pour la mienne.

– Allez, vous n'aviez que douze ans, protesta Dobbsie.

– J'avais déjà mes règles.

– Toutes mes excuses.

– M. Lewes ne pensait pas que nous étions prêtes pour la confirmation dans l'église épiscopale, précisa Babe.

– Nos mères étaient terrifiées à l'idée qu'il nous faudrait devenir méthodistes, assura Ash.

– Vous plaisantez, dit Dobbsie.

– Nos pères ont eu une discussion avec l'évêque, continua Ash. Ça a coûté un vitrail entier de la cathédrale de Saint-Jean-le-Divin pour arranger toute l'affaire.

Ash, le visage rose et les yeux brillants, avait le nez dans son troisième verre de champagne.

– J'étais vierge jusqu'à ce que je rencontre Dunk, et Babe le savait.

– Et toi tu savais que j'étais vierge, déclara Babe.

Ash gloussa de nouveau.

– Jusqu'à ce que tu rencontres Dunk. Non, laissons ça de côté, c'est trop sordide. Et Dobbsie vous ne le publierez pas! Ash passa la main sous la table et attrapa le calepin de Dobbsie. Elle le considéra avec un froncement de sourcils. De la sténo – comment avez-vous appris ça?

Dobbsie, avec grâce, tira son calepin de la main d'Ash.

– En étudiant.

– Pourquoi connaissez-vous la sténo? demanda Babe.

– Ça me facilite un peu le travail.

– Dobbsie écrit des livres.

Ash mit ses mains en cornet autour de sa bouche et fit semblant de chuchoter.

– Il a écrit le livre que Mme Banks n'a pas voulu publier. Le livre sur ton assassinat.

Le silence fut compact jusqu'à ce que Dobbsie éclate d'un roulement de rire de basse.

– Ash n'a pas voulu le dire comme ça.

– Oh que si. Dobbsie est le seul homme en ville qui n'appelle pas un chat un félin de compagnie. C'était un meurtre, et il l'a appelé un meurtre. Et Scottie n'a pas eu le cran de l'attaquer en justice.

Ash se leva de son siège en chancelant.

– Faites connaissance tous les deux. Je dois m'absenter.

Dobbsie la regarda zigzaguer entre les tables.

– Quelle femme sensationnelle. Je suis fou amoureux d'Ash. Dommage qu'elle boive autant.

– Ash a toujours aimé être pompette au déjeuner.

– Dites-moi quand elle n'est pas pompette. Pauvre gosse, la réconciliation ne marchera pas, c'est sûr.

Babe eut le pressentiment qu'elle allait entendre quelque chose qui lui donnerait une sensation de déloyauté vis-à-vis d'Ash.

– Ash s'est enfuie de Silver Hill trois fois. Dobbsie avait baissé le ton. Elle ne veut pas admettre qu'elle a un problème. Il faut qu'elle touche le fond et reconnaisse que l'alcool l'a ratissée. Mais elle est si négative. Elle refuse de rejoindre la Confrérie.

Confrérie, Babe le sentit, s'écrivait avec un C majuscule.

– Je suis membre. Dobbsie leva son verre de Perrier et citron vert. Pas honteux de l'avouer. Le truc le plus intelligent que j'aie fait dans ma vie. Pas touché une goutte en onze ans, par la grâce de Dieu.

– C'est admirable, reconnut Babe, sentant qu'un compliment était désiré. A la seconde même où elle le dit elle eut la sensation étrange d'avoir pris un virage.

En douceur, Dobbsie se pencha au-dessus de la table jusqu'à ce que son visage se trouve à quelques centimètres seulement du sien.

– Il y a une réunion fantastique à Saint-Bart. Oui, Saint-Bart, là où toutes les deux avez failli être recalées à votre confirmation. Liz, Lee, Liza et Mary sont des habituées. J'ai essayé d'entraîner Ash, mais elle prétend qu'elle ne peut pas s'asseoir dans une pièce avec des clochards du Bowery. Comme si c'était une maladie de pauvres. Entre vous et moi, la moitié du Bottin mondain a le même problème et vous en trouverez un sacré paquet à la Confrérie. Le premier pas est le suivant : vous devez reconnaître que vous êtes impuissant face à l'alcool et devenir spirituel. Ça fait six ans que j'essaie de convertir Ash.

– Ash est très têtue, reconnut Babe.

– J'espère que ma franchise ne vous gêne pas, s'excusa-t-il.

– Je pense qu'il y a des moments où il vaut mieux être franc.

– Babe, vous êtes merveilleuse. Exactement telle qu'Ash vous décrivait. Bon, Ash m'a confié que vous vouliez des renseignements sur le procès de Scottie.

– Je veux savoir ce qui s'est passé après qu'ils aient fermé la salle du tribunal au public et scellé le dossier.

– Je peux vous fournir quelques faits, quelques ragots et quelques théories. Pourquoi ne pas nous retrouver chez moi pour en parler, et m'éviter ainsi de traîner mes notes d'un bout à l'autre de la ville.

Il lui donna sa carte. Elle regarda l'adresse.

– Mais c'est le musée, s'exclama-t-elle, étonnée.

– C'est le musée plus la tour Beaux-Arts. Nous sommes de triste notoriété ces temps-ci, nous avons eu un meurtre pendant le week-end de Memorial Day.

Ash revint à la table. Ses yeux étaient clairs, brillants, et calmes, et elle marchait droit. Elle s'installa en douceur sur sa chaise. Il y avait un curieux sourire sur son visage. Elle fit signe au serveur d'apporter une autre bouteille de Moët.

Dobbsie parla de certains Texans qui finançaient le nouveau *Il*

Guarani du Metropolitan Opera et qui étaient accros à la cocaïne, et puis il aperçut une femme à l'autre bout de la salle et agita la main.

— C'est la duchesse de Chesney, autrefois Anita Starr, danseuse de cabaret, maîtresse d'école, star du porno, il y a là un bon papier. Voulez-vous m'excuser, les filles?

— Est-ce que tu as son livre? demanda Babe dès qu'elle et Ash furent seules.

— Le livre de Dobbsie sur toi? Il est divin, bien sûr que je l'ai.

— Je peux te l'emprunter?

29

La lumière de la lampe s'étalait sur les draps de lit. Adossée à deux oreillers, Babe ouvrit *Splendeur mortelle : Au cœur de l'affaire Babe Vanderwalk Devens.*

Elle lut lentement, avec attention.

« Il est dans la nature des commencements, écrivait Dobbsie dans sa note préliminaire, qu'ils commencent... quelque part. Chaque comédie, chaque tragédie, chaque acte donnant la vie ou ôtant la vie, a son début dans un autre événement. Les freudiens nous disent que tout a commencé dans l'inconscient où couvent les traumas oubliés de l'enfance. Les marxistes nous disent que tout a commencé dans la lutte des classes qui modèle la destinée de chaque humain, qu'il soit fainéant capitaliste ou trimeur prolétarien. La Bible nous dit, et non sans sagesse, que tout a commencé dans le cataclysme de la Création.

» Où donc a commencé la chaîne d'événements qui culminèrent avec le coma médicamenteux de Babe Vanderwalk Devens?

» Dans le manque d'une petite princesse de six ans qui avait tous les luxes sauf l'amour parental? Dans l'ambition d'un jeune montagnard du Kentucky qui préférait les martinis à la bière, la musique de George Gershwin au son d'une guitare? Dans les trois cents ans de misère noire des Appalaches? Dans le scintillement babylonien de New York qui avait ébloui et épouvanté le monde depuis que les requins de la finance avaient fait irruption sur la scène?

» Peut-être la Bible nous donne-t-elle la bonne définition. Peut-être tout a-t-il commencé... au commencement. »

Babe fronça les sourcils et tourna la page. Dans le premier chapitre : « Par leurs racines vous les connaîtrez », Dobbsie examinait les ascendances.

Grâce aux certificats de publication des bans, il avait pu retrouver les ancêtres de Scott Devens et remonter trois générations indigentes du Kentucky; il expliquait que de plus amples recherches avaient été rendues impossibles par « un mur d'illégitimité ».

Dobbsie s'intéressait ensuite à l'arbre généalogique de Babe. Il avait exhumé le nom Pieter Isaak Valk dans le registre de la synagogue Shearith Israël d'Amsterdam – une congrégation remarquable où, presque sept décennies plus tôt, le nom de Jan Jakob Astor avait été semblablement inscrit – Jan, bien sûr, étant la forme hollandaise de John. (Le nom Valk, expliquait Dobbsie, s'apparentait au mot hollandais signifiant faucon, qui servait aussi comme terme d'argot péjoratif aux Pays-Bas pour dire un gros trafiquant. « Imaginez, disait-il, un jeune américain nommé Peter Isaac Squale et vous aurez le tableau. » Pieter Isaak, le plus jeune fils d'un colporteur, avait fait sa bar-mitsva en 1830, et en 1833 avait émigré à New York sur un bateau de la Compagnie Hollandaise des Antilles. Il se lança dans le commerce des fourrures, en transportant des tonneaux de rhum hollandais dans les réserves indiennes du nord de l'État de New York et du Québec; il échangeait l'alcool contre les peaux de bêtes, étendit astucieusement le crédit aux tribus, et bâtit un monopole.

En 1848 Valk, désormais millionnaire en bourse et qui se faisait appeler Peter Isaac Vanderwalk, sauva de la faillite le Trésor des États-Unis, en formant un consortium pour acheter en totalité la plus vaste émission de bons jamais lancée par le gouvernement fédéral. De 1860 à 1864 il finança le gouvernement de l'Union d'Abraham Lincoln dans sa lutte contre la Confédération.

A l'âge de soixante-six ans, Peter Isaac épousa Isabella Hadley, la fille de vingt-trois ans du président de la Bourse de New York. Le jour du mariage, le père d'Isabella, accusé par un grand jury de détournements de fonds, fut en mesure de rétablir l'équilibre dans les livres de la Bourse, et de contrer efficacement l'accusation.

Parce que Vanderwalk avait si ouvertement usé de son pouvoir, la haute société le considéra comme un requin de la finance et l'exclut.

Dobbsie relatait une histoire qui remontait aux années 1880, quand les Astor et les Vanderbilt avaient juré qu'ils n'adresseraient jamais plus un seul mot à n'importe quel Vanderwalk.

Mme Astor et Mme Vanderbilt, qui rivalisaient pour la place de maîtresse absolue de la haute société new-yorkaise, avaient garni leurs hôtels particuliers de quantités d'objets d'art et de sculptures européennes. Mais un lot leur échappait : ni l'une ni l'autre ne réussissait à convaincre son mari de dépenser le demi-million de dollars que demandait la chancellerie autrichienne pour son *Adoration* de Rubens.

Isabella Vanderwalk résolut de tirer parti de la situation et de s'imposer enfin dans la haute société. Sur la demande insistante de son épouse, Vanderwalk paya un demi-million aux Autrichiens et accrocha le tableau dans son hôtel particulier de la Cinquième Avenue.

La haute société se trouva face à un dilemme : comment voir le Rubens sans paraître accepter l'hospitalité des Vanderwalk. Finalement les amis de Mme Astor décrétèrent qu'ils désiraient visiter l'hôtel particulier Vanderwalk, mais seulement entre deux et quatre l'après-midi, sans prendre ni repas ni rafraîchissement. Les amis de Mme Vanderbilt décrétèrent qu'ils désiraient visiter entre quatre et six, et posèrent la même condition.

Sur ce, Vanderwalk annonça qu'il allait offrir le Rubens au Metropolitan Museum, accompagné d'une dotation pour maintenir l'entrée gratuite. Toutefois, il donna aux deux factions Vanderbilt et Astor une dernière chance de voir le tableau en privé : il les invita à dîner chez lui la veille du jour où le cadeau devait être remis. (Personne n'ignorait que Mme Vanderbilt et Mme Astor n'entraient jamais dans la même maison et ne s'asseyaient jamais à la même table.)

Après avoir beaucoup réfléchi pour savoir s'il valait mieux dîner avec ses ennemis dans la maison d'un requin de la finance ou se frotter à ses inférieurs au Metropolitan Museum, la haute société opta pour l'humiliation la plus confortable, le dîner.

L'étiquette de l'époque exigeait que les invitations soient retournées, et en acceptant celle des Vanderwalk, les membres de la haute société new-yorkaise se contraignaient à les inviter dans leurs propres maisons.

Toutefois, ils n'étaient pas obligés de parler à un Vanderwalk.

Mme Astor et Mme Vanderbilt arrivèrent toutes deux à 8 h 15 exactement. Comme elles l'avaient juré, elles n'adressèrent qu'un seul mot aux Vanderwalk : « Bonsoir. » Elles s'arrangèrent pour que tout autre message fût communiqué par leur banquier, Pierpont Morgan.

Elles trouvèrent le Rubens accroché dans le grand salon, recouvert d'un rideau de velours or. Pierpont Morgan demanda : « N'avez-vous pas quelque chose à montrer à ces dames? » Vanderwalk répondit avec son accent hollandais : « Tout ce qu'il plaira à ces dames. » Elles ne soufflèrent mot. « Eh bien, dit Vanderwalk, je vais leur montrer un bon dîner ».

Après le banquet assis de quatre heures et douze plats, Mme Astor et Mme Vanderbilt se trouvèrent à nouveau devant *l'Adoration* sous son rideau, et Pierpont Morgan demanda à nouveau à Vanderwalk : « Êtes-vous absolument sûr que vous n'avez pas quelque chose à montrer à ces dames? » De nouveau Vanderwalk dit avec son accent hollandais : « Tout ce qu'il plaira à ces dames ». Ces dames restèrent encore muettes. « Eh bien, dit Vanderwalk, je vais leur montrer un beau bal ».

Les invités se rendirent dans la salle de bal, où le New York Symphony jouait les valses et les quadrilles en vogue. A deux heures du matin, quand un petit déjeuner léger fut servi, Pierpont Morgan s'adressa furieux à son hôte.

« Monsieur, pour parler franc, n'avez-vous pas une *Adoration* de Peter Paul Rubens à nous montrer avant que nous rentrions chez nous? »

Vanderwalk prit l'air étonné. « Bien sûr que j'en avais une, mais à minuit elle est devenue propriété du musée, et les ouvriers l'ont emportée. »

– Pourquoi au nom du ciel ne l'avez-vous pas découverte?

Avec son accent hollandais, Vanderwalk répondit : « Par considération pour Mme Vanderbilt et Mme Astor. Elles m'ont critiqué, dans la haute société, parce que je faisais étalage de mes biens. »

– Mme Astor et Mme Vanderbilt ne vous auraient pas critiqué ce soir.

– Seigneur, mais je m'y perds. Ces dames n'avaient qu'un mot à dire.

Durant les deux années suivantes, les cinq cents invités de Vanderwalk l'invitèrent consciencieusement lui et son épouse à cinq cents dîners; dans aucune des réceptions il ne fut adressé un mot de plus que « Bonsoir » à l'un ou l'autre.

Jusqu'à sa mort Vanderwalk demeura un peu gênant, parlant anglais avec un fort accent, trichant aux cartes, dînant avec des mains sales et bavant de la nourriture sur lui, demandant du rhum hollandais ɛvec ses repas, quand la mode était au vin français. Le vieux Vanderwalk alla même jusqu'à raconter des histoires paillardes en présence d'hommes et de femmes parmi lesquels on comptait l'épouse du Président McKinley; sur ce point il fut franchement blâmé dans sa notice nécrologique du *New York Times*.

Avec l'accroissement de la richesse et le relâchement des codes moraux qui en résulta vers la fin des années 1890, les conditions d'entrée dans la haute société de New York changèrent. Il suffisait d'avoir de l'argent et de ne pas avoir été condamné pour un crime. Le New York qui avait exclu Vanderwalk ouvrit les bras à sa jeune épouse, son fils, et ses dollars.

Le fils de Vanderwalk, Hadley Vanderwalk, Sr., fréquenta l'université de Princeton, épousa une Rockfeller, engendra trois fils, bâtit un monopole de téléphone et télégraphe, servit son pays pendant la Première Guerre mondiale, puis comme conseiller privé de trois présidents, ne but ni ne fuma jamais, finança le Prêt-bail, et passa toute une existence à faire oublier la réputation de son père.

« Mais l'acte le plus décisif d'Hadley Vanderwalk, Sr., écrivait Dobbsie, fut peut-être de léguer à sa plus jeune petite-fille – Béatrice Wilmerding Vanderwalk – la moitié de l'aluminium des États-Unis – faisant d'elle, à l'âge de trois ans, l'une des dix femmes les plus riches d'Amérique. »

Tandis que Babe continuait à lire, elle eut la sensation qu'elle se voyait dans une galerie de glaces déformantes. La personne que Dobbsie appelait Babe n'avait qu'une ressemblance lointaine avec le moi dont elle se souvenait et qu'elle connaissait.

A cinq ans, rapportait Dobbsie, Babe avait été photographiée par Cartier-Bresson, jouant avec ses deux cents poupées, ses trente-deux maisons de poupées, et ses deux mille robes de poupées; les photographies avaient paru dans *Vogue*.

A huit ans, on offrit à Babe son premier poney; à dix ans, sa première jument arabe. Des photographies parurent dans *Town and Country*.

A douze ans, on offrit à Babe son premier yacht, le sloop *Cygnet*. Chaque été, pendant les quatre semaines que la famille passait à Hampton Court, leur « cottage » d'été de cinquante-deux pièces à Newport, elle avait à sa disposition son capitaine privé et un équipage de deux hommes. A seize ans, assez âgée pour un permis de conducteur débutant de l'État de New York, on lui offrit sa première Mercedes-Benz. La voiture était équipée d'une boîte à gants réfrigérée.

Le bal de débutante de Babe eut lieu à Hampton Court. Hadley Vanderwalk Jr., dépensa un million et demi de dollars dans trois orchestres, un buffet de quarante mètres de long, et une douzaine de bars pour les douze cents invités de sa fille. Babe portait une robe de sept mille dollars créée pour elle par Yves Saint Laurent; elle figura sur la couverture du magazine *Life* faisant la révérence à la duchesse de Windsor, et les caméras des journaux télévisés des trois chaînes couvrirent l'événement.

Rien d'étonnant, disait Dobbsie, à ce que Babe – une enfant unique – soit devenue une révoltée. Comme foyers elle avait connu le vieil hôtel particulier Flagler situé en retrait de la Cinquième Avenue; le « cottage » de Newport; la maison de Palm Beach, théâtre des fêtes de Noël familiales; le châlet d'hiver dans les Alpes suisses et le « château » d'été sur la Côte d'Azur. Bébé, elle avait joué sur les tas de sable avec des Rockfeller et des Vanderbilt. Éduquée dans les meilleurs établissements américains – Spence, Farmington, Vassar – elle avait élargi son cercle pour inclure les enfants des PDG de AT&T, ITT, IBM, United Fruit, TWA. Jamais séparée de ces camarades de jeu patriciens plus longtemps que pour des vacances d'été, elle trouvait les privilèges tout naturels et par-dessus tout, le privilège de faire fi des conventions mêmes qui légitimaient sa richesse et sa position sociale.

A dix-neuf ans elle défia ses parents et se précipita dans un mariage à scandale avec le pianiste de renommée internationale Ernst Koenig, un homme trois fois divorcé, de trente-huit ans son aîné. Vassar la renvoya.

Dobbsie avait le sentiment que ce premier mariage était plus qu'un caprice d'adolescente : c'était un appel au secours, le signe que Babe Vanderwalk recherchait dans le mariage ce qui lui avait manqué dans son enfance – être nourrie par des mains tendres par opposition à des mains rémunérées. Avec Koenig, elle avait essayé de transformer une figure paternelle en mari. Son alchimie avait échoué. Après un mariage raté, elle fourra sa fille de huit ans dans un pensionnat en Suisse, et se mit en quête d'un mari qu'elle pourrait transformer en père.

« Scottie Devens Jr., débutait un nouveau chapitre, est le genre d'homme auxquel les femmes ne peuvent pas résister : beau, raffiné, n'exploitant pas ses dons au maximum – un parfait candidat au sauvetage. »

Dobbsie faisait la chronique de l'enfance mouvementée de Scott Devens, le fils d'un petit fermier du Kentucky, de son éducation secondaire chahuteuse, de son engagement précoce avec « des éléments cubains » à Miami. Cette partie du livre regorgeait de citations provenant de sources non identifiées : « les vrais potes de Scottie Devens », « une ancienne petite amie qui préfère garder l'anonymat », « la mère de son enfant avorté », « un diplomate roumain et passeur de drogue »; il y a même ceux qui jurent... »

Comme deux particules aux charges contraires dans un cyclotron, il était inévitable – selon Dobbsie – que tôt ou tard Babe Vanderwalk et Scottie Devens entrent en collision.

La *Paris Review* organisait un meeting afin de collecter des fonds pour la paix, chez P.J. Clarke, un bar éternellement dans le vent de la Troisième Avenue de New York. Babe, qui fournissait sa part d'effort, passait les boissons, Scottie qui fournissait la sienne, jouait du piano-bar.

La pièce était bondée. Les comptes rendus varient quant à qui poussa qui – « certains rapportent que Jackie Kennedy trébucha sur Mme Leonard Bernstein, d'autres jurent que Truman Capote imprima à Mme William Paley ce qu'il voulait être une poussée pour rire ».

Dans l'effet domino de trente secondes qui suivit, des verres furent renversés, des robes abîmées, des amitiés provisoirement interrompues, et l'amour commença : Babe Vanderwalk atterrit sur le clavier de Scottie Devens. Sans rater une mesure, il continua à jouer « *I've Got a Crush on You* » – sur l'abdomen de Babe.

« Pieter Isaac Valk, le petit garçon juif d'Amsterdam, n'avait pas réussi à gagner l'approbation sociale en une vie de travail inlassable; Scottie Devens, le Wasp [1] du Kentucky gros buveur et pianiste dilettante, la reçut en cinq secondes.

---

1. White-anglo-saxon-protestant.

Trois semaines après cette rencontre, Babe épousa Scottie, et ensemble ils s'embarquèrent dans l'existence royale du jet set. En moins d'un an Babe découvrit qu'elle avait un don pour dessiner des vêtements, et Scottie découvrit qu'il brûlait de désir pour Doria Forbes-Steinman.

Cette partie du livre regorgeait de détails que n'importe qui aurait pu connaître : qui possédait quoi, qui gagnait combien, qui travaillait où, qui connaissait qui, qui vivait avec qui. Elle regorgeait aussi d'informations que Gordon Dobbs avait manifestement inventées : descriptions inexactes des demeures des gens, la marque de leurs sous-vêtements, leur façon de sourire et leur façon d'embrasser, les paroles exactes qu'ils échangeaient au cours des rencontres de hasard dans des réceptions monstres.

L'idylle de Scottie avec Doria, prétendait Dobbsie, devint sérieuse cinq ans et demi avant le coma de Babe. Il décrivait les escapades des amants à Paris, Antigua, Acapulco, citant divers commérages de personnalités anonymes, de grooms, portiers, détectives privés.

Dobbsie ensuite décrivait le « crime » et le procès, récapitulant l'accusation en détails.

Cordélia Koenig, la fille issue du premier mariage de Babe, fut réveillée à trois heures du matin par d'étranges bruits provenant de la chambre à coucher que partageaient sa mère et son beau-père. En jetant un coup d'œil dans le couloir, elle vit Scott Devens passer de la chambre dans son vestiaire sur la pointe des pieds. Il tenait une seringue à la main.

Quand Babe Devens ne se réveilla pas le lendemain matin, une ambulance fut envoyée du Doctors Hospital.

Babe fut admise à l'hôpital, dans le coma, avec un taux d'insuline anormalement élevé dans le sang. Le personnel des urgences administra par piqûre une dose massive de glucose à 9 h 00 du matin, puis une seconde à 10 h 12 du matin. Babe ne réagit pas.

Un peu après midi le même jour, Cordélia confia à la domestique, Faith Stoddard Banks, ce qu'elle avait vu la nuit précédente.

Mme Banks fouilla le placard du vestiaire de Scott Devens et trouva une valise en croco brun. Dans cette valise elle découvrit une seringue.

Mme Banks téléphona à la mère de Babe Devens, Lucia Vanderwalk, qui téléphona à son avocat, William Frothingham. A son tour, Frothingham téléphona à Harrison Jonik, un ancien inspecteur de la Ville de New York qui après trente ans d'expérience, s'était reconverti dans le privé.

Jonik procéda à son tour à la fouille du placard et découvrit que la valise en croco brun contenait non seulement une seringue mais trois flacons d'insuline et une de Valium liquide.

Les flacons et la seringue furent confiés au Chemlab de Union City, dans le New Jersey. On trouva une croûte de solution autour de l'aiguille. Il s'avéra que la solution contenait du Valium, de l'ammobarbital, de l'insuline, et du sérum physiologique.

Le Dr Wallace Walker, témoin à charge et président du Service d'Endocrinologie et Recherche sur le diabète au Southern Queens Hospital, témoigna que le coma de Babe Devens était le résultat d'une « injection massive d'insuline ». Il fonda ses conclusions sur les taux de sucre dans le sang et d'insuline de Babe. Dans des circonstances normales, un patient recevant deux injections de glucose aussi massives dans un intervalle de soixante-douze minutes devrait révéler un taux de sucre dans le sang en augmentation. Mais le taux de sucre dans le sang de Babe ne s'était pas élevé, signe évident qu'on lui avait injecté une quantité toxique d'insuline.

Le récit que faisait Dobbsie de la défense de Scottie était à peine plus qu'un résumé d'affaires louches. Ted Morgenstern avait plaidé. Dobbsie décrivait en détail les accrochages continus de Morgenstern avec le fisc, et les tentatives répétées de l'Association du Barreau de New York pour le radier. Deux pages citaient les démentis de Morgenstern en réponse aux rumeurs selon lesquelles il était homosexuel et en était à son quatrième lifting facial. Dobbsie décrivait les six jours de délibérations du jury qui menèrent au verdict de culpabilité. Il citait des rumeurs selon lesquelles Charles (« Chassie ») Rockfeller, un copain de beuverie et de polo, avait non seulement déposé la caution de Scottie mais aussi casqué un million de dollars pour s'assurer les conseils du directeur de la faculté de droit de Columbia afin d'organiser le pourvoi en appel de Scottie. Il citait Scottie déclarant qu'il continuait à aimer Babe plus qu'aucune autre femme au monde, et que si elle reprenait conscience demain, il serait de retour à Sutton Place, avec la bénédiction de Doria, aux côtés de son épouse légitime.

Ensuite Dobbsie citait un article de magazine de la célèbre hôtesse et échotière, Dina Alstetter :

« Il y a deux jours, quand je me suis rendue dans l'imposant hôtel particulier de Sutton Place où Babe Devens a sombré dans son dernier sommeil, sa fille de treize ans, Cordélia Koenig, une enfant à l'aplomb remarquable, me demanda si je voulais les accompagner, sa grand-mère et elle, voir « la chambre de Maman ». Je les suivis dans une chambre à coucher décorée dans les merveilleux tons de terre de Billy Baldwin, où un tableau de fleurs de Renoir *(Les trois roses)* assurait les contrastes de vert et de jaune.

Là, sur la commode, se trouvaient la brosse à dos d'argent, le peigne et le miroir de Babe – héritages qui appartenaient à son arrière-grand-mère maternelle, la philanthrope bien-aimée et cofondatrice de l'hôpital Saint-Vincent, Yvelise Wilmerding des premiers Quatre Cents de New York.

Au chevet du grand lit, du côté de Scottie, était posée une photographie encadrée d'argent de l'adolescente Babe Vanderwalk dans une soirée de collecte de fonds du Parti Démocrate, au Waldorf, dansant un charleston endiablé avec le Président des États-Unis de l'époque, Lyndon Baines Johnson. A côté de la photo je vis un petit coffret de laque d'une beauté saisissante, créé par Erté, où ranger les boutons de col et les boutons de manchettes. J'ouvris le coffret. A l'intérieur se trouvaient une pochette d'allumettes de Colony, avec le numéro de téléphone de « Jeanne » griffonné sur le rabat, et un flacon non utilisé d'insuline injectable – fabricant S. Merck, lot numéro R-475618. »

Dobbsie voyait l'intervention de la justice immanente dans le fait que « ces deux mal assortis – le gigolo du Kentucky et la sirène boulotte et parée de bijoux du paradis des ouvriers du maréchal Tito – soient liés, pour toujours, par un secret qui n'en était pas un du tout – sauf pour la dame de pierre aux yeux bandés ».

Car ce lien, assurent nombre de ceux qui connaissent ces deux superchampions de la réussite sociale, s'est déjà mué en une chaîne de beuverie, engueulade, et castagne. « Je ne les inviterai nulle part », jure une importante hôtesse de Manhattan. « Pas à cause du meurtre – ça m'est complètement égal – mais à cause des grossièretés qu'ils se lancent en public. »

Arthur Schlesinger Jr., refuse de s'asseoir à la même table qu'eux. Brook Astor aussi. Et surtout ne mentionnez pas leurs noms aux actrices Celeste Hom ou Dina Merrill.

Dobbsie trouvait quelque consolation dans le fait que, « au bout du compte, que justice soit faite ou non dans les tribunaux de la loi inventée par l'homme, justice ait été rendue dans un sens plus immanent : Scottie et Doria ont été condamnés à perpétuité à des doses de l'un et l'autre. " C'est une punition bien plus terrible que le crime ", assure un styliste ayant remporté le Prix Coty, " surtout pour lui " ».

A la dernière page du livre, dans une sombre note de conclusion, Dobbsie signalait qu'il avait commencé sa recherche, convaincu de l'innocence de Devens, mais une analyse exhaustive du dossier et trente mille pages d'interviews l'avaient contraint à changer d'avis.

Le vrai mystère, disait-il, n'était pas qui a piqué Babe Devens, mais comment n'importe quel homme ou femme sain d'esprit pouvait contester le verdict mûrement réfléchi de douze jurés impartiaux. « Combien de temps encore, concluait-il, la société ignorera-t-elle le roulement de tambour de la raison et suivra-t-elle la danse macabre de l'argent ? »

Babe ferma le livre.

L'astucieux entrelacs de faits et de conjecture tissé par Dobbsie la stupéfiait. L'homme était un maître de l'insinuation, rusé et impitoyable. Si le livre avait été commandé par la partie plaignante, il n'aurait pas pu être calculé plus efficacement pour condamner Scottie Devens.

Babe téléphona à Ash.

— Tu dors?

— Non pas en ce moment.

La voix d'Ash laissait penser qu'elle émergeait après une demi-douzaine de somnifères.

— Salut, poupée. Quelle heure est-il?

— Il est tôt, je m'excuse. Je viens de lire le livre de Dobbsie.

— Tu ne l'adores pas? Champagne et truffes d'un bout à l'autre.

— Je le trouve atroce.

— Alors tu dois encore être amoureuse de ce salaud de Scottie.

— Peut-être, mais j'en doute. Je ne savais pas que ta sœur écrivait des articles dans les magazines.

— Et des livres. Dina est journaliste d'interviews depuis quatre ans. Elle enregistre les gens et sa secrétaire tape les bandes. Elle a interviewé le pape Jean-Paul pour *Sewanee Review*. Et elle a publié un grand livre sur Sid Vicious chez S and S. Elle s'est fait aider pour ça, Dobbsie a en partie assuré la rédaction.

— Elle a fait du beau boulot sur Scottie, ça c'est sûr. Je suppose qu'on l'a aidée là aussi.

— Elle voulait simplement rendre service.

— A qui rendait-elle service?

— Ta famille. Ils tenaient à ce qu'on parle de l'insuline dans le coffret de laque et pas un seul journal ne l'évoquait.

— Mais Ash, il n'y avait pas d'insuline dans le coffret de laque.

— Comment le sais-tu? Tu n'étais pas vraiment là.

— Parce qu'il n'y avait pas le moindre coffret de laque. Scottie se servait d'une petite coupe de céramique pour mettre ses boutons de manchettes et ses boutons de col.

30

Cardozo donna un coup de coude à Richards et pointa le menton au-dessus de la foule.

– Le voici. Fidèle au poste.

L'homme grand, blond et râblé, avançait vers le bas de l'escalier avec une démarche d'ivrogne. Il arborait un immense sourire.

Il n'était pas loin de trois heures du matin et Cardozo et Richards l'attendaient depuis deux heures.

Loring resta planté un moment dans la bousculade du vestibule, se balançant d'avant en arrière comme s'il entrait en collision physique avec les vagues de musique.

– En apesanteur, observa Richards.

Loring quitta ses vêtements en titubant. Il poussa une brassée de jean denim devant lui, et se fraya un chemin dans la queue du vestiaire.

Le préposé au vestiaire flanqua le jean, le tee-shirt et la veste de Loring sur un cintre et lui remit un reçu numéroté. Loring fourra le reçu dans sa chaussette droite et glissa un dollar sur le comptoir. Cardozo nota avec attention où pendait le cintre.

L'homme du vestiaire le regardait.

Les mains libres, Loring plissa les yeux et balaya la scène du regard. Des silhouettes sombres se groupaient et se regroupaient avec la frénésie de virus traquant des cellules vulnérables. Loring zigzagua dans la zone de partouze, se rattrapant à chaque mur et chaque colonne disponibles.

– Colle-le, dit Cardozo à Richards. Ne le laisse pas partir.

Le type du vestiaire détailla Cardozo des pieds à la tête. Cardozo laissa son visage s'épanouir en un large sourire chaleureux. Il s'approcha du comptoir.

– Salut.

Les yeux de l'homme étaient joyeux et sa bouche avait un rictus dur et provocant.

– Tu es seul?

– Pas maintenant, répondit Cardozo. Je m'appelle Vince.

– Arnold.

Cardozo accepta une poignée de main macho à vous broyer les os. Un sourire se répandit sur le visage d'Arnold.

– Tu es nouveau?

– Je viens juste d'apprendre l'existence de cet endroit.

– Qui t'en a parlé?

– Tu as pris ses vêtements à l'instant.

– Claude?

– Tu le connais?

– Tout le monde connaît Claude. Il est dingue.

– Tu as déjà partouzé avec lui?

– Bon Dieu non. Il aime les gamins.

– Pas toi?

– Moi c'est les adultes.

Les yeux d'Arnold étaient inquisiteurs.

– Toi?

Cardozo haussa les épaules.

– Un peu de tout.

– J'ai du whisky de nase, reniflette super.

Cardozo sourit.

– Pourquoi pas?

Arnold cria, « Hé Herb, tu me couvres! » Il ouvrit une porte, et un éclatant coin de lumière tomba sur les cintres. Il fit signe à Cardozo d'entrer dans l'arrière-salle.

Une ampoule verticale nue éclairait un tas de balais, de caisses et de bouteilles vides. Les murs de brique étaient couverts d'affiches de cinéma en état de décomposition. L'air sentait la moisissure.

Arnold plaça un petit miroir sur un rebord. Il sortit un flacon de sa poche revolver et d'une chiquenaude envoya un petit monticule de poudre sur le miroir.

Il tendit à Cardozo une minuscule paille à cocktail rayée de rose.

– Tu as intérêt à planquer cette came avant de faire le bonheur d'un cafard. Cardozo tira la plaque de sa chaussette. Je suis flic.

Le mot cueillit Arnold comme une balle.

– Merde.

– Relax, je ne t'épingle pas. Cardozo fouilla dans son portefeuille entre les cartes de crédit et sortit une photo de Jodie Downs découpée aux ciseaux. Tu connais?

Le front d'Arnold se plissa. Il prit la photo et la rapprocha de l'ampoule électrique.

– Je me souviens de lui. Gamin frimeur. Il venait ici tous les soirs. Pas revu depuis plusieurs semaines.

– Tu l'as jamais vu avec Claude?

– Peut-être une fois. Oui, une fois. C'est sûr. La dernière fois qu'il était ici, ils sont partis ensemble.

– Quelle nuit?

– La nuit où la sono a pété. C'était vendredi. Le week-end de Memorial Day.

Cardozo remonta sous la petite bruine. Dans sa poche il avait le porte-clés sorti du jean de Claude Loring.

La lueur d'un réverbère tombait sur l'arrière de la camionnette Ford garée de l'autre côté de l'avenue.

Cardozo se fraya un chemin parmi les voitures. Tommy Daniels l'attendait dans un renfoncement du mur.

Il y avait sept clés sur l'anneau de Loring. Les quatre premières n'entrèrent pas dans la portière de la camionnette, et la cinquième oui.

Cardozo ouvrit la portière en grand. Daniels grimpa derrière lui dans la camionnette.

Cardozo tint la lampe torche et Daniels prit les photos, du tableau de bord, de la boîte à gants, de la banquette, du plancher de la cabine.

– Prends un bon cliché de celles-là.

Cardozo promena le pinceau de la lampe torche sur deux taches sombres grosses comme une balle de base-ball maculant le tapis du côté passager.

Quand Daniels eut photographié les taches, Cardozo s'arma d'un canif et entreprit de décoller le tapis du plancher.

– Hé, Vince. Le bon filon.

Daniels brandissait un bout de chiffon. C'était sous la banquette. Il secoua la tête, en tournant le tissu dans ses mains.

– Caleçon...

Cardozo attrapa le caleçon. Il sentit quelque chose bondir dans son ventre. Il était taché de graisse et de quelque chose d'autre qui avait durci et commençait à s'effriter, sur la ceinture, des initiales à l'encre de Chine, J.D.

– Les taches de sang sont toutes du groupe O, le même que Downs, annonça Lou Stein deux matins plus tard. J'ai récupéré les résidus de peau et d'urine du tissu, les chromosomes correspondent. Downs utilisait une Laundromat dégueulasse. Triste pour lui, bien pour nous.

– Merci, Lou. Désolé de te filer toutes ces heures supplémentaires.

– Cet argent me rend bien service. Le comté a réévalué ma maison.

Cardozo coupa la communication téléphonique et tapa un autre numéro. Le juge Levin répondit à la troisième sonnerie.

– Tom, il me faut deux mandats d'arrestation.

La scie à métaux imitait les cris d'un hamster que l'on embroche. Claude Loring était allongé sur le dos dans la cuisine de l'appartement 10, et découpait un tuyau d'écoulement. Il portait une chemise Levi's avec les manches coupées aux ciseaux, et les muscles se tendaient, sombres, sous la peau bronzée de ses avant-bras.

– Claude.

Richards donna un petit coup de pied sur les chaussures de Claude.

La tête de Loring émergea du placard sous l'évier. Une expression de prudence passa sur ses traits tandis qu'il ôtait les écouteurs de son walkman.

– Ils veulent te parler, annonça Richards. Au commissariat.

– Je travaille, grogna Loring.

– Moi aussi. J'ai un mandat.

Richards se tourna à peine, et pointa le menton vers Ellie Siegel.

– Claude, inspecteur Siegel; Ellie, Claude.

Le gras du pouce de Loring passa d'avant en arrière sur le fil de la scie. Il se hissa sur ses jambes. Il ramassa son walkman et enfonça un bouton, éteignant la minuscule voix de la soprano qui gazouillait dans les écouteurs.

– Laissez-moi me laver.

– Mieux vaut l'aider à se laver, suggéra Siegel à Richards.

Une femme entra dans la cuisine et lança aux agents un regard outragé et glacial.

– Hé, le duc et la duchesse d'Argyll et Diana Vreeland viennent dîner et mon évier, alors?

Cardozo emprunta une chaise du bureau des inspecteurs et la plaça contre le mur du box, face à sa table de travail. Il joua avec l'inclinaison de la lampe d'architecte, la monta et la descendit jusqu'à ce qu'elle jette un éclat qu'il jugea bon.

– Ferme la fenêtre, lança-t-il à Richards. Pas question que ça sente la rose.

– Crois-moi, Vince, tu n'as pas à t'inquiéter.

Cardozo prit le sachet à indices contenant le masque de cuir noir et le plaça dans le tiroir du haut de son bureau.

Il inspecta le box et hocha la tête.

Richards sortit et ramena Loring.

Loring regarda avec inquiétude le petit espace encombré du box.

– Assieds-toi, Claude.

Cardozo désigna la chaise en bois à dossier droit placée contre le mur.

Loring s'assit. Une crispation musculaire passa sur son visage.

– Fume une cigarette.

Cardozo poussa le cendrier sur le bureau.

Loring fouilla dans un paquet de Camel sorti de la poche de sa chemise. Il suspendit une cigarette à l'intérieur de sa lèvre supérieure. Avant qu'il ait pu l'allumer Richards lui présenta un Bic flamboyant. Loring se pencha dans la flamme, inhala, recula.

Cardozo commença tranquillement.

– Tu le connaissais très bien, Jodie Downs?

Il y eut une totale absence d'expression sur le visage de Loring. Cardozo avait vu beaucoup de visages sans expression au cours des interrogatoires, et il s'agissait là d'une absence d'expression très familière. Une dissimulation là où doit se peindre une réaction.

– Je ne le connaissais pas.

Les yeux de Loring se verrouillèrent à ceux de Cardozo.

– Jamais entendu le nom? demanda Cardozo.

– Non.

– Tu es sûr? demanda Richards avec douceur.

Loring lui lança un petit sourire nerveux qui n'était pas un sourire, mais l'occasion de détacher ses yeux de ceux de Cardozo.

– Tout à fait sûr.

A ce moment-là, Richards devint le bon gars.

Dans chaque interrogatoire, il y a un brave flic et un sale flic; le suspect se charge toujours de la distribution des rôles. Ces quelques premiers moments qu'il passe assis, à regarder autour de lui, révèlent toujours par qui il se sent le moins menacé. Au cours d'un long interrogatoire, les flics pouvaient choisir d'échanger leurs rôles pour troubler le suspect et le pousser à bout, mais ils commençaient toujours par jouer le rôle qu'il leur assignait.

– Tu as déjà vu ce visage?

Cardozo tendit une photographie à Loring.

Loring la regarda.

– Je ne sais pas. Peut-être.

– C'est Jodie Downs, dit Cardozo. Il était gay. Tu es gay, hein, Claude?

Les yeux de Loring se planquaient dans un nid de rides de sourires qui ne souriaient pas.

– Ça veut pas dire que je le connaissais.

– Quel genre de baise tu apprécies?

– La même qu'un tas de gens.

– La baise duraille? demanda Cardozo.

Il y eut une explosion de silence.

– Tu vas dans des endroits drôlement durailles, remarqua Cardozo.

– Qu'est-ce qui est duraille?

– L'Inferno.

– Oui, j'ai été à l'Inferno.

– Jodie Downs était à l'Inferno la nuit avant qu'il ne débarque mort dans l'appartement cinq. Et toi aussi.

Loring déglutit.

Richards se planta devant Loring et lui sourit.

– Café?

Loring hocha la tête.

– Du lait et du sucre?

– Merci.

Richards rapporta des cafés pour tout le monde.

Cardozo remua son café.

– Claude, où tu étais le week-end de Memorial Day?

– C'est dans le rapport, intervint Richards. Claude dormait chez sa copine.

– Qui était cette copine, Claude?

– C'est dans le rapport, Vince. Elle s'appelle Faye di Stasio.

– Tu es resté là-bas tout le week-end, Claude?

– Oui.

La voix de Loring s'était ratatinée.

– Tu peux le prouver?

– Lis le rapport, Vince. Elle appuie Claude.

Cardozo déplaça des dossiers.

– L'interrogatoire de Jerzy Bronski indique quelque chose d'autre. Il indique qu'à quatorze heures samedi vingt-quatre mai, la camionnette de Claude se trouvait dans le garage de la tour Beaux-Arts.

– Je n'ai pas de camionnette.

– Tu as la camionnette de Faye di Stasio. Cardozo se carra dans son fauteuil et le regarda. Claude, pourquoi nous as-tu menti et raconté que tu avais passé le week-end chez Faye?

– Ce n'était pas un mensonge.

– Alors c'est ton fantôme qui a acheté un gramme de coke à Hector Dominguez?

Les épaules de Loring se raidirent.

– Essaie pas de me baiser, Loring! cria Cardozo. Je ne t'ai pas amené ici pour me mener en bateau.

– Vince, intervint Richards, du calme. Je t'en prie.

– Je suis calme! Cardozo ouvrit le tiroir du bureau et flanqua le sachet à indices sur le sous-main. Où tu as trouvé ça, Loring?

Loring regarda le masque de cuir noir en battant des paupières. Sa voix était tendue.

– Faut que j'aille aux toilettes.

– D'abord faut que tu me donnes des réponses.

– Laissez-moi y aller ou votre bureau va puer, monsieur l'agent.

– On m'appelle Lieutenant, et tu peux bien faire dans ton froc, je m'en balance.

– Vince, laisse-le. Il fait déjà dans son froc.

– D'accord. Accompagne-le, Sam.

Richards et Loring revinrent au bout de six minutes.

Cardozo feignit de ne pas remarquer la respiration irrégulière de Loring, premier signe de panique.

– Tu ferais aussi bien de tout nous dire sur Hector, Claude. Il nous a tout dit sur toi.

Les yeux de Claude se posèrent sur le masque étalé sur le bureau et puis se dérobèrent.

– J'achète de la coke à Hector.

– Tu as acheté de la coke ce samedi-là.

– J'étais en manque, il m'en fallait.

– Quand étais-tu dans l'immeuble?

– Deux heures.

– Il me faut l'heure exacte, Claude. Quand as-tu rentré ta camionnette dans le garage et quand l'as-tu ressortie?

– Je suis arrivé là-bas à deux heures moins le quart et je suis parti au quart.

Cardozo se pencha en avant et empoigna le visage de Loring dans ses mains avec une rage à peine contenue.

– Jerzy a vu ta camionnette dans le garage avant midi.

Loring repoussa la main de Cardozo.

– Ne me touche pas, flicard!

– Alors! Dis-moi la vérité!

Loring commença à craquer.

– Écoutez, je flippais, peut-être que je n'étais pas sûr de l'heure...

Richards prit la relève, la voix douce.

– Qu'est-ce qui t'avait fait flipper?

Les dents de Claude laissèrent des marques dans sa lèvre inférieure.

– Je m'étais disputé avec mon copain de chambre. Il m'avait jeté dehors, il avait jeté mes disques et mes cassettes dans la rue.

– Pourquoi a-t-il fait ça?

– Il avait rencontré quelqu'un d'autre.

Cardozo intervint.

– Et comment tu l'as pris, Claude, mal? Assez mal pour plonger la tête dans le baril et tuer le premier gamin que tu as pu traîner hors de l'Inferno?

– Je n'ai pas mis les pieds à l'Inferno ce week-end, je dormais chez Faye! Je suis sorti une demi-heure pour acheter de la coke!

– Claude, dit Richards, nous savons que c'était plus qu'une demi-heure.

– Okay, peut-être deux heures.

– Ce n'est pas ce que dit ton amie Faye. Cardozo tendit à Loring la déclaration écrite à la main qu'il avait prise chez Faye di Stasio.

Pendant un long, long moment Loring fixa la page, sans respirer, sans que rien ne bouge sauf ses yeux injectés de sang.

Cardozo décrocha le téléphone.

– Envoyez-la.

Un moment plus tard Faye di Stasio s'encadra dans la porte. Derrière ses lunettes noires et le jean et le tee-shirt effrangés qu'elle portait comme un camouflage, elle paraissait effrayée et vulnérable.

– Je leur ai dit la vérité, Claude. Son visage implorait le pardon désespérément. Ils savent.

Claude laissa tomber sa tête dans ses mains.

– Claude, déclara Cardozo, le préposé au vestiaire t'a vu quitter l'Inferno avec Jodie Downs la veille du meurtre.

Claude serra ses bras sur sa poitrine.

Richards s'accroupit, faisant face à Loring genoux contre genoux. Il posa une main douce sur l'épaule de Loring.

– Il n'y a pas de quoi avoir peur, Claude.

Richards dégagea doucement la tête de Loring de ses bras croisés.

– S'il y a quoi que ce soit qui te tracasse, tu peux nous le confier. Décharge-toi de ça, Claude. Nous sommes ici pour t'aider.

Sur le visage de Loring, le jeu d'humeurs subissait une transformation. La peur et l'hostilité avaient quitté ses yeux et laissaient place à un étonnement rêveur. Soudain son visage s'embua et il s'affala violemment en avant.

Cardozo bondit sur ses pieds.

– Que s'est-il passé aux toilettes?

– Ce qui devait s'y passer, riposta Richards.

Cardozo empoigna le bras gauche de Loring. Son œil courut le long du réseau de veines.

– Tu l'as laissé se shooter!

– Il ne s'est pas shooté!

– Alors il a avalé quelque chose!

Faye commença à parler, hésita, se mordit la lèvre.

– Il se balade avec des barbituriques, signala-t-elle.

Une colère aveugle submergea Cardozo.

– Claude! hurla-t-il. Combien en as-tu avalé?

Un rideau s'était abattu autour de Loring. Rien n'entrait ni ne sortait.

Paume ouverte, Cardozo gifla le mur à un centimètre du visage de Loring.

Les yeux de Loring clignèrent. Ils glissèrent vers Cardozo.

– Va me chercher un magnéto, hurla Cardozo.

Richards rapporta un magnéto du bureau des inspecteurs. Cardozo enfonça le bouton marche.

– Lieutenant Cardozo interrogeant le suspect Claude Loring. Claude, avant de faire la moindre déclaration vous avez le droit de consulter un avocat. Si vous n'avez pas les moyens de prendre un avocat, nous vous en fournirons un. Désirez-vous un avocat?

Loring le regardait fixement.

Le téléphone sonna avec un bruit de casserole. Richards se trouvait le plus près.

– Ouais?

Il couvrit le combiné.

– Vince, c'est son avocat.

Cardozo prit le combiné.

– Vince Cardozo.

– Mon client ne fera pas de déclaration, annonça Ted Morgenstern.

31

— Soulevez! Allons, vous pouvez faire mieux que ça!

Avec une poussée qui n'était pas si douce, le kinési encouragea Babe à exécuter le mouvement de jambe.

Juste au moment où elle réussit à tendre le genou, sa jambe partit sur le côté. Elle considéra ce membre qui la défiait, avec impuissance et perplexité. Sa vision commença à se brouiller sur les côtés.

— Continuez.

Le kinési souriait, mais il ne souriait que des lèvres. Ses yeux la jaugeaient avec précision.

— Allez. Vous y êtes presque arrivée.

Refoulant des larmes de frustration, Babe leva à nouveau la jambe, maladroitement, en respirant à peine, et un tout petit peu effrayée. Cette fois-ci, à sa grande surprise, elle réussit à terminer le mouvement.

A l'instant même où un soupir de soulagement lui échappait, Mme Wheelock frappa à la porte et annonça que le monsieur de Viewerworld était arrivé.

Babe lança un regard au kinési.

— Ça suffit pour aujourd'hui, déclara-t-il. Il détacha le poids fixé à sa cheville. Nous ne voulons pas que vos rotules se mettent en grève.

— Mme Wheelock, dit Babe. J'arrive.

Babe se transféra dans le fauteuil. Le kinési resta là à la regarder, sans souffler mot, sans dissimuler tout à fait une légère désapprobation dans son expression. Elle lui avait demandé de ne pas l'aider même si elle l'en suppliait.

Elle roula de l'autre côté de la pièce. Le kinési, qui tenait la porte, rougit subitement. Il avait oublié son pacte : il avait aidé.

— Désolé.

Elle sourit.

— A la prochaine fois. Merci de ne pas être coulant avec moi.

Dans la salle de bains Babe s'étira au maximum pour ouvrir le robinet de la douche et régler la température de l'eau. Elle tendit le bras droit et saisit une des huit poignées provisoirement vissées dans la cabine. Elle se souleva à demi et tendit le bras gauche vers une autre poignée.

Une fois debout, la manœuvre était relativement simple pour descendre se poser sur le tabouret d'aluminium qui avait été vissé dans le sol. Elle se servit d'une main pour se retenir et de l'autre pour se savonner. La pluie picotante emporta petit à petit l'engourdissement de ses articulations.

Elle s'accorda trois minutes sous la douche. Puis, avançant à tâtons de poignée en poignée fixées dans les murs, elle s'assit sur un tabouret habillé d'un coussin de mousse. Tandis qu'elle se séchait, elle s'aperçut dans le miroir, front et bouche tendus par l'effort.

Une fois sèche, elle roula jusqu'au vestiaire. Pour se donner des buts tangibles, elle avait placé des béquilles contre le mur. Elle les regarda fixement. Bien qu'il fût dur d'y croire sur le moment, un jour elle pourrait passer aux béquilles. A côté des béquilles elle avait placé une canne de jonc et à côté une paire de talons Ferragamo d'un centimètre.

Il lui fallut neuf exaspérantes minutes pour s'habiller.

Quand enfin elle entra en roulant dans la chambre d'ami, à l'étage du dessus, l'ouvrier avait sorti la visionneuse de sa caisse et l'avait placée à côté d'une prise de courant.

Il se retourna et la regarda.

— Avez-vous un film quelconque que l'on puisse essayer?

Babe avait transformé cette pièce en bibliothèque personnelle, et c'était ici qu'elle projetait d'apprendre le chemin de retour vers le présent. Sept années de vieux numéros du *U.S. News and World Report* occupaient un demi mur d'étagères, *Vogue* et *Harper's Bazaar* et *W* un autre. *The New York Times* sur microfilm occupait deux bibliothèques entières qui avaient dû être placées sur pied, comme des rayonnages de bibliothèque publique.

Babe tendit à l'homme une boîte de microfilms.

Il glissa un rouleau de film dans la machine et lui montra la marche-arrêt, le point, et l'avant-arrière. Babe enregistra attentivement les instructions.

Quand l'ouvrier fut parti, elle ferma la porte. Au bout de trois minutes de recherches elle trouva la boîte de microfilms qu'elle voulait.

Elle alluma la visionneuse. Le ventilateur bourdonna faiblement et une lumière froide et laiteuse tomba sur l'écran incliné. Elle glissa soigneusement sa bande à l'intérieur et ajusta les pignons aux galets.

Derrière elle le mur de la vieille maison craqua.

Tournant le bouton avec précaution, elle fit défiler le film jusqu'au compte rendu dans *The New York Times*, sept ans plus tôt, à la page mode, de sa réception au Casino du Park.

Babe étira une main au-dessus de son fauteuil roulant et pressa le bouton d'interphone de Gordon Dobbs.

Un valet de chambre la fit entrer.

Gordon Dobbs était assis dans son salon devant une table ancienne en merisier qui servait de bureau. Un combiné téléphonique était niché entre son épaule et son oreille et il griffonnait furieusement sur un bloc. Il portait une veste de soie jade par-dessus son pantalon et sa chemise, et il se retourna pour accueillir Babe avec un signe de main joyeux.

Il articula silencieusement les mots « une petite minute » et désigna le combiné, indiquant qu'il était coincé avec un insupportable raseur.

Babe roula dans la pièce. Son regard embrassa les tableaux encadrés au mur. Des bûches de bouleau grises attendaient l'hiver dans une cheminée en pierres rustiques flanquée d'étagères de livres rangés en bon ordre.

— Ah, pile à l'heure, lança Dobbsie, en raccrochant le téléphone. Et dans ce machin. Comment faites-vous?

— J'ai loué une voiture avec chauffeur.

— La seule façon de s'en sortir aujourd'hui. Voulez-vous un fauteuil?

— Merci, je suis à mon aise.

— Café?

— Merci. Avec beaucoup de sucre et de crème.

Dobbsie fit tinter une petite clochette émaillée et demanda au valet de chambre de rapporter deux cafés.

Babe avait remarqué que plus d'un tiers des volumes alignés sur les étagères étaient des éditions anglaises et étrangères des livres de Dobbsie.

— Je vois que vous avez beaucoup de succès auprès de vos lecteurs, remarqua-t-elle.

— Oui, énormément. Les gens du Kansas et d'Osaka ne sont jamais rassasiés des vies privées des personnalités publiques de la haute société.

— Dites-moi quelque chose : croyez-vous sincèrement que c'est Scottie?

Gordon Dobbs alluma une mince cigarette brune avec un briquet en or.

— Ma grande chérie, je sais que c'est lui.

— Je n'en suis pas aussi certaine que vous.

— Bien sûr que non. Vous n'avez pas assisté aux procès.

– Parlez-moi de ces procès.

Pendant une demi-heure Dobbsie décrivit les procès. Il avait une mémoire excellente des vêtements de chacun. Il ignorait pourquoi le second procès s'était déroulé à huis clos, et il n'avait même pas de ragots sur la raison pour laquelle le dossier avait été scellé.

– Il y a trop de failles, observa Babe.

Dobbsie remit du café dans les tasses.

– Si vous avez le moindre doute, je vous suggère de lire mon livre.

– J'ai lu votre livre. Je ne l'aime pas.

Gordon Dobbs sourit.

– J'adore la franchise. Dites-moi ce que vous n'aimez pas.

– Pour commencer, le ton.

Une expression songeuse effleura les coins de la bouche de Dobbsie.

– Je trouvais le ton approprié. Je décrivais la richesse, l'influence, le pouvoir – toutes les choses qui poussent les gens à se marier et s'assassiner.

– Votre recherche était tendancieuse.

Il ôta ses lunettes et passa un moment à la considérer d'un air pensif.

– Donnez-moi un exemple.

– L'insuline dans le coffret à boutons. De toutes les années où nous avons été mariés, Scottie n'a jamais eu de coffret à boutons. Il se servait d'une coupe en céramique.

Dobbsie fronça les sourcils.

– J'ai trouvé ce détail dans un article de Dina Alstetter, publié dans le magazine *Soho*. Des droits de seconde reproduction en feuilleton ont été achetés d'un bout à l'autre du pays par les journaux et les magazines. Comme pour mon livre. Sauf que j'ai fait une tournée TV nationale et pas Dina.

– Scottie n'aurait pas pu placer le coffret à cet endroit. Maman l'a fait déménager au Princeton Club le jour où je suis partie à l'hôpital.

– Qui d'autre aurait pu placer une boîte d'insuline sur votre table de nuit?

– Je ne sais pas qui, mais il est absurde de penser que Scottie se compromettrait avec tant de négligence, tant de stupidité. Ce coffret a été placé là pour que Dina le découvre.

– Il se trouve que je connais Dina sacrément bien. Nous avons travaillé ensemble et nous avons fait la tournée de promotion du livre sur Sid Vicious. C'est une fille absolument adorable, et elle ne publierait pas un mensonge.

– Peut-être pas sciemment.

– Babe, même si Dina a été négligente – ce que je trouve hautement improbable – les magazines contrôlent les faits. Les gens qui racontent des bobards dans la presse se font flanquer de bons gros procès en diffamation.

– Après le second verdict je m'étonne que Scottie ne vous ait pas attaqué.

– Sacrément pas pensable. C'est un escroc... et aussi un menteur et un assassin manqué. Les règles civiles concernant les preuves sont beaucoup plus souples que les pénales. Il aurait perdu. A l'encontre d'Oscar Wilde, il sait où s'arrêter.

– Alors qu'est-ce qui m'empêche moi de vous attaquer?

Dobbsie leva les yeux vers elle.

– Et pourquoi diable?

– Diffamation.

– Je ne vous ai jamais diffamée.

– Qu'appelez-vous ce sac en croco brun dans le placard? Scottie n'a jamais eu de sac comme ça. Vous insinuez donc qu'il était à moi. Et les médicaments, dedans, à qui étaient-ils? L'État n'a jamais prouvé que Scottie utilisait des médicaments. Vous insinuez donc que le Valium liquide était à moi aussi.

– Je n'ai jamais dit ça.

– Mais vous l'avez publié. Ces insinuations sont là, imprimées noir sur blanc, avec votre nom sur le livre. Et maintenant me voilà revenue d'entre les morts, avec mes droits civiques rétablis.

Une lueur d'hésitation vacilla sur le beau visage de Gordon Dobbs.

– Qu'espéreriez-vous gagner par un procès?

– Des réponses à des questions.

– Du genre?

– Du genre pourquoi avez-vous écrit ce livre de cette manière. Que pouviez-vous bien gagner en portant préjudice à l'appel de Scottie?

Gordon Dobbs regardait Babe attentivement maintenant, et elle comprit qu'il évaluait son pouvoir de lui nuire, le jaugeant contre l'aide qu'elle pouvait lui apporter, calculant quel genre de nouvelle tactique utiliser avec elle.

– Vous avez raison de nourrir des soupçons à l'égard de ce livre, soupira-t-il. J'ai signé un accord avec l'avocat de vos parents. Bill Frothingham a préparé les interviews et m'a fourni les informations.

Babe écouta Dobbsie jusqu'au bout en silence, luttant pour contrôler sa colère croissante.

Il expliqua comment Lucia Vanderwalk avait engagé un ex-inspecteur de la police disposant de très bons contacts et qui n'était pas pieds et poings liés par la loi. Il expliqua comment le détective avait reconstitué le crime. Il expliqua comment la reconstitution avait servi de base au livre.

– En contrepartie, j'ai autorisé Bill Frothingham à lire le manuscrit. Il a contrôlé les erreurs. Je n'avais aucune obligation de changer quoi que ce soit, simplement de considérer les suggestions de votre famille. Elle m'a permis de conserver des tas de passages qui n'étaient pas du tout favorables à votre arrière-grand-père.

— Ma famille vous a-t-elle payé?

— Oui, j'ai été rétribué.

— Naturellement ils vous ont laissé publier des vieux scandales familiaux – personne n'aurait pu penser qu'ils étaient derrière le livre. Mais comment avez-vous pu mettre votre nom sur les accusations de quelqu'un d'autre?

— Sincèrement, protesta Dobbsie, je crois que Scottie était coupable. Le livre est sorti après le premier procès, il ne lui a donc certainement pas nui. Il a obtenu son appel. Il a obtenu qu'on réduise la gravité du chef d'accusation. Il a tout obtenu.

— Bien sûr que ça lui a nui. Venant de mes parents, on aurait pensé à une vengeance et personne n'y aurait prêté attention. Venant de vous, c'était de l'information et des centaines de milliers de gens y ont cru. Pour quelle autre raison pensez-vous que mes parents vous ont payé?

Dobbsie prit les mains de Babe dans les siennes.

— Je suis quelqu'un de méchant, Babe, mais je ne suis pas quelqu'un d'anormalement méchant. Je ne revendique pas votre respect, mais j'espère avoir votre amitié.

— Mes parents ont-ils payé Dina aussi?

— Je n'en ai pas la moindre idée, répondit-il. Il faudra que vous le lui demandiez vous-même.

— Sais-tu ce que je n'arrive pas à comprendre? dit Babe. Pourquoi l'insuline dans le coffret à boutons est-elle apparue après le premier procès et pas avant?

Dina esquissa un petit sourire froid qui n'avait absolument rien d'un sourire.

— Elle serait apparue à n'importe quel moment où quelqu'un aurait eu la jugeote de regarder.

— Et tu as été la première à avoir cette jugeote?

— J'ai été la première à en avoir la curiosité.

— Je vais te dire ce que je pense, déclara Babe. Je pense que ce flacon d'insuline a été mis là exprès, longtemps après mon coma.

Dina Alstetter souffla. Elle ne bougea pas et n'eut aucune réaction.

— Pourquoi quelqu'un l'aurait-il mise là exprès?

— Pour que dans la presse tu enfonces Scottie encore un peu plus.

— C'est plutôt naïf de ta part, Babe.

Les cheveux de Dina Alstetter étaient longs, raides et noirs, et elle les fit bouffer d'un petit geste rapide.

– Ce n'est pas dans mon habitude de me laisser utiliser.

– Si l'insuline n'était pas une machination, insista Babe, pourquoi n'a-t-elle pas servi de preuve au procès? Pourquoi la police ne l'a-t-elle jamais trouvée?

– Parce que la police n'est pas très efficace dans son travail.

Dina Alstetter se leva avec grâce de son fauteuil. Elle portait un blue jean de grand couturier et un corsage de dentelle moulant; la plus grande partie de sa taille tenait dans ses jambes. Elle s'approcha de la fenêtre de son salon de Beekman Place. Du soleil entrait à flot en un rai oblique aveuglant.

– Babe, tu as été absente un temps affreusement long. Beaucoup de choses ont changé dans cette ville.

– Je m'en rends compte.

– Tu ne sais peut-être pas que je me suis mise à l'enquête-reportage depuis mon divorce. J'ai gagné des prix. On a parlé de moi pour le Pulitzer. Je n'essaie pas de t'impressionner, mais il faudrait que tu saches que j'apprécie le respect du monde journalistique – je suis peut-être la sœur d'Ash Canfield, mais ça ne signifie pas que je suis une néophyte assez idiote pour écrire un papier qui est une machination.

– Mes parents t'ont-ils payée pour publier cet article?

La tête de Dina pivota vivement.

– Absolument pas.

Elles se dévisagèrent.

– La police a-t-elle jamais vu la bouteille? demanda Babe.

– En fait, non. Je ne pense pas que la police de New York aille jusqu'à lire *Soho*.

– Et tu ne la leur as pas apportée?

– Mon avocat m'a conseillé de m'en abstenir.

– Alors qui l'a maintenant?

– Moi, je l'ai.

– J'aimerais la voir.

Babe franchit le trottoir dans son fauteuil roulant, en évitant les arbres ombreux et les femmes de chambre en uniforme qui promenaient des caniches. Le quartier était une réserve luxueuse d'immeubles de résidence datant d'avant la Première Guerre mondiale, solidement construits, avec l'étrange hôtel particulier de grès brun piqué au milieu.

La pharmacie Provence se dressait au coin de la Première Avenue. Quand Babe approcha, la porte automatique s'ouvrit sur une montagne de frictions de bain [1] jaunes et vertes en promotion, empilées en pyramides impeccables.

---

1. En français dans le texte.

Une brise parfumée d'air conditionné rafraîchit son visage.

Le jeune pharmacien derrière le comptoir regarda son fauteuil roulant avec une franche curiosité.

— Vous désirez? demanda-t-il.

Babe sortit le flacon de son sac.

— J'ai téléphoné au fabricant, déclara-t-elle. Ils m'ont répondu qu'ils vous avaient vendu ce numéro.

Sur le visage du pharmacien le sourire s'effaça. Ses cheveux étaient d'un beau noir et presque coupés en brosse. Son visage était émaillé d'un souvenir d'acné juvénile. Ses yeux rencontrèrent ceux de Babe juste une seconde de plus qu'il n'était nécessaire.

— C'est possible, répondit-il.

— Avez-vous un moyen de le contrôler?

Une grimace glissa sur son visage.

— Je peux voir si c'est dans l'ordinateur, proposa-t-il d'un ton indécis.

— Vous seriez bien aimable, répondit Babe avec un sourire.

Il passa derrière une paroi de verre et deux minutes plus tard revint avec un genre de ticket de caisse de huit centimètres.

— Nous avons exécuté cette ordonnance il y a presque six ans.

Le cœur de Babe bondit derrière ses côtes.

— Pourriez-vous me dire pour qui vous l'avez exécutée?

32

– Votre Honneur, il s'agit là d'une arrestation absolument abusive, tonna la voix de Ted Morgenstern dans la salle de tribunal à moitié vide. Des cordons saillaient à la naissance de son cou extraordinairement ridé. Le lieutenant Cardozo a interrogé M. Loring en dehors de la présence d'un avocat et sans l'informer de ses droits.

Cardozo, qui observait Morgenstern, eut le sentiment las et écœuré de tout reconnaître; pas seulement le visage qui n'allait jamais sans bronzage, les yeux d'aigle, le nez et les lèvres minces, le crâne rasé couvert d'un duvet gris strié de rides et de cicatrices, mais aussi l'élocution, l'indignation remontée comme une mécanique, toute cette farce de tatillonnerie juridique qui se faisait passer pour un combat contre l'injustice.

Lucinda MacGill, grande, découvrant une pleine bouche de jolies dents blanches, s'approcha de la Cour avec la grâce d'une joueuse de tennis professionnelle. Ses cheveux bougeaient légèrement.

– Votre Honneur, le lieutenant Cardozo n'était pas obligé de lire ses droits à M. Loring tant qu'il ne l'avait pas arrêté.

– A partir du moment où le lieutenant Cardozo a brandi un mandat sous le nez de mon client, M. Loring était réellement en état d'arrestation!

Morgenstern fit un geste héroïque qui ouvrit brusquement la veste de son smoking, découvrant des boutons de chemise en nacre et une ceinture de soie bleue. C'était une tenue invraisemblable pour le tribunal, mais Maître Morgenstern n'avait manifestement pas le temps de filer chez lui se changer avant son dîner dansant du soir.

Derrière les yeux du juge Joseph Martinez s'alluma une soudaine flambée d'intérêt. Il leva le menton et inclina la tête légèrement d'un côté, arquant sa moustache grise.

– A quelle heure le lieutenant Cardozo a-t-il brandi un mandat d'arrêt sous le nez de M. Loring?

Cardozo se leva du premier rang des bancs vernis.

– Peu après dix heures ce matin on a présenté à Claude Loring un mandat lancé par le juge Levin.

Les yeux du juge Martinez étaient froids et jaugeaient la situation.

– Quand lui avez-vous lu ses droits?

– Après avoir discuté avec lui et déterminé qu'il y avait un motif d'arrestation.

– A quelle heure, Lieutenant?

– Vers midi.

– Heure à laquelle, coupa Ted Morgenstern, M. Loring souffrait d'un empoisonnement aigu à la méthaqualone.

Lucinda MacGill était plantée là, grande, les cheveux clairs, alerte et vive.

– La police n'a pas drogué M. Loring. Il s'est rendu aux toilettes et s'est drogué.

– Une chose à la fois, Maître. Le lieutenant Cardozo a-t-il interrogé Claude Loring pendant deux heures sans lui lire ses droits ni lui fournir un avocat?

– Cinq heures, Votre Honneur, interrompit Ted Morgenstern. Je n'ai pas vu mon client avant trois heures cet après-midi à l'hôpital Saint-Clare.

Les yeux de Cardozo s'accrochèrent à ceux de Morgenstern et la haine brilla entre eux. Ce sentiment dépassait leurs personnes : c'était un instinct naturel, une aversion entre espèces différentes.

Tous deux connaissaient la ville : qui étaient les joueurs, comment les choses se faisaient, ce qui marchait. La différence entre eux était qu'ils jouaient dans des équipes différentes, pour des récompenses différentes. Morgenstern avait la notoriété, les coups de pouce dans les échos, l'hôtel particulier dans les Soixantièmes Est, les ducs et les duchesses à dîner, la limousine. Cardozo avait la citation pour bravoure, le salaire annuel de quarante-sept mille tickets, l'appartement dans un immeuble sans ascenseur, Mme Epstein qui partageait avec lui les côtelettes d'agneau, la Honda Civic.

– Pendant trois heures personne n'a pu voir M. Loring parce qu'il était inconscient, corrigea Lucinda MacGill. C'était là le choix de M. Loring.

La tête du juge avait basculé en arrière, la bouche légèrement ouverte.

– C'est le devoir de la police de sauvegarder toute personne en détention. A son devoir, tout comme à ses obligations, le lieutenant Cardozo a manifestement manqué.

Sans un temps d'hésitation, Ted Morgenstern s'avança d'un pas.

– Votre Honneur, je demande le non-lieu.

– Assassinat? Vous rêvez, Maître.

– Dans ce cas je demande une mise en liberté sous caution raisonnable pour Claude Loring.

Lucinda MacGill s'avança vers la Cour.

– Le Peuple s'oppose à la liberté sous caution pour Claude Loring. C'est un sociopathe, impulsif, à qui on ne peut pas se fier. Le libérer avant le procès pourrait mettre en danger des citoyens innocents et risquerait d'aboutir à sa fuite.

– Votre Honneur, un an ou plus peut s'écouler avant que cette affaire ne soit jugée. La police réclame-t-elle une détention préventive à la sud-africaine?

– Votre Honneur, je proteste contre cette tentative de transformer cette arrestation en un acte de répression politique. M. Loring est accusé d'un acte grave et cruel, d'avoir pris une vie humaine innocente.

– Basta, jeune fille. Le juge Martinez agita une main impatiente. Pesons les risques. Il y a le risque que court la société si M. Loring est libéré sous caution. Comme il n'a pas de casier, ce risque est minime. Et puis il y a le risque que M. Loring court s'il reste en détention. Tant que nous aurons dans notre police des hombres bien-pensants cogneurs d'homos comme le lieutenant Cardozo, ce risque est considérable. Caution de cent mille dollars accordée.

A l'extérieur de la salle de tribunal, le poing aux articulations blanchies de Cardozo monta et alla frapper le mur.

Il resta planté là un moment, presque sans respirer, presque sans bouger. La lumière qui tombait à l'oblique du tube fluorescent fixé au plafond vacilla.

Une écaille de plâtre se détacha en tournoyant.

Il frappa le mur à nouveau.

Cardozo lisait le modèle cinq sur Midge Bailey, un nouvel homicide.

Pas trace d'effraction, de lutte ni de violence. Rien ne manquait dans l'appartement. Quatre-vingt-sept dollars, une carte VISA et une MasterCard dans son sac.

La voisine d'à côté s'était presque excusée d'avoir appelé la police. Le chien hurlait. La porte était ouverte.

Cardozo examina les photos de la scène du crime de cette ménagère de cinquante-cinq ans. Il avait passé sa carrière à fouiller dans la vase de la marée basse, mais quand il voyait un être humain tabassé à la façon dont quelqu'un avait arrangé Mme Bailey, il se rendait compte qu'il ne connaissait rien à rien des choses qui rampaient au fond de l'océan.

Le téléphone lança deux sonneries stridentes. Cardozo tendit le bras, le tira à lui par le fil, décrocha le combiné.

— Allo?

— Lieutenant Cardozo?

Une femme. Voix distinguée.

— Lui-même.

— Babe Devens à l'appareil.

Cardozo se carra dans son fauteuil.

— Ah, bonjour.

— Est-ce que j'appelle à un mauvais moment?

— Vous appelez à un très bon moment. Quel est le problème?

— Si vous avez le temps, j'aimerais vous parler.

— J'ai le temps, répondit-il. Parlez.

— Pourrions-nous nous voir?

— Mme Devens, que faites-vous dans une demi-heure?

Il connaissait un restaurant sur la Soixante-septième Rue : nourriture infecte, gnôle baptisée, bonne intimité.

— Il y a un endroit près d'ici qui s'appelle chez Danny.

Cardozo remonta Lexington à pied en direction du Bar-Grill chez Danny, sans penser à Midge Bailey, sans se préoccuper du temps lourd, sans prendre garde au feu vert qui l'arrêta sur la Soixante-sixième, appréciant le soleil et les vêtements éclatants des femmes.

Chez Danny était presque désert à cette heure de la journée, et Cardozo fut conscient de l'attente au creux de sa poitrine quand il poussa la porte pour pénétrer dans la pénombre climatisée.

La lumière de fin d'après-midi faisait du restaurant un mystérieux bassin bleu noir. Quelques buveurs précoces avaient pris place au bar, blottis dans leurs solitudes individuelles. Un juke-box roucoulait doucement, style crooner.

Quand ses yeux fatigués s'habituèrent, il put discerner les rangées de tables désertes. Il y avait du soleil dans la vitrine et il découpait en silhouette Babe Devens assise à une table du fond.

Elle l'aperçut, et un sourire nerveusement reconnaissant passa sur son visage.

— Ça me fait plaisir de vous voir active et sur pied, s'exclama Cardozo.

— Je suis active. Elle tapota sur l'accoudoir de son fauteuil roulant. Pas encore tout à fait sur pied.

— Ça viendra très vite. Il tira une chaise et s'assit en face d'elle. Vous avez une mine magnifique.

— Merci. J'ai le sentiment que si je peux éviter les hôpitaux, je risque d'apprendre comment recommencer à vivre.

Le patron, un grand gaillard d'Irlandais avec d'énormes favoris, s'approcha pour prendre leur commande.

– Que buvez-vous? demanda Babe à Cardozo.

– Une Michelob pression.

Elle dit qu'elle prendrait la même chose. Il ne l'avait pas imaginée du genre bière pression, mais quand Danny apporta les pressions il aima la façon dont elle but la sienne et parut en apprécier le goût.

– Quel est le problème? demanda-t-il.

– Ce n'est pas exactement une question policière. C'est simplement que vous m'avez aidée, et je voulais vous en remercier personnellement, et... Elle poussa son verre sur la table. J'ai essayé de voir les registres du second procès de Scottie. Ils sont scellés.

Cardozo fronça les sourcils.

– Ce n'est pas habituel, n'est-ce pas, de sceller les registres d'audience?

– Sauf si vous êtes un Kennedy, que vous avez accidentellement noyé un membre de l'état-major de votre campagne électorale qui n'était surtout pas votre maîtresse, et que le juge est un ami de la famille.

– Scottie n'a pas le bras long à ce point-là.

Comme elle est jolie, songea Cardozo, avec ses cheveux blonds soyeux barrant son front à l'oblique, ses grands yeux interrogateurs qui la fixaient de leur regard calme et songeur, et sa bouche éclatante, silencieuse, dans l'expectative.

– Votre fille était mineure à l'époque, remarqua-t-il. Le juge a pu la protéger de la publicité.

– Ce n'est pas logique. Elle était mineure pendant le premier procès, et ces registres-là ne sont pas scellés.

Ceci arrêta Cardozo. Il essaya de faire coïncider le mannequin précocement sexy des pubs Babemode, le visage aguicheur, le corps lisse à demi nu s'extrayant des jeans moulant les hanches, avec son idée de l'enfance. Cordélia n'avait pas pu être âgée de plus de quatorze ans quand ces publicités avaient commencé à paraître.

– De nouvelles preuves ont pu être présentées au second procès – des témoignages révélant un autre crime, ou portant préjudice à une affaire déjà devant les tribunaux, ou diffamant quelqu'un. Difficile à dire. Les juges ont une liberté d'action drôlement large. Ils ne scellent pas souvent les registres, mais quand ils le font, on ne leur demande pas de justifier leur décision.

– Y a-t-il un moyen quelconque par lequel je pourrais obtenir ces registres.

– Vous pourriez intenter un procès. Vous pourriez présenter une pétition en justice.

De la frustration marqua son visage.

– Lieutenant Cardozo...

– J'aimerais que vous m'appeliez Vince.

– Si vous m'appelez Babe.

– Okay, Babe.

– Vince...

Ces prénoms brisèrent l'étrange petite poche de tension qui s'était accumulée. Elle sourit, et il eut le sentiment qu'elle serait une personne très facile à vivre.

– Vous avez témoigné au premier procès, dit-elle. Avez-vous témoigné au second?

– L'honneur de ma présence n'a pas été requis au second. La combine était déjà montée.

– Le verdict était truqué?

– Quel verdict? L'État a marché pour l'arrangement entre le juge et l'accusé.

– Comment cela a-t-il été convenu?

– L'avocat de votre mari a présenté une offre au procureur, et le procureur l'a acceptée. A mon avis l'État détenait la preuve pour boucler votre mari et au second procès ils l'ont balancée.

Elle le regardait. Ses yeux ne disaient pas n'importe quoi. Il sentait bien que chez cette jolie femme silencieuse il y avait une énorme quantité de détermination.

– Au premier procès Cordélia était le seul témoin oculaire contre Scottie, reprit-elle. Il a été condamné sur son témoignage. Mais au second procès cette condamnation a été annulée. Et le témoignage de Cordélia est scellé. Pourquoi? Qu'a-t-elle dit?

– Pourquoi ne le lui demandez-vous pas?

– Elle ne s'en souvient pas.

– Ne s'en souvient pas ou ne veut pas?

– Un peu des deux, je crois. Cela a été trop douloureux pour elle.

Cardozo acquiesça.

– J'imagine. Un tas de gens ont abandonné votre petite fille. A propos, qui s'est occupé d'elle?

– Mes parents l'ont élevée. Mais légalement elle était la pupille d'un ami de la famille – Billi von Kleist.

Les sourcils de Cardozo se levèrent.

– Pourquoi avait-elle un tuteur?

– Scottie et moi avons failli périr dans un accident de voiture... par notre faute, nous conduisions en état d'ivresse. Billi était un bon ami, et nous avons pensé qu'au cas où quoi que ce soit nous arriverait vraiment, il devrait y avoir quelqu'un pour s'occuper de Cordélia. Billi l'adorait, et elle l'adorait, alors j'ai désigné Billi. Je n'ai jamais pensé que ça se réaliserait. Mais alors je suis tombée dans le coma, Scottie a été inculpé, et Billi est devenu le tuteur légal de Cordélia.

— Cependant von Kleist a laissé vos parents s'occuper d'elle?

— La vie de famille ce n'est pas sa spécialité. Tout ce qu'il voulait c'était être un ami pour elle. Le genre que mes parents ne pourraient jamais être.

— Vous n'avez pas une très bonne opinion de vos parents.

— Je pense que ce sont des gens désorientés. Ils confondent le dix-neuvième siècle avec le vingtième. Je pense qu'ils ont fait témoigner Cordélia contre Scottie. Ils l'ont toujours détesté. Je crois que Cordélia a menti au premier procès et dit la vérité au second.

— Quelle vérité?

— Je pense qu'elle a innocenté Scottie.

Cardozo secoua la tête.

— Impossible.

— Scottie a été victime d'une machination, assura Babe.

— Vous avez vraiment envie de le croire.

— Ce n'est pas seulement parce que je veux le croire.

Elle ouvrit son sac et posa une petite bouteille bleue sur la table.

— Quelqu'un a placé ceci dans un coffret à côté de mon lit après le premier procès. Insuline. Une de mes amies du nom de Dina Alstetter l'a trouvée. Elle l'a signalé dans un article de magazine. L'article a été cité dans un livre qui diffamait Scottie. L'auteur de ce livre est un homme du nom de Gordon Dobbs.

— Gordon Dobbs, répéta Cardozo pensivement. Il fit tourner la bouteille dans ses mains, en examinant l'étiquette décolorée et le numéro de la série encore lisible. Tiens, tiens.

— Il m'a avoué que mes parents l'avaient payé pour écrire le livre.

— Pas étonnant. Ils voulaient la peau de Devens. Ils ont aussi payé un inspecteur de police à la retraite. Cardozo continuait à faire tourner la bouteille, et à l'examiner. Où avez-vous eu cette insuline?

— Ma mère l'a laissée à Dina, et Dina me l'a donnée.

— Étrange, remarqua Cardozo. Pourquoi votre mère ne l'a-t-elle pas donnée à la police?

— Je ne crois pas que cette bouteille existait quand la police enquêtait. Je crois que cette bouteille est venue plus tard quand Scottie a fait appel.

Cardozo étudia le numéro sur l'étiquette et puis il tint la bouteille à l'envers, pour tester le bouchon plombé.

— Le fabricant m'a donné le nom de la pharmacie qui l'a achetée, poursuivit Babe. Le pharmacien a refusé de révéler à qui il l'a vendue. Il assure que les registres sont confidentiels.

– Les registres de pharmacie ne sont pas confidentiels, corrigea Cardozo. Pas pour la police.

– Si quelqu'un a caché cette bouteille pour qu'on la trouve...

– Tout ce que ça prouverait c'est que quelqu'un a caché cette bouteille pour qu'on la trouve après que vous soyez tombée dans le coma.

– Mais cela ne prouve-t-il pas qu'il est innocent? Si Scottie était coupable, pourquoi qui que ce soit aurait à cacher une preuve pour qu'on la trouve?

– Il pourrait y avoir des raisons. Ce serait une façon certaine de créer le doute sur sa culpabilité.

Elle secoua la tête.

– Il n'y a aucun doute là-dessus. J'ai déjeuné avec Scottie. Je lui ai demandé carrément s'il avait essayé de me tuer. Il a dit que oui.

– Alors il est enfin devenu sincère. J'imagine que du coup l'affaire est classée.

– Pas comme vous le pensez. J'ai été mariée à Scott Devens pendant cinq ans. Je sais quand il dit la vérité et je sais quand il ment. Quand il a assuré qu'il avait essayé de me tuer, j'ai vu quelque chose dans ses yeux, je l'ai vu écrit sur son visage. Peut-être cela vous paraît-il étrange, mais je suis une artiste. J'ai l'œil exercé, je vois des choses qui échappent à la plupart des gens.

– Qu'était donc ce quelque chose que vous avez vu sur le visage de Scott Devens et qui nous a échappé à tous?

– J'ai vu un Scottie que je n'avais jamais vu auparavant – un homme incapable de défendre quoi que ce soit – ni ses sentiments personnels, ni ses convictions, et pire que tout, pas même sa propre personne ni la vérité. Il ne se respecte plus. Il est liquidé. Il n'est pas le Scottie que j'ai épousé.

– Alors il ment?

Elle acquiesça.

– Curieux mensonge, vous ne trouvez pas?

– Il sait comment faire pour que je le déteste.

– Et alors? Vous le détestez?

– Je le déteste d'avoir une si piètre opinion de moi pour imaginer que je vais le croire. Et je le déteste d'avoir une si piètre opinion de lui pour permettre qu'on salisse sa réputation.

– Et pourquoi agirait-il ainsi?

– J'imagine qu'il a toujours désiré une vie facile et brillante. Maintenant il l'a. On l'a peut-être payé.

– Qui l'a payé?

– Je ne sais pas. Qui profite sinon Scottie, si Scottie ment? La seule personne à qui je puisse penser est la personne qui... Ses mots se brisèrent...

– La personne qui a essayé de vous tuer?

Elle soupira.

– Pensez-vous que je suis folle?

– Je pense que vous avez quelques idées intéressantes. Cardozo éleva le liquide et incolore vers la lumière. Comment m'avez-vous dit que s'appelle cette pharmacie?

– Vous avez vendu ceci, déclara Cardozo. Qui l'a acheté?

Le pharmacien prit la bouteille d'insuline. Ses yeux renfrognés allèrent de l'étiquette à la plaque de Cardozo. Il partit sans un mot derrière une paroi vitrée et Cardozo le vit presser des touches sur un ordinateur de bureau.

Une machine émit des bruits de claquettes étouffés. Le pharmacien revint et, toujours sans un mot, tendit à Cardozo un imprimé de huit centimètres. Les yeux de Cardozo parcoururent les lettres matricielles qui formaient Pharmacie Provence et le numéro de lot de l'insuline, suivi du nom du médecin traitant et du numéro de l'ordonnance.

Le nom Faith S. Banks jaillit du papier, et vint se planter entre ses yeux comme les dents d'une fourchette.

Il resta là, figé, se rendant compte que quelque chose ne tournait pas rond du tout. Son esprit repartit six ans et demi en arrière. Banks avait été la domestique de Babe Vanderwalk. Son témoignage avait été central dans le procès contre Scottie Devens. Elle avait trouvé le sac brun dans le placard de Devens et l'avait donné au détective privé des Vanderwalk. Il avait contenu la seringue, l'insuline, et le Valium liquide.

– Avez-vous exécuté d'autres ordonnances pour cette femme? s'enquit Cardozo.

– Nous lui vendons de l'insuline depuis douze ans, répondit le pharmacien. Elle est diabétique.

De retour au commissariat, Cardozo sortit les dossiers de l'affaire Devens.

Aux bouteilles d'insuline trouvées dans le sac marron on avait arraché les étiquettes, ainsi que les numéros de série. Il avait fallu analyser leur contenu avant de pouvoir l'identifier formellement comme de l'insuline. Les bouteilles n'avaient porté aucune empreinte.

On ne signalait dans aucun des modèles cinq que Faith Banks était diabétique.

Parce que personne ne l'a demandé, songea Cardozo. Personne n'a pensé à demander si qui que ce soit dans la maison disposait d'une réserve légitime d'insuline.

Mais nous aurions dû demander, songea-t-il. On ne peut pas ne pas poser une question pareille.

Cardozo essaya de comprendre, en buvant café sur café, jusqu'à ce qu'une note aiguë résonne dans ses oreilles comme un grillon jouant du violon.

Nous avons dû le demander et Banks a dû mentir.

Il continua à avancer à tâtons.

Les bouteilles d'insuline dans le sac marron avaient été dépouillées de toutes marques d'identification. Mais la bouteille Alstetter avait permis de remonter tout droit à Banks. Pourquoi donc?

Il en conclut que les premières bouteilles avaient fait partie d'une habile machination destinée à convaincre la police; la quatrième bouteille d'insuline avait été une fioriture irréfléchie, ajoutée longtemps après que l'enquêteur professionnel des Vanderwalk ait regagné ses pénates, et destinée à convaincre une journaliste limier-amateur du nom de Dina Alstetter.

Cardozo décrocha le téléphone et composa le numéro du juge Tom Levin.

Cardozo suivit le juge Levin dans le salon de son hôtel particulier de Brooklyn Heights. Il y avait une bouteille entamée de Johnnie Walker étiquette noire sur la desserte, verres et glaçons en attente.

Le juge lui tendit un verre.

La transcription était posée sur la table, un classeur marron avec l'étiquette qui commençait déjà à se décoller. *Peuple de l'État de New York contre William Scott Devens.*

Cardozo s'installa dans le fauteuil de velours. Il buvait du scotch à petites gorgées et prenait des notes sur un petit bloc de papier.

Après la page 73, quand la défense s'apprêtait à présenter comme preuve un rapport médical, venait une page blanche.

Cardozo passa à la page suivante. Celle-ci, aussi, était blanche. Il feuilleta rapidement le reste de la transcription. Tout en blanc.

– Tom, demanda-til, voudriez-vous jeter un coup d'œil là-dessus?

Tom Levin prit la transcription et resta planté là à tourner les pages.

– Ça c'est sacrément intéressant, marmonna-t-il.

– Pourquoi quelqu'un volerait-il des pages d'un registre scellé?

– Parce que sceller un registre c'est de la foutaise. Tous les jours que Dieu fait, des gens comme moi fourrent leur nez dans les registres scellés, et qui que ce soit qui a voulu que ce registre soit scellé s'assurait que des gens comme vous ne le liraient pas.

Cardozo lisait les articles de journaux sur Babe Devens.

Selon le *Post*, elle était retournée à sa vie de luxe parmi les gens riches et célèbres de New York. Les *News* signalaient que son hôtel particulier de cinq chambres à coucher de Sutton Place était estimé à 4,2 millions de dollars. Parmi ses voisins on comptait deux ambassadeurs à l'O.N.U., le plus grand ténor d'opéra du monde, une star de cinéma, et un cousin de la reine d'Angleterre. Le magazine *People* racontait qu'avant son coma, son mari et elle avaient organisé des réceptions pour certains des plus grands noms de la haute société et du show business. D'un jour à l'autre, maintenant, elle reprendrait la place qui lui revenait de reine des mondanités.

Les invités sur les photographies de la dernière réception de Scottie et Babe Devens paraissaient à Cardozo une bande de clowns barbouillés de rouge, vivant dans un monde où pleuvaient les diamants, le clinquant et la cocaïne.

Il n'arrivait pas à se l'imaginer en cette compagnie. Ne voulait pas.

Il pressa le bouton d'interphone du 18 Sutton Place, un hôtel particulier d'ardoise grise flanqué de tourelles de château à la française. Un majordome raide comme un manche à balai le fit entrer.

– Voudriez-vous attendre au salon, monsieur?

– Laissez, Wheelock. Me voici.

Cardozo se retourna. Babe Devens faisait rouler son fauteuil hors de l'ascenseur, chevelure blond miel et regard bleu céleste, et le cœur de Cardozo fit un petit bond de plaisir. Sa robe de soie bleue miroitait faiblement. Avec un sourire, elle tendit la main.

– Vous êtes très gentil de venir.

Il prit la main qu'elle lui tendait, la retint, et dit « Bonjour », et quand elle le regarda d'un air bizarre il se rendit compte qu'il avait oublié de la lâcher.

– Pensez-vous qu'il fait trop chaud pour un thé glacé sur la terrasse?

– La terrasse me va très bien, assura-t-il.

Derrière elle, il traversa une pièce dont on aurait dit que quelqu'un avait dévalisé un musée pour la meubler. La pensée lui vint que si par hasard il faisait tomber un objet [1] d'une table il foutrait en l'air deux cent mille dollars. Il se sentit gauche et intimidé, et il compensa en adoptant une démarche assurée mais prudente.

Elle maniait son fauteuil avec souplesse, ses mouvements étaient vigoureux, entraînés et précis. Il lui ouvrit la porte de la terrasse,

---

1. En français dans le texte.

et elle fit rouler son fauteuil jusqu'à une petite table de patio en rotin.

Une rangée de buissons de buis et de petits cornouillers disposés juste au bout des dalles de pierre offrait une sorte d'intimité symbolique, séparant cet endroit du reste du parc. Au-delà de la haie une pelouse bordée d'arbres s'étendait presque jusqu'au fleuve.

Cardozo s'assit et Babe agita une petite clochette d'argent.

Il leva les yeux vers le point où la lumière tardive de l'été frappait les toits de la ville. Ça serait ça la vie, songea-t-il.

Une domestique en uniforme apparut.

— Mme Wheelock, nous prendrons notre thé glacé ici.

La domestique revint, apportant une cruche de verre taillé emperlée de gouttes de condensation et deux hauts verres remplis de glaçons et de tiges de menthe fraîche.

Babe fit le service, ses bras nus ornés de bracelets mais couverts dans le soleil d'un duvet de poils blond clair.

— Prenez-vous du sucre ou des sucrettes?

Le bord de la manche de Cardozo lui effleura la main et sa main resta là sur la table comme s'il ne s'était rien passé du tout.

— Vous n'êtes pas obligé de garder votre veste, assura-t-elle.

Il hésita.

— Je porte un revolver. Vos voisins risqueraient de trouver ça curieux, vous assise là avec un homme armé d'un revolver.

— Ils trouvent déjà très curieux que je sois assise là. S'ils n'apprécient pas votre revolver, qu'ils appellent les flics.

Il rit et se sentit plein de joie et d'ardeur. Il ôta sa veste, la posa sur le dossier de sa chaise, et espéra comme un dingue qu'il n'y ait pas de traînée autour de son col.

— C'est joli ici, dit-il.

— J'adore cet endroit. Il y a l'eau, le ciel, les arbres. On ne croirait pas que la nature existe en ville, mais la voici. Elle but une gorgée de thé. Il faut que vous sachiez, je ne vais pas vous le cacher. C'est si bon, si agréable de bavarder tout simplement avec vous.

Il la regarda, et les poils à l'arrière sa nuque s'animèrent comme si le doigt le plus léger qu'il ait jamais senti était passé dessus.

— C'est agréable pour moi aussi, reconnut-il.

— Vous êtes le seul qui ne me traite pas comme si j'étais définitivement amochée.

Il devinait la vigueur en elle, pas la force volontaire des muscles, mais quelque chose de plus doux, de plus sûr, comme une fleur pointant à travers un rocher.

— Vous n'êtes pas amochée du tout.

Elle le regarda et il devina la gratitude. Les ombres des maisons attenantes de la rue barraient la pelouse, s'étirant vers le mur du fleuve.

Il sortit son calepin.

– Au travail, okay? Un juge m'a laissé consulter le registre du second procès. Ted Morgenstern a plaidé l'innocence de votre mari.

– Je croyais que Scottie avait plaidé coupable avec réduction du chef d'inculpation.

– Il a commencé par plaider innocent. Cette fois-ci la seringue n'a pas été admise comme preuve. Ce qui n'a pas laissé à l'État beaucoup de cartes dans son jeu. L'État a cité quatre témoins. Le docteur. Votre domestique, Mme Banks. Votre fille. Et Billi von Kleist.

Elle leva les yeux, étonnée.

– Billi a témoigné contre Scottie?

– Pas exactement contre lui. Il a dit que vous aviez quitté la réception, ivre, vous étiez partie avec votre mari, il était deux heures du matin. Il a proposé de vous accompagner chez vous, votre mari a dit non merci. Le docteur a dit qu'on vous a injecté une dose presque mortelle d'insuline à un moment ou un autre entre minuit et quatre heures ce matin-là. Cordélia a dit qu'elle avait vu votre mari sortant de la chambre à trois heures du matin. Mme Banks a dit que Cordélia l'avait réveillée à trois heures et quart. Jusque-là c'est la même affaire que l'État avait exposée au procès numéro un – moins la seringue. Et puis Morgenstern prend le relais. Il se propose de présenter comme preuve un rapport psychiatrique sur votre fille.

Babe plissa le front.

– Le psychiatre se nommait Dr Flora Vogelsang. La connaissez-vous?

– Je n'ai jamais entendu parler d'elle, dit Babe.

Cardozo lui jeta un coup d'œil.

– Vogelsang pratique toujours. Elle a un cabinet là-bas sur Madison Avenue. On dirait qu'elle a examiné votre fille, préparé un rapport pour la défense, et s'est présentée au tribunal pour l'appuyer par son témoignage.

– Que disait le rapport?

– Je ne sais pas. Le registre du procès manque à partir de là. Quelqu'un y a substitué deux cents pages blanches. Impossible de savoir si le rapport a été accepté comme preuve, comment Vogelsang a témoigné; pas trace de l'offre d'un arrangement entre le juge et l'accusé.

Les yeux de Babe étaient intelligents et interrogateurs.

– Pourquoi ces pages auraient-elles été ôtées?

– Quelqu'un couvre ses arrières. Mais pas besoin d'être Albert

Einstein pour comprendre. Votre fille était le témoin oculaire contre votre mari. Morgenstern ne pouvait pas défendre son client, alors il a fait ce qu'il avait de mieux à faire – il a attaqué le témoin. Demander l'intervention du psychiatre signifie qu'il a attaqué sa santé mentale. Résultat, l'État ne pouvait pas se servir d'elle. Alors que fait-on. Pas de témoin oculaire, pas de seringue, pas d'affaire. On marche pour l'arrangement entre le juge et l'accusé.

Quand il eut tout exposé, il put sentir le contact presque physique de son attention.

– Je n'arrive pas à croire que Scottie ait laissé son avocat... Il adorait Cordélia, c'était une fille pour lui.

– Il sauvait sa peau.

– Les jurés ne se souviendraient-ils pas de ce qui a été dit?

– Ils ne l'ont pas entendu. Le juge aura fait évacuer la salle du tribunal. Morgenstern aura interrogé Cordélia et l'aura pulvérisée, l'État aura vu que c'était sans espoir et accepté l'arrangement entre le juge et l'accusé, le jury aura été renvoyé chez lui.

– Cordélia a changé. Je suis sûr que ce procès y est pour quelque chose.

Babe Devens était assise là, les yeux posés sur Cardozo, le visage anxieux maintenant, et résolu.

– J'aimerais savoir ce qu'indiquait le rapport du psychiatre.

– J'aimerais le savoir aussi.

Cardozo se leva et se coula à nouveau dans sa veste. La toile de seersucker était encore chaude d'être restée pendue sous le soleil.

– A propos – sauriez-vous si Faith Banks avait de quelconques ennuis de santé à l'époque où elle travaillait pour vous?

– Pas que je sache, répondit Babe Devens. Pourquoi?

– L'insuline que vous m'avez donnée lui appartenait. Elle est diabétique.

Le crépuscule était déjà gris foncé. Le soleil allait disparaître. Les feuilles qui s'assombrissaient frémissaient sur les arbres et les arbustes, et la nuit descendait avec beaucoup de douceur.

– Je ne l'ai jamais su, dit Babe Devens.

– Ce n'est pas le genre de chose que l'on remarque obligatoirement. Elle ne devait pas manger de sucreries ni boire d'alcool.

– C'est exact – nous lui avons offert du champagne et elle n'y a pas touché.

– L'insuline dans le sac marron aurait pu lui appartenir. Ça m'ennuie de l'admettre, mais votre ex-mari a pu être victime d'une machination. Ce qui n'est pas nécessairement une bonne nouvelle. Avez-vous fait changer les serrures de la maison?

Le regard de Babe vint se poser sur lui, attentif.

– Si quelqu'un voulait encore me tuer, les occasions ne lui auraient pas manqué.

– Je ne dis pas que c'est probable. Je dis d'être un peu plus prudente, d'ouvrir l'œil.

Elle acquiesça.

– J'ai fait changer les serrures.

– Ne distribuez pas trop de clés.

– Je ne l'ai pas fait. Je ne le ferai pas.

– Et si quoi que ce soit se met à vous tracasser, ou si vous avez besoin de quoi que ce soit...

– Vous êtes extraordinairement gentil, et j'apprécie. Mais je ne veux pas de protection, si c'est ce que vous proposez.

– Ou n'importe quelle autre façon que j'aie de vous aider.

Elle secoua la tête.

– J'ai suffisamment pesé sur vous.

– Mais non, voyons.

Elle sourit.

– Okay, dit-il. Tenez-moi au courant. Sinon je vais m'inquiéter.

– Ne vous inquiétez pas pour moi. Je vous en prie.

Il jeta un regard par-dessus son épaule.

– Ce portail donne-t-il dans la rue?

– Claquez-le fort. Il se verrouille tout seul.

Au bout d'un moment il tourna les talons et traversa la pelouse, passa sous les arbres feuillus, et puis elle le perdit de vue.

La tête de Babe Devens bourdonnait d'étonnement. Elle avait vu Vince Cardozo moins d'une demi-douzaine de fois, mais déjà elle ressentait quelque chose qu'elle n'arrivait pas à formuler avec des mots. Elle songea à ses yeux sombres, son air de lassitude, cette façon de prendre la vie tristement. Elle songea à son offre de protection, et pour une raison quelconque elle se sentit un peu plus protégée.

Le portail de fer claqua. Elle resta assise là un long moment, à se poser des questions sur Vince Cardozo et à scruter l'endroit où il avait disparu.

33

Le juge Francis Davenport avait la tête rejetée en arrière, un air de fureur menaçante émanait de ses épais sourcils gris et de ses yeux noirs.

— Maître, j'espère que vos arguments de demain seront un peu mieux préparés qu'aujourd'hui. L'audience est suspendue jusqu'à dix heures du matin.

Le marteau à manche d'argent s'abattit. Le juge scruta le tribunal et lança :

— Babe, entre donc, veux-tu?

Babe remercia le stagiaire qui l'aida à rouler son fauteuil dans le cabinet du juge.

— Mais tu es magnifique, s'exclama le juge. Sans sa robe c'était un homme trapu, à la lourde mâchoire, aux cheveux argentés et à l'accent patricien. Quelle surprise merveilleuse!

Elle leva la tête à l'oblique, offrant sa joue à ses lèvres.

— Oncle Frank, j'ai besoin d'aide.

Elle put voir une vague de prudence s'abattre sur le juge. De toute évidence il avait peur qu'elle soit venue poser des questions sur le procès de Scottie.

— Tu sais, Babe, j'étais à ton baptême à Saint-Bartholomew. Je me suis toujours considéré comme ton parrain *ex officio*.

L'argent des Vanderwalk avait assis Francis Davenport au banc des magistrats et l'y maintenait : il n'était pas en position de refuser de rendre un service. Tout ce qu'il pouvait tenter c'était de la dissuader avec tact d'en demander un.

— Il se trouve que je tiens très tendrement à toi, poursuivit-il.

— Je le sais, oncle Frank, et je t'en suis reconnaissante.

Le juge poussa un petit soupir plein de résignation.

— De quel genre d'aide as-tu besoin?

— Tu as des contacts dans les services de police, non?

— J'ai quelques amis dans la police.

– Que peux-tu trouver sur un lieutenant-inspecteur de police de la criminelle qui s'appelle Vincent Cardozo?

Le juge fit une moue.

– Sans doute quelques petites choses.

– Il est new-yorkais de naissance, autant que toi, Babe. A grandi sur Charlton Street, dans Greenwich Village.

Le juge Davenport était assis devant le feu éteint dans le salon de Babe, et consultait un petit calepin à reliure de cuir.

– Son père était un émigrant juif portugais qui est venu dans ce pays comme employé de pressing. A l'époque de sa mort, Baruch Cardozo était directeur à la Poste.

– Baruch, interrompit Babe, savourant l'étrangeté du nom. C'est un mot hébreu. Que signifie-t-il?

– Désolé, l'hébreu n'est pas une de mes langues. On l'appelait Barry pour faire plus court. La mère du lieutenant Cardozo était italo-américaine, née ici, professeur laïque à l'école Saint- Anthony, où Vince a suivi l'enseignement primaire. Vince était enfant unique. Il est catholique romain pour la forme. Son père a observé les grandes fêtes saintes au temple du Village [1] jusqu'à sa mort et a eu un enterrement juif.

Un chaud crépuscule d'été entrait en flottant par les fenêtres.

Le juge Davenport tourna une page de son calepin.

– Vince était très aimé de ses camarades de classe. Répondait aux professeurs, n'était pas aimé des sœurs. Traînait avec les bandes de quartier. A eu quelques ennuis avec la police quand il était adolescent. Pas de crime bien entendu. A fréquenté Fordham Université, sciences politiques, diplômé *cum laude*. Préparation de diplôme au collège de Droit Pénal John Jay – lui manque encore douze unités de valeur pour obtenir son diplôme – est entré à l'Académie de police, s'est engagé dans la police, a grimpé d'agent jusqu'à lieutenant-inspecteur de police de la criminelle. On pense beaucoup de bien de lui; son taux de réussites est un des plus élevés.

– Et sa vie privée?

Le juge considérait Babe avec une curiosité frisant la désapprobation. Manifestement le réseau de relations entre elle et ce flic de la criminelle lui échappait.

– La vie privée de Vincent Cardozo est tranquille. Il y a treize ans il a épousé Rose Romano.

Babe se redressa, colonne vertébrale droite, son dos ne touchant pas le fauteuil roulant.

– Rose était institutrice, comme la mère de Vincent. Son épouse et

1. Greenwich Village.

lui ont emménagé dans un petit appartement de Broome Street, non loin de là où Vince avait grandi. Un an plus tard ils ont eu une fille, leur seule enfant, Teresa. Teresa va à l'école primaire à Sainte-Agnès, extrêmement intelligente.

– Vince et Rose Romano sont-ils heureux? demanda Babe. Elle se sentait loin de l'homme dont ils discutaient et de la vie qui l'entourait. Sa vision de lui était sommaire, incomplète; elle ressentait le besoin de le définir.

– D'après tous les rapports, ils étaient extrêmement heureux.

Ce passé la surprit.

– Sont-ils séparés?

Un silence s'attarda et le juge Davenport lança à Babe un regard chargé d'une pointe de mise en garde.

– Il y a cinq ans, la veille de Noël, Rose Cardozo s'est rendu compte que le magnétophone qu'ils allaient offrir à Teresa était défectueux. Elle est allée chez Crazy Eddie dans le Village pour le changer. Elle n'est jamais rentrée à la maison. Le jour de Noël un agent de police l'a trouvée dans le sous-sol d'une tour en construction sur West Street. Elle avait été agressée et lardée de soixante-treize coups d'un instrument tranchant.

Les mots cueillirent Babe avec une violence physique.

– Sa femme a été assassinée?

Le juge Davenport inspira profondément et acquiesça d'un air mécontent.

– A-t-on trouvé l'assassin?

– Jamais.

Un nœud s'entortilla dans le ventre de Babe. Il vit avec ça, pensa-t-elle. Il a fait face à ça et il a continué.

Quand le juge fut parti, Babe monta à l'étage en ascenseur. Elle roula son fauteuil jusqu'à son vestiaire et, résolument, tendit la main vers ses béquilles.

– Oh Billi, Babe soupira, en contemplant la ville qui passait en glissant derrière les vitres de la limousine. Parfois je pense que trop de choses ont changé. Je me demande s'il ne me faudrait pas encore dormir mille ans de plus.

– Tu fais exactement ce qu'il faut. Tout ce dont tu as besoin, ma petite princesse, c'est de ressauter direct en selle.

Babe pria tandis que la limousine roulait vers l'ouest sur la Quarante-septième et vers le sud sur Broadway. Elle priait encore quand le chauffeur stoppa et lui ouvrit la portière. En sortant, elle se trouva terriblement maladroite avec ses béquilles.

Billi leur fraya un chemin à travers le flot humain. Des taxis et des camions de travaux bloquaient le carrefour de la Trente-neuvième

Rue. L'air était plein d'un millier d'accents et d'odeurs. Il y avait une énergie dans la démarche des gens, une animation sur leurs visages. C'était comme si la ville revivait après de longues vacances. Les gens s'exprimaient avec les mains plus que Babe ne s'en souvenait. La population de la ville était devenue plus méditerranéenne et caribéenne. Les visages étaient plus foncés, la sensualité plus explicite.

Billi lui tint ouverte la porte de verre et d'acier marquée « Défense d'entrer » d'un gratte-ciel de verre fumé au coin de la Trente-huitième.

Babe hésita, se souvenant de sa petite boutique au rez-de-chaussée d'un hôtel particulier de Park Avenue. Ai-je vraiment envie de faire ça? songea-t-elle, et la réponse vint, Oui, j'ai vraiment envie de faire ça.

– Sixième ascenseur, signala Billi.

En montant vers le vingtième étage, les oreilles de Babe se débouchèrent bruyamment quatre fois.

Billi la guida vers la porte à l'énorme logo doré Babemode. Il s'embrassa le bout des doigts et les pressa sur les lèvres de Babe.

– Bienvenue chez toi, murmura-t-il.

– Bonjour, Mme Devens, s'écria la réceptionniste, comme si elles étaient de vieilles amies, et Babe lui rendit son sourire, envahie par toutes sortes de doutes.

Billi la guida le long d'un couloir ouvrant sur divers ensembles de pièces plus petites.

– Nous avons trois étages, expliqua-t-il, mais ici c'est l'étage principal. Ne t'en fais pas – même moi je m'y perds.

A Babe cela semblait une taupinière hi-tech de labyrinthes blancs laqués. Des voix basses et incompréhensibles filtraient derrière des portes fermées portant des noms et des titres qui ne lui étaient pas familiers. Il y avait un bruit étouffé d'activité, comme la circulation au loin. Quelque part un million de téléphones sonnaient.

Billi expliqua les changements : un nouvel espace, le département publicité interne, les opérations informatisées, les nouveaux produits – parfums, programmes de régime, vidéocassettes, manuels pratiques de shopping.

Babe écoutait, acquiesçait, sentant l'espoir et le doute dans son cœur, et priant pour que seul l'espoir se vît sur son visage.

Des gens couraient dans des tailleurs de coupe italienne et des colifichets excessifs et tintinnabulants. On aurait dit des adolescents. L'âge moyen des employés semblait être dix-huit ans.

Billi fit les présentations, et des inconnus au visage poupin s'écrièrent, « Ravi de vous voir de retour, Mme Devens », et Babe eut une sensation fulgurante et triste que quelque chose d'autrefois familier était devenu étranger, comme un enfant chéri devenu un adulte inconnu.

– Viens voir notre gamme de vêtements de croisière.

Billi lui fit parcourir le laboratoire. Les vêtements qui étaient assemblés sur une centaine de mannequins de couturier ressemblaient à des costumes pour un film de gangsters futuriste hollywoodien, abandonnés à divers degrés de finition.

– Une chose n'a pas changé, sourit Billi. Tout est encore fait dans l'affolement de la dernière minute. Dieu sait comment nous arriverons à obtenir cent cinquante pièces prêtes pour septembre.

Babe saisit l'ourlet de ce qui semblait une jupe turque.

– Qui s'occupe des broderies de perles maintenant?

– C'est toujours exécuté à la main.

– Celle-ci doit être reprise, elle est irrégulière.

– Oh, ce n'est rien. Il y a toujours quelques perles qui tombent – le travail est exécuté en Inde et vient par bateau.

– Inde?

Babe palpa une autre robe à moitié terminée.

– Où achetons-nous notre lin?

– Chine.

– Chine continentale?

Il rit.

– Évidemment.

– Et notre dentelle?

– Tout vient de Chine. Lin, dentelle, soie. La main-d'œuvre est bon marché, touchons du bois, et ils respectent les délais de livraison.

Babe se souvenait du contact caractéristique, de l'odeur et de l'aspect du lin irlandais, de la dentelle française et de la soie italienne, des textures qu'elle avait utilisées et mariées comme un artiste combine des pigments.

– Et ceci se vend combien?

Elle palpait une autre robe.

– Deux mille quatre cents.

Elle considéra Billi, incrédule.

– N'en vendrions-nous pas plus à mille huit cents?

– Babe, notre clientèle s'est élargie au-delà de la centaine de tes meilleures amies bcbg. Nos clientes avides ne voudraient pas la moindre chose à mille huit cents. Elles sont anxieuses. Deux mille quatre garantit que c'est du bon. Tous nos prix sont fixés par une société d'analyse de marché top niveau.

Elle sentait qu'elle n'arrivait pas à se mettre dans le ton. A leur façon muette, ces vêtements lui signifiaient que la mode avait choisi sa voie pendant qu'elle dormait.

– Nous vendons cent fois le volume que nous faisions il y a sept ans. Billi lui tint une porte. Et je ne parle que des vêtements. Les produits sous licence rapportent un bon tiers de notre brut.

– Qu'avons-nous sous licence?

– Toutes sortes de bonnes choses. Parfums, chocolats, vins, plats cuisinés. On t'en servira pour le déjeuner. Où tu rencontreras aussi nos stylistes.

– C'est drôle – quand je me suis endormie c'était moi ta styliste.

– Et maintenant tu es notre star.

Billi lui fit longer encore un autre couloir, en s'arrêtant pour lui présenter des gens dont elle ne pouvait même pas commencer à se rappeler les noms. Ils semblaient tous bourrés de projets de stylisme, de publicité et de promotion.

– Ma petite mansarde, annonça Billi.

Avec ses surfaces étincelantes de verre et de plastique, le bureau de Billi donnait l'impression d'un cabinet médical. Sur un bureau chromé, les boutons de deux consoles téléphoniques clignotaient. Sur deux murs, des diapos étaient fixées à côté d'écrans de projection illuminés.

Babe feuilleta les dessins empilés sur un chevalet à côté de la fenêtre. Les vêtements avaient des lignes vives et agressives, avec des contrastes de couleurs brutaux et des juxtapositions de texture outrées. Elle s'arrêta sur une veste sable portée sur un jean.

– De qui est-ce?

– De moi.

– Tu les as dessinés.

– Non, non, non. J'ai un cabinet [1] de cinq stylistes – ils soumettent les croquis et les idées de tissu. Ils ont vingt-cinq personnes qui travaillent sous leurs ordres.

Elle laissa retomber les croquis contre le chevalet, en pensant à l'époque où elle avait tenu la boutique Babemode et l'atelier avec un total de quinze tailleurs, couturières et brodeuses. Quand elle se retourna elle remarqua le gros œil noir d'un terminal d'ordinateur sur la table à côté de la planche à dessin.

– Qu'est-ce que c'est que ce monstre?

– Simulateur trois D dernier cri, répondit Billi. Nous les utilisons pour stocker les modèles, composer, reprendre. C'est très pratique. Ça aide ton dessin.

L'écran de l'ordinateur rappelait à Babe la surface d'une mare stagnante : trouble, sombre, avec des infinités de menaces microscopiques tourbillonnant juste en dessous.

– Ça n'aidera pas mon dessin, déclara-t-elle d'un ton ferme.

– Babe, chérie [2], une fois que tu auras repris pied, je veillerai à ce que tu tâtes un peu du progrès. Et maintenant suis-moi. Une dernière étape.

---

2. En français dans le texte.

Billi lui fit longer un couloir et ouvrit une porte en grand.

Elle resta plantée là, laissant son regard balayer la pièce. Son sentiment de déjà vu provoqua une troublante poussée d'adrénaline.

— C'est le mobilier de mon ancien bureau! s'écria-t-elle. Tu l'as
gardé! Elle saisit la main de Billi qui reposait sur son épaule. Billi —
quel ange!

Elle vacilla en avant, retrouva son équilibre, puis fit lentement le
tour de la pièce, en touchant les fauteuils de hêtre doré, le bureau
français ancien, l'horloge de parquet — tous aussi familiers que les
décors d'un rêve obsédant. Elle posa ses béquilles contre le mur,
s'assit au bureau et ouvrit un tiroir.

— Je n'ai pas osé débarrasser ces tiroirs, s'excusa Billi. Pourtant ils
en auraient certainement eu bien besoin.

— Tu n'avais pas intérêt.

Babe fourragea joyeusement parmi les décombres familiers de sty-
los, de bidules, de papier brouillon et d'échantillons de tissu. Quand
elle tomba sur une carte postale elle poussa un petit cri ravi.

— Qu'est-ce que c'est? demanda Billi.

Babe examina le cachet de la poste.

— Ça vient de Mathilde — de Bretagne. Elle est repartie passer une
semaine de vacances dans sa vieille ferme juste avant que je — avant
mon coma.

Mathilde avait été la directrice de l'atelier de Babe — une Française de soixante-dix ans merveilleusement compétente qu'elle avait
débauchée chez Saint Laurent.

— Je me demande comment elle va. Quelqu'un a-t-il de ses nouvelles?

— J'ai entendu dire que Mathilde était morte.

Le cœur de Babe eut un petit élancement.

— Oh, non.

Billi haussa les épaules, fataliste.

— Voyons, elle était âgée.

— Comment va le travail?

Les mains du Dr Corey la parcouraient avec des mouvements lents
et prudents, contact de marteau de caoutchouc, de stéthoscope
métallique glacial, garrot de plastique gonflable avec des attaches de
Velcro crépitantes.

— J'y vais quelques jours pas semaine, répondit Babe. Je me donne
à fond. Mais c'est comme d'apprendre une langue en reprenant tout à
zéro.

— Vous apprenez un tas de choses en reprenant tout à zéro. Vous
devriez devenir très forte à cet exercice.

— Je me demande, dit Babe. J'ai eu des problèmes.

– Des problèmes avec quoi?

– Les souvenirs.

– Oublier des choses?

– Non – juste le contraire. Me rappeler de choses.

– C'est bon signe, assura le Dr Corey.

Elle sentit l'odeur d'alcool à 90°, puis le contact frais d'un coton humide, suivi par la piqûre d'une aiguille au creux de son bras. Elle se rendit compte d'une chaleur lente et déconcertante rayonnant à partir de la piqûre tandis que le sang était aspiré dans le tube de la seringue.

– Mais ces souvenirs sont comme des ombres, poursuivit-elle. Je n'arrive pas à en régler la netteté. On dirait qu'ils appartiennent à quelqu'un d'autre, pas à moi.

– Vous êtes une observatrice perspicace. Le fait est que nous avons tous des souvenirs qui ne nous appartiennent pas.

Le Dr Corey retira sa seringue, en adressant un petit sourire à Babe.

– Freud rapporte le cas d'une servante autrichienne quasiment illettrée. Elle se rappelait et récitait des chapitres entiers du Lévitique dans un parfait hébreu biblique. Elle n'avait jamais étudié l'hébreu et parlait tout juste son allemand maternel. Il s'avéra qu'elle avait été employée par un pasteur luthérien. La nuit, pendant qu'elle dormait, il arpentait son bureau à pas lourds en déclamant les passages – d'où son souvenir. Elle entendait le Lévitique sans se rendre compte qu'elle l'avait entendu. La fille fut considérée comme un prodige jusqu'à ce que Freud trouve l'explication.

Babe fit courir ses doigts le long de son bras, et tâta le petit pansement rond que le Dr Corey avait collé sur la veine.

– Mais la fille était un prodige. Le souvenir était à elle.

Le cou du docteur s'enfla. Son ton devint dogmatique, comme s'il s'adressait à un étudiant.

– Le souvenir du pasteur était à elle – mais le souvenir du Lévitique n'était pas à elle dans le même sens. Elle avait supprimé le pasteur mais retenu le son, pas la signification, de ses récitations nocturnes. Le souvenir est un imbécile qui a cent pour cent de mémoire. Comme un vieux parent qui jacasse trop longtemps. D'autre part, la conscience et l'entendement sont sélectifs. C'est le processus de sélection – la sélection hors sujet – qui nous donne l'impression d'un souvenir étrange.

– Je ne vous suis pas.

– Je vais vous donner un exemple. Un de mes patients – président d'une très grande firme de courtage – se souvient de l'assassinat du Président McKinley alors qu'il est né quarante ans plus tard. Ce dont il se souvient, c'est que son grand-père avait été témoin de l'assassinat et adorait en parler.

— Comment savez-vous qu'il a entendu son grand-père s'il ne s'en souvient pas?

— Sa mère se souvient de son père le racontant à l'enfant quand il avait quatre ans. Le meurtre terrifiait l'enfant, mais il adorait son grand-père. Alors dans son esprit il les dissociait.

— Mais le Lévitique en hébreu existe vraiment, et l'assassinat de McKinley a vraiment eu lieu. Et les choses qui n'ont pas eu lieu? Est-il possible de penser que l'on s'en souvient?

— Absolument. Vous pourriez vous souvenir d'un rêve. Et il se pourrait même que vous vous en souveniez comme d'un événement. Après tout, à leur façon, les rêves sont aussi réels qu'un arbre, qu'un théorème de Pythagore, ou que le son d'un violon. Les rêves ont lieu. Toutes les données physiques et mentales coexistent dans l'univers.

— Je vous trouve bien mystique.

— Il n'y a rien de mystique dans le bon sens.

Le Dr Corey resta silencieux, comme perdu un instant dans un infini espace de conjecture.

— Ou peut-être que si. Je n'y ai jamais accordé beaucoup de réflexion.

Les yeux de Babe vinrent se poser sur lui, avec prudence.

— Aurais-je pu rêver pendant que j'étais dans le coma?

— Durant certaines phases de coma, absolument. L'esprit doit rester actif, sinon il devient fou.

— Pourquoi aurais-je rêvé d'un cocktail où les invités portaient des masques de magasin de farces et attrapes?

— Parce qu'il se peut que ce soit votre jugement profond des cocktails. Prêtez attention à ces petits avertissements que vous envoie votre inconscient. Souvent ils mettent en plein dans le mille.

Des téléphones sonnaient et des échos de voix venaient du couloir; il y avait un bavardage sans fin d'humains, d'ordinateurs et d'imprimantes quand Babe entra dans son bureau. Un flot de vide, pareil à un courant atmosphérique, s'éleva en tourbillonnant pour l'accueillir.

Elle avait empilé les croquis des gammes de vêtements de croisière des trois dernières saisons en cinq énormes piles sur sa table de travail, son bureau et des chaises. Ça faisait partie d'un programme qu'elle s'était établi pour essayer de retrouver son mordant. Tout en regardant les piles, elle ressentit une émotion à mi-chemin entre le désespoir et le défi.

Elle se tint un petit laïus d'encouragement de cinq secondes genre tu-peux-y-arriver, suspendit sa veste, posa ses béquilles contre le mur, et s'assit.

Elle commença par l'année précédente.

Tandis qu'elle essayait de comprendre les 150 croquis, ses yeux se rétrécirent en de minces fentes de frustration. Tout ce qu'elle voyait c'étaient des rayures et des damiers sommaires, des cachemires op' art et des couleurs d'intensité industrielle, un façonnage délibérément excentrique qui serait impossible à exécuter sans affaissement ou sangles. Tout semblait appartenir au look à trois mille dollars.

Elle sentit son jugement vaciller, comme si quelque part dans son long sommeil elle avait perdu trace de la façon dont était bâtie la réalité, de quelle cause menait à quel effet.

Elle avait devant elle le listing des bénéfices de Babemode : il indiquait que des centaines de riches jeunes femmes – et probablement un certain nombre qui se voulaient jeunes – achetaient ces jupes, ces vestes et ces chemisiers.

Babe était perplexe. Comment des modèles pareils donnaient-ils à une femme la sensation d'être féminine, ou belle, ou battante ou épanouie? Où se plaçait l'affirmation de soi? Se pouvait-il que les clientes de Babemode, les femmes qui avaient fourni à l'entreprise une recette brute de treize millions de dollars, soient toutes des masochistes de la mode?

« Je suis de mauvaise humeur, se dit-elle. Peut-être ne devrais-je pas m'occuper de ça aujourd'hui. Peut-être devrais-je me détendre et m'amuser avec un bout de papier blanc et un bon vieux Caran d'ache. »

Elle déblaya la table de travail.

– Génie au travail.

Elle s'installa devant la planche à dessin dans un état d'esprit incertain mais plein d'espoir.

Elle commença un croquis immédiatement, une robe de printemps bleu pâle, mais il ne lui plut pas et elle le ratura. Elle commença un autre croquis et de nouveau arriva devant un mur blanc. Sa main avait du mal à exécuter les formes qu'elle voyait dans sa tête. Elle dessina un simple corsage et il lui fut impossible de dessiner le col. Elle l'essaya sans le col et on aurait dit qu'une guillotine l'avait tranché net.

Au bout d'une heure elle n'avait pas été plus loin que de simples contours, de plus en plus simples, semblait-il, et de plus en plus dénués d'inspiration.

Finalement elle dut admettre que la détermination ne la menait nulle part. Avec un clac décidé elle ferma le carnet de croquis sur les pages des dessins raturés.

Un sentiment de totale inutilité l'envahit. Pas question que je pique une crise de larmes dans ce bureau, se dit-elle.

Quand elle repoussa la lampe d'architecte loin de la table de travail, la carte postale qu'elle avait fixée au bras articulé tomba sur la planche à dessin.

Son œil se posa sur la photographie de la vieille ferme bretonne. A ce moment, l'un de ces petits messagers que lui avait recommandés le Dr Corey projeta quelque chose hors de son inconscient.

Elle ramassa la carte, examina en plissant le front le cachet de la poste incomplet, et reconstitua le nom de la ville.

Les doigts tremblants, elle ouvrit l'annuaire et chercha les instructions pour téléphoner à l'étranger. Elle appela les renseignements en Bretagne et de son plus beau français scolaire demanda s'ils avaient comme abonnée une Mademoiselle Mathilde Lheureux.

Un moment plus tard le téléphone émit les deux-sonneries-de-suite à la française.

Une voix répondit.

– *Allo*?

La surprise se serra autour de la gorge de Babe.

– Mathilde – vous êtes vivante!

– Bien sûr [1] que je suis vivante. Qui est à l'appareil?

– C'est Babe, Mathilde. Moi aussi je suis vivante.

Un instant de stupéfaction monta en flèche de Bretagne vers un satellite au-dessus de l'Atlantique et redescendit sur Manhattan.

– Mais ils m'ont dit que vous étiez morte!

– Ils m'ont dit que vous étiez morte!

– Voyons, qu'en savent-ils. Chérie [1], vous devez prendre le tout prochain avion et venir me voir.

– Impossible. Je travaille. Vous, venez me voir.

– Impossible. Je restaure la ferme. Les poutres sont magnifiques mais vieilles. Comme moi. Trois cent mille francs à investir dans des soutènements en acier. Que puis-je faire? C'est ma maison.

Elles bavardèrent pendant presque trois quarts d'heure, et quand Babe raccrocha, elle sentit la gaieté bouillonner dans ses veines.

Elle se précipita dans le bureau de Billi.

– Billi, devine – Mathilde est vivante!

Billi leva les yeux de son bureau. Il ne semblait pas du tout passionné.

– Comment diable as-tu découvert ça?

– Je lui ai téléphoné.

– Tiens, tiens, ça alors. Va-t-elle venir nous rendre visite?

– Je crains de ne pas avoir réussi à l'en convaincre.

– Dommage. C'aurait été marrant de revoir cette vieille bique. Billi joignit les mains. Dis-moi, Babe, voudrais-tu me faire profiter de ta compétence?

Il lui montra un croquis d'une robe de cocktail en soie rose à taille très haute, portée avec un boléro de satin matelassé assorti. Les cro-

---

1. En français dans le texte

quis de mode tendaient vers un impressionnisme exagéré, mais l'idée vint à Babe que ceci était un croquis très séduisant d'un vêtement extrêmement peu pratique.

— Un de mes stylistes a mis un Chanel de 1954 sur ordinateur et l'a retravaillé, expliqua Billi.

— Le boléro ressemble à quelque chose que Valentino ferait, remarqua Babe.

Billi sourit.

— Il l'a fait. Il y a deux saisons. Nous avons changé la couleur et modelé un peu le col.

Babe sentit ses lèvres se pincer.

— Le présentons-nous?

— Eh bien, nous avons quelques trous dans la gamme de vêtements de croisière, et ça serait trop dur de se casser la figure. Qu'en penses-tu? Un hommage affectueux à l'élégance d'autrefois?

Babe s'était efforcée de garder l'esprit ouvert, pour essayer de sentir les tendances de la mode actuelle. Mais plus ça allait, plus elle avait le sentiment frustrant de son incapacité à juger l'orientation que le stylisme avait prise, ou du moins que Babemode avait choisi de prendre. Les stylistes de la firme lançaient de brillantes déclarations, mais le fait que la déclaration devait ensuite être portée par une femme vivante n'était qu'un obstacle à vaincre avec de l'astuce et beaucoup d'argent.

— C'est asez... spirituel, hasarda Babe.

— Spirituel, s'exclama Billi. Quelle remarque pertinente. Comment avons-nous pu nous débrouiller sans toi pendant sept longues années, ma petite [1]? Oui, nous allons nous en servir. Un peu de douceur pour pimenter la gamme.

---

1. En français dans le texte.

34

Cardozo supervisait l'affaire d'une victime d'un tueur au couteau de l'Upper East Side dont Monteleone s'occupait, et ceci le mena dans le quartier de Flora Vogelsang, un splendide demi-kilomètre de magasins d'antiquités et de galeries d'art. L'air était épaissi par l'odeur de l'argent qui flambait, la bousculade des femmes qui dépensaient mille dollars pour une montre-bracelet, des hommes qui en payaient cinq cents pour un portefeuille.

Dans l'entrée du 1220 Madison, un portier était assis, les épaules voûtées, sur un tabouret à côté des interphones. Cardozo s'approcha.

– Qui êtes-vous? dit le portier.

Cardozo ouvrit son portefeuille, exhibant sa plaque et un billet de vingt dollars. Les pots-de-vin n'étaient pas déductibles des impôts, et ils ne pouvaient pas être récupérés sur la caisse des frais généraux. C'était une dépense inévitable.

– Est-ce qu'une psychiatre d'enfants nommée Dr Flora Vogelsang vit ici?

Cardozo avança dans un couloir grouillant de livreurs, d'épaves humaines, de flics qui n'étaient pas en service, d'employés de bureaux du quartier. C'était le spectacle ordinaire de la séance d'identification de midi, une façon facile de se faire cinq dollars si on ressemblait au suspect du jour du commissariat.

Il entra dans la salle d'observation. C'était le côté clair du miroir sans tain. Une jeune femme au visage blanc était assise là, déchique-tant un Kleenex.

– Merci d'être venue, mademoiselle Yannovitch.

Cardozo prit sa voix et son air les plus compatissants.

– Je sais que ce n'est pas facile pour vous.

Tammy Yannovitch était la voisine de palier d'une femme dont on recherchait le meurtrier. Yannovitch avait signalé avoir vu un Latino entrant dans l'ascenseur juste avant qu'elle ait entendu aboyer le chien de sa voisine; elle était allée dans l'appartement qui n'était pas fermé à clé et avait trouvé le corps. Un agent de police avait pincé un Latino tentant d'entrer par effraction dans un appartement trois immeubles plus loin; l'homme correspondait en gros à cette description, il était armé d'un couteau de tapissier.

Cardozo parla dans le micro.

— Okay, amenez-les.

De l'autre côté du miroir, sept Latinos entrèrent à la queue leu leu dans la pièce et restèrent plantés là à cligner des yeux dans la lumière.

Tammy Yannovitch ouvrit son sac et mit ses lunettes; aussitôt Cardozo sut que son identification ne vaudrait rien.

— Vous les portez souvent, ces lunettes, mademoiselle Yannovitch?

— Seulement au cinéma. Elle dévisagea chacun des sept, en louchant à travers ses verres teintés rose. C'est difficile d'être sûre — je ne l'ai vu qu'une fraction de seconde.

— Ce n'est pas grave. Prenez votre temps.

Elle prit son temps, déclara qu'elle pensait que peut-être c'était le numéro deux, peut-être c'était le numéro quatre. Les hommes s'avancèrent et se présentèrent profil droit, profil gauche, elle hésitait toujours.

Cardozo regardait le numéro six. L'homme portait un tee-shirt Miss Liberty, et des cheveux noirs sortaient en boucles de son énorme tête. Ses traits étaient épais, comme si un sculpteur les avait façonnés à la truelle. Le lobe de son oreille droite manquait, et avec ses épaules lourdes et arrondies il avait une allure bestiale.

— Je suis désolée, déclara Mlle Yannovitch. Je ne peux pas être sûre. Cela m'ennuierait beaucoup de faire arrêter un innocent.

Cardozo posa une main consolatrice sur son épaule.

— Merci de vous être dérangée mademoiselle Yannovitch. Il se tourna vers Sam Richards. Fais monter le numéro six dans le bureau des inspecteurs.

Cardozo alla dans la salle d'ordinateurs et demanda au sergent de sortir le casier de Waldo Flores.

Deux tentatives de viol. Une condamnation.

Multiple possessions et utilisations de cartes de crédits volées.

Multiple possessions de marchandises volées.

Multiple possessions de substances réglementées. Une condamnation.

Multiple possessions de substances réglementées avec intention de vendre.

Multiple subsistances grâce aux gains immoraux féminins.

C'était un casier intéressant pour un homme de la classe de Waldo Flores. Il n'y avait pas une seule effraction. Donc, de toute évidence, Waldo était un as de l'effraction.

Cardozo passa dans la pièce des preuves à conviction et en retira deux flacons de crack.

Flores attendait en haut dans le bureau des inspecteurs.

— Hé, Waldo. Cardozo lui envoya une bourrade dans le dos. Pas vu depuis un bout de temps. Tu as l'air en forme. Entre ici. On va discuter.

Les yeux de Waldo étaient sérieux, interrogateurs.

— Lieutenant, je suis juste passé pour gagner cinq dollars. S'il y en a qui m'ont désigné, ils sont dingues.

— J'ai oublié comment tu aimes ton café. Du lait et du sucre? Mets-toi à l'aise, amigo.

Waldo s'assit sur une chaise.

— Cet endroit est un vrai hamman. Comment supportez-vous ça?

— Une attitude joyeuse, voilà le secret, Waldo. Dieu me donne le courage de changer les choses que je peux changer et la sérénité d'accepter celles que je ne peux pas changer. Et pourquoi ne me confies-tu pas ta veste si tu as trop chaud. Jolie toile de jean. C'est une Calvin?

— Elle vient de la Navy.

— Tu as encore fait du battage pour la Navy?

— Je l'ai payée.

— Avec la carte de crédit de qui?

— Je veux voir un avocat. Trouvez-moi une gentille avocate avec un bon gros cul moelleux.

— On va mettre ta jolie veste ici sur le dossier de la chaise. Alors ce café, il est bon?

— Vous buvez cette saleté ou vous la réservez pour brutaliser les minorités?

Cardozo dut sourire. Il y avait quelque chose de sympa chez ce type, un genre de culot populaire attachant.

— C'est le café commissariat qualité supérieure. Je me mets en quatre pour toi. Je vais même t'aider à te sortir du pétrin dans lequel tu es.

Waldo fronça les sourcils.

— Qui dit que je suis dans le pétrin?

— Ton casier judiciaire indique que tu es un as de l'effraction.

— Ce casier est une fichue connerie. Je me suis fait coincer pour recel de marchandises alors que je ne savais pas qu'elles étaient volées; mais effraction, ça non.

— Je sais, amigo. Tu as une façon de trouver dans la rue des télés de cinquante-cinq centimètres absolument troublante. J'ai une offre sérieuse à te proposer. Qu'est-ce que tu dirais de faire un boulot pour moi?

Waldo le foudroya de ses deux yeux noirs et maussades.

– Tu crois que je vais marcher dans un coup tordu comme ça pour me faire coincer? Mec, t'as trop fumé.

– Fais ça pour moi, et on laissera tomber l'inculpation pour crack.

– Quelle inculpation pour crack?

– Tu dissimules, Waldo.

– Foutaises.

Cardozo s'extirpa du fauteuil et alla à la porte. Sam, voudrais-tu venir ici une minute?

Sam Richards entra dans le box d'un pas nonchalant.

– Est-ce que M. Flores a l'air de dissimuler deux flacons de crack dans la poche droite de cette veste?

– Une seule façon de le découvrir.

Richards plongea la main dans la veste en jean et en sortit deux flacons.

– C'est vous qui les avez cachés exprès, hurla Waldo.

– Prends-les et étiquette-les, tu veux, Sam?

Cardozo apporta deux autres tasses de café, et cette fois-ci il ferma la porte.

– Voilà le marché, Waldo. Il y a une petite vieille dame qui a son domicile et son bureau dans un immeuble au coin de Madison et de la Quatre-vingt-septième.

Cardozo expliqua exactement ce qu'il voulait dans les dossiers de Flora Vogelsang.

– Jeudi serait un bon soir pour attaquer.

Waldo regardait dans le vide. Il avait purgé des peines pour deux infractions majeures. Rien ne comptait plus pour lui que de rester hors de prison.

– Aucun chien? Aucun chat? Sa voix était faible et fluette, comme si on l'avait coupé. Je n'entre jamais là où il y a des animaux domestiques.

– Pas de chien, pas de chat. Cette dame est une solitaire.

Le gamin au comptoir à pizza s'était teint les cheveux en magenta, il avait une épingle de nourrice dans l'oreille et passait trop de temps à se disputer au taxiphone. Quand enfin il raccrocha brutalement le combiné et vint vers Waldo il avait l'air de faire une faveur à quelqu'un.

– Pour vous ça sera?

– Pizza – savez ce que c'est?

– Qu'est-ce que vous voulez dessus?

– Rien.

Douze minutes plus tard Waldo se tenait au coin de la Quatre-vingt-septième Rue. Ses yeux scrutaient des vitrines de boutiques rutilantes, illuminées par la nuit et cachées derrière des grilles anticambrioleurs. Il y avait une cabine téléphonique à mi-chemin du pâté de maisons. En balançant le carton à pizza sur le dessus du téléphone, il fourra vingt-cinq cents dans la fente et composa un numéro.

Parmi toutes les fenêtres miroitantes de lumière, il y avait une rangée de quatre fenêtres obscures au onzième étage du numéro 1220. Les quatre fenêtres restèrent noires, la sonnerie continua, et finalement un répondeur se déclencha et la voix enregistrée d'une femme dit : « Bonjour, vous êtes bien au cabinet du Docteur Flora Z. Vogelsang. »

Il raccrocha. Dans sa tête il répétait les manœuvres.

La circulation filait. Des phares sillonnaient la rue. Dans l'entrée du 1220 le portier était assis sur un tabouret et lisait *The Enquirer*. Un taxi s'arrêta devant l'immeuble et un homme portant une veste militaire et des lunettes de soleil de grand couturier en sortit. Waldo flaira l'occasion.

Il courut, esquivant les coups de klaxon et les phares. Le portier était à l'interphone, pour annoncer l'homme à la veste militaire.

– Pizza pour le 10-D, lança Waldo.

Il entra dans l'ascenseur et appuya sur le onze.

A la porte du 11G il décolla de sa poitrine une tige de cuivre étroite et flexible.

Quatre-vingt-dix secondes plus tard la porte s'ouvrit en grand vers l'intérieur et Waldo ramassa le carton à pizza et entra dans l'appartement obscur.

Il posa la pizza par terre et se glissa sans bruit le long du couloir, en ouvrant les portes d'un petit coup de coude. Derrière la quatrième porte il trouva le bureau.

Un tapis s'étendait devant le classeur à dossiers, étouffant le bruit de ses pas. Les tiroirs émirent des sifflements quand il les tira un par un pour les ouvrir. Il sortit la lampe-stylo de sa poche. Il s'accroupit. Le pinceau de lumière glissa le long des dossiers cartonnés et s'arrêta sur l'intercalaire marqué K.

Un moment plus tard Waldo tenait la chemise KOENIG, CORDELIA à la main. Il en tira les feuilles, les plia, les fourra sous sa chemise.

Un bouton sur le téléphone de bureau clignota.

Waldo se releva et sans bruit souleva le combiné. Le répondeur s'était déjà déclenché et la voix enregistrée disait : « Bonjour, vous êtes bien... »

Après le bip sonore une voix vivante dit : « Docteur, c'est Hildy, il faut que je vous parle, je vous en prie décrochez.

Il y eut un déclic.

– Oui Hildy? S'agit-il d'une urgence?

Le cœur de Waldo vacilla.

– Il a téléphoné. Hildy sanglotait. Robert a téléphoné.

– Hildy, tôt ou tard il faudra que vous rompiez avec Robert. Ça pourrait être une excellente occasion.

Le Dr Flora Vogelsang réussit enfin à se débarrasser de Hildy et raccrocha.

– Folingue, marmonna-t-elle.

Elle alluma une Pall Mall, en fuma la moitié, et se rendit compte qu'elle ne se rendormirait pas par des moyens naturels.

Elle enfila ses pantoufles.

Waldo se dirigea vers la porte sur la pointe des pieds. Un rai de lumière se déversant dans l'entrée tombait sur le carton à pizza abandonné par terre.

Une vieille femme passa en titubant dans le couloir. Elle ne vit pas la pizza. Elle alluma la lumière de la salle de bains. Il y eut un grand bruit d'eau et Waldo la vit par la porte ouverte avaler des comprimés, puis vider un gobelet d'eau.

La lumière de la salle de bains s'éteignit avec un petit déclic et la vieille femme repartit en trébuchant. Sa pantoufle poussa la pizza mais elle ne baissa pas les yeux. Elle s'appuya au montant de la porte, une main sur l'abdomen, et rota. Un moment plus tard la lumière de la chambre s'éteignit.

Waldo attendit cinq minutes. Inondé de sueur. Il longea le couloir à petits pas et ramassa le carton à pizza.

La porte de la chambre était à moitié ouverte. Il jeta un coup d'œil à l'intérieur.

De la lumière filtrait par le rideau vaporeux. La chevelure de la vieille dame était un flot gris sur l'oreiller. Elle était étendue sur le dos, les mains croisées sur la poitrine, comme si elle était morte dans son sommeil.

Waldo n'arrivait pas à croire qu'il existait au monde un somnifère aussi foudroyant.

Il longea le couloir jusqu'à la salle de bains. Le flacon se trouvait sur le rebord au-dessus du lavabo. Il le fourra dans la poche de son pantalon.

– Je ne sais pas qui vous a donné le tuyau, mais vous devriez le descendre.

Les yeux noirs de Waldo Flores fixaient Cardozo au-dessus du rebord de sa tasse.

– Vogelsang était chez elle.

– Est-ce qu'elle t'a vu?

Ils étaient assis dans un box de chez Danny. Les banquettes de skaï bleu lacérées avaient été pansées avec du ruban adhésif d'électricien.

– Sûrement pas. Elle était trop défoncée aux barbituriques pour voir les murs.

Waldo fourra la main sous son tee-shirt I Love New York et en tira trois feuilles de papier.

Cardozo aplatit les pages sur le dessus de table en formica. Froissées au milieu et tachées de graisse rouge, elles portaient l'en-tête FLORA Z. VOGELSANG, M. D., Ph. D.

— Elles sont vraiment sales, Waldo. Qu'est-ce que tu as fait, abattu un canari dessus?

Le climatiseur soufflait à fond. Waldo dut mettre ses mains en cornet autour de l'allumette pour allumer sa Winston.

— Excusez-moi. J'ai dû oublier de mettre mes gants de chevreau.

Cardozo feuilleta les pages.

— Hé, Lieutenant, faut que j' retourne au garage.

— Et alors? La porte est là.

— Un billet de cent me ferait pas de mal.

Un instant les yeux de Cardozo se durcirent.

— En voilà un de vingt.

CONFIDENTIEL

Réf. : Cordélia Koenig
Évaluation psychiatrique
âge : 13-2
profession : étudiante
Tests subis
— *test d'intelligence de Wechsler*
— *dessins de personnages humains*
— *Rorschach*
— *test d'aperception thématique*
— *ECG*
— *analyse de sang*
— *analyse d'urine*
— *frottis vaginal*

Cordélia Koenig était agréable, attentive et polie, avec une pointe de comportement précocement socialisé. En effet, dans le style « grand seigneur » d'une femme beaucoup plus âgée, elle avait tenté de mettre l'examinatrice à l'aise, en la complimentant sur « son ravissant bureau », reconnaissant un vase comme un Meissein, suggérant que l'examinatrice « prenne son temps », et demandant si elle répondait aux questions trop rapidement.

Basée sur la seule observation, l'examinatrice avait le sentiment d'une personnalité préadolescente obsessive encore que bien maîtrisée, dont les hostilités étaient tout à fait inconscientes et en désaccord avec sa position sociale.

Le travail de Mlle Koenig sur le Wechsler reflète une intelligence supérieure. Son score maximum est de 131, très supérieur, consistant en un score verbal de 130, supérieur, et un score non-verbal de 129, supérieur. La similitude entre les scores tend à occulter des variations de fonctionnement, signes de troubles en voie d'apparition.

Les tests projectifs révèlent une préadolescente perspicace, manipulatrice, amère et désorientée dont les modes d'adaptation sont instables et précaires. Ses efforts d'accommodation sont contraints et, parfois, inopportuns – un fait dont elle est indirectement consciente. Poussée par des aspirations de prestige et d'approbation, elle tente d'intégrer à la fois ses perceptions précises et bizarrement imprécises en liant objectivement des aspects de la réalité sans rapports les uns avec les autres et parfois en les déformant pour qu'ils correspondent à sa matrice de signification préconçue.

Mlle Koenig est très concernée par le problème de l'importance personnelle, inconsciemment entremêlé avec de fugaces impulsions de révolte et un désir ardent de pouvoirs extraordinaires et divins : à cet égard, elle assimile la fertilité féminine avec le pouvoir de donner la vie et/ou la mort. Consciemment, en réaction-formation, elle est incapable d'accepter les aspects pratiquement les plus doux, affectueux, « bonne fille » de sa personnalité, malgré une prise de conscience naissante que l'agression dont elle se défend ainsi émane non pas d'un environnement hostile, mais d'elle-même.

Habile à tromper à la fois les autres et elle-même, Mlle Koenig compte sur l'intellect pour justifier après coup le versant le plus obscur de sa nature. Étant donné son âge et son passé, et l'infantilisme narcissique prononcé de ses parents et des substituts de ses parents, il n'est pas exceptionnel que ses identités et identifications soient nombreuses et instables, mais surtout elles indiquent une profonde confusion sexuelle, une préoccupation morbide pour les processus biologiques, et un désir réprimé de rôles féminins exotiques et spectaculairement séduisants.

Mlle Koenig présente une inclination érotique prononcée envers son père et envers tout homme qui peut être vu comme un substitut paternel. Ceci, bien sûr, est incompatible avec son image d'elle-même comme un modèle de dignité, d'indépendance, et de noblesse. Elle est poussée à une activité irréfléchie et hédoniste, associant la spontanéité (très probablement grâce à l'observation de ses aînés) avec l'alcool et des drogues psychoactives.

Inconsciemment, comme il est révélé dans ses dessins de personnages humains, Mlle Koenig se sent aux ordres d'une figure paternelle froide et absente et d'une figure maternelle cruelle et vigilante; l'affection des deux est farouchement désirée, et refusée avec séduction. Elle réserve son ressentiment conscient le plus profond à son père, mais à un niveau inconscient elle voit sa mère comme une rivale redoutée dont elle doit dépendre de façon humiliante pour survivre. Son besoin conscient le plus fort est qu'on la remarque; son besoin inconscient le plus fort va aux gratifications d'affection infantiles, tout spécialement être nourrie (oralité primaire).

Mlle Koenig réprime des sentiments de découragement, d'impuissance, d'agression, et de culpabilité, malgré sa dénégation constamment positive. Elle veut échapper aux insupportables contradictions de la conscience et trouver le répit dans l'inconscience, sans, toutefois, aucune perte de prestige ni d'importance. De brusques perceptions de formes d'exhibitionnisme sexuel consciemment dédaignées mais insconsciemment convoitées indiquent une faille dangereuse dans sa distinction entre l'imaginaire et le réel.

En conclusion, Mlle Koenig présente des troubles du caractère obsessifs-compulsifs, avec une décompensation prononcée dans le fonctionnement intellectuel et émotionnel.

L'examen physique révèle que Mlle Koenig est dans un état de santé exceptionnellement bon, excepté une infection transitoire (gonorrhée). Pour ceci je lui ai prescrit une série d'injections d'antibiotique, le traitement habituel chez les jeunes adultes. Le pronostic physique est excellent.

Le pronostic psychiatrique est moins heureux. Alors que Mlle Koenig présente un degré de récupération et de récupérabilité raisonnable, son oralité primaire, ses tendances obsessives et distortives, et ses sentiments d'absence totale de valeur indiquent une personnalité insuffisamment infrastructurée. L'adolescence verra presque certainement le début d'épisodes majeurs de dépression, avec ou sans expression concomitante. Une thérapie psycho et psychopharmacologique à long terme, ainsi qu'une surveillance étroite, sont absolument indiquées.

Flora Z. Vogelsang, M. D., Ph. D.

— Mme Devens, je vous prie. Lieutenant Cardozo au téléphone.
Il avala une gorgée de café brûlant.
Il y eut un déclic et puis sa voix arriva sur la ligne, cette voix merveilleusement chaude, prenant vie au son de la sienne.
— Ça fait du bien d'entendre votre voix, Vince.
— Juste une question rapide. Qui était le médecin de votre mari il y a sept ans?
Il devina qu'elle s'étonnait de sa question.
— Nous allions chez le même médecin – Fred Hallowell sur Park.

Le gardien désigna à Cardozo les profondeurs du garage.

Les pas de Cardozo résonnèrent. C'était un endroit faiblement éclairé, mal aéré, sentant l'essence. De la lumière se reflétait sur le sol et formait des arcs-en-ciel troubles des flaques d'huile.

Il observa la partie inférieure d'un homme se tortillant sous une Pontiac bleue « 86 ». Il donna un petit coup de pied dans le talon de l'homme.

Le reste de Waldo Flores sortit en se tortillant.

– La Pontiac a l'air formidable, Waldo. Peut-être que j'amènerai ma Honda pour une révision.

Waldo avait un air de vouloir lui balancer en pleine poire un coup de la clé en croix graisseuse qu'il tenait à la main.

– On ne fait pas les Honda.

– C'est dommage. Si je suis ici, Waldo, c'est que j'ai un autre petit boulot pour toi.

Cardozo lui tendit un bout de papier avec l'adresse de Park Avenue du Dr Fred Hallowell et ses heures de bureau. Il expliqua qu'il y aurait un paquet de fiches dans le dossier de Scott Devens et que tout ce qu'il lui fallait c'était la fiche de septembre d'il y avait sept ans. Vas-y pendant le week-end du 4 juillet, okay?

35

A 12 h 35 Cardozo, assis au bar-grill chez Danny, était attablé devant un sandwich campagnard accompagné d'un Pepsi Light, rondelle de citron. Il avait déjà décidé que le dessert serait un cheesecake à la fraise quand Ellie Siegel franchit la porte.

Elle s'assit à la table et posa son sac plastique Crazy Eddie sur une chaise vide à côté d'elle. Elle consulta le menu.

— Tu crois que j'ai le temps pour des crabes farcis?

Danny, le patron et serveur, assura que oui, les crabes farcis prenaient cinq minutes. Siegel commanda des crabes farcis et des pommes de terre en robe des champs et demanda à Cardozo si elle pouvait boire un verre de Chablis pendant le service.

— Tu crois que tu pourras tenir le coup? s'enquit-il.

— Alors un double, lança-t-elle à Danny. Et puis elle s'installa confortablement sur sa chaise et demanda :

— Vince, pourquoi m'offres-tu un bon déjeuner? Qu'est-ce qui te tracasse?

— Ceci.

Il lui tendit le rapport de Vogelsang.

Au fur et à mesure que Siegel lisait ses traits grimaçaient. Quand elle eut terminé elle se carra sur sa chaise.

— C'était alors, Vince. Et c'est maintenant.

Il ressentit un éclair de colère nue.

— Ça ne perd pas son importance parce qu'un procureur a marché pour l'arrangement.

— Mais est-ce que c'est tes oignons? Vince, tu as un boulot.

— Babe Devens était mon affaire. J'ai échoué.

— Tu n'as pas échoué du tout. Tu n'es qu'un flic. Tu ne contrôles pas le procureur.

Je suis un enquêteur et je n'ai même pas flairé ça.

— Tu es de la criminelle. Là c'est un cas de mauvais traitements infligés aux enfants, moralité, stupéfiants – et cela s'est passé il y a très longtemps.

– Le saligaud qui la baisait devrait s'en tirer parce qu'il est resté en liberté sept ans à baiser d'autres gamines de treize ans? Si c'est ça la loi, la loi est dingue. J'ai une fille qui aura bientôt treize ans et je tuerais le type qui la toucherait.

– Primo, il est impossible que tu retrouves qui a attenté à la pudeur de Cordélia Koenig il y a six ans, et secundo la gamine de ce rapport n'est pas ta fille.

– Le type de ce rapport est le type qui a essayé de tuer Babe Devens.

– Mme Devens n'est pas morte.

– Il lui a volé sept ans, on lui en donnerait la permission? Baiser la gosse, voler sept ans à sa mère?

– La vie est injuste.

– Tu hurles que le porno nuit aux femmes et que le sexisme au boulot nuit aux femmes, mais quand on en arrive à quelque chose dans la vraie vie qui nuit à deux vraies femmes, tout ce que tu trouves à dire c'est que la vie est injuste. Tu m'étonnes, Miss Siegel. Vraiment.

Siegel le regarda en haussant les sourcils. Son regard était intéressé, curieux, et calme.

– Vince, il n'y a pas d'homicide, ceci n'a de lien avec aucune enquête en cours. Elle est l'une des deux millions de personnes dans cette ville qui a été maltraitée quand elle était gosse, et depuis tout ce temps elle s'en est servi comme excuse pour se défoncer et se débrouiller. Pourquoi fais-tu une fixation sur elle?

Cardozo lui tendit les pages que Waldo Flores lui avait apporté le matin même : le rapport du Dr Frederick Hallowell sur le chek-up de septembre de Scott Devens sept ans plus tôt.

Elle prit le document avec une expression d'intérêt modéré et le lut avec un air de surprise modérée. Ce qui impressionna Cardozo fut à quel point la surprise était faible.

– On dirait que Scott Devens a refilé une sale maladie à sa belle-fille quand elle avait treize ans, observa-t-elle.

– On dirait.

Une terrible sensation d'affliction l'envahit.

Siegel le regarda avec attention, la mine préoccupée.

– Vince, tout va bien?

– Oui. Il ne savait pas ce qu'il se passait en lui. Il ne voulait pas y penser. Oui. Ça va très bien. Est-ce que j'ai un drôle de comportement ou quoi?

– Ou quoi.

– Je ne sais pas pourquoi ça me touche à ce point. J'ai l'impression d'avoir été assommé. Combien de cadavres ai-je vus, combien de gosses violés, pourquoi ma tête refuse-t-elle ceci?

Elle planta ses yeux dans les siens.

— Vince, nous savons tous les deux que ce vers quoi va Cordélia sera bien pire que là où elle est maintenant. Sur la route qu'elle prend, il n'y a qu'une direction — le bas. Je crois que tu devrais parler à sa mère.

Il pensa qu'il allait parler à Babe. Tout ça devenait d'une tristesse pesante.

Siegel lui toucha la main. Elle avait un regard clair et décidé, pas d'agitation, pas d'hésitation.

— Ce n'est pas comme si tu devais lui annoncer que sa gamine est morte — malgré tout.

Elle s'appuyait sur des béquilles et eut vraiment l'air heureuse de le voir.

— Thé glacé sur la terrasse?

— Non — pas de thé glacé. Parlons à l'intérieur.

Elle le regarda avec une expression de curiosité, puis le mena dans le vaste salon confortable derrière la salle à manger.

— Vous vous débrouillez bien avec ces béquilles, remarqua-t-il.

— J'ajoute une demi-heure par jour. Il faut deux ans à un être humain pour apprendre à marcher — j'espère y réussir en deux mois.

Il l'admira : elle acceptait que le jeu soit rude, mais elle avait résolu de continuer à jouer.

— Un verre? proposa-t-elle.

— Asseyez-vous, je vais les préparer, dit-il. Que prendrez-vous?

— Scotch et un peu d'eau. Il y a des glaçons dans le seau à glace.

C'était un magnifique seau à glace, en argent, gravé de l'emblème du New York Racquet et Tennis Club et en dessous les mots : « Scott Devens, Championnat de squash, 1978. »

Il prépara deux scotch bien tassés et lui en tendit un. Elle était assise dans un fauteuil, les béquilles posées contre elle, comme une petite barricade.

Derrière les fenêtres, du soleil éclaboussait le parc privé.

— Quelle quantité de souffrance pouvez-vous supporter?

— Quelle quantité proposez-vous?

— Le rapport d'un psychiatre sur votre fille.

Toute son expression changea. Elle le regardait droit dans les yeux, comme le font les gens quand ils ont peur de montrer qu'ils ont peur.

Il ouvrit l'enveloppe de papier kraft. C'était un risque calculé : dans l'intention de lui montrer que les gens en qui elle avait eu confiance avaient démoli sa vie.

Il lui tendit les pages de Flora Vogelsang.

Son regard bleu parcourut lentement les feuilles, et au creux de la poitrine il ressentit de la douleur pour elle.

Elle ne bougea pas, sauf pour tourner les pages. Elle ne dit rien et ne montra même pas qu'elle réagissait. Mais il la sentait assimiler tout ça, et il sentait son univers s'enténébrer.

Quand elle eut terminé elle avait l'air plus engourdie qu'autre chose. Le choc ne semblait pas encore avoir eu lieu. Elle était simplement assise et se balançait un peu contre le fauteuil.

— Étrange comme ça vous prend au dépourvu. Il y a une minute je dressais gaiement des listes d'invités pour ma première réception, et maintenant...

Elle était assise et le regardait depuis l'autre bout de la pièce.

— Ce n'est pas fini, souffla-t-il.

Elle leva les yeux, les mains pendantes un peu éloignées du corps, la respiration superficielle, lèvres ouvertes, arc-boutée contre le second coup.

Il lui donna l'autre document.

Après le premier paragraphe elle se raidit. Derrière ses yeux la compréhension s'alluma.

A ce moment-là Cardozo sentit un nœud au fond de sa gorge, une mélancolie irrésistiblement tendre pour elle.

— Nous savons pourquoi vos parents ont accepté l'arrangement entre le juge et l'accusé. Ils n'allaient pas laisser ça éclater au grand jour.

Son visage tenait comme un miroir fendu résolu à ne pas tomber en morceaux.

— Ça coûte de l'argent de garder un secret. Un tas de gens connaissait celui-ci. Le Dr Vogelsang. Ted Morgenstern. Votre ex-mari. Votre fille. Peut-être le procureur. Peut-être même le juge.

Elle y réfléchit. Il la regarda s'interroger.

— Vous pensez à quelque chose, remarqua-t-il.

— Je me demande si Mme Banks savait. Cela pourrait expliquer...

— Expliquer quoi?

Elle lui parla du restaurant de Mme Banks, de ses vêtements, de son nouveau visage, son nouveau comportement, son nouveau milieu social.

Soudain l'esprit de Cardozo relia des faits les uns aux autres. Il lui posa des questions : dans quelle banque les parents de Babe déposaient-ils leur argent, savait-elle où Scott Devens et Mme Banks avaient des comptes, d'où Cordélia tirait son argent et où elle le gardait, si les Vanderwalk étaient très proches du juge Davenport?

— Je l'ai toujours appelé Oncle Frank. Ma mère était furieuse qu'il ne condamne pas Scottie à une peine plus lourde, mais ils étaient certainement proches jusqu'au procès.

Le visage de Cardozo s'assombrit.

– Ce sont vos parents, gronda-t-il, mais ce sont de beaux salauds. Je pense que nous devrions les coincer.

– Les coincer?

– Les confronter. Éclaircir tout ça une fois pour toutes.

Le taxi s'arrêta devant une forteresse allemande de quatre étages au milieu d'un bloc de châteaux français. Une limousine Mercedes était garée le long du trottoir, devant des grilles de fer portant la pancarte, « Interdit de stationner sortie de voiture 24 heures sur 24. » Cardozo calcula que c'était le genre de maison qui se vendait aujourd'hui six millions et des poussières.

Il paya le taxi et aida Babe et ses béquilles à prendre pied sur le trottoir.

Babe se retourna.

– J'ai dit à Maman que j'amenais un ami pour le thé. Elle va être atroce avec vous. Elle soutient que je ne lui présente que des hommes que j'ai décidé d'épouser. Je ne lui laisse jamais aucune initiative, paraît-il.

– Je m'en sortirai.

Babe lui lança un sourire nerveux, le sourire qu'il lui renvoya n'était pas nerveux du tout. Elle appuya sur la sonnette de cuivre. Des nuages sombres filaient dans le ciel et le tonnerre gronda au-dessus de leurs têtes.

Un instant après un majordome ouvrit la porte : ils eurent droit au plus imperceptible et au plus raide des saluts.

– Bonjour, Mme Devens.

– Comment allez-vous aujourd'hui, Auchincloss? S'il vous plaît prévenez mes parents que le lieutenant Cardozo et moi sommes arrivés.

– Certainement. Voudriez-vous attendre au salon?

Le majordome disparut, et un chow-chow haletant déboula ventre à terre, aboya, tira sa langue noire sur Babe et ses béquilles, puis flaira le pantalon de Cardozo. Le chien préféra le pantalon.

– Si Joy vous ennuie, poussez-la, suggéra Babe.

Cardozo laissa la chienne jouer avec sa manchette. Il embrassa du regard l'escalier de marbre, les tableaux, l'étroit tapis persan bleu qui semblait créé précisément pour s'adapter au vestibule et laisser apparaître une bordure de quinze centimètres de parquet sombre et luisant.

Il suivit Babe au salon. Les murs étaient orange vif – une couleur inhabituelle pour une pièce, éclatante et obsédante. Les sofas et les fauteuils étaient en satin couleur ivoire. Les tasses à thé et le service attendaient sur la table basse.

– Eh bien, nous sommes les premiers, remarqua Babe.

Cardozo sentit son agitation. Pour la distraire, il se renseigna sur une urne japonaise placée sur le Steinway. Babe répondit que l'urne avait appartenu à la dernière maîtresse du dernier roi de Roumanie.

Cardozo commença à saisir l'essence de la maison. Tout était riche, fantastique, beau. Les babioles des dirigeants du monde avaient échu aux Vanderwalk en étonnante quantité. Pas simplement l'urne, mais l'éventail de la reine Victoria, dans une vitrine au-dessus de la porte; l'aquarelle par Winston Churchill de la villa de Somerset Maugham, dans un cadre en or qui avait dû coûter le salaire annuel d'un agent de police. Babe signala que le service à thé avait été créé par Paul Revere pour l'impératrice Joséphine.

Une femme en robe bleu marine franchit la porte, en fixant Cardozo de ses yeux bleu pâle.

– Enchantée – je suis la mère de Béatrice, Lucia.

Son visage était un tableau d'artiste, le blanc de sa peau contrastant délicatement avec ses cheveux gris et ses lèvres cramoisi clair. Elle portait un seul rang de perles. Un tout petit cercle de diamants piqué à la robe de soie captait la lumière et lançait des éclairs colorés.

– Enchanté, madame, dit Cardozo. Vince Cardozo.

Un homme en blazer bleu marine entra d'un pas nonchalant dans la pièce. Babe présenta son père.

Hadley Vanderwalk avait l'apparence d'un aristocrate américain aux cheveux gris, grand, mince, les traits anguleux, la peau bronzée par des années passées sur des ponts de yachts et des terrains de golf. Il y avait quelque chose d'agréable et d'intelligent dans le dessin de sa bouche.

Lucia Vanderwalk se dirigea vers un sofa et s'assit à côté du service à thé. C'était un signal pour que les hommes s'asseoient. Ses mains se déplaçaient avec puissance, et grâce, sur l'argenterie, semblant communiquer avec elle.

– Parlez-moi de vous, Lieutenant.

– Je suis né à New York, j'ai grandi à New York, je suis devenu flic à New York.

– Criminelle ou Mœurs?

– Criminelle.

– Votre visage m'est familier. Elle le dévisagea, avec dans les yeux quelque chose de plus qu'un intérêt ordinaire. Ceylan ou Chine?

Il se rendit compte qu'elle parlait du thé et il pensa qu'il n'avait rien à perdre.

– Chine.

Elle servit avec la théière de gauche.

– Citron ou lait?

– Citron, je vous prie.

– Sucre – elle lui jeta un coup d'œil – ou sucrette?

– Sucrette, merci.

– Oui, j'en prends aussi.

Elle lui tendit une tasse. Elle ne pesait presque rien. La porcelaine était aussi délicate et fine que le crâne d'un bébé nouveau-né.

– Je vous en prie servez-vous de canapés. Le pain noir est aux petits-suisses [1], le blanc au cresson. Personne n'est allergique au cresson, j'espère.

« Petits suisses », découvrit Cardozo, c'était du fromage blanc avec un accent agréablement pointu.

Lucia Vanderwalk distribua le thé et dirigea la conversation.

Cardozo, petit à petit, se fit une impression générale des Vanderwalk. C'étaient de riches libéraux. Ils avaient accroché une pancarte à leurs existences – Ne pas déranger. Ils savaient que l'injustice sociale existait, et ils résolvaient le problème en élisant au country club Lena Horne et Paul Newman.

Lucia lui parut être une femme qui savait exactement ce qu'elle voulait – elle n'employait pas de mots comme « peut-être » ou « probablement ». Hadley lui parut être le genre de mari qui s'en remettait au jugement de sa femme dans tous les domaines sauf le plus important – l'argent.

– Le Metropolitan Museum en fait autant que n'importe quel centre d'œuvres sociales pour les gens de cette ville.

Le regard de Lucia Vanderwalk, franc et assuré, se tourna en diagonale par-dessus la table vers Cardozo.

– Vous n'êtes pas d'accord, Lieutenant?

– Je ne suis pas d'accord reconnut-il d'un ton agréable.

Lucia Vanderwalk pencha la tête d'un air interrogateur.

– Avez-vous été au Metropolitan?

– J'ai enquêté sur un vol là-bas il y a dix, douze ans.

– Mais y avez-vous jamais été non professionnellement?

Il croisa le regard inflexiblement tolérant de la douairière.

– Je n'ai pas beaucoup de temps pour les choses sans rapport avec le travail. Cela me plairait bien d'en avoir.

– On dirait que vous autres êtes au boulot vingt-quatre heures sur vingt-quatre, observa Hadley Vanderwalk.

Cardozo acquiesça.

– Il y a de ça.

– Mais vous ne travaillez certainement pas maintenant, lança Lucia Vanderwalk avec un sourire.

– En fait, si.

_____

1. En français dans le texte.

Il y eut un silence prolongé et souriant. Lucia Vanderwalk observa Cardozo avec intérêt.

— Il y a sept ans, déclara-t-il, j'ai aidé à enquêter sur la tentative de meurtre sur la personne de Mme Devens. Voilà pourquoi vous me reconnaissez.

Les lèvres de Lucia Vanderwalk se pincèrent en une ligne mince. Elle tourna les yeux froidement vers sa fille.

— Béatrice, ceci est mesquin et absolument irréfléchi. Tu pourrais au moins montrer un peu de considération pour ton pauvre père!

Hadley Vanderwalk ne paraissait pas le moins du monde inquiet.

— Si vous et votre mari aviez refusé l'arrangement, continua Cardozo, le procureur aurait poursuivi en justice sur l'inculpation initiale. Pourquoi n'avez-vous pas refusé?

— Allons-nous examiner tout ça à nouveau? soupira Lucia Vanderwalk.

— Avez-vous eu des doutes subits au sujet de la preuve? Ou au sujet de la culpabilité de Scott Devens?

Les yeux de Lucia Vanderwalk défièrent Cardozo.

— Ni mon mari ni moi n'avions le moindre doute. Pas plus que nous n'en avons maintenant.

— Après le premier procès, reprit Cardozo, vous avez invité un écrivain du nom de Dina Alstetter au domicile de votre fille. Dans la chambre à coucher, Mme Alstetter a trouvé un flacon d'insuline dans un coffret à boutons de manchettes. Vous lui avez permis de garder cette bouteille.

— Oui, elle voulait écrire là-dessus un article pour un magazine.

— Ne vous est-il pas venu à l'idée que cette bouteille devrait être remise à la police?

— Je ne vais pas me soumettre à un contre-interrogatoire dans mon propre salon.

— Le domicile de votre fille a été fouillé, et il n'est fait mention de ce coffret à boutons de manchettes et de cette bouteille dans aucun des rapports.

— Ce qui apparaît dans les rapports de police n'est guère mon affaire.

— L'insuline de cette bouteille était prescrite à Faith Banks.

Le visage de Lucia Vanderwalk afficha une absence d'expression prudente.

— De toute évidence la domestique de ma fille était diabétique. Est-ce un crime?

— N'est-il pas un peu étrange que la preuve au procès ait été de l'insuline trouvée par Mme Banks dans le placard de Scott Devens?

— Je ne vois pas où est l'étrangeté.

— Mme Banks n'a jamais signalé à la police qu'elle était diabétique. Et on n'a jamais découvert la provenance de l'insuline qu'elle a prétendu avoir trouvée.

Lucia Vanderwalk tapota ses doigts les uns contre les autres.

— La santé de Mme Banks et ses médicaments sont très mystérieux, j'en suis convaincue, mais quels rapports entre l'ancienne domestique de ma fille et moi ou mon mari?

— Un certain nombre, madame. Vous avez tous deux versé à Faith Stoddard Banks deux cent cinquante mille dollars. L'argent a été viré sur son compte en banque le lendemain du jour où le juge Davenport a clos le second procès au public. Ce même jour vous avez versé un demi-million sur le compte de Scott Devens. Depuis, chaque année, vous lui avez versé un quart de million, et à Mme Banks cinquante mille dollars.

Lucia Vanderwalk souffla bruyamment.

— Hadley, ordonna-t-elle, veux-tu avoir la bonté de dire quelque chose?

— Je suis stupéfait par l'enquête du lieutenant Cardozo, déclara Hadley Vanderwalk d'un ton imperturbable.

— Dis-lui que ce n'est pas vrai! cria sa femme.

— Ce n'est pas vrai.

Hadley Vanderwalk se tut pour allumer sa pipe.

— L'argent est allé à Ted Morgenstern.

Une expression incrédule flamboya sur le visage de Lucia Vanderwalk.

— Hadley, comment peux-tu être aussi stupide?

— Morgenstern a pris son pourcentage — imposant, continua Hadley Vanderwalk. Il a repassé le reste à Mme Banks et à Scottie. Morgenstern est un homme intelligent. Il a monté une association pour financer le restaurant de Mme Banks. Il en a monté une autre pour financer la carrière de Scottie. Les deux ont été rentables, si j'ai bien compris. Morgenstern nous a donné une occasion d'investir. Nous l'avons stupidement rembarré. Les principes, vous savez.

Cardozo sortit son calepin et fit semblant de consulter ses notes.

— Au second procès, Ted Morgenstern a présenté un examen psychiatrique et médical de Cordélia effectué par le Dr Flora Vogelsang.

— Ce registre est scellé! cria Lucia Vanderwalk.

Cardozo lui lança un regard long et appuyé.

Mme Vanderwalk prit une cigarette dans un coffret de cristal.

— Le Dr Vogelsang, pour votre information, est une vieille freudienne perverse et elle devrait être brûlée sur le bûcher. Elle a traité Cordélia de folle. Vous vous rendez compte, en se fondant sur des taches d'encre et des je-ne-sais-quoi projectifs, elle a eu le culot d'accuser notre petite fille d'inventer des histoires. Je rougis que Béatrice ait à entendre ça, mais le Dr Vogelsang a prétendu que Cordélia haïssait sa mère et était amoureuse de son beau-père. Tout ça était une révoltante saleté œdipienne.

— Ted Morgenstern a présenté comme preuve un autre rapport médical, poursuivit Cardozo. Celui du Dr Frederick Hallowell. Ce rapport indiquait que Scott Devens était atteint de la même maladie que Cordélia — gonorrhée.

— Devons-nous supporter cela? lança Lucia Vanderwalk d'un ton sec. Son doigt tapait un boléro effréné contre ses perles.

— Oui, Maman, intervint Bave Devens. Nous le devons.

— Que pouvions-nous faire? plaida Lucia Vanderwalk. Laisser les journaux s'en emparer? Dire au monde que Scott Devens avait des rapports avec sa belle-fille, une gamine de douze ans? Nous devions protéger l'enfant.

— Babe, il faut que tu comprennes, déclara Hadley Vanderwalk. Nous te pensions bel et bien perdue. Il nous fallait choisir. Justice pour notre fille morte — ou une chance pour notre petite fille. Nous avons choisi Cordélia. Peut-être était-ce une erreur, mais vu les circonstances, c'était la meilleure décision que nous puissions prendre à l'époque.

— Le second procès l'aurait détruite, assura Lucia Vanderwalk.

— Cordélia ne comprenait pas ce que Scott lui avait fait, confia Hadley Vanderwalk.

— Elle n'était qu'une enfant.

Lucia Vanderwalk écrasa sa cigarette. Le cendrier était du Steuben. La table était du Chippendale. La cigarette une Tareyton filtre.

— Scott l'a séduite avec des drogues. Des choses effroyables — marijuana, cocaïne...

— Piqûres de morphine, ajouta Hadley Vanderwalk. A douze ans elle était toxicomane.

— Tu ne peux pas savoir, reprit Lucia Vanderwalk, à quel point cette enfant a dû travailler dur pour reconstruire sa vie, pour mettre toute cette horreur derrière elle, à quel point elle a travaillé dur pour se libérer de la drogue. Il a fallu du courage et de la persévérance. Tu ne vas pas démolir cette cicatrisation, certainement pas!

Babe écoutait la plaidoirie en silence.

— Ne nous reproche pas d'avoir coopéré avec Ted Morgenstern, dit Hadley Vanderwalk.

— Autrement, il aurait attaqué l'innocence de Cordélia. Un soupir se posa sur les lèvres de Lucia Vanderwalk. L'aurait détruite.

— Son innocence? Cardozo sentit le poids ambigu du mot, sentit ses diverses facettes. Pourquoi dites-vous son innocence?

— L'innocence d'un enfant, ça compte! Le visage de Lucia Vanderwalk était un masque de résolution, bouche et mâchoires serrées. La croyance d'un enfant en sa propre innocence, ça compte!

Et soudain Cardozo saisit.

— Mon Dieu. Morgenstern a fait acquitter Devens en accusant Cordélia!

Le visage de Lucia Vanderwalk se figea.

— Il a accusé votre petite-fille de la tentative de meurtre! Cordélia, pas Devens!

Cardozo sentit une vague de certitude passer dans sa poitrine.

— Et vous aviez peur que ce ne soit vrai. Depuis le début vous aviez peur. Voilà pourquoi vous avez engagé votre propre enquêteur. Pour protéger votre petite-fille. Votre enquêteur a caché une preuve pour qu'on l'a trouve. Et pour que l'accusation soit toujours valable quand Devens a fait appel, vous avez caché vous-même une preuve pour qu'on la trouve.

— Lucia, lança Hadley Vanderwalk sans le moindre petit signe de tension, tu n'as pas besoin de nier ceci, tu n'as pas besoin de faire le moindre commentaire.

Lucia Vanderwalk respirait à peine.

— Je ne permettrai pas que ce poison soit versé à nouveau.

— Cordélia a avoué, affirma Cardozo.

Il bluffait.

— Jamais, assura Hadley Vanderwalk.

— Oh que si, insista Cardozo. Elle a avoué à cette psychiatre.

Aucun des Vanderwalk ne répondit. Le corps de Lucia parut transformé en planche par une force invisible.

Cardozo continua à assembler le puzzle.

— Mme Banks vous a aidé à monter une machination contre Scott Devens. Il a accepté de rester victime de la machination, mais il a tenu bon pour l'arrangement avec le juge. Vous les avez payés, lui et Mme Banks, et vous avez demandé qu'on scelle le registre. Et juste pour être plus sûr, Ted Morgenstern y a fait substituer des pages blanches.

L'air dans la pièce se figea en un silence étincelant. Lucia Vanderwalk semblait ne même pas respirer.

Cardozo l'imaginait bien donnant ses instructions à la cuisinière le matin, lisant le courrier avant le déjeuner, faisant un tour de jardin dans l'après-midi, mettant une robe toute fraîche, concluant un marché avec Ted Morgenstern autour d'un thé de Ceylan et de canapés au cresson.

— Tu as agi pour toi, Maman, dit Babe d'un ton calme. Pas pour moi, pas pour Cordélia.

Lucia Vanderwalk avait une voix d'otage lisant une déclaration préparée à l'avance.

— Ton père et moi avons agi pour la famille. Il y a des fantômes que l'on garde chez soi.

— Je me souviens bien de quelque chose, reconnut Babe, quelque chose au sujet de Cordélia. Mais c'est brumeux. Elle avait un air engourdi, désespéré, on aurait dit qu'un souffle aurait pu l'effacer. Cordélia était debout près de mon lit. Je n'étais pas consciente, mais je savais qu'elle était là, et j'essayais de me réveiller, parce que quelque chose d'horrible se passait... et je savais qu'il fallait que je tende la main pour l'arrêter... mais je n'arrivais pas à faire surface.

Elle était assise dans le grand fauteuil devant sa cheminée, tendue, essayant de paraître calme, essayant de ne pas pleurer.

— C'est étrange, j'avais peur pour elle — pas pour moi.

Des gouttes de pluie tapotaient les vitres.

— Votre fille de douze ans sur le point de commettre un meurtre, déduisit Cardozo. J'aurais eu peur pour elle moi aussi. C'est naturel. Vous aimez le petit monstre.

Les yeux de Babe avaient une fixité, une tension, comme si un second coup allait tomber et qu'elle était condamnée à l'accepter.

— Écoutez, c'est moi, Vince. Vous n'avez pas besoin de m'impressionner. Cessez d'essayer d'être votre mère. C'est un sale modèle. Allons, braillez. Votre mari couchait avec votre fille et on dirait bien que votre fille a essayé de vous tuer. Allez, pleurez, hurlez, jurez.

Des larmes lui montaient enfin aux yeux, commençait enfin à rouler le long de ses joues. Tout ce qu'il lui fallait, c'était un petit coup de coude.

— Et on parle des mères juives, railla Cardozo. Votre mère vous a sacrifiée pour votre fille, et elle a entortillé ça pour que vous vous en sentiez responsable. Il s'agenouilla à côté d'elle. Votre fille est un zombi dévoré de culpabilité parce qu'un sujet que votre mère n'a jamais permis que l'on mette sur le tapis — jamais — c'est ce que Cordélia a fait et pourquoi. Il n'y a pas d'expiation, pas de pardon pour elle. Lucia Vanderwalk ne permet ni l'expiation ni le pardon quand la réputation d'une famille est en jeu. Imaginez une enfant seule avec un secret pareil. Je dirais que vous avez des motifs de matricide, ou de dépression nerveuse, ou au moins le droit à quelques larmes. Vous avez une Médée pour mère, une paraplégique affective pour fille, et dans toute votre vie vous n'avez pas joui d'un seul moment d'amour sincère, où l'on ne vous ait pas manipulée. Allez. Faites-moi entendre quelques sanglots. Haut et fort. Je ne vais pas vous moucharder.

Babe le regarda avec des yeux ronds. Son corps ravala une inspiration et elle laissa tomber sa tête entre ses mains. Elle ferma les yeux et commença à trembler comme si une vague l'avait heurtée de plein fouet.

Elle était d'une beauté consternante en larmes. Sa faiblesse réveillait tous les instincts protecteurs en lui. Sa gorge se noua avec douceur. Il prit conscience que ce qu'il ressentait pour elle n'était pas une attirance passagère ni même simplement du désir. Une excitation et une tendresse qui étaient beaucoup plus que sexuelles le bouleversaient.

Il lui prit la main, l'attira vers lui, et soudain il la prit tout entière et l'enserra dans ses bras. Ils s'embrassèrent, leur baiser gagna en intensité, et il sentit ses seins à travers le tissu soyeux de son corsage.

Voilà. Ils avaient passé la frontière physique, paisiblement et sans effort. Il y eut un long, lent et doux moment où ils surent qu'un jour ils feraient l'amour.

Et puis il s'écartèrent l'un de l'autre.

Elle le regarda. Il voulait qu'elle se souvienne de ses yeux. Il voulait qu'elle voit ce qu'il y avait en eux : qu'il était avec elle, qu'il se sentait concerné.

– Vince, demanda-t-elle, n'y a-t-il pas une drogue qui agit comme un hypnotique et après qu'on vous l'ait injectée, fait resurgir des souvenirs enfouis?

– Le penthotal.

– La police l'utilise, non?

– Parfois.

– Si j'ai vu Cordélia me faire une piqûre il y a sept ans et que j'ai oublié – le penthotal ne raviverait-il pas mon souvenir?

– C'est possible.

Quelque chose de nerveux et d'hésitant passa sur son visage.

– Un médecin de la police pourrait-il s'en charger?

Il vit sa détermination et il vit, aussi, qu'elle crevait de peur. La dernière chose au monde qu'elle voulait savoir, c'était qui avait tenu cette fichue seringue.

Il acquiesça.

– Je vais organiser ça.

36

Cardozo poussa les portes tournantes du bâtiment de la cour d'assises et s'enfonça dans la climatisation, la Musak, et la pénombre sous les plafonds aux voûtes élevées. Il se dirigeait vers l'ascenseur quand une voix cria du kiosque à journaux, « Vince! »

Un homme bronzé aux cheveux noirs et bouclés déposa la monnaie pour un *New York Times* et s'avança à grands pas, souriant, se déplaçant avec une élégance résolue dans son costume d'été sombre.

Cardozo serra la main d'Alfred Spaulding, procureur. Le procureur le guida vers l'ascenseur.

— L'homme à tout faire de Beaux-Arts consent à avouer le meurtre de Jodie Downs. Morgenstern veut discuter un arrangement entre le juge et l'accusé.

— Voyons, Al. Nous tenons Loring sans aveu.

— Mais s'il plaide coupable nous n'avons pas besoin de passer en justice. Et nous ne courons pas le risque qu'un jury débile le déclare innocent. Nous allons directement en audience devant un juge et Loring est condamné. Les doigts dans le nez.

L'ascenseur les déposa en douceur au huitième étage. Ils se frayèrent un chemin le long des couloirs larges et grouillants. Le procureur s'arrêta, la main sur la poignée de la porte familière en verre dépoli.

— Faisons-le sans y penser, écoutons Kane jusqu'au bout.

— Al, pourquoi suis-je ici? Qu'attendez-vous de moi?

Le procureur tourna la poignée et fit signe à Cardozo de passer le premier.

— Vince, vous connaissez Lucinda MacGill.

Lucinda MacGill portait un tailleur de lin gris et son corps et son maintien irradiaient la présence et la compétence. Cardozo serra la main qu'elle lui tendait. Ses yeux étaient intelligents et ils contenaient un avertissement. Elle inclina la tête d'un petit degré vers le bureau du fond. Cardozo suivit son regard.

C'était une pièce rétro, à croisées, fauteuils de cuir et portraits à l'huile de juges de la Cour Suprême décédés. Lockwood et Meridee Downs étaient assis à la table de conférence. Lockwood se leva de son fauteuil quand Cardozo entra dans la pièce.

– Je ne savais pas que vous étiez en ville, dit Cardozo.

– Nous sommes arrivés hier soir.

Les yeux de Lockwood Downs étaient las.

– Nous espérions que vous appelleriez.

Cardozo sentit s'éveiller sa prudence, et il ne sut pas si c'était pour lui ou pour les Downs. Ses yeux allèrent vers la fenêtre, devant laquelle Ted Morgenstern chuchotait avec son associé joufflu, Ray Kane. Tous deux portaient des costumes d'été Armani, et il émanait de leurs personnes une conscience nonchalante de leur pouvoir; on aurait dit des empereurs romains en pique-nique.

Le procureur attendit que tout le monde fût assis.

– Maître Morgenstern a une proposition.

– Je plaiderai Loring coupable d'homicide, – Morgenstern joignit les doigts en pointe – si l'État accorde les circonstances atténuantes.

– Je regrette, intervint Lockwood Downs. Je suis dans l'immobilier, pas le droit pénal. Quelqu'un pourrait-il m'expliquer pourquoi la mort de mon fils serait un homicide et pas un meurtre?

– Le meurtre implique la préméditation, précisa Morgenstern.

– La question est de savoir si oui ou non Loring avait projeté de tuer votre fils, expliqua le procureur.

Le visage de Downs était tiré, ridé de fatigue.

– Comment M. Morgenstern peut-il prouver que Loring ne l'avait pas projeté?

– Il incombe à l'État de prouver qu'il l'avait projeté. M. Morgenstern n'a que très peu de chose à prouver.

– Et qu'est-ce qu'une circonstance atténuante?

– Quoi que ce soit qui atténue la responsabilité de Loring. Par exemple, s'il était dans un état mental qui diminuait son jugement.

– Ou avait pris de la drogue, précisa Morgenstern.

Ray Kane tendit à Morgenstern une feuille de papier.

Morgenstern glissa une paire de doubles-foyers sur son nez.

– Nous avons un précédent de poids. Le dimanche des Rameaux, en 1984, Christopher Thomas – un camé – a massacré dix personnes dans leur domicile de Brooklyn. Le jury a accepté la défense de responsabilité atténuée parce que l'inculpé était sous l'influence de la cocaïne. Ils ont déclaré Thomas coupable d'homicide à dix chefs. Bon, nous admettrons tous que cette affaire était vraiment beaucoup plus abominable que ce à quoi nous avons affaire ici.

Cardozo regarda Lockwood Downs. Sa femme tendit le bras pardessus la table et agrippa la main de son mari.

Aucun mot ne venait à Cardozo, seulement un truc noué dans ses côtes, un frisson enfoui, la conviction qu'il n'allait pas se contenter de rester assis là avec les parents, et voir le meurtre du fils réduit à des coups et blessures justifiés.

— Mais bon Dieu de quoi parle donc Maître Morgenstern, s'exclama Cardozo, de décompte des morts? Un meurtre est un meurtre, et c'est tout aussi illégal que l'on tue une personne ou cent.

Les yeux de Morgenstern étincelèrent de colère au milieu d'une bouillie de rides.

— Ted, intervint le procureur, je vois bien un argument en faveur de l'homicide, mais pour me convaincre d'accepter les circonstances atténuantes, vous aller en baver.

— Provocation, dit Morgenstern.

Cardozo intervint.

— Pourrais-je vous parler un instant, Al?

Dans l'autre pièce, Cardozo ferma la porte.

— Leur fils a été assassiné, bon sang, et Morgenstern et vous avez l'air de marchander des tapis dans un bazar persan.

— Vince, du calme.

— Au moins donnez-leur un choix qui ait un sens. Si c'est l'homicide, c'est l'homicide — pas de circonstances atténuantes. Loring échappe déjà à l'accusation de meurtre.

Le procureur secoua la tête.

— Que j'accepte ou non l'argument de Morgenstern, un jury pourrait le faire. Si Morgenstern pense qu'il peut invoquer les circonstances atténuantes, je veux le savoir ici, pas dans la salle d'audience.

— Vous savez pertinemment qu'il va déclarer que la victime était coupable et l'assassin innocent et que si il y a quelqu'un qui devrait être jugé c'est bien Jodie Downs, pédé camé et honte de la race humaine.

— Si tout ce qu'il prévoit c'est un bluff dans ce genre, nous lui dirons qu'on ne marche pas.

— Al, je ne vais pas vous permettre d'exposer cet homme et cette femme à la tactique de Morgenstern.

— Ce n'est pas votre affaire, Vince. Je les ai prévenus de ce qui les attendait. Ils voulaient entendre Morgenstern jusqu'au bout. Toute décision concernant un arrangement est leur affaire.

De retour dans la salle de conférence, Morgenstern coupait et allumait tranquillement un cigare. Il attendit que Cardozo et le procureur se soient assis. Après quatre lentes bouffées, il prit la parole.

— Jodie Downs avait un casier judiciaire. Il y a trois ans il a été ramassé par un agent de la Transit Authority pour sodomie dans des toilettes de métro.

La bombe atteignit la cible. Le visage de Meridee Downs se figea. Lockwood Downs jeta un petit coup d'œil terrifié à Cardozo, puis baissa la tête.

Cardozo n'en savait rien, et il se rendit compte que les parents de Jodie n'en savaient rien non plus.

— Attendez une minute, intervint-il. Downs a-t-il été traduit en justice?

Morgenstern acquiesça, supérieur.

— Il a été traduit en justice au tribunal de nuit et a payé une amende.

— Faites-moi voir ce qu'il y a sur cette feuille.

L'assistant de Morgenstern passa la photocopie en lambeaux par-dessus le plateau de la table en teck.

Les yeux de Cardozo parcoururent les lignes de frappe irrégulièrement espacée.

— Jodie Downs a plaidé coupable de vagabondage dans un lieu public, pas de sodomie.

Les yeux de Morgenstern se plissèrent en un demi-sourire.

— Le rapport du policier ayant procédé à l'arrestation est plus explicite.

Cardozo se tourna vers Lucinda MacGill.

— Morgenstern peut-il utiliser ce rapport?

MacGill jeta un regard au procureur. Il hocha la tête, lui accordant son autorisation, et elle répondit.

— Maître Morgenstern affirmera que le rapport indique une pratique de mise en danger imprudente sans souci des conséquences. Le juge l'acceptera comme une preuve atténuante. Arrivé à ce point le policier qui a procédé à l'arrestation peut être appelé à témoigner.

— Il y a quelque chose que je ne comprends pas.

Meridee Downs s'agrippait au bord de la table comme si la pièce chavirait autour d'elle.

— Jodie a fait quelque chose de mal dans sa vie. Personne ne le nie. Mais quel rapport avec son assassinat?

— Maître Morgenstern vous envoie un message.

La voix de Lucinda MacGill était tendue de colère maîtrisée.

— A moins que vous et M. Downs n'acceptiez l'arrangement, il diffamera votre fils jusqu'à la gauche.

— Mots très durs, Maître, protesta Morgenstern.

— Tactique tordue, Maître, rétorqua-t-elle.

— Gardons à l'esprit, intervint le procureur, que c'est la tâche de Maître Morgenstern de défendre son client, et qu'il s'agit là d'un système de défense très ordinaire.

— Il ne défend pas l'assassin, s'indigna Lockwood Downs. Il juge notre fils.

– Dans le métier de M. Morgenstern, reconnut Cardozo, cela revient au même.

Morgenstern poursuivit, en s'exprimant d'une voix tranquille et assurée.

– J'ai ici un rapport de police du dix-neuvième commissariat. Ceci représentera une part importante de la défense de Claude Loring. Il y a trois ans, la nuit du vingt-trois juin, Jodie Downs a ramassé un inconnu dans un bar gay sado-maso qui s'appelle la Lanière sur la Dixième Avenue.

Meridee Downs se cacha la bouche.

– Jodie Downs a emmené l'inconnu dans son appartement sur la Cinquante-deuxième Rue Ouest, où de son propre aveu ils ont fumé « cinq ou six joints » et pris « deux ou trois lignes » de coke. Pendant les rapports sexuels – de nouveau du propre aveu de Jodie – l'inconnu l'a attaqué avec un rasoir, le mutilant et lui coupant un des testicules.

Lockwood Downs écoutait les yeux baissés. Ses doigts étaient posés sur la table, en contact juste aux extrémités.

– Jodie Downs a été admis aux urgences à l'hôpital Saint-Clare. Les psychiatres qui l'ont examiné ont déclaré Downs, je cite « un jeune homme tourmenté par la culpabilité et obsédé sexuel ayant un penchant pour l'autodestruction ». Morgenstern tourna une page avec un petit bruit sec. Il y a des photographies qui accompagnent ce rapport, et je vous assure qu'elles valent n'importe quelles photograhies que la partie plaignante pourrait espérer présenter comme preuve.

Le silence frappa la table.

Cardozo assimila le fait que Morgenstern avait mis la main sur le rapport, tout comme il avait accepté que des pages du registre scellé de l'un des procès de Morgenstern se soient avérées blanches. Il ressentit la vieille indignation familière, mais pas de surprise. Il s'était rendu compte depuis longtemps que le réseau de Morgenstern était un cancer qui répandait ses métastases dans tous les organismes de la ville.

Des bouffées de fumée alimentaient le silence.

Cardozo se rendit compte que ce cigare, il ne le pardonnerait jamais à Morgenstern. Tout le reste, les magouilles, la mesquinerie, les distorsions, peut-être. Ce cigare, brandi sous le nez de ces parents-là, pas question.

– Le rapport du psychiatre de l'hôpital est confidentiel, observa Cardozo calmement. N'ai-je pas raison, Al?

– Il nous faudrait demander à la Cour Suprême, répondit le procureur d'un air sombre.

– Les morts, rétorqua Morgenstern, ne bénéficient pas du secret médical. De toute façon, nous n'avons pas besoin du rapport. Le médecin qui l'a rédigé, le Dr Larry Fenster de Saint-Clare, est prêt à se présenter à la barre pour témoigner en faveur de Claude Loring.

Le procureur plissa les yeux en une attitude de grave spéculation.

– Alors quel genre de marché avez-vous en tête, Ted?

– Homicide par imprudence.

– Imprudence?

Lockwood Downs dévisagea Morgenstern, incrédule.

– Vous allez affirmer que Claude Loring a tué mon fils par accident?

– Non, corrigea Morgenstern. L'État va l'affirmer.

Cardozo et les Downs descendirent les larges marches de marbre jusque sur Foley Square. Une limousine rallongée d'un gris luisant comme de la peau d'ange attendait le long du trottoir, et un chauffeur en uniforme en sortit pour tenir la portière.

– C'est à vous? demanda Cardozo.

Lockwood Downs hocha la tête. Il paraissait assommé.

– A nous pour deux jours. Le procureur nous la laisse.

Un courant de fraîcheur parvint de la portière ouverte de la limousine. Cardozo était conscient de la chaleur du soleil sur ses épaules, conscient aussi de Meridee Downs debout, là, semblable à une feuille morte.

– J'aurais voulu en faire plus, s'excusa-t-il.

– Vous en avez fait assez. La voix de Downs se brisa. Vous étiez là.

Un camion pétarada, et des pigeons s'élevèrent dans le ciel bleu tendre d'un jour d'été.

– Pouvons-nous vous déposer quelque part? demanda Meridee Downs.

– Certainement, si vous allez vers le nord.

Il y avait un bar à l'arrière, une télé couleur, un magnétophone, et un magnétoscope. Une lourde odeur de parfum planait agréablement au-dessus de l'odeur de fauteuils en cuir. Ils restèrent assis en silence tandis que la limousine se faufilait habilement à travers Chinatown et empruntait le FDR Drive vers le nord le long du fleuve.

Lockwood Downs prit sa respiration.

– Je veux les tuer pour ce qu'ils font.

Le soleil, réduit à l'état de cuivre poussiéreux, entrait à l'oblique par les vitres relevées. L'O.N.U. et les nouveaux immeubles de luxe en bordure du fleuve défilaient. Les yeux de Meridee Downs se fixèrent sur Cardozo.

– Lieutenant, conseillez-vous l'arrangement entre le juge et l'accusé?

Cardozo savait ce que le procureur voulait qu'il dise et il savait ce qu'il avait envie de dire.

– Ce n'est pas vraiment équitable. Jodie a perdu la vie. Vous avez perdu un fils. L'asssassin perd quelques mois.

Elle eut une expression perplexe.

– Le procureur nous a dit quinze ans.

– Quinze c'est le maximum. Personne sauf Charles Manson et Sirhan Sirhan ne purgent le maximum. Loring va au tapis volontairement. Le minimum est le plus qu'il prendra. Huit ans. Ensuite il faut soustraire du temps pour bonne conduite. Et aussi, il faut prendre en compte la liberté conditionnelle rapide. Alors si vous voulez connaître ma pensée, c'est que l'arrangement est une erreur. Je pense que l'État peut obtenir une condamnation sans lui.

– Le procureur dit que si nous l'acceptons il n'y aura pas de procès.

– Il y aura une audience. Loring plaidera coupable, renoncera au procès; le juge prononcera la condamnation.

– Si nous passons en justice nous risquons de ne pas gagner, intervint Lockwood Downs.

L'étoffe de la robe de Meridee Downs froufrouta dans le silence.

– Et Morgenstern fera croire à tout le monde que Jodie s'est fait ça par sa faute, qu'il n'a eu que ce qu'il méritait. Lieutenant, poursuivit-elle, Jodie a essayé de changer. Il a essayé de toutes ses forces. Il a peut-être commis de mauvaises actions, mais rien de semblable à ce qu'on lui a fait. Il n'a jamais assassiné personne.

– L'arrangement dépend de vous, déclara Cardozo. Quelle que soit votre décision, le procureur vous soutiendra.

– Là où nous vivons, dit Lockwood Downs songeur, ils n'ont même pas entendu parler des modes de vie alternatifs. « Gay » veut dire joyeux, ou ça veut dire SIDA. C'est à quarante minutes de Chicago et quatre-vingts années-lumière de New York. Nous devons continuer à vivre dans cette petite ville.

– Mais c'est un meurtre, s'indigna Meridee Downs, pas du vol à l'étalage. Loring doit payer.

– Et nous, nous devons continuer à vivre, répéta Lockwood Downs.

La limousine s'arrêta devant le Waldorf. Des drapeaux suédois et israéliens flottaient. Un portier sortit à fond de train et leur tint la porte.

Le hall de l'hôtel étincelait de lumières et de chêne ciré, de cuivre, de cristal, d'or, de velours et de marbre vert italien.

– Nous nous sommes élevés dans le monde, remarqua Lockwood Downs d'un ton amer.

Cardozo suivit les Downs pendant qu'ils retiraient la clé de leur chambre, et puis il les regarda fendre la foule hyper élégante jusqu'à l'ascenseur.

Meridee Downs se retourna et lui fit un petit signe de la main mélancolique.

Il lui répondit, avec la sensation de se tenir à l'extérieur d'une catastrophe et d'observer un homme et une femme mutilés par les événements.

Il alla à la réception. Une jeune femme leva les yeux vers lui.

— Suite douze douze, dit-il, en montrant discrètement sa plaque. Qui paie?

La jeune femme lui lança un regard, puis vérifia dans une boîte de formulaires d'inscription. Elle sortit une fiche. Payé à l'avance par carte American Express.

— La carte de M. Downs ou de quelqu'un d'autre?

— Pyramide Entreprises.

De retour dans son box, Cardozo téléphona à l'American Express. Il nota le téléphone et l'adresse de Pyramide sur un bloc-notes et les regarda fixement jusqu'à ce que l'association qu'il cherchait produise un déclic dans sa tête.

Il consulta son Rolodex. Son doigt s'arrêta sur la fiche de Melissa Hatfield, Beaux-Arts Immobilier, S.A. Le numéro de téléphone et l'adresse étaient les mêmes que ceux de Pyramide.

Il décrocha le téléphone et composa le numéro.

Sa voix doucereuse et cossue arriva sur la ligne.

— Beaux-Arts.

— Melissa, c'est Vince Cardozo.

— C'est bon d'entendre une voix sensée. Vous êtes sensé, non?

— Toujours.

— C'est un asile de fous ici aujourd'hui. Ne travaillez jamais dans l'immobilier.

— C'est promis. Pourriez-vous me rendre un service?

— S'il est légal.

— Absolument. Pouvez-vous me dire ce qu'est Pyramide Entreprises?

— Facile. Pyramide est notre société du Delaware

Il lui lut le numéro de l'American Express.

— Qui utilise cette carte de crédit?

— Nat Chamberlain. Pour inviter les clients de la firme.

A 10 h 45 le lendemain matin, Meridee et Lockwood Downs pénétrèrent dans le bureau du procureur Alfred Spaulding. Le désespoir les recouvrait entièrement.

Le procureur leur proposa du café, des feuilletés aux fruits, du jus d'orange. Ils répondirent qu'ils avaient pris leur petit déjeuner au Waldorf, merci.

— Ça ne rime à rien de laisser traîner ça.

Lockwood Downs tenait la main de sa femme. Ils étaient assis côte à côte à la table de conférence, dans un cône de lumière d'été matinale ruisselant par les hautes croisées. Leurs visages étaient épuisés.

— Nous donnons notre accord pour l'arrangement.

– Ce bureau se conformera à votre décision, assura le procureur d'une voix calme.

– Si je peux me permettre, intervint Ray Kane, je pense que vous faites preuve d'une sagesse louable.

Kane était venu seul; apparemment Morgenstern n'avait pas douté que les Downs accepteraient l'arrangement, et ne l'avait pas jugé assez important pour se montrer.

– Nous voudrions vous remercier de toute votre aide, déclara Lockwood Downs, et nous voudrions remercier le lieutenant Cardozo de la sienne.

Les yeux de Lockwood Downs rencontrèrent ceux de Cardozo, et à ce moment-là un écureuil qui tournait en bondissant à l'intérieur des côtes de Cardozo se transforma en rat.

– Nous savons que vous avez des tas de meurtres sur les bras à New York.

Quelque chose était arrivé à la voix de Meridee Downs. Elle était pareille à la pierre, on aurait dit qu'elle ne contenait plus une seule larme.

– Nous sommes reconnaissants du mal que vous vous êtes donné pour nous.

Et ce fut tout. Des discours brefs, répétés à l'avance. Ils effectuèrent rapidement leur sortie. Cardozo se leva de son siège en même temps qu'eux, et une seconde après il regardait un seuil vide.

Il se tourna vers le procureur.

– Comment se fait-il que vous connaissiez Nat Chamberlain? Quelque chose plana sur le visage du procureur.

– Nat qui?

– Il paie la suite des Downs au Waldorf. Il paie leur limousine. Il paie probablement leurs billets d'avion. Il est le propriétaire de la tour Beaux-Arts.

Un pli apparut entre les yeux du procureur. Il se tourna vers Ray Kane.

– Ted m'a dit que votre cabinet payait tout ça.

– Le cabinet paie.

Ray Kane sourit, en faisant claquer les serrures en or d'une mallette en peau de porc mince comme une crêpe qu'il ne s'était pas un instant donné la peine d'ouvrir.

– Nat doit quelques services à Ted. Ted s'est fait renvoyer l'ascenseur. Pas de quoi s'inquiéter, messieurs.

Il jeta un coup d'œil à sa montre.

– Je serais ravi de vous inviter tous les deux à boire un café, mais j'ai une réunion avec le commissaire aux affaires culturelles du maire. Content de vous avoir vus.

Après que Kane fut parti, Cardozo resta planté là à considérer le procureur.

– Pourquoi avez-vous laissé Morgenstern se mêler de ça?

– Où vouliez-vous que je les mette, à l'Holiday Inn? Morgenstern dispose d'un budget pour ce genre de situations; ce bureau, non.

– Ce n'est pas normal, Al. Un tas de choses dans cette affaire ne sont pas normales. Cardozo sentait qu'une veine de son front commençait à palpiter. L'arrangement est une sacrée farce. Comment pouvez-vous accepter la responsabilité atténuée?

– Vince, pourquoi revenir là-dessus? Les parents sont partis, vous ne vous gagnez le vote de personne, et certainement pas le mien. J'accepte la responsabilité atténuée parce que Loring est un camé, il reconnaît qu'il était défoncé.

– Évidemment, pour sauver sa peau il le reconnaît. Mais dites-moi un peu. Nous avons poudré cet appartement pour relever des empreintes digitales – et il y avait des empreintes digitales de tout le monde sur cette foutue terre, sauf de Claude Loring. Comment un type raide défoncé pense-t-il à effacer les empreintes digitales d'un crime dont il affirme qu'il était trop raide pour en porter la responsabilité?

Le procureur pointa son index sur Cardozo.

– Vince vous avez fait votre boulot, laissez-moi faire le mien. Rendez-nous un service à tous les deux, et nom de Dieu lâchez tout ça.

– Bon, cracha Cardozo avec dégoût.

Trois minutes plus tard il descendit les marches du Palais de Justice, traversa Foley Square, et tourna le coin sans regarder derrière lui.

– Claude Loring Junior, déclara le juge Francis Davenport, vous êtes accusé d'homicide par imprudence dans la mort de Jodie Downs.

Loring se tenait debout face à la Cour. Il portait un costume sombre et une cravate rayée classique. Le costume était neuf et lui allait bien. Drôle de changement, songea Cardozo, d'avec les blousons en jean Levi's coupés. Loring était même rasé de près, et, la moustache disparue, son visage avait perdu son éclat de pirate. La peau grise était tendue sur les pommettes saillantes; les yeux étaient des orbites ternes.

– Comment plaidez-vous? Coupable ou non coupable?

La voix de Loring était fluette et tendue.

– Coupable, Votre Honneur.

Le juge Davenport se pencha en avant, en arquant ses épais sourcils gris. Il examina l'accusé.

Sur son siège, au fond de la salle de tribunal presque déserte, Vince Cardozo croisa les bras et observa. L'image s'enfonça dans son souvenir : le juge Davenport au visage rose et rebondi regardant Claude Loring au visage décharné.

– M. Loring, comprenez-vous le sens juridique des mots imprudence et homicide?

– Oui, Votre Honneur.

– Vous reconnaissez avoir emmené Jodie Downs dans un appartement de Manhattan? Vous reconnaissez l'avoir ligoté et avoir adopté un comportement qui a contribué à sa mort?

Cardozo regarda de l'autre côté de l'allée où Lockwood et Meridee Downs étaient assis très droits et seuls. Il sentit le pathétique de ce qu'il leur arrivait. Une limite était franchie. Ils avaient passé leur vie à ne pas violer les lois, et jusqu'à maintenant ils avaient pensé que le reste du monde avait suivi le même exemple. Mais quelqu'un avait changé les règles et oublié de leur envoyer un télégramme.

– Je planais complètement, Votre Honneur, reconnut Claude Loring.

– C'est bien entendu, M. Loring, mais reconnaissez-vous oui ou non que vous avez adopté un comportement qui a contribué à la mort de M. Downs?

– Il me l'a demandé, Votre Honneur, et je le regrette profondément.

– Aviez-vous l'intention de tuer M. Downs?

– Non, Votre Honneur.

Meridee Downs laissa tomber sa tête dans sa main. Son mari l'entoura de son bras. Les visages des Downs parlaient à Cardozo de perte d'une foi en la simple justice, assassinée aussi stupidement et sauvagement que leurs fils l'avait été.

– Et aviez-vous l'intention de le blesser?

– Non, Votre Honneur. C'était une scène.

– Une scène?

Ted Morgenstern se leva. Selon le *Post* du matin, la veille au soir avait eu lieu une fête d'anniversaire en son honneur, huit cents membres des Quatre Cents Familles de New York dansant le disco en tenue de soirée au Metropolitan Museum of Art, et ses yeux avait un aspect bouffi.

– Votre Honneur, une scène est une relation sexuelle entre adultes consentants. C'est une opération courante et habituellement inoffensive dans la communauté sado-masochiste. Mon client était drogué et avait l'impression que les actes que M. Downs réclamait ne provoqueraient pas de blessures.

– Ceci n'est pas un procès, Maître, aussi je vous en prie, résistez à la tentation de prouver que votre client n'a pas commis de meurtre. M. Loring plaide coupable d'un crime moins important mais tout de même grave, et il est de mon devoir de m'assurer qu'il comprend le sens du chef d'accusation et de sa défense.

– Mon client reconnaît qu'il a accompli ces actes, Votre Honneur, sans s'être rendu compte ni avoir eu l'intention qu'ils contribuent à la mort de M. Downs.

— Maître, je ne mets pas en cause l'intention de contribuer à la mort, seulement l'intention d'accomplir des actes qui raisonnablement constituent une mise en danger par imprudence de la vie humaine. C'est, après tout, ce que nous devons déterminer ici. M. Loring, vous reconnaissez avoir librement consenti à accomplir les actes?

Morgenstern fit oui de la tête.

Loring comprit le signal.

— Oui, Votre Honneur.

— Vous reconnaissez ces actes et ne contestez pas l'affirmation de l'État que la mort de M. Downs en a résulté?

Loring jeta de nouveau un coup d'œil à Morgenstern, qui fit non de la tête.

— Je ne conteste rien, Votre Honneur.

— Comprenez-vous qu'en plaidant coupable vous renoncez à un jugement par jury et risquez d'être condamné à la discrétion de cette Cour à la peine maximum autorisée par la loi?

— Oui, Votre Honneur.

— Accordez-y un moment de réflexion, M. Loring. Désirez-vous plaider non coupable et être jugé par un jury?

Morgenstern fit « surtout pas » de la tête.

— Je plaide coupable, Votre Honneur.

Le juge Davenport s'adossa à nouveau à son fauteuil, le visage figé dans un sommeil d'indifférence judiciaire.

— Que le compte-rendu indique que Claude Loring Junior, plaide coupable de l'homicide par imprudence de Jodie Downs. Le Peuple accepte-t-il qu'il plaide coupable?

Le procureur se leva.

— Le peuple accepte.

— Que le compte-rendu l'indique. Le prisonnier est renvoyé pour la sentence à trois semaines d'ici dans cette salle de tribunal à dix heures et demie du matin.

Séance levée par un coup sourd du marteau du juge Davenport.

Lockwood Downs se leva. Ses mains tremblaient visiblement. Jusqu'à ce moment tout avait pu sembler un cauchemar, mais Cardozo voyait bien que c'était désormais réel pour lui : la salle de tribunal, le prisonnier les menottes aux poignets, vêtu d'un costume neuf bien ajusté, que l'on emmenait entre deux gardiens, le juge se retirant dans son cabinet, l'avocat de la défense dans son costume sombre élégant et ses manchettes à la française traversant la salle pour s'entretenir avec le procureur dans son costume sombre élégant et ses manchettes à la française, deux éminences grises débattant d'un fusionnement.

Lockwood Downs aida Meridee à se relever. Ils se tinrent dans l'allée, écrasés, effrayés d'avancer ne fût-ce que d'un pas dans un monde où, soudain, il n'y avait pas de soutien pour quoi que ce soit ou qui que ce soit.

Cardozo s'approcha d'eux.

— Ça prend trois semaines pour fixer une sentence?

De nouvelles rides profondes avaient éclos sur le visage de Lockwood Downs.

— Les juges aiment prendre leur temps, expliqua Cardozo. Selon leur théorie, ça évite l'erreur réversible.

Il ne se donna pas la peine d'avouer ce qu'il pensait de la loi pleine de crimes contre le sens commun.

— Et puis qu'adviendra-t-il à Loring? demanda Downs.

— Maison centrale.

Quand Meridee Downs leva les yeux vers Cardozo, il vit la haine envahir son visage.

— C'est pire qu'une prison municipale? demanda-t-elle.

Il acquiesça.

— Si c'est possible.

— Nous ne reviendrons pas pour la sentence, déclara Lockwood Downs.

Cardozo sentit bien la fierté de l'homme, l'instinct de ne pas provoquer un scandale, pas même maintenant que toutes les promesses que l'univers ait jamais pu lui faire lui étaient déniées.

— J'y serai, promit Cardozo. Je vous téléphonerai.

37

– Peur des aiguilles?

Jerry Brandon enfonça d'un coup sec la cartouche dans la seringue. Il considéra Babe avec une pointe de malice, comme s'ils allaient s'embarquer ensemble dans une joyeuse aventure, une balade à travers la fête foraine de son esprit.

– Je ne peux pas dire que je les adore, reconnut Babe.

– Préparez-vous à aimer. Il y a des gens dans cette ville qui tuent pour vingt cc de cette came.

Brandon était devenu grisonnant et un peu avachi depuis la dernière fois que Cardozo l'avait vu, mais il avait toujours son masque de médecin de la police à la conversation spirituelle, suffisant et charmant.

– Pourquoi ne pas vous asseoir avant que l'on vous expédie dans le cosmos?

Babe s'assit sur le lit d'examen. Ses mouvements étaient hésitants et précautionneux. C'était une poupée de porcelaine très effrayée.

Brandon lui prit le bras et plaça l'extrémité de l'aiguille contre la veine bleue qui palpitait à la saignée. Son pouce pressa doucement sur la seringue.

Brandon retira la seringue.

– Comptez à rebours à partir de cent.

Les yeux de Babe fixaient le vide comme s'ils avaient perdu la vue.

– Cent... quatre-vingt-dix-neuf...

Les couches externes de son cerveau commencèrent à se fermer. A 93 elle baissa les paupières.

Brandon, d'un signe de tête convenu, donna le feu vert, et Cardozo enfonça la touche marche du magnétophone.

Brandon éjecta la cartouche vide de la seringue et en chargea une autre.

– En avant. Il prit le bras de Babe, et enfonça la pointe de l'aiguille dans la veine. C'est hier, Babe, annonça-t-il.

D'abord il n'y eut pas de réaction. Sa respiration était lente et profonde, presque rauque. Et puis il y eut un petit mouvement sur son visage, et Cardozo put sentir quelque chose qui prenait forme. Les lèvres de Babe remuèrent. Une bouffée de voix sortit.

— Hier.

— Vous vous réveillez. Où êtes-vous?

Un moment elle resta étendue là sur le lit d'examen, comme dans un hamac, avachie, passive, immobile. Et puis elle ouvrit les yeux. Son regard fit le tour de la pièce. Il passa sur Cardozo comme s'il était une table.

— Je suis dans notre chambre.

— Parlez-moi de la chambre, Babe. Que voyez-vous?

— Le soleil filtre par les fenêtres.

— De quelle couleur sont les double-rideaux?

— Vert pâle. Avec des fleurs oranges.

— Que faites-vous, Babe? Vous vous réveillez et puis...?

— Pantoufles. Par terre à côté du lit.

— Quel genre de pantoufles?

— Soie bleue.

Brandon fit une petite moue à Cardozo, et son hochement de tête disait, oh, oh, que nous sommes élégante.

— Parfait. Maintenant revenons plus loin en arrière, Babe. Vous êtes à l'hôpital.

Il y eut un silence. Elle fronça les sourcils, et finalement il y eut un déclic et elle prononça le mot hôpital.

— Vous vous réveillez à l'hôpital. C'est la toute première fois que vous vous réveillez dans cet hôpital. Que voyez-vous?

— Il fait sombre. Un étrange sanglot sortit d'elle. Scottie n'est pas là. Elle secoua la tête de gauche à droite, et ses yeux roulaient. Personne d'autre que moi. Ses poignets et ses doigts se nouèrent sur les accoudoirs. Son visage se contracta sous l'effort. Je ne peux pas bouger.

— Babe, pouvez-vous voir quelque chose?

— Une fenêtre. Elle plissa les yeux, essayant de voir quelque chose. La fenêtre n'est pas au bon endroit.

— Quoi d'autre?

— Pas de pendule.

Elle se raidit.

— Une porte vient de s'ouvrir. Maintenant il y a de la lumière. Elle plissa les yeux, et suivit à la trace un objet mouvant. Une femme est entrée. Elle porte un calot d'infirmière. Elle est penchée sur moi, très près. La posture de Babe changea brusquement : sa tête se redressa et se pencha en avant, ses épaules se contractèrent. Mais qui êtes-vous donc, et que fichez-vous dans ma chambre?

– Vous vous débrouillez à merveille, Babe, vraiment à merveille. Tout va bien. Restez là-bas à l'hôpital. Ne bougez pas de là-bas.

Brandon traversa la pièce en direction de Cardozo et parla à voix basse.

– Où était-elle avant la tentative de meurtre?

– Un grand gueuleton – c'était l'anniversaire de sa boîte.

Une réception de presse, ce genre-là. Célébrités, alcool, mets raffinés.

– Okay, je vais la balader dans la réception et la ramener à l'hôtel particulier.

Brandon retourna auprès du lit d'examen et rechargea la seringue.

– Babe – hier soir vous étiez à une réception. Parlez-moi de cette réception.

– Réception, répéta-t-elle. Ses yeux étaient encore fermés et il y avait quelque chose de contenu dans sa voix, quelque chose à moitié pensée à moitié rêve.

– Vous êtes à une réception, Babe. Maintenant. Vous êtes à la réception.

Sa tête s'affaissa un instant.

– Je ne suis pas censée être ici. Ils ne savent pas.

– Qui ne sait pas?

– Mickey, Winnie l'ourson et le Chapelier fou.

Brandon lança un regard à Cardozo.

– Vous avez parlé de célébrités?

– Est-ce que c'est normal? demanda Cardozo. Je croyais que cette came était comme le sérum de vérité.

Brandon haussa les épaules.

– La vérité de l'un est le Disneyland de l'autre.

Des soupirs entrecoupés s'échappaient d'elle.

– Que voyez-vous, Babe? Qu'êtes-vous en train de voir?

– Attention aux camions.

Brandon tourna les yeux vers Cardozo, son regard demandant s'il fallait continuer ou non.

Cardozo fronça les sourcils, perplexe : on aurait dit que Babe avait commencé par descendre une rue parfaitement familière et soudain, sans raison, avait obliqué dans une ruelle. Il acquiesça, continuez.

– Babe, quel genre de camions? demanda Brandon.

Elle ouvrit les yeux, et regarda les énormes camions.

– Des camions de viande.

A ces mots, camions de viande, une nervosité nauséeuse commença à bourdonner à l'intérieur de Cardozo. C'était comme si Babe était sortie de la carte pour passer dans un espace noir comme un four.

– Où sont ces camions de viandes, Babe?

– Dans la rue devant l'immeuble.

Cardozo faisait des signes avec les mains, prolongez ça.

— Parlez-moi de l'immeuble.

— L'immeuble est au coin. La rue pavée rencontre l'asphalte. L'immeuble tombe en ruine. L'enseigne est en anglais et en espagnol. Morceaux de vaches. La porte est sur la gauche. C'est là que j'entre. Seulement ils ne le savent pas.

Brandon se tourna vers Cardozo.

— Je ne sais pas pour vous, mais moi je suis perdu. Vous voulez la ramener à la réception?

Cardozo eut le pressentiment de quelque chose de plus gros.

— Non – continuez ceci.

— Vous franchissez la porte d'entrée, Babe. Et ensuite, quoi?

— Monter l'escalier dans le noir. Un étage. Un autre étage. J'entends des voix.

— Les voix de qui?

— Mickey. Richard Nixon.

Cardozo plissa les yeux sans comprendre. Les deux hommes se regardèrent.

— J'ouvre la porte.

Elle avait le visage d'une petite fille regardant furtivement dans une pièce interdite. Le regard furtif se transforma en demi-sourire timide. Le demi-sourire timide devint un large sourire.

— Ils ne m'entendent pas. John Wayne passe le champagne.

Le sourire s'effaça de son visage. Elle s'assit sur le lit d'examen, aux aguets maintenant.

— L'homme est nu.

— Quel homme, Babe?

— Le jeune homme. Il a des cheveux blonds. Il est étendu dans le coin. Ils l'ont drogué. Winnie l'ourson et le Chapelier fou le ramassent et l'attachent au H.

Quelque chose commença à venir à Cardozo, un certain sentiment inexplicable que le cauchemar au bout de la ruelle de Babe correspondait au cauchemar de quelqu'un d'autre.

— Qu'est-ce que c'est que le H?

— Bois. Bois noir. Mur blanc. Alice au pays des merveilles et Donald aident à mettre le masque.

Cardozo sentit le mal imploser. « Ceci n'est pas en train de se dérouler, songea-t-il. Je ne suis pas en train d'entendre ceci. Elle n'a pas vu ceci. »

— Quel genre de masque, Babe?

— Cuir noir. Il y a deux fentes pour les yeux et pas d'oreilles et puis une fermeture éclair sur la bouche. Le jeune homme ne peut pas bouger et il ne peut faire aucun bruit.

Cardozo sentit du sang affluer le long de son cuir chevelu.

– Minnie porte une magnifique robe de soie rouge. Des centaines de paillettes, cousues à la main. Elle ôte la cigarette de sa bouche et... Babe eut le souffle coupé. Elle l'éteint dans la main du jeune homme.

Les muscles du cou de Cardozo se contractèrent et sa gorge devint soudain sèche.

– Demandez-lui quelle main.

– Quelle main, Babe? Dans quelle main Minnie éteint-elle la cigarette?

– Sa main gauche.

Il y avait de l'effroi au creux du ventre de Cardozo. Le bon sens affirmait qu'il était impossible qu'elle puisse savoir, impossible qu'elle puisse dire ce qu'elle disait.

– Elle referme ses doigts autour de la cigarette. Il fait un bruit. Un gémissement.

L'incrédulité battait si fort dans les veines de Cardozo que l'image de Babe sur le lit et de Jerry Brandon penché au-dessus d'elle parut s'effriter devant ses yeux.

– Richard Nixon prend le couteau sur la table. C'est un couteau courbe. C'est un couteau à melon, je crois. La sueur piquetait son front. Richard Nixon s'avance vers l'homme nu et il prend le couteau et il...

Des vagues de tremblement s'abattirent sur elle. Cardozo pouvait sentir la terreur qui l'habitait, de celle qui naît quand on sait que si l'on ne détourne pas les yeux notre esprit va craquer.

Brandon regarda Cardozo, d'un air interrogateur, et Cardozo acquiesça.

– Demandez-lui œ que Nixon fait avec le couteau.

– Que fait Nixon avec le couteau, Babe?

Un spasme rida les muscles de son visage.

– Non... je ne veux pas le voir!

Elle se cacha les yeux.

– Vous le voyez vraiment, Babe. Vous le voyez vraiment.

Elle abaissa un petit peu ses mains, assez pour jeter un coup d'œil par-dessus.

– Il coupe le jeune homme. Le pauvre jeune homme ne peut pas se défendre et Richard Nixon...

Le cœur de Cardozo chavira dans sa poitrine.

– Demandez-lui à quoi ressemble la coupure. Demandez-lui si elle a une forme.

– A quoi ressemble la coupure, Babe? A-t-elle une forme?

Elle se raidit.

– Il coupe un cercle.

– Qu'y a-t-il dans le cercle? dit Cardozo.

– Qu'y a-t-il dans le cercle, Babe?

– Il y a un Y, dégoulinant de sang.

Elle se courba en deux, les bras serrés sur le ventre, et fit des bruits de vomissements.

Brandon lui toucha le front.

– Babe, rendormez-vous.

Un air mort emplit les yeux de Babe. Elle retomba contre le lit d'examen.

– Bouh, s'exclama Brandon. Qu'est-ce que c'était que cette histoire?

Cardozo se pencha au-dessus d'elle. Il prit sa main dans les siennes. Elle était fraîche, flasque. Il lui massa les articulations. Cinq minutes s'écoulèrent avant que ses yeux ne s'ouvrent lentement. Il parla d'une voix grave, teintée de compassion.

– Allez. Vous avez bien gagné un peu d'air frais.

Il l'aida à se lever, il l'aida à se mettre sur ses béquilles. Il garda une main ferme sur son bras, pour la guider.

Ils allèrent là où la lumière du jour était d'or sombre, rayée de gris. Les rues étaient pleines de vie, grouillantes et fourmillantes de gens qui rentraient du travail. Un marchand espagnol vendait des véritables glaces italiennes. Une petite chinoise passa en courant, nattes au vent. Ils laissèrent le trottoir bondé de monde les emporter.

Babe leva les yeux vers l'endroit où la ligne de crête des buildings s'arrêtait net contre le ciel.

– De quoi me suis-je souvenue? demanda-t-elle.

– Vous ne vous êtes pas souvenue.

Avec un clignement d'yeux peiné elle se tourna vers lui.

– Ce n'était pas Cordélia?

– Vous ne vous êtes pas souvenue. Brandon a essayé de vous ramener jusqu'à cette nuit-là, mais il n'y a pas réussi.

Cardozo éteignit le lecteur de cassette.

Ellie Siegel regardait d'un air songeur dans sa boîte de cherry Coke.

– Quelqu'un lui a raconté, dit-elle.

– Qui aurait pu lui raconter? Qui connaissait l'existence du mégot de cigarette dans la main gauche de Downs? Qui connaissait l'existence du symbole de paix taillé sur sa poitrine? Nous avons gardé ces trucs en dehors des journaux.

– Vince, y a-t-il une possibilité quelconque que tu lui aies signalé certains trucs?

– Pourquoi bon Dieu lui aurais-je signalés?

– Parce qu'elle te fait de la peine. Peut-être que tu voulais qu'elle se sente importante. Un tas de flics racontent à leur petite amie des choses qu'ils ne devraient pas raconter, des petites conneries de première main sur les enquêtes en cours...

— Ce n'est pas ma petite amie, bon sang, j'en ai marre qu'on veuille toujours me marier.

— Oh ça va! J'essaie simplement de comprendre la raison d'un tel méli-mélo sur cette bande. Elle a des détails de première main, et puis toute cette salade sur John Wayne et Mickey. Et Nixon. Qu'est-ce qu'il a notre trente-septième président? Sans compter qu'il n'y a rien sur l'appartement cinq, rien sur Claude Loring. Devens a simplement isolé des fragments et rempli le reste avec des histoires de bandes dessinées.

— Ça me tracasse. Je l'ai entendue raconter ces machins, et ça collait exactement avec un sentiment que j'ai eu depuis le début au sujet de l'assassinat Downs.

— L'affaire est élucidée, Vince.

— D'où venait le masque? D'où venait ce mégot de cigarette? Qui était la femme qui a acheté le masque chez Plaisir Brut et l'a apporté à la tour Beaux-Arts?

— Une minute. Loring a avoué. La preuve appuie sa confession. Les témoins appuient sa confession. Tu ne vas pas me dire que cette bande délirante soulève des questions quelconques sur sa culpabilité. Ni le masque, ni la cigarette, ni la femme que personne n'a pu identifier. Ils ne rendent pas Loring innocent. Impossible. La femme peut même être tout à fait hors du coup. Le masque est un article fabriqué en série. La cigarette — personne n'a jamais été condamné pour une cigarette à moins que le chef d'accusation ait été de salir ou polluer l'atmosphère aux Four Seasons [1]. Les points d'interrogation de cette affaire, on y a répondu. Voilà pourquoi ces dossiers sur tes genoux sont marqués Affaire Classée.

Cardozo était assis là avec son Pepsi Light on the rocks, figé.

— Trop de coïncidences. Mongenstern a défendu la tentative de meurtre Devens et l'assassinat Downs. Nous mettons Babe Devens sous influence, et voilà l'assassinat Downs qui sort.

— Vince tu débloques. Tu as un embrouillamini, pas de coïncidence. Mickey n'est pas un complice dans l'assassinat Downs. Richard Nixon a un alibi. Tu ne trouveras pas un seul juge pour assigner à comparaître Alice au pays des merveilles.

Cardozo se taisait, sourcils froncés.

— Mais suppose qu'elle était là-bas, poursuivit Siegel. Où cela te mène-t-il? Downs est torturé et assassiné, et voilà Babe Devens qui entre, et monte deux étages d'escaliers obscurs. Oublie qu'elle ne peut pas marcher maintenant. Oublie l'appartement cinq au cin-

---

1. Grand restaurant de New York. *(N.d.T.)*

quième étage. Oublie que des infirmières veillaient sur elle vingt-quatre heures sur vingt-quatre, oublie le coma. Oublie qu'elle voit le meurtre et ne voit pas le meurtrier, oublie que ce qu'elle voit vraiment est la moitié de Disneyland. Elle est là pendant que l'homme à tout faire coupe Jodie Downs en morceaux. Demande-toi simplement : que fait Babe Vanderwalk à cet endroit-là à ce moment-là? Qui ou quel dessein cela sert-il? Le sien? Celui de l'homme à tout faire? Celui de la victime? Où était-elle avant et où est-elle allée après? Comment se fait-il que personne ne l'ait vue?

– Alors pourquoi a-t-elle raconté cette histoire?

– Parce que toi et le Dr Kildare l'avez fait planer avec de la fée blanche Medicaid.

– Comment a-t-elle obtenu les détails?

– Tu veux dire comment a-t-elle obtenu les faux détails? Elle les a inventés. Comment a-t-elle obtenu les vrais détails? Peut-être qu'elle les as inventés aussi et a eu du pot. Ou peut-être que la perception extrasensorielle ça existe, peut-être qu'elle savait parce que tu savais, parce que tu es obsédé par cette affaire depuis si longtemps que n'importe qui pouvant lire sur les lèvres saurait ce que tu penses.

Cardozo posa son verre et appuya la tête contre le dossier du siège. A travers des paupières baissées, il fixa l'écran de télé vide.

– Bonne nuit, Vince.

Siegel traversa le salon et lui tapota la joue.

– Le poulet était délicieux.

– La voisine l'a préparé.

– Il était quand même délicieux.

Il bondit sur ses pieds et l'accompagna dans l'entrée. Songeuse, elle considéra l'homme qui lui tenait la porte.

– Vince, je ne veux pas te gâcher la fin de l'histoire, mais c'est Loring le coupable.

Il hocha la tête, les yeux vides à force de fatigue. Le loquet se referma avec un déclic.

Deux heures encore il resta assis à regarder les photos et les modèles cinq, son esprit jouant avec les pièces du puzzle essayant de caser une nouvelle pièce.

– Hé, Papa... tu ne dors plus jamais?

Sa fille se tenait dans l'embrasure de la porte, en vêtements de nuit froissés, et il se sentit envahi par un sentiment d'absurdité et de culpabilité.

Il ferma le dossier. Il marcha lentement, sentant une douleur dans son dos, et il se demanda s'il devenait un de ces gratte-papiers d'âge mûr avec des problèmes de dos.

Terri le suivit dans l'entrée jusqu'à la cuisine. Il mit une casserole de lait sur le feu. Du lait chaud, son somnifère instantané. Elle lui sortit une tasse du buffet.

Cardozo resta planté là à regarder sa fille. Ce mouvement du bras qu'elle tenait de sa mère, et la façon dont elle prenait en charge la cuisinière, la tête un peu penchée sur un côté, pareille à sa mère aussi.

– Ça va, Papa?

Tout comme cette question, et le regard de ses yeux noirs, avec leur tendre accusation muette.

– Bien.

Elle mélangea du Sweet'n Low et de la cannelle dans la tasse et lui tendit le lait. Elle se doutait de quelque chose. Il savait qu'elle sentait qu'il n'allait pas bien.

– Dors un peu, conseilla-t-elle.

Mais cette nuit-là il ne dormit pas.

Cardozo régla l'objectif. L'image devint subitement nette, une belle et grande femme avec des cheveux noirs bouclés lui tombant sur les épaules

Babe était assise, ses béquilles appuyées contre le mur derrière elle, mains enfoncées dans les poches de sa jupe. Après un long moment de réflexion elle déclara :

– Il y a un trou de sept ans dans ma mémoire, et même si je connaissais ces gens, ils ont changé et je risque de ne pas les reconnaître.

– Il se peut aussi que vous les reconnaissiez.

Clic, Cardozo passa à la suivante. Une fille blonde et mince avec des yeux très enfoncés.

Babe recula, fit non de la tête.

La suivante. Un homme d'âge mûr avec des yeux creux et des mèches de cheveux noirs sur les oreilles.

– Ça c'est Lew Monserat, le marchand de tableaux. Il a maigri. Est-il en bonne santé?

– Vous voulez dire mentalement? Je n'en jurerais pas.

Cardozo traça des signes dans le registre, un pour reconnu et un autre pour une certaine hésitation qui aurait pu masquer le fait d'avoir reconnu.

Claude Loring explosa sur le mur, en sueur dans son blouson Levi's coupé, franchissant à grandes enjambées l'entrée de l'Inferno.

Babe immobile et silencieuse se contentait de regarder avec fixité.

Cardozo sentait bien qu'elle commençait à faire un lien. Son visage se contracta et pâlit. Elle était à la lisière de quelque chose.

– Ses yeux paraissent si froids. Il me donne la chair de poule.

– Le connaissez-vous?

– Je devrais?

– Il n'y a pas de devrais. Peut-être l'avez-vous vu quelque part, peut-être non.

— Il y a sept ans il aurait été un enfant.

— Mais vous ressentez quelque chose.

— Oui, je ressens quelque chose, mais... Vince, je suis désolée, je ne peux pas vous dire. Peut-être c'est simplement qu'il a un air si véhément.

— Ça vous rappelle quoi, un air si véhément?

— Ça me fait penser... j'aimerais le dessiner.

38

– Accusé levez-vous.

Claude Loring se leva. Babe se pencha en avant. Elle était assise au premier rang dans la salle de tribunal, à côté de Cardozo. Son regard engloba Loring, des cheveux coupés court jusqu'à l'élégante cravate club et au costume sombre sur mesure.

Ted Morgenstern ne s'était pas donné la peine de venir à la sentence. Il avait envoyé Ray Kane qui consultait sa montre avec impatience, comme s'il avait eu un hélicoptère à prendre trois minutes avant.

Le juge Francis Davenport ajusta sur son nez des demi-lunettes, passa en revue la salle de tribunal presque vide, et baissa les yeux vers l'accusé.

– Claude Loring, vous avez plaidé coupable du crime d'homicide par imprudence.

Les yeux de Babe étaient fixés sur l'homme à la table des accusés. La tête de Claude Loring était baissée maintenant, son visage creux; il n'y avait pas de lumière, pas de vie dans ses yeux.

– C'est la sentence de cette Cour, déclara le juge, que vous ne purgiez pas plus de vingt-cinq et pas moins de six ans d'emprisonnement au pénitencier d'État d'Ossining, État de New York.

La tête de Loring s'affaissa.

Cardozo calcula rapidement que Loring serait remis en liberté conditionnelle dans deux ans. Il put sentir la haine jaillir de son corps comme de la sueur.

Deux gardiens s'avancèrent et emmenèrent Claude Loring.

Ray Kane fourra des papiers dans sa mallette, fit rouler le cadenas à combinaisons.

Cardozo fendit aussitôt la foule à coups d'épaule pour suivre le prisonnier. Il exhiba sa plaque aux gardiens.

– Hé, les gars, je veux parler à Claude une minute.

Loring se retourna.

– Quelqu'un que je veux vous présenter, Claude.

Babe traversa lentement la salle de tribunal sur ses béquilles. Elle regarda Loring avec des yeux pénétrants. Son front se plissa, interrogateur.

Claude resta planté là à la lorgner, un doigt pointé à travers la poche de son pantalon, se grattant les couilles. Quelque chose grondait en lui, un paquet de colère arrivant à ébullition sous son crâne. Sa voix jaillit, rude comme du papier de verre.

– Non mais qu'est-ce que tu veux, salope?

Cardozo gifla brutalement l'assassin en pleine mâchoire.

Un gardien s'interposa.

– Du calme, Lieutenant. Il est propriété de l'État maintenant.

– Puis-je utiliser le téléphone, interurbain?

– Bien sûr, répondit Babe.

Ils étaient dans son salon. Cardozo considéra le téléphone un long moment, il sentait bien qu'elle l'observait, avec curiosité.

Finalement, il décrocha le combiné et tapa un numéro. Trois sonneries, et puis la voix de Lockwood Downs au fin fond de l'Illinois.

– Loring a pris de six à vingt-cinq, annonça Cardozo.

Il y eut un silence.

– Qu'est-ce que ça veut dire? demanda Downs.

– Il pourrait être mis en liberté conditionnelle après avoir purgé un tiers.

– Un tiers de quoi?

– Un tiers de six.

– Deux ans.

La voix s'était ratatinée.

A ce moment-là Cardozo ressentit une mélancolie accablante. Lockwood et Meridee Downs souffriraient. Ils souffriraient pour le restant de leurs jours. Chaque fois qu'ils verraient un jeune homme dans l'arrogance de la jeunesse avec toutes les promesses de la vie devant lui, ils penseraient : « Ça aurait pu être notre fils. »

Cardozo se sentit pitoyablement petit.

– Je suis désolé.

Il raccrocha.

Babe lui lançait un regard bleu perçant.

– Vince – pourquoi avez-vous donné ce coup de téléphone d'ici?

Elle le regardait fixement et il n'était pas sûr de deviner ce qu'il y avait dans ce regard. Ses yeux étaient tendres et interrogateurs, mais il y avait une étrangeté en eux aussi.

– Je ne comprends pas pourquoi vous vouliez que j'entende. Et je ne comprends pas pourquoi vous m'avez emmenée à ce procès.

– Pour que vous puissiez voir l'accusé.

– Pourquoi? demanda-t-elle.

– Pourquoi pensiez-vous que vous le connaissiez?

– Je ne le connaissais pas. Je pensais que je pourrais aimer le dessiner.

– Voulez-vous toujours le dessiner?

– Pourquoi me mettez-vous à l'épreuve? Vous agissez comme si d'une certaine façon j'étais mêlée à cela.

– Vous êtes mêlée à cela.

Pendant les vingt minutes suivantes Cardozo raconta à Babe l'assassinat Downs. Il pouvait voir qu'elle était secouée, tout comme il pouvait voir que cela ne se rattachait à rien dans sa tête.

– Voilà ce que vous avez raconté sous pentothal. Il posa le lecteur de cassettes sur la table basse entre eux. Il pressa le bouton marche.

Quand la bande fut terminée elle leva les yeux vers lui, effrayée, ses yeux implorant le genre de garantie qu'il ne pouvait pas donner, une promesse que le monde n'était pas dingue, qu'elle ne l'était pas.

– C'est impossible, lança-t-elle.

– Exact, reconnut Cardozo. C'est impossible.

Cardozo posa deux listes sur la table.

– Elle a identifié ces douze-là dans le fichier-photos. Elle était catégorique. Ces dix-sept-là sont des « peut-être » – elle ne connaissait pas leurs noms, mais elle a traîné dessus, comme si elle connaissait leurs visages. Et voici son carnet d'adresses personnel. Ne le perds pas – c'est un prêt.

– Et que veux-tu que je fasse? demanda Charley Brackner.

– Tu as quelques autres listes sur cet ordinateur. La tour Beaux-Arts et l'Inferno. Peux-tu procéder à des recoupements?

Charley esquissa un joyeux petit sourire, sa façon à lui de dire que la tâche était ridiculement facile.

– Bien sûr. Nous créons un fichier nommé B. Devens et quand nous y entrons les noms nous donnons à Maisie l'ordre : Comp.

Ses doigts commencèrent à voler sur le clavier et les noms se mirent à illuminer l'écran.

Une heure et demie plus tard les noms étaient sur l'ordinateur et Charley tapa : « Rechercher : Inferno. »

L'écran clignota en réponse : « Recherche en cours. »

Charley pivota sur sa chaise et alluma une Camel.

– Maisie a une mémoire vive, expliqua-t-il à Cardozo. Parfois elle a du pot et met dans le mille du premier coup, parfois il lui faut quelques secondes.

L'écran clignota : « Entrée non trouvée. »

– Okay, essayons Beaux-Arts.

L'écran clignota : « Entrée non trouvée. »

– Non trouvée, qu'est-ce que ça veut dire? demanda Cardozo.
– Non trouvée signifie pas là.
– Je sais que ces fichiers sont dans l'ordinateur, insista Cardozo.
– Ces trois fichiers avaient-ils quoi que ce soit en commun?
– Essaie Jodie Downs ou assassinat Downs.
Charley tapa : « Downs ».
L'écran clignota : « Recherche en cours » et un moment plus tard :

Downs, Jodie, assassinat
Ce fichier contient les sous-catalogues suivants
et/ou fichiers
Tour Beaux-Arts
Association fraternelle et sociale Inferno Neuvième Avenue
Lockwood Downs
Meridee Downs
Claude Loring
Lewis Montserat
Faye di Stasio.

– Peux-tu recouper les listes de Babe Devens avec les noms de ces fichiers?
– Bien sûr.
Charley tapa l'ordre Comp.
L'écran clignota : « Recherche en cours. »
– Cette salope va le faire, grogna Cardozo.
– Je vais te dire ce que Maisie sait faire aussi. Chaque fois qu'elle rapproche un nom, elle peut appeler tous les fichiers sous ce nom et les consulter pour trouver de nouveaux noms.
– Quel intérêt?
– C'est un tamis. Au bout du compte le filet est si fin que tu attraperas tout... que par exemple B. Devens a acheté des pantoufles par correspondance dans la même boutique à Cleveland qu'un des artistes de Montserat.
– Vas-y.
Deux heures plus tard Charley apporta à Cardozo quatre-vingt-dix feuilles pliées en accordéon interligne simple.
Cardozo regarda le tas.
– Charley tu es un type calé. Trop calé.
Cardozo commença à parcourir les pages.
Il sentait bien qu'il y avait un lien qu'il ne réussissait pas à attraper. Ce soir-là il emporta les pages chez lui et essaya de comprendre.
A trois heures du matin il posa la tête sur le coussin du canapé.
Trente secondes plus tard il vit le visage creux de Loring, ses yeux méprisants, ses lèvres crachant des mots. Cardozo écouta ces mots.

« Non mais qu'est-ce que tu veux, salope? »

Il se les repassa, saisissant l'intonation exacte. Ça lui vint. Cet accent sur le mot tu.

Charley Brackner était dans son box, frais après une nuit de sommeil.

Cardozo balança les quatre-vingt-dix pages dans la corbeille à papier de Charley.

– Oublie ce paquet. Loring la connaît. Tout ce que nous avons besoin de savoir c'est comment Loring se rattache à Babe Devens.

Charley fit une grimace d'expert.

– Tout un chacun dans le monde est relié à quelqu'un d'une façon quelconque.

Il tapa les instructions à l'ordinateur :

« Rechercher lien Loring/B. Devens »

Un moment plus tard l'écran clignota :

« Recherche en cours »

Au bout de soixante secondes de clignotement, une colonne commença à s'étirer sur l'écran :

C. Loring
Tour Beaux-Arts
Billi von Kleist
Galerie Monserat
Duncan Canfield
B. Devens.

– Imprime ça, lança Cardozo.

Charley donna la commande d'impression et une page sortit avec fracas de l'imprimante.

Cardozo détacha la page.

– Merci, Charley.

– Vince.

Le ton de Charley l'arrêta.

Une nouvelle colonne s'étirait sur l'écran de l'ordinateur :

C. Loring
Tour Beaux-Arts
Billi von Kleist
Galerie Monserat

D. Forbes-Steinman
Scott Devens
B. Devens.

Cardozo regarda l'écran fixement.
— Est-ce que Maisie lit *The Enquirer?*
— Hein?
— Pourrais-tu demander à cette machine de développer le lien entre Forbes-Steinman et Devens? Sait-elle qu'ils vivent à la colle, où y a-t-il quelque chose de plus?
Charley tapa :

« Rechercher lien D. Forbes-Steinman/Scott Devens »

L'écran clignota :

« Recherche en cours »

Au bout d'un peu moins d'une minute du matériel nouveau commença à défiler sur l'écran :

Mirandella, Sunny, homicide
preuve sur lieu de crime
sac du sujet
contient
rouge à lèvres rose incarnat Helena Rubinstein
tampons Tampax trois
clefs cinq
préservatifs Fourex huit
huit dollars trente-deux cents
cartes de crédit
Mastercard 5500-7843-2316 Sandra Mirandella
Carte Visa 5647-5418-8953 Joy Feinstein
Carte Bloomingdale 6532-098
D. Forbes-Steinman/Scott Devens.

— Arrête là, dit Cardozo.
Sunny Mirandella était le nom d'une hôtesse de la TWA qui avait habité dans le quartier du Dr Flora Vogelsang. On l'avait trouvée la gorge tranchée, et c'était l'affaire de Monteleone. Jusqu'ici il n'y avait pas eu de cravatage, et après trois semaines sans piste fructueuse, Sunny avait été mise en veilleuse.
Cardozo appela Greg Monteleone dans la salle d'ordinateur et lui désigna du menton le curseur clignotant sur l'écran.

– Qu'est-ce que ça veut dire?

– Sunny utilisait des cartes de crédit volées.

– Pourquoi y a-t-il ces deux noms sur la carte Bloomingdale?

– C'est un compte joint partagé par Steinman et Devens. Il y a deux cartes, un nom sur chaque. Sunny utilisait la carte de Steinman.

– Et les deux noms étaient toujours sur le compte? L'émission de ces cartes est-elle récente?

Monteleone haussa les épaules.

– Elles sont valables pour cette année.

– Est-ce que tu t'es renseigné sur la carte de Steinman?

– Évidemment. Steinman l'a perdue à une réception.

– Sors le rapport là-dessus.

Monteleone apporta le rapport.

– Un dîner chez Tina Vanderbilt le douze avril dernier. Soixante invités. Doria Forbes-Steinman est allée aux toilettes et elle a laissé son sac sur le lit. C'est là qu'elle pense que la carte a été volée.

– Elle pense. Elle pense.

Cardozo pensa.

– Tina Vanderbilt? Raouts de bienfaisance, dîners de charité, galas d'opéra?

– Oui. Elle a un triplex sur Park.

– Donc il devait s'agir d'un dîner habillé. Les femmes sont en robes longues et les sacs sont des petits trucs, du cuir doré miniature de chez Saks, où l'on case les clefs de la maison et deux doses de coke. Pourquoi Forbes-Steinman emporterait-elle sa carte Bloomie à un grand dîner? C'est un gâchis de place dans un sac.

– Je n'ai jamais prétendu comprendre les femmes.

– Trouve-moi une photo de Sunny Mirandella. Une jolie petite photo normale et présentable.

– Nous n'avons aucune petite photo normale et présentable de Sunny Mirandella. On dirait toutes des pages centrales de magazines sado-maso.

– Alors trouve-moi son permis de conduire.

Doria Forbes-Steinman examina attentivement chaque photo : Jodie Downs, Sunny Mirandella, Claude Loring.

Elle était assise sur le somptueux divan gris devant l'agrandissement photo d'une cathédrale en trois panneaux. Cardozo pouvait voir le vestibule dans son dos, où le masque de cuir noir Nuku Kushima était toujours exposé sur son piédestal.

– Une minute, dit-elle. Je connais cet homme.

Cardozo retraversa la pièce ensoleillée et regarda par-dessus son épaule. Elle tenait à la main la photo de Claude Loring.

– Où était-ce?... A Soho l'hiver dernier... C'est cet ami de Lew

Monserat. Je les ai vus au vernissage de l'exposition Schnabel à la galerie Mary Boon. Elle leva les yeux vers Cardozo. Mais ma carte Bloomingdale n'a pas été volée chez Mary. J'ai acheté une centrifugeuse avec le lendemain de ce vernissage.

— Vous dites que cet homme est un ami de Montserat. Voulez-vous dire qu'ils étaient souvent ensemble?

— Non, je veux dire qu'ils semblaient être amants ce soir-là. Lew adore les voyous invertis. Depuis toujours.

L'esprit de Cardozo passa en revue tous les liens. Loring et Monserat faisaient joujou tous les deux à l'Inferno; Ted Morgenstern les représentait tous les deux; et selon Doria Forbes-Steinman ils avaient eu une aventure. Une aventure ne paraissait pas vraisemblable : le préposé au vestiaire à l'Inferno avait précisé que Loring aimait les gamins. Mais quand même, il y avait une relation entre les deux, un lien qui en faisait une équipe.

— Auriez-vous par hasard la date du vernissage Schnabel?

— Elle est sur mon calendrier. Doria Forbes-Steinman se leva du divan. Un petit moment.

Elle quitta la pièce et revint.

— Voici, Lieutenant. Je vous ai tout noté. Elle lui tendit la date, l'heure et le lieu, sur un bout de papier à lettres *bureau de Doria Forbes-Steinman.*

— Mme Forbes-Steinman, observa-t-il, il y a deux noms sur ce compte Bloomingdale – le vôtre et celui de Scott Devens.

Elle battit des paupières et recula en tressaillant, comme si quelque chose de menaçant était passé d'un coup d'aile près de ses yeux.

— Est-ce une question?

— Puis-je parler à M. Devens?

Elle croisa les mains puis les décroisa.

— Scottie n'est pas ici pour le moment. La façon la plus facile de le trouver serait d'aller à la salle Teck au Winslow vers onze heures ce soir. Il y joue du piano.

Mme Vanderbilt était assise dans un fauteuil de brocart, face à un secrétaire ancien. Elle ne se leva pas, et n'invita pas Cardozo à s'asseoir.

— J'espère que je ne me présente pas à un moment inopportun, s'excusa-t-il.

— Bien sûr que non.

Le ton de Mme Vanderbilt laissait comprendre que le moment était si manifestement inopportun que le signaler compensait tout juste le désagrément.

— Vous avez donné un dîner ici...

— Je donne beaucoup de dîners ici, coupa-t-elle.

Elle paraissait au moins quatre-ving-dix ans. Ses yeux étaient bleus, perçants et vifs. Ses cheveux étaient blancs, et avaient l'élégance saisissante de la perruque d'un père fondateur.

— Vous avez donné un dîner le douze avril dernier.

— C'est exact.

Elle était vêtue de rose pâle. Elle donnait l'impression d'être petite, pas plus d'un mètre cinquante, et mince comme un mannequin de mode, elle devait peser au maximum quarante-cinq kilos.

— Un crime a-t-il été commis à mon dîner?

Il sourit.

— Je doute qu'un crime ait été commis à aucun de vos dîners, madame.

Elle ne sourit pas.

— Cela me soulage.

— Pourriez-vous me dire si Doria Forbes-Steinman se trouvait ici ce soir-là?

— Elle est venue chez moi.

La bouche de Mme Vanderbilt était pâle : c'étaient deux lignes roses tout juste esquissées en travers de son visage étrangement éclatant.

— Mais vous voulez sans doute une information précise.

Mme Vanderbilt se tourna vers sa secrétaire, une femme d'une cinquantaine d'années vêtue de noir.

— Endicott, voulez-vous aller chercher la liste des invités du douze avril dernier?

La pièce était vaste. Le plafond était haut. Les murs étaient couverts d'impressionnistes français. Endicott fila vers l'une des trois portes.

— Endicott.

Endicott s'arrêta.

Mme Vanderbilt fixa son regard sur Cardozo.

— Vous voulez aussi la liste du personnel?

— S'il vous plaît, répondit-il.

— Très bien, Endicott.

Mme Vanderbilt l'expédia d'un geste de la main.

Endicott ouvrit une porte et un teckel miniature jaillit dans la pièce. Avec trois aboiements aigus il sauta sur les genoux de la première hôtesse de la ville de New York, la queue battant frénétiquement.

— Avez-vous jamais vu tant d'énergie?

Mme Vanderbilt laissa l'animal lécher le diamant taille-saphir à son doigt.

— Robespierre n'est-il pas tout simplement féroce? Et adorable? Sois sage, Robespierre! Sois sage pour maman! [1]

1. En français dans le texte.

Cardozo eut l'impression que Mme Vanderbilt parlait à son animal en français parce qu'elle ne voulait pas que les domestiques comprennent. Il ne réussit pas à trouver quelque chose à dire sur son chien. Il fut soudain hanté par le fantôme qui se montrait de temps en temps, la peur d'adolescent de se servir de la mauvaise fourchette dans un grand dîner.

Endicott revint.

Mme Vanderbilt déposa le chien par terre.

– Va t'amuser, Robespierre [1].

Il y avait quelque chose d'équivoque et de déplaisant dans les yeux d'Endicott quand elle tendit les listes à Cardozo.

Il lui fallut un moment pour parcourir des yeux les colonnes de noms célèbres.

– Je vois que Scott Devens et Doria Forbes-Steinman étaient ici tous les deux.

Le visage de Mme Vanderbilt exprima un mécontentement.

– Mme Forbes-Steinman était ici. Son cavalier est tombé malade. Il a envoyé ses excuses au dernier moment.

Cardozo put voir que Mme Vanderbilt n'avait pas l'habitude de recevoir ou de pardonner les excuses de dernière minute.

– Puis-je vous demander des exemplaires de ces listes? s'enquit Cardozo.

– Endicott, tapez des exemplaires pour le lieutenant.

– Champagne, monsieur?

Cardozo montra sa plaque au serveur.

– De l'eau pour moi. Envoyez à M. Devens ce qu'il veut boire et dites-lui que je voudrais discuter quand il aura terminé son set.

Cardozo regarda autour de lui. Le décor était celui d'un cinéma-palace maure Seconde Guerre mondiale. Les tables étaient trop serrées. Quelqu'un avait graissé la patte à un inspecteur de la sécurité.

Un projecteur ambre prit Scott Devens au clavier d'un demi-queue. Brun et beau dans son smoking, il tissait une fugue de Bach sur *You Do Something to Me*.

La salle Teck de l'hôtel Winslow étaient ce que les publicitaires appelaient un endroit intime, un bistrot pour les gens qui aimaient être mentionnés dans les potins mondains et se fichaient de casquer quatre cents dollars pour deux bouteilles de champagne. Ici traînaient des Gabor, et des princes yougoslaves qui ne parlaient pas yougoslave. L'éclairage était bas, dispensé par des bougies posées sur les tables et de fausses fenêtres où se découpaient des minarets.

Devens ne cessait de sourire à la table du premier rang par-dessus

1. En français dans le texte.

son épaule droite. Cardozo reconnut vaguement certains des amis de Devens : un jeune acteur de télévision, un mannequin de mode noire d'un mètre quatre-vingt-cinq extraordinairement bizarre, un artiste qui sérigraphiait des poubelles, l'éditeur d'un magazine porno qui avait survécu à trois bombes des activistes de la Moral Majority. Il ne reconnut pas la femme en robe de brocart d'or. Ce n'était pas Mme Forbes-Steinman, et elle ne devait vraiment rien avoir pour elle sinon son argent. Son visage prenait une expression anxieuse et résolue chaque fois que Devens regardait une autre table.

Il y eut un crépitement d'applaudissements désinvoltes quand Devens ferma le couvercle du piano. Il apporta son scotch à la table de Cardozo.

— Très gentil à vous, Lieutenant — c'est bien Lieutenant maintenant?

— Je n'oublie pas les vieilles connaissances, M. Devens.

— Voudriez-vous rejoindre mes amis?

— Faisons ça simplement, joignez-vous à moi.

Devens s'assit.

— Mme Vanderbilt me dit que vous n'êtes pas allé à son dîner le douze avril.

Devens croisa une jambe par-dessus l'autre. Ses escarpins en vernis noir avaient de petits nœuds qui n'attachaient rien. Il ne remua pas un muscle de son visage.

— J'étais malade.

— Mme Forbes-Steinman n'a pas perdu cette carte de crédit chez Mme Vanderbilt. Sunny Mirandella l'a volée dans l'appartement.

Devens vida son verre.

— Qui est Sunny Mirandella?

Cardozo posa trois photographies sur la table : Downs, Loring, et Sunny.

— A vous de me l'apprendre, non.

— Vous devez plaisanter. Il n'y a qu'une seule femme ici.

— Qui dit que Sunny est une femme?

— Je supposais...

Devens fronça les sourcils et ne précisa pas ce qu'il supposait.

— Vous pouvez vous en sortir mieux que ça, Scottie. Son assassinat a paru dans les journaux et vous figurez dans son agenda.

Cardozo put voir Devens calculer les chances que ce soit un bluff, et puis il put voir Devens se rendre compte qu'en prenant le temps de calculer et en n'opposant pas tout de suite un démenti, il s'était trahi.

— Et ça me rend coupable de quoi?

— A vous de me l'apprendre.

Devens resta assis immobile un moment. Soudain il tendit le bras et arrêta un serveur qui passait.

– Dewar's avec des glaçons. Double. Quelque chose pour vous, Lieutenant?

Cardozo secoua la tête.

– Vous ne buvez donc pas?

– Si je bois, je fume, et si je fume, je perds toute dignité.

– Vous m'impressionnez, Lieutenant. Après deux procès et sept ans, vous cherchez toujours à me coincer. Pourquoi? Comment pouviez-vous haïr un homme que vous ne connaissiez même pas?

Malgré un costume élégant, Devens sentait à plein nez le geignard cent pour cent américain, un homme qui racole tout ce qui passe à sa portée. Cardozo se demanda ce que Babe avait vu chez ce perdant, et puis il se demanda pourquoi il se donnait la peine de se le demander.

– Je n'ai pas besoin de vous connaître, riposta Cardozo. Tout ce que j'ai besoin de savoir c'est ce que vous avez fait à cette gosse.

– Sunny n'était pas une gosse et je ne lui ai rien fait.

– Mais il était une fois Cordélia Koenig qui était une gosse, et vous ne l'avez pas ratée.

Soudain Devens le regarda, paniqué, et puis il glissa dans une sorte de vide.

– Bon sang. Je croyais que nous parlions de Sunny.

– En effet.

– Je n'ai vu Sunny que cette fois-là. Je ne sais rien d'elle sauf qu'elle était mignonne, que c'était peut-être une voleuse, et que maintenant elle est morte.

– Comment l'avez-vous rencontrée?

– Je suis revenu de Chicago sur son vol. On s'est mis à discuter.

– Où étiez-vous il y a deux week-ends quand elle a été tuée?

– J'étais dans les Hamptons.

– Tout le week-end... du vendredi au dimanche?

– Tout le week-end... du vendredi au mardi.

Joli week-end dans le jet set.

– Pouvez-vous le prouver?

– Oui je peux.

– Vous allez devoir le faire. Avec qui étiez-vous?

Devens lui donna les noms, et Cardozo les inscrivit dans son calepin.

– Allez-vous colporter ça partout sur Sunny et moi? s'inquiéta Devens.

– C'est important?

– Ça pourrait me perdre.

– Rien ne vous a encore perdu. Garçon, voulez-vous me donner l'addition?

– C'est pour moi, dit Devens très vite.

– Mais non.

Sans quitter Devens des yeux, Cardozo déposa vingt dollars dans la soucoupe.

39

— Quelque chose ou quelqu'un, dit Cardozo, vous lie à l'assassinat de Beaux-Arts. Je parie qu'il s'agit de quelqu'un que vous connaissez mais ignorez connaître — un petit souvenir qui s'est effacé lorsque vous étiez dans le coma. Nous avons comparé les noms de votre carnet d'adresses avec les fichiers de nos affaires. Il y a quelques recoupements, mais ce sont des gens que nous connaissons déjà — des personnalités de la haute société. Ils ne nous mènent à rien de nouveau. Ce qu'il nous faut, c'est quelqu'un qui a vos souvenirs d'il y a sept ans... intacts.

— Eh bien, manifestement ce n'est pas moi, reconnut Babe.

Ils se trouvaient sur la terrasse dallée, derrière l'hôtel particulier. Cardozo, debout, la regardait.

— Avez-vous jamais tenu un journal?

Babe sourit.

— Jamais.

— Ne voyez-vous aucun ami intime, quelqu'un qui naviguait dans les mêmes cercles, quelqu'un qui en sait autant que vous sur vous... et qui consentirait à vous aider?

La gorge de Babe devint soudain aussi rèche que de la paille de fer.

— J'aurais dit Scottie, mais de toute évidence non.

— Personne d'autre?

— Eh bien, Ash Canfield... je n'ai pas de secret pour elle. Nous avions établi le principe de ne jamais nous défoncer ensemble dans la même soirée. Au cas où l'une de nous devrait ramener l'autre chez elle.

— Alors demandons à Ash de jeter un coup d'œil à ces photos. Comment pouvons-nous la joindre?

Babe était passée à l'usage de la canne, et elle put gravir la passerelle du *Minerva*, le yacht de soixante mètres de long de l'industriel

Holcombe Kaiser, sans l'aide de Cardozo. Quand ils atteignirent le pont, bruit et lumières s'abattirent sur eux.

La somptueuse fête en tenue de soirée... l'une des invitations de la saison les plus dures à décrocher... battait son plein. Les mâts enveloppés dans les voiles ferlées s'élançaient à une hauteur de trois étages.

Cardozo avait conscience des gens qui lorgnaient Babe avec des yeux avides, chuchotant des hypothèses, et il avait conscience que certaines des hypothèses rejaillissaient sur lui.

Il tendit l'invitation en vélin gravée Tiffany pour « Béatrice Devens et cavalier », et un jeune majordome en élégant uniforme les guida vers la file des invités et cria leurs noms.

Holcombe Kaiser accueillait ses invités avec la promptitude d'un monarque en exercice.

– Je ne vous ai pas vue depuis un bout de temps, Babe.

Un flash partit quand les lèvres de Kaiser touchèrent la joue de Babe.

– Trop longtemps, reconnut-elle. Voici mon ami Vincent Cardozo.

– Enchanté, monsieur.

C'était cet emploi vaguement ironique du mot, de supérieur à inférieur.

– Merci de nous avoir amené Babe.

Cardozo ne connaissait Kaiser que par des articles d'actualités, savait qu'il avait passé son existence à accumuler des dollars et de la publicité pour se tailler une place très en vue dans une société très en vue. Cheveux gris, barbe grise, irradiant le contentement de soi, il regarda Cardozo droit dans les yeux de façon impersonnelle.

– J'ai le plaisir de vous présenter mon amie Edmilia Tirotos.

Kaiser avait été veuf plus de la moitié de sa vie, et Edmilia Tirotos, l'épouse d'un mètre cinquante du dictateur indonésien destitué, se tenait à côté de lui, remplissant le rôle d'hôtesse. Le teint olivâtre, les yeux noirs, ses liftings lui donnant un sourire étrangement jeune qu'elle semblait impuissante à modifier, elle portait un diadème en diamants qui avait dû justifier plus de la moitié de la dette étrangère de son ancienne mère patrie.

– Où donc allons-nous trouver Ash Canfield, bon sang? chuchota Cardozo. Cet endroit est pire qu'une cellule de détention.

– Essayons le bar, proposa Babe.

Il y avait des bars en plein air à l'avant et à l'arrière, et une douzaine de serveurs d'une beauté saisissante circulaient avec des plateaux de champagne.

A huit heures trente le *Minerva* appareilla, ses moteurs fouettant la mousse vanille de l'Hudson.

Babe et Cardozo se frayèrent un chemin parmi la foule habituelle qui exécutait les pas compliqués de la gavotte de la célébrité au son de la musique de danse amplifiée jouée sous un dais à rayures par Scott Devens et son orchestre de douze musiciens.

A l'intérieur du salon du bateau, les prismes de cristal d'un lustre de salle de bal jetaient des rayons de lumière, tachetant la cheminée de marbre rose surmontée d'un tableau de Rubens.

Babe trouva Ash Canfield sur un divan de soie; c'était une femme aux cheveux blonds dans une robe lamée argent moulante et très décolletée, les yeux étincelants d'audacieuse gaieté.

– Voici donc le fameux lieutenant Vincent Cardozo.

Ash parlait d'une voix chuchotante, haletante, de jeune fille mondaine.

– Je ne me savais pas fameux, dit-il, mais merci, Madame... comment dois-je vous appeler... Lady Ash ou Lady Canfield?

– Ce n'est pas un vrai titre, je ne suis que Lady Canfield, mais pourquoi ne pas laisser tomber le Lady pour que vous puissiez m'appeler Ash. Eh oui, vous êtes très fameux dans le petit cercle des amis de Babe.

– Ash, suggéra Babe, viens voir la vue.

– Je connais ce port crasseux. Tu oublies, Babe, que je suis née à Doctors Hospital, sur les rives mêmes de Manhattan, exactement comme toi et n'importe quelle petite fille qui soit jamais allée à Spence. Le genre Moïse dans les joncs, vous ne trouvez pas, lieutenant? Ou dois-je vous appeler Vincent?

– Appelez-moi Vince.

Ash les prit tous les deux par le bras.

– Maintenant que nous voilà tous bien à l'aise, allons à la recherche d'un bar. Je crève d'envie d'une olive.

Ils se frayèrent un chemin hors du salon. Ash lançait des saluts, bavarde et futile, hyperrayonnante de bonne humeur légère.

Cardozo leur ouvrit un chemin le long du couloir, parmi un tumulte d'embrassades de célébrités, de gloussements et de bousculade.

Babe s'arrêta brusquement au milieu du couloir. Ses yeux s'étaient arrimés à une femme en robe de soie grise sans bretelles, et Cardozo se demanda ce que son esprit lui soufflait qu'il ne saisissait pas.

Il y avait de l'arrogance dans l'agencement rigide de la bouche de la femme, de son nez aquilin et de ses yeux verts très écartés. Il fallut un instant à Cardozo pour reconnaître Doria Forbes-Steinman, et il lui fallut un instant de plus pour se rendre compte que Babe regardait fixement non pas la femme mais la robe qu'elle portait.

– Salut, Doria, lança Babe.

Doria Forbes-Steinman se retourna, et resta plantée là derrière une mince volute de fumée, à finir sa cigarette. Ses yeux allèrent de Babe à Cardozo, puis Ash.

– Tiens, Babe, quelle surprise. Personne ne m'a dit que tu étais invitée.

– Apparemment pas, gronda Babe. C'est ma robe que tu portes.

Doria Forbes-Steinman sourit.

– Salut, Ash. Salut, Lieutenant, lança-t-elle.

– Si tu as élargi les autres aux hanches et aux épaules aussi mal que celle-ci, insista Babe, je ne sais pas si je dois te poursuivre pour vol ou pour carnage.

– Je sais exactement pour quelle raison te poursuivre, chérie... diffamation.

Avec un geste obscène de l'annulaire, Doria Forbes-Steinman se coula dans une vague de célébrités qui déferlait le long du couloir.

– Si vous voulez poursuivre, intervint Cardozo, poursuivez vos parents, pas elle. C'était leur boulot de dire non.

– Comment s'y est-elle prise? demanda Babe.

– Ted Morgenstern.

– C'est au-dessus du concevable. Au-dessous du concevable.

Cardozo trouva une grande salle de réception vide, mena Babe et Ash à l'intérieur et ferma la porte derrière elles. C'était une pièce confortable lambrissée de bois de rose, ornée de tableaux bleu tendre portant tous la signature de Picasso, aussi reconnaissable que la marque sur une bouteille de Coke. Il y avait un Monet unique, dont Cardozo eut le sentiment que c'était grâce à lui qu'Holcombe Kaiser se rappelait où il avait caché le coffre-fort.

– Elle a mon mari, protesta Babe, et elle a mes robes.

– Laissez tomber, souffla Cardozo.

Ses mains s'avancèrent et pressèrent celles de Babe.

Elle lui rendit sa pression, avec reconnaissance, et puis elle ouvrit le battant d'un secrétaire ancien en noyer sculpté français. Elle étala les photos réduites au format 13 x 8 sur la surface unie marquetée de marbre et de buis.

Ash était plantée là, un air de surprise fixé sur son visage.

– Qu'est-ce que c'est, un loto? Suis-je censée choisir un gagnant?

– D'une certaine façon, reconnut Babe. Veux-tu regarder ces photos et nous dire si tu connais une de ces personnes.

Elle ramassa les photos. Elle scruta silencieusement chacune d'elles, regard machinal, lointain, comme si elle disposait des cartes par suite dans une main de bridge. Elle sépara une photo des autres. Son regard se dirigea vers Babe, en diagonale par-dessus le panneau du secrétaire.

– Celle-ci.

– Des photos de famille?

La porte s'était ouverte sans un bruit. Un homme se tenait sur le seuil, puis il entra d'un pas nonchalant dans la pièce. Des sourcils et des cils blonds de neige rendaient ses yeux bleus profonds et surprenants. Il s'approcha rapidement d'Ash et passa son bras autour de ses épaules.

– Je peux jeter un coup d'œil?

Il avait l'apparence d'un dieu nordique trop mûr, légèrement bouffi, ses boucles blondes brûlées de gris. Sa ceinture de smoking écossaise ne réussissait pas à camoufler la taille qui s'épaississait confortablement du joueur de tennis de quarante ans.

Il étala les photos les unes à côté des autres.

– Voyons, nos vacances d'été en Europe... non, nos vacances d'été dans l'entrée de Billi von Kleist. Quelles photos déprimantes... qui collectionne les photos des poids-lourds Mack?

– Dunk, dit Ash, en repoussant les doigts de l'homme loin des photos et en les tassant en une pile impeccable, voici Vince Cardozo, l'ami de Babe.

– Ravi.

Dunk Canfield jaugea Cardozo d'un coup d'œil peu impressionné.

Cardozo avait bien étudié la vie de Sir Dunk : il avait grandi dans le monde des anciens riches britanniques; des relations familiales lui avaient obtenu son admission à Harrow et une bourse pour Oxford et il avait l'air d'une masse de suffisance décontractée qui n'avait jamais douté de son droit à une vie de grand luxe.

Babe ôta doucement les photos de la main d'Ash et les fourra dans son sac.

Sir Dunk dévisagea Babe avec un mécontentement presque puéril.

– Tu ne me laisses pas regarder?

– Ça ne t'intéresserait pas, répondit-elle. Et qu'est-ce que c'est que tout ce bruit en haut?

– L'invitée d'honneur arrive, expliqua Dunk. Tu as envie de venir la saluer?

Il offrit son bras à Ash.

De l'extérieur, du moins, Dunk et Ash Canfield formaient un couple bien assorti : rois de l'élégance, champions du sourire, bronzés, bien-nés, et beaux. Babe et Cardozo les suivirent sur le pont.

Moteur rugissant, pales projetant une explosion de vent éclaboussé d'écume, un hélicoptère-taxi argenté Martin-Marietta se posait sur le carré d'atterrissage à l'arrière du *Minerva*. Des hommes d'équipage avaient repoussé les invités au-delà d'un périmètre de cordon de velours rouge.

La porte de l'hélico s'ouvrit en grand et en sortit le baron Billi von Kleist – décontracté, souriant, maître instantané de l'espace qui l'entourait. Un bombardement de flashes le prit dans sa queue de pie et sa Légion d'honneur.

Avec des égards chevaleresques, le bel aristocrate européen se retourna et éleva une main gantée de chevreau. Elle fut attrapée de l'intérieur de l'hélico par la main gantée de noir de l'invitée d'honneur.

Tina Vanderbilt se tenait debout, renfrognée, dans une élégante robe du soir de soie écarlate Fortuny qu'elle aurait pu porter un demi-siècle plus tôt.

Edmilia Tirotos et Holcombe Kaiser s'avancèrent. Il y eut un ménage à trois [1] de baisers. Il s'avéra que la robe de Tina Vanderbilt comportait un grand col détachable, comme un collier, de roses en tissu parsemées de paillettes d'argent. Edmilia le détacha adroitement et le tendit à un serveur.

Holcombe Kaiser ouvrit en grand une boîte Cartier.

Edmilia sortit un cordon de diamants et d'or et le plaça autour du cou de Tina.

Des flashes crépitèrent comme des feux d'artifice.

La compagnie applaudit.

Avec une étonnante souplesse, Tina Vanderbilt fit la révérence à la foule.

Un murmure courut autour du pont... « trois mille carats! »

Scott Devens et les membres de son orchestre formèrent un demi-cercle autour de l'invitée d'honneur.

Scott battit le rythme : saxos, violons et accordéon entamèrent *Happy Birthday to You.*

Tina Vanderbilt se tenait debout, souriant poliment, avec fermeté, au milieu d'un cercle bouillonnant de photographes, de flashes, et de journalistes.

Quelqu'un lança qu'elle avait quatre-vingt-seize ans et que ce soir était son cinquième quatre-vingtième anniversaire.

Il y eut encore dix minutes de danse avant que la sirène du bateau ne sonne l'alerte générale, conviant les invités à dîner.

Les couples oscillants abandonnèrent petit à petit la piste de danse. Sur les tables rondes et blanches, chacune dressée pour huit avec des cartons au nom des convives, s'épanouissaient des milieux de table de roses rouges flottant dans de l'eau ambrée. L'air grésillait de l'odeur acidulée du champagne et des poêlons de table.

Babe et Cardozo trouvèrent leur table. Ash était déjà là, assise seule devant une bouteille de champagne et un verre à moitié plein, elle vacillait gaiement.

— Es-tu vraiment en bonne compagnie? demanda Babe.

— Quelle compagnie? s'étonna Ash.

— Cette bouteille.

Ash souleva la bouteille.

---

1. En français dans le texte.

– Tu blagues, poupée? Piper, c'est le meilleur. Lève donc un verre.

Une comtesse Marina d'Ukraine arriva au bras d'un prince Ludovic de Serbie. Ils avaient tous deux des cheveux blonds teints et une peau liftée qui leur donnait l'air lisse et sans âge des poupées nordiques Barbie et Ken. Quand ils se présentèrent, ils parlèrent avec de grotesque accents hispaniques.

Gordon Dobbs présenta Betsy Vlaminck, une impérieuse directrice de magazine à l'ancienne en turban bleu-vert, et Dunk Canfield – portant deux autres bouteilles de champagne – vint occuper la place à côté de sa femme.

Cardozo écouta Mme Vlaminck se lamenter sur la situation générale des Hamptons et annoncer qu'Oscar, Annette, Lock, Steve et Happy transportaient leurs retraites d'été à Rhinebeck, et ne serait-ce pas exactement ce que méritait les Hamptons si les valeurs immobilières s'effondraient.

– Pauvre Lee Radziwill, railla Sir Dunk. Du coup, elle ne pourrait plus louer son manoir faux XVIIIe pour cinquante mille la saison.

Des serveurs, portant des nœuds papillons noirs et des vestes blanches d'officiers de marine, commencèrent à changer les assiettes.

Le prince Ludovic fit la grimace devant le motif de l'assiette à soupe.

– Ce sont les armes des Habsbourg... qu'est-ce qu'Holcombe essaie de nous suggérer?

– Le rang, c'est le rang, affirma la comtesse Marina. Ça simplifie la disposition des invités.

– Je ne suis pas entièrement d'accord, intervint Gordon Dobbs. Il me semble que c'est une question de célébrité de savoir qui s'assoit où. Je me souviens quand on se battait pour être placé à côté de George Plimpton et d'Andy Warhol. Maintenant c'est ce Letterman et Madona.

Betsy Vlaminck secoua la tête.

– On ne peut pas se fonder sur la célébrité... c'est un marché typiquement en dents de scie.

– C'est absolument mon avis, reconnut le prince Ludovic. Regardez les gens sur ce bateau. Combien d'entre eux auront la moindre séduction sociale dans trois ans? Pas plus de la moitié.

– Je doute que la moitié aient la moindre séduction ce soir, lança la comtesse Marina. Holcombe a organisé deux anniversaires pour Tina, et voici la soirée série B. La soirée série A a eu lieu le mois dernier, quand il a emmené une vingtaine d'entre nous en avion dans son château des Alpes autrichiennes.

– Je ne vais pas aux soirées série B, lança Ash Canfield.

– Oh que si, chérie, dit Betsy Vlaminck. Compte le nombre de publicitaires présents ce soir. Dis-moi donc que ce n'est pas déductible des impôts.

– Holcombe est astucieux, c'est tout, admit Ash.

Au même moment un serveur tournait autour de la table, servant à la louche un court-bouillon de homard présenté dans une soupière d'argent.

Lady Ash répondit « Non, merci » à un serveur proposant encore du vin, et Sir Dunk plaça son verre à portée de main d'Ash. Cardozo remarqua le changement, et Dunk remarqua qu'il le remarquait. Les yeux de Dunk devinrent des flaques d'hostilité.

– Que pensez-vous de Jeannette Cowles? s'enquit le prince Ludovic. Je veux dire, quitter son mari pour épouser un homosexuel?

Betsy Vlaminck arqua un sourcil.

– Vous voulez dire quitter son mari pour épouser un homme qui a le SIDA.

– Impossible qu'il ait eut le SIDA, protesta la comtesse Marina. Les gens ont fait courir cette rumeur depuis des années et Oswaldo Straus sort une merveilleuse collection chaque printemps et chaque automne.

– Sans blague, Oswaldo Straus a le SIDA.

Gordon Dobbs leva la main droite en un serment de boy-scout.

– Une fois par mois Sloan-Kettering le vide et change jusqu'à la moindre goutte de liquide de son corps. Ils tiennent tout juste le mal en échec. Il a dû subir trois opérations de chirurgie plastique sur sa Kaposi.

– Il l'a sans doute attrapé avec cet amant qui était étalé dans tout Times Square sur ces belles grandes publicités nues, dit Betsy Vlaminck.

– Personne ne pouvait sortir avec l'amant sans découvrir le versant noir d'Ozzie, remarqua le prince Ludovic.

– Personne ne pouvait sortir avec l'amant, lança Gordon Dobbs, sans attraper le SIDA.

– Alors Jeannette Cowles sera la première femme du Bottin mondain à l'attraper, conclut le prince Ludovic.

– Pas tout à fait la première, corrigea Gordon Dobbs. Certaines dames très en vue ont déjà succombé à la peste. Il nomma l'ex-femme de l'homme qui avait fondé le premier réseau radiophonique en Amérique.

– Mais c'était à cause d'une transfusion qu'on lui avait faite cinq ans auparavant, protesta le prince Ludovic.

– Remarquable n'est-ce pas, souligna Gordon Dobbs, comme il y a toujours un alibi quand il s'agit de quelqu'un qui est quelqu'un. Croyez-moi, il se passe beaucoup plus de choses que ne le révèle le Centre de lutte contre la maladie.

Les serveurs présentèrent du chapon suprême avec une sauce au vinaigre de gingembre et de framboises, accompagné de riz sauvage et de haricots verts amandine.

Avant de se servir, Ash tendit la main vers son verre, le renversa, s'en rendit compte mais ne s'en soucia pas. Elle envoya un coude dans les côtes de Cardozo et pendant cette fraction de seconde il vit qu'elle était devenue quelqu'un d'autre : le visage et la voix étaient encore Ash Canfield, mais quelque chose s'était débridé au centre, quelque chose de provocant et de vulgaire.

— Garçon, lança-t-elle, voulez-vous tenir ce putain de plateau droit?

Betsy Vlaminck mentionna le duc de Windsor.

— Le plus petit sexe de l'empire britannique, lança Ash, en renversant des haricots sur le pont.

Betsy Vlaminck s'arrêta, ses yeux se tournèrent vers Ash.

— Comment savez-vous ça? demanda-t-elle.

— La duchesse me l'a dit.

— Comment le savait-elle? s'enquit la comtesse Marina.

Ash rit.

— Parce qu'elle a sucé tout l'empire.

— Vraiment, fit la comtesse Marina, pas très convaincante dans sa désapprobation.

— Le duc et la duchesse ne valaient pas beaucoup plus qu'un couple de call-girls, poursuivit Ash.

Elle essayait de couper son chapon, mais il ne cessait de glisser et d'échapper à son couteau.

— Toutes ces histoires sur les mots qu'ils envoyaient pour s'inviter à dîner ou à passer le week-end sont absolument authentiques.

Une grimace pas très convaincante rapprocha les lèvres de la comtesse Marina.

— C'est un mensonge, et il a été inventé par Helena Guest parce que le duc et la duchesse ont cessé d'aller chez elle à Old Westbury après qu'elle ait divorcé de Winston.

Cardozo jeta un regard à Babe. L'ambiance de cette table lui portait sur les nerfs.

— Ne vous occupez pas de ça, intervint Gordon Dobbs. Pourquoi la duchesse était-elle complètement toquée? Avait-elle des attaques?

— Son problème c'était ses liftings du visage, expliqua Ash. Après qu'elle ait atteint l'âge de soixante-treize ans, aucun chirurgien esthétique sérieux ne voulait plus la toucher. A quatre-vingt-cinq ans, juste après la mort du duc, elle a importé du Brésil un chirurgien mondain pour faire le boulot. Son huitième lifting. Au dernier moment elle lui a demandé d'enlever les poches sous les yeux. Il a dû la garder sous anesthésie pendant trois heures, et c'est trop long à cet âge. Il lui avait déconseillé, mais vous connaissez Wallis.

— Que s'est-il passé? demanda la comtesse Marina.

— Un quart de ses cellules cérébrales sont mortes et elle en est sortie partiellement aphasique et complètement incontinente. On a fait courir le bruit qu'elle avait l'Alzheimer, ce qui bien sûr n'était pas du tout le cas. Ce qu'elle avait, c'était une nécrose des lobes pariétaux. Et ça se propageait, comme la pourriture du bois. Elle a régressé. Elle a commencé à se croire de nouveau une enfant. Savez-vous ce qu'elle voulait pour Noël? C'est si pitoyable. Elle voulait des trains électriques. Vous rendez-vous compte? Des trains électriques. Bien sûr sa suite était absolument terrifiée.

— Terrifiée de quoi? demanda la comtesse Marina.

— Vous ne savez pas? s'étonna Ash, en regardant autour de la table.

Dunk versa encore du champagne dans le verre vide de sa femme.

— Ash, non, plaida-t-il.

— Allons, lança Ash, tout le monde le sait de toute façon.

— Je ne sais pas, assura la comtesse Marina.

— Eh bien, vous êtes la seule.

— Je ne sais pas non plus, assura Gordon Dobbs.

— Moi non plus, dit Betsy Vlaminck.

Ash se fortifia avec une longue gorgée de champagne.

— Ash, intervint Babe, as-tu besoin de ça?

Les yeux d'Ash pivotèrent.

— Occupe-toi de tes oignons, ma puce. Elle s'adressa à la table. La duchesse de Windsor a débuté dans la vie en homme.

— En homme?

La comtesse Marina posa sa fourchette.

— Un travesti, poursuivit Ash. Qui, sinon un homme d'une exquise sensibilité, aurait eu le goût de Wallis pour les vêtements? Ou pour la décoration intérieure?

— Mais c'est ridicule, intervint la comtesse Marina. Wallis s'est mariée trois fois.

— Qu'est-ce que le sexe a à voir avec le mariage? rétorqua Ash.

Il y eut des rires. Mais Cardozo ne rit pas. Il prêtait moins d'attention à ce qu'Ash racontait qu'à la façon dont elle le racontait, et à la façon dont son mari la surveillait.

— Pourquoi donc, poursuivit Ash, pensez-vous que Churchill et l'archevêque de Canterbury étaient tellement opposés au mariage de Wallis avec le roi? Pas à cause de ce que cachait son passé – mais à cause de son entrejambe.

— Comment le savaient-ils? demanda Gordon Dobbs.

— Ils avaient couché avec elle – lui. Winnie était un peu... vous savez.

— La duchesse ne s'est-elle jamais fait changer de sexe? demanda Gordon Dobbs.

Ash hocha la tête.

– Pendant la Seconde Guerre mondiale, David et elle se rendirent dans le Danemark occupé. Comme ils collaboraient, ils n'avaient aucun problème pour entrer ou sortir du Reich. C'était une pionnière, elle a passé la ligne des années avant Christine Jorgensen.

Les serveurs apportèrent un soufflé au citron accompagné de sauce au chocolat. Quand Cardozo passa à Ash le sucre candi pour son café elle écrasa sa cigarette dedans.

– Les médecins ne peuvent pas donner des ovaires à un homme, observa la comtesse Marina, et Wallis a eu des enfants quand elle était Mme Simpson.

– Samson était son vrai nom, corrigea Ash, et les fils ont été adoptés par l'intermédiaire d'un organisme de secours juif en Palestine.

Un soudain silence tomba sur le bateau tandis qu'Holcombe Kaiser s'avançait jusqu'au kiosque à musique et réglait le niveau du micro.

– Test, test, vous m'entendez? Je veux annoncer une découverte artistique et historique absolument merveilleuse. Après onze années de recherches, Sotheby's a localisé les soldats de plomb originaux ayant appartenu à François Charles Joseph Bonaparte, plus connu comme l'Aiglon, le fils de Napoléon Bonaparte et Marie-Louise.

Une houle de murmures et d'applaudissements balaya le pont.

– Ce sont les véritables petits soldats avec lesquels le tout jeune Bonaparte a joué à cinq ans lorsqu'il était enfermé à la cour de Vienne. Après restauration par des maîtres artisans de la firme suisse de Birsch et Loewen, ces soldats seront exposés au Musée Holcombe Kaiser de petits soldats à Hartford, Connecticut. Qui que ce soit d'entre vous qui désire devenir parrain cofondateur du Musée Hartford Kaiser peut le faire en remplissant les cartes de souscription fixées à vos menus; en outre, quiconque offrant une contribution de mille dollars ou plus peut demander au premier troubadour de la compagnie, notre Scottie Devens, de chanter la chanson de son choix.

Holcombe Kaiser s'écarta du micro à reculons, salua de côté vers Scottie Devens, déjà assis au Steinway.

– Maestro, cria Kaiser, commencez!

Doria Forbes-Steinman passa à grandes enjambées entre les tables. Elle fit claquer une carte de souscription sur le pupitre du Steinway.

Scottie Devens hocha la tête, puis se pencha vers le micro :

– Un vieux succès sentimental qui faisait battre le cœur de grand-mère... et dont je suis sûr que vous vous souvenez tous.

Il déroula un arpège vers les aigus et d'une voix de baryton douce, légèrement voilée, commença à chanter *Baby Face*.

Des têtes se tournèrent vers la table où Babe et Cardozo étaient assis.

Cardozo sentit Babe se raidir à côté de lui.

– Elle l'a fait exprès.

Les yeux de Babe paraissaient sombres et furieux contre la soudaine blancheur de sa peau.

– *Baby Face* était notre chanson à Scottie et moi, et tout le monde ici le sait. Vince, j'aimerais m'en aller.

D'après ce qu'avait vu Cardozo, ce soir, de ce que les potins mondains appelaient la haute société, ce n'était pas différent de la rue; et la seule chose qu'on ne faisait pas avec un millier d'yeux plantés sur soi était de s'esquiver face à un défi.

Il attrapa le menu le plus proche et arracha du bas la carte de souscription.

– Que faites-vous? s'inquiéta Babe.

– En priant pour que la banque s'en tire avec mon épargne-logement.

– Vince... non.

Elle tendit le bras vers lui, mais il s'était déjà levé de sa chaise, et se frayait un chemin jusqu'au piano parmi les sifflets et les rires des invités.

Il tendit la carte à Scottie Devens.

– *You Took Advantage of Me*... connaissez?

Scottie déroula un arpège pour passer dans un autre ton.

– Pour le lieutenant Vincente – ou est-ce Vincent, Lieutenant?

– Vincent... comme ça se prononce.

– Pour le lieutenant Vincent Cardozo de la police de New York, un vieux succès de Rodgers et Hart.

La voix amplifiée de Scottie flotta au-dessus du pont.

Cardozo retourna à la table et s'assit.

– Embrassez-moi, ordonna-t-il à Babe. En ce moment toutes les buses sur ce bateau nous regardent.

Babe l'embrassa.

– Vous savez? lança-t-elle. Vous êtes absolument merveilleux.

L'attention de Cardozo se porta sur les réactions des invités autour d'eux. Au moment précis où il remarquait une femme à la table voisine, elle remarqua qu'il la remarquait.

Elle avait des yeux écartés qui étaient très verts, brillants et un peu dangereux. Derrière son cou un ruban de velours vert assorti à ses yeux retenait ses longs cheveux bruns et raides. Elle se maintenait en lisière de la conversation, en portant une main blanche et pâle à sa bouche rose. Une énorme bague rubis et diamant scintillait à un doigt.

Il y eut un rire général et des applaudissements quand la chanson se termina, et la comtesse Marina remplit une carte et envoya le prince Ludovic demander *I'll Follow My Secret Heart*.

– Qui est cette femme à la table voisine, souffla Cardozo à Babe.

– Celle qui porte la soie noire, coupée dans le biais?

– Est-ce que je sais? La femme qui me regarde fixement.

Ash entendit.

– C'est la comtesse Victoria de Savoie-Sancerre et l'Adonis à côté d'elle est le comte Léopold.

Le comte était beaucoup plus âgé que sa femme, avec un visage bronzé et des yeux d'aigle. Il avalait du bourbon sec à la place du vin.

– C'est une gouine, dit Ash, et lui une pédale.

– Elle ne me regarde pas comme si elle était gay.

– Elle ne croit pas que ça se sait, reprit Ash. Ils se sont mariés, car sans héritier il ne pouvait pas hériter de la fortune familiale. Ils ont eu un fils par insémination artificielle. Elle se trimbale toujours en grosses bottes de cuir de lesbienne.

Pendant un instant Cardozo resta perplexe, sachant qu'il avait vu la comtesse ailleurs, dans un endroit très différent de ce yacht.

Après le dîner et les liqueurs, on dansa sur le pont arrière. Babe et Cardozo restèrent à la table et regardèrent les couples se presser sur la piste de danse. Beaucoup étaient bourrés ou défoncés, et ils se lançaient dans le mouvement comme si c'était une continuation de la défonce. Le pont tournoyait.

Une voix de femme teintée d'un léger accent français lança :

– Excusez-nous, mes chéris.

Cardozo se retourna. La comtesse Victoria et son mari s'étaient arrêtés pour bavarder.

Cardozo les salua d'un sourire et Babe fit les présentations.

La comtesse tourna ses yeux vers Cardozo.

– Puisque Babe ne danse pas, ça vous dirait?

– Je tiendrai compagnie à Babe, offrit le comte.

Babe lança à Cardozo un regard impuissant, style c'est-le-piège.

– Allez-y, Vince. Je vous en prie.

Cardozo se retrouva dansant tout contre la comtesse Victoria.

– Cette soirée est si délicieusement vulgaire, lança-t-elle. Personne ne sait s'amuser comme les nouveaux riches, vous ne trouvez pas?

– Vous aimez tellement ça, demanda Cardozo.

Elle répondit :

– Oui, j'aime tout, manger, boire, danser, rencontrer des gens nouveaux, Bach, Mahler, Stevie Wonder, la baise, le speed, la coke, la tequila... de préférence tout ensemble.

– Les riches s'amusent, soupira-t-il.

Elle le regarda en fronçant les sourcils.

– J'aimerais que tout le monde cesse de croire que nous sommes si riches que ça. Ce n'est pas vrai. Nous menons une existence classique plutôt dans la moyenne.

– Bien sûr.

Elle pencha la tête en arrière, en le jugeant.

– J'aime votre mépris. Vous êtes un homme très sexy.

– Je suis sexy, il n'y a aucun doute.

– Et prétentieux – exactement mon genre. Suis-je le vôtre?

– Peut-être. Où nous sommes-nous déjà rencontrés?

– Nulle part encore. Elle se coula un peu contre son épaule, puis fronça les sourcils. Je n'ai jamais entendu parler d'érections de l'aisselle. Qu'avez-vous là, un revolver?

– Mmm-hmm.

– Mmm-hmm. Elle se pelotonna plus près, assez près pour passer sa langue sur son menton. Je veux vous revoir.

– Que dira le comte? s'informa-t-il.

– Le comte est un homme qui parle très peu.

Depuis l'autre côté du pont leur parvint un bruit de verre brisé comme un fouet qui claque.

Cardozo tourna la tête.

La foule se figea. Cardozo entrevit une silhouette plongeant avec raideur en avant, et puis Ash Canfield sortit de la foule à toute vitesse.

Sous son casque mousseux de boucles bronze et or elle avait l'air d'un lutin affolé. Sa respiration sortait en halètements courts et brusques. Elle étendit les bras lentement, elle les éleva en arc de cercle, et puis ses hanches glissèrent dans un mouvement syncopé sauvage et ses mains griffèrent l'air.

– Pédés! hurla-t-elle, la voix gonflée de douleur et de haine.

Un choc ravi parcourut la foule.

– Vous êtes tous des dégonflés et des opiomanes!

Lady Ash s'effondra sur le pont et essaya de se mettre debout mais retomba, ses membres soudain privés de squelette.

Cardozo se fraya un chemin dans la foule. Le temps qu'il atteigne Ash, le médecin de bord était accroupi à côté d'elle.

Il souleva une des paupières de Lady Ash, puis l'autre.

– Que lui est-il arrivé? demanda Cardozo.

– Attaque.

Le docteur assembla une seringue. Il l'emplit avec le contenu d'une cartouche bleue. Le liquide était incolore. Les invités regardaient avec avidité. Le médecin redressa le bras de Lady Ash, et administra l'injection dans la veine. Il fit signe à deux serveurs. Ils la déposèrent sur une civière et attachèrent ses bras et ses poignets avec des lanières de toile.

Cardozo resta planté là les yeux posés sur Ash. Rien ne bougeait en elle maintenant. Elle avait l'immobilité d'une machine arrêtée. Ash Canfield n'identifierait pas ce soir les personnages sur les photos.

Sir Dunk sortit de la foule et rôda, ajustant son nœud papillon de satin noir.

– Ça arrive souvent? demanda Cardozo.

– Ça a empiré, répondit Sir Dunk. Je ne peux pas supporter de la voir quand elle devient comme ça.

Cardozo se sentit écœuré.

– Alors ne la faites pas boire.

Dix minutes plus tard un hélicoptère emportait Sir Dunk et Lady Ash Canfield dans le brouillard.

La comtesse Victoria vint vers Cardozo, la démarche assurée, le regard chaleureux.

– Je ne suis pas dans l'annuaire, annonça-t-elle. Avez-vous de quoi écrire?

Cardozo extirpa une carte professionnelle de son portefeuille. En fait, c'était celle de Melissa Hatfield.

La comtesse Victoria sortit son rouge à lèvres et inscrivit son numéro de téléphone au dos de la carte.

– Téléphonez-moi. Je fais des pipes divines.

40

Tous les matins avant le travail, Babe s'entraînait deux heures. Elle disposait des chaises en ligne à un mètre d'intervalle et se démenait pour passer des unes aux autres sans soutien. Quand elle réussit à franchir un mètre, elle espaça les chaises à un mètre vingt les unes des autres, et puis un mètre cinquante, et puis un mètre quatre-vingts, jugeant le moindre de ses pas dans la glace. Enfin elle osa risquer un virage à gauche, un virage à droite, et ensuite elle poussa les chaises contre le mur et finalement, finalement – après des échecs, des faux pas, et d'innombrables hésitations et vacillements... elle marcha sans aide ni hésitation aucune d'un bout de la pièce à l'autre.

Babemode présenterait sa nouvelle gamme de vêtements de croisière la première semaine de septembre, au Park Avenue Armory; Babe s'était donné pour but d'apparaître à cet événement sans sa canne.

Elle choisit avec soin son ensemble pour cet événement – un tailleur de crêpe noir qu'elle avait dessiné, et un seul bijou, une grosse broche d'émeraude que sa grand-mère lui avait léguée. La broche lui avait porté bonheur des années auparavant, chaque fois qu'elle avait présenté sa collection au Pierre, et ce soir elle l'embrassa avant de l'accrocher.

Billi vint la chercher à huit heures moins le quart. Elle le retrouva dans le vestibule du rez-de-chaussée. Par chance – car elle pourrait avoir besoin d'un tout petit peu d'aide dans l'escalier de l'arsenal, Billi n'avait pas l'intention de passer un seul moment du spectacle en coulisses. Non, il allait s'asseoir devant, pour prendre le pouls du public.

– Que tu es ravissante, Babe.

Billi, dont l'œil manquait rarement un détail, ne remarqua pas l'absence de la canne. Babe en fut rassurée. Cela prouvait qu'elle bougeait naturellement, sans trahir sa nervosité.

La limousine Mercedes noire attendait en tournant au ralenti le long du trottoir, deux mètres cinquante plus loin.

Le chauffeur porta une main gantée au bord de sa casquette et ouvrit en grand la portière côté passager.

— Bonsoir, Mme Devens.

Elle se retourna pour lui sourire. Dans cet instant d'inattention une jambe dérapa brusquement sous elle. Babe s'abattit douloureusement contre la portière. L'élan la projeta en avant, et une fraction de seconde plus tard elle avait atterri sur le plancher de la limousine.

Le chauffeur s'empressa de la relever. Elle se tint debout, clignant des yeux, furieuse et humiliée.

— Mon Dieu Babe, tu n'as rien?

Elle secoua la tête.

— Ça va.

Billi se pencha pour l'aider à épousseter sa jupe.

— Pas de blessures, pas d'accrocs sur le tailleur?

— Ça va.

— Pas étonnant, s'exclama-t-il. Tu as oublié ta canne!

— Que je suis bête.

Elle fit de son mieux pour retenir ses larmes.

Billi claqua des doigts.

— Carlos, voulez-vous être assez gentil pour aller chercher la canne de Mme Devens? Elle est dans la maison.

A l'approche de l'arsenal, des foules bouche bée s'écrasaient contre des barrières de police. Des policiers patrouillaient à pied et à cheval pour maintenir l'ordre.

Des projecteurs montés sur des plates-formes à roulettes mitraillaient des nuages bas, et quand Billi saisit la main de Babe pour l'aider à prendre pied sur le trottoir, des douzaines de flashes crépitèrent.

— Dieu nous garde du bataillon new-yorkais des badauds professionnels, cria Billi.

A l'intérieur, des femmes s'étaient manifestement habillées pour dire quelque chose, mais les vêtements que Babe vit lui parurent vulgaires et négligés, probablement trop chers et lui donnèrent l'impression d'être une réfugiée claudicante sortie d'une capsule témoin.

Des gens s'agglutinaient autour de Billi en rafales d'adulation.

— Vous vous souvenez de Babe Devens, ne cessait-il de répéter, mon associée.

Oui, ils se souvenaient de Babe. « *Bonjour, Babe* ». Mais ils adoraient Billi. « Billi, téléphonez-moi et nous arrangerons ce déjeuner... Billi, quand dînerons-nous ensemble?... » « Billi, vous me devez un Michael Feinsten après cet immonde Lohengrin! »

Bises bises.

Des chéri, des *darling* et des *caro* assaisonnaient les roucoulades et la bousculade. Babe ne cessait de sourire et d'acquiescer, luttant pour garder son équilibre et s'efforçant de ne pas le montrer. Pour atteindre leurs places Billi dut la tirer et lui faire franchir les remparts de courtisans de la mode.

Babe avait réservé les places à côté d'eux pour Ash, mais Dunk arriva avec la comtesse Vicki.

— Ash est toujours en désintox, hurla Dunk. Les visites ne sont pas encore autorisées.

— Alors il faudra me supporter.

La comtesse Vicki planta un baiser sur la joue de Babe.

— Vous êtes resplendissante, Babe, comme toujours, et si mignonne et romantique dans cette robe.

Elle se pencha par-dessus Babe pour hurler à Billi : *Also liebe Billi, der Tag ist jezt, nicht wahr?*

Billi sourit.

— *Ja, ja.*

Quand les lumières baissèrent, une bourrasque d'applaudissements balaya l'arsenal. Il y eut un moment d'obscurité, un silence figé et accompagnés par trente haut-parleurs de musique enregistrée, des rangées de projecteurs de scène s'allumèrent, et inondèrent la piste.

Le premier mannequin arriva, les mains sur les hanches.

— Billi! hurla la comtesse Vicki. Su-*blime!*

Babe fronça les sourcils. Le mannequin portait une tenue composée d'un pantalon de satin bleu collant agrémenté de passementerie tournoyant autour des fesses. Elle avait des escarpins à talons, un corsage de soie lavande décolleté, quatre énormes rangs d'énormes fausses perles et un grand chapeau mou bleu à bords relevés enfoncé sur les yeux. Elle portait des cratères d'ombre à paupières noire et trop de rouge à lèvres, et ses hanches remuaient durement au son de la musique électronique.

Un acteur britannique à la voix crémeuse récitait un commentaire.

Des applaudissements s'élevèrent tandis que le mannequin allait en se pavanant jusqu'au bout de la piste.

Avant même qu'elle soit repartie en sens inverse, le second mannequin jaillit sur la piste, sur des jambes grêles et recouvertes de chaussettes rouges. Emmaillotée dans des mètres de boa fushcia du cou jusqu'à ses collants de gymnastique gris en coton déchirés, on aurait dit une paire d'échasses en feu soutenant un nuage de pluie acide.

Quand le cinquième mannequin arpenta la piste, Babe trouva que les robes et les ensembles se chevauchaient en une masse confuse et discordante. Bien que la tradition voulût que l'on regarde un seul mannequin à la fois, Billi en avait mis jusqu'à douze en même temps sur la piste. Pour Babe l'effet ressemblait de façon déconcertante à un show de Broadway – trop de mouvement, trop d'éclairages, trop de musique.

Elle se tortilla tandis que les quatre-vingt-cinq mannequins de Billi apparaissaient et disparaissaient en file indienne sur la piste, leurs tenues progressivement plus glacées et agressives, et tout commença à lui paraître faux.

La grande tenue de la collection – celle qui reçut le plus d'applaudissements et qui semblait la déclaration la plus claire de l'esthétique-maison – était un blazer chartreuse de fil de soie froissé. La veste avait été lestée de garnitures de perles et de plus de passementeries qu'un uniforme d'apparat turc, et il tombait des épaules du mannequin, trop vaste même pour qu'on le juge trop grand. La robe en dessous, rose schocking, était beaucoup trop serrée et presque pornographiquement courte, et les talons des escarpins noirs mesuraient dix centimètres – beaucoup trop hauts.

Par un quelconque miracle de coordination, le mannequin réussissait à garder l'équilibre. Chose incroyable, elle mâchait du chewinggum, et le reste de son visage était figé en une moue dédaigneuse et théâtrale.

– Babe! cria Billi au-dessus des applaudissements croissants, que penses-tu de notre petite fille?

Il fallut un moment à Babe pour reconnaître que le mannequin était sa propre fille.

– Eh bien, Billi, tu as indubitablement tout bouleversé.

– A quoi d'autre peut bien servir la tradition? s'écria-t-il en riant.

Le dîner, ensuite, avait lieu au Lutèce, et Babe fit de son mieux.

Le brouhaha aux tables signifiait que la collection de Billi était étincelante, sexy, drôle, irrésistible, rythmée, brillante, ironique, pleine de décadence hollywoodienne et de charme excentrique, bref, assurée de faire un tabac.

Tout le monde disait que Babe devait être contente pour sa soirée, alors elle prit un air enchanté.

Cordélia était là, imperturbable, coiffée à la perfection, une cigarette suspendue aux lèvres.

Babe prit deux express, espérant que l'un d'eux la convaincrait qu'elle avait encore la capacité de penser.

Les yeux sombres de Billi l'interrogèrent.

Elle lui promit qu'elle pouvait rentrer chez elle sans encombre.

– Ce n'est rien qu'un petit mal de tête dû à toute cette excitation.

Quand Babe décrocha le téléphone dans sa chambre, sa décision était enfin prise. Elle se sentit stimulée, comme si elle tournait enfin à plein régime.

Il fallut douze secondes pour que l'appel parvienne.

– Allo? [1]

– Mathilde, c'est Babe. Je m'excuse de vous appeler à cette heure-ci, mais...

– Bonjour, chérie! Ça va [1]

– Mathilde, je vais relancer mon propre atelier, et je veux que vous reveniez et supervisiez la première saison.

– Mais je vous l'ai déjà expliqué, ce n'est pas possible.

– Combien avez-vous dit que vous coûterait cette ferme? Je vous donnerai trois fois cette somme. Votre banque recevra l'argent demain.

Il y eut une hésitation dans la voix de Mathilde.

Babe doubla l'offre.

Babe et Cardozo suivaient une infirmière le long d'un hall de marbre leur pas résonnant comme des coups de tambour. Depuis la présentation il avait fallu à Babe une autre semaine d'entraînement pour marcher sans sa canne, et une légère claudication subsistait encore dans sa jambe gauche.

L'infirmière les introduisit dans ce qui avait dû être autrefois une salle de bal. Des patients en pyjamas et peignoirs formaient des groupes silencieux, traînant les pieds dans des pantoufles de papier sous un lustre de cristal étincelant.

– Comment va-t-elle? demanda Babe.

– Elle se raccroche encore à une quantité de refus, répondit l'infirmière. Aux réunions les patients sont censés utiliser leur prénom – vous savez, « Bonjour, je m'appelle Joe, je suis alcoolique. » Elle dit, « Bonsoir, je m'appelle Lady Canfield, ravie d'être ici parmi vous. » Comme si elle passait là envoyée par la fondation Rockfeller.

Ash était assise dans un fauteuil, vêtue d'une simple robe de soie noire et de longs rangs de perles en sautoir. Son bras droit était en mouvement, paré de bracelets et blanc, évoluant dans la lumière de la lampe qui faisait briller la fourchette de plastique dans sa main.

Elle s'employait à manger une salade de crudités surmontée de noix et de graines, avec un verre de Perrier pour l'accompagner. Elle mangeait avec une lassitude élégante, l'air fragile et très fatigué. La blancheur de sa peau contrastait violemment avec les veines bleues de ses tempes, et elle portait les cheveux en arrière, avec des écouteurs de walkman posés dessus.

Quand Babe se pencha pour embrasser Ash, elle remarqua combien son amie semblait vieille et fatiguée.

Ash réagit lentement, sourit, ôta ses écouteurs. Elle se leva, et

---

1. En français dans le texte.

Babe s'attrista de voir à quel point elle devait accomplir ces efforts par étapes successives.

— Je ne t'ai pas entendue entrer, dit Ash. J'écoutais Bobby Short chanter quelques vieilles chansons de Vernon Duke.

Elles s'embrassèrent chaleureusement.

— Ma première visite non familiale en un peu plus d'un mois, remarqua Ash. Oh, ma puce, tu m'as manqué.

— Ash, dit Babe, tu te souviens de Vince Cardozo.

Ash l'observa attentivement, avant de lui sourire.

— Ah oui?

— Vince et toi vous êtes rencontrés à la réception sur le yacht d'Holcombe.

Ash regarda Babe. Il y avait une lueur spéculative dans ses yeux.

— Devrais-je me souvenir d'une réception sur un yacht?

— Eh bien tu y étais, dit Babe, et ça a été mémorable.

Les yeux d'Ash prirent une expression prudente.

— Je suis désolée. J'imagine que je me suis mal conduite.

Elle toussa, une toux profonde et sèche.

— Que penses-tu de mon quartier général provisoire? C'est très [1] glamour, n'est-ce pas?

Il y avait un meuble de frêne clair avec des poignées d'ébène. Le lit à baldaquin était recouvert d'un dessus de lit couleur crème. Une poupée Raggedy Ann au moins aussi âgée qu'Ash se prélassait contre les énormes oreillers rebondis glissés dans les taies de dentelle.

— C'est un endroit pour les ivrognes, tu sais, confia Ash. Mais mon problème n'est pas l'alcool. Je bois seulement à cause d'autres problèmes.

— Comment te sens-tu? demanda Babe.

— Bien... guérie. Retour à la normale et morte d'ennui. Je vais probablement décider de sortir demain.

— Tu peux faire ça?

— C'est mon argent qui m'y a fait entrer, mon argent peut m'en faire sortir.

Sous la bravade, Babe entendit la voix d'un enfant apeuré.

— Où est Dunk? demanda Ash.

— J'ai vu Dunk au défilé, répondit Babe. Il allait bien. Ne t'inquiète pas. Repose-toi, et tu renoueras les fils de ta vie en un rien de temps.

— Mais qu'est-ce que tu racontes? Je n'ai jamais lâché les fils de ma vie.

Il y eut un silence tendu. Les yeux d'Ash passèrent de Babe à Cardozo. Babe sentit fort bien qu'ils pénétraient dans une zone émotionnelle dangereuse.

---

1. En français dans le texte.

– Eh bien? lança Ash.

– Eh bien quoi? dit Babe.

– Le but de cette visite.

– Doit-elle avoir un but? Nous sommes venus te voir.

– Non, non, non. Ash désigna Cardozo du doigt. Il n'est pas venu me voir. Il ne me connaît même pas.

– Lady Canfield, déclara Cardozo, le mois dernier nous vous avons montré ces photos.

Il les lui tendit. Son regard était plat, vide de réaction.

– Nous vous avons demandé si vous reconnaissiez aucune d'entre elles.

Il lui tendit la dernière photo : la fille à la démarche assurée, le nez et la mâchoire forts, les cheveux blonds et les yeux bruns, la fille avec ce paquet qui était entré dans la tour Beaux-Arts à 11 h 07 du matin, mardi 27 mai, et n'était jamais ressorti.

– Vous avez dit que vous reconnaissiez celle-ci.

Pendant un moment Ash parut égarée dans une brume entre plusieurs mondes. Elle secoua la tête.

– L'ai jamais vue blonde avant. Je vois bien qu'il faudra que je me rafraîchisse la mémoire.

Elle se dirigea vers le tiroir où elle avait disposé ses flacons de produits de beauté comtesse Lura Esterhasz. Elle apporta trois gobelets et un flacon de lait hydratant sur la table de nuit. Elle glissa à Babe un petit regard rusé.

– Tu te souviens quand on faisait ça à Farmington?

Elle ôta le bouchon du lait hydratant et inclina le flacon au-dessus de l'un des gobelets. Un liquide ambre clair coula.

Elle versa deux doigts dans chaque gobelet.

– Ils ne donnent pas de glaçons ici. Mais c'est du Jack Daniel's, sec, il a un goût génial. Elle leva son verre. Santé, tout le monde.

Elle s'arrêta, consciente du regard froid et incrédule de Babe.

– Ash, cria Babe, pour l'amour de Dieu ne bois pas ça?

– Tu peux être sûre que je vais le faire.

Ash vida son verre d'un seul coup.

Elle s'assit sur le bord du lit, le regard perdu devant elle. Au bout d'un moment elle tendit la main vers la table pour prendre un second gobelet.

Babe fit un mouvement pour l'arrêter.

– Laissez-la dit Cardozo. C'est ce qu'elle veut.

Ash acquiesça.

– Babe, ton ami est un sage.

Ash vida le second verre.

– La tournée de la maison.

Cardozo poussa le troisième gobelet vers elle.

Elle le regarda fixement, puis le gobelet, puis Babe.

Ses paupières s'affaissèrent sur ses yeux. Son visage commença à se chiffonner. Elle mit une main devant sa bouche et rota discrètement, et puis elle commença à vomir entre ses doigts, vomir sur ses perles, le long de sa robe.

Ash examina sa main tachée de vomi comme s'il s'agissait d'un objet qui venait de se matérialiser, venu d'un autre univers. Elle battit des paupières pour refouler des larmes. Un spasme la tordit et elle hoqueta.

« Ce n'est pas mon amie, pensa Babe. Ash Canfield ne vomit pas sur le sol d'une clinique de désintoxication. »

Ash glissait du lit sur ses genoux, penchée en avant, se traînait lentement sur le tapis sali.

Babe regardait fixement son amie d'enfance, qui rampait sur le tapis comme une limace écrasée.

– Sortez, gémit Ash. Je vous en prie foutez-moi le camp.

41

Dans le taxi, Cardozo sentit le chagrin de Babe, et il savait qu'elle essayait de réprimer ses larmes.

— Je suis désolé, assura-t-il. C'est tellement triste.

Babe acquiesça, les dents serrées. Il passa son bras autour d'elle et l'attira contre son épaule.

Ils roulèrent en silence.

Au bout d'un moment il regarda de nouveau la photo, en réfléchissant à ce qu'avait dit Ash : « L'ai jamais vue blonde avant. »

Et soudain la femme mystère cessa d'être un mystère.

Le majordome mena Cardozo dans la grande turne coûteuse et ouvrit en grand les immenses portes en cyprès du salon.

— Madame la comtesse, M. Vince Cardozo.

La comtesse Vicki était assise en rond sur l'énorme divan de velours, une jambe sous elle et l'autre se balançant, déchaussée. Les chaussures, sur le tapis persan, étaient assorties à sa robe de soie marron.

Elle parlait au téléphone et essayait de fermer un bracelet d'émeraude. Des saphirs et des diamants étincelaient à son cou, ses poignets et ses oreilles. Son visage mince et ovale se tourna dans la direction de Cardozo, lèvres pleines et suggestives, et elle lui adressa un sourire de bienvenue.

Comme la robe de la propriétaire, le gigantesque salon avec ses trois colonnes de marbre et ses deux lustres de cristal semblait avoir été créé pour rehausser le teint sombre de la propriétaire. Des bibliothèques regorgeaient de reliures de cuir repoussé à l'or fin, de figurines scintillantes et d'assiettes de porcelaine aux décors compliqués. Des tables recouvertes de châles éclatants étaient parsemées de coupes de porcelaine et de photos de célébrités du moment dans des cadres d'argent, la plupart dédicacées.

Cardozo s'avança d'un pas nonchalant jusqu'à la cheminée. Des invitations gravées étaient coincées dans le miroir au-dessus du manteau. Elles étaient aussi, de façon plus surprenante, coincées dans le cadre d'un Renoir.

– Trop divin, lança Vicki. Je te rappelle – je t'adore. Elle reposa le combiné et se leva du divan.

– Quel ange de vous être souvenu de mon numéro de téléphone. Elle traversa la pièce et prit la main de Cardozo. J'ai cru sincèrement que vous m'aviez oubliée.

Cardozo sourit.

– Jamais.

Elle se pencha et débrancha le téléphone.

– Nous n'avons plus besoin de ça. Voulez-vous boire quelque chose? Elle passa trois minutes à essayer de caser des cubes de glace dans le mixer.

– J'espère que vous aimez les margaritas détrempées, cria-t-elle. Dans le cas contraire, je vous en prie, faites semblant.

Le mixer rugit et elle sortit de l'office portant deux coupes à champagne remplies de ce qui semblait des glaçons hachés.

Il but à petites gorgées.

– Extra.

– D'habitude j'ai du mal à rencontrer des gens nouveaux dit-elle. Mais avec vous c'est différent. Je l'ai senti tout de suite. Je peux être moi-même avec vous – et vous pouvez être vous-même avec moi – et aucun de nous deux ne va juger l'autre. Je pense que c'est comme ça qu'un homme et une femme devraient être, pas vous?

– Ce n'est pas une mauvaise idée.

– Pourquoi ne pas trouver un endroit plus intime?

Elle le conduisit le long d'un couloir apparemment sans fin jusqu'à l'intérieur d'une chambre silencieuse et fraîche.

Il passa devant elle.

Les murs avaient été peints dans une variété étourdissante de faux [1] marbre, faux bois et trompe-l'œil. Il y avait des bégonias coupés dans un vase de porcelaine sur la coiffeuse et une console téléphonique à huit boutons sur la table de nuit. Sur une commode trônaient trois perruques sur des supports – une rousse, une grise et une blonde.

Elle éteignit la lampe, tira les lourds rideaux damassés et alluma une bougie parfumée qu'elle plaça à côté du téléphone.

– Mettez-vous à l'aise, dit-elle.

Il s'assit sur le lit.

Elle s'assit à côté de lui, en étudiant son visage d'un air solennel. Elle lui passa un bras autour de la taille et l'attira contre ses seins.

---

1. En français dans le texte.

Il sentit la réponse involontaire de son corps, le battement de son cœur s'accélérer.

– C'est une chose merveilleuse, vous ne croyez pas, d'être si intimes et étrangers à la fois? Elle déboutonna sa chemise. Sa langue l'effleura. Pourquoi avez-vous un revolver?

– Je suis flic.

Elle sourit, acceptant la réponse sans la croire.

– Et moi je suis l'Ayatollah.

– Ne plaisantez pas – c'est un saint homme.

– Êtes-vous un flic musulman?

– La police recrute dans les minorités.

Elle se pencha en avant et posa sa tête avec légèreté sur ses genoux. Elle batailla un moment avec sa fermeture Éclair.

Il ne bandait qu'à moitié.

Elle se releva et l'embrassa sur la bouche, en lui faisant un tout petit sourire, et puis elle alla vers une penderie équipée de miroirs et sortit une petite salière de cocaïne. Elle en porta une minuscule cuillerée à ses narines, puis lui en offrit.

– Je passe, dit-il.

Elle le dévisagea avec des yeux noirs et avides et puis elle piqua du nez.

Il se mit debout.

Elle repoussa ses cheveux en arrière. Ses yeux brillaient de soudaine incompréhension.

– Alors pourquoi êtes-vous venu ici?

– Je vous l'ai dit. Je suis flic.

Il lui montra sa plaque. Le silence plana.

– De la cocaïne, ce n'est pas contre la loi?

Elle était assise avec une soudaine raideur.

– Un demi-gramme. Usage personnel.

– Complicité ce n'est pas contre la loi?

– Complicité avec qui? Complicité de quoi?

Il mit la main dans sa veste et en sortit la photographie de la comtesse Victoria de Savoie-Sancerre, coiffée de sa perruque blonde, entrant à grandes enjambées dans la tour Beaux-Arts un petit paquet à la main.

– Vous avez acheté un masque de cuir chez Plaisir Brut, dans Greenwich Village, le mardi suivant Memorial Day. A qui l'avez-vous apporté?

– Vous avez un sacré culot de m'espionner!

– Vous et vos amis avez couru entre les gouttes un long, long moment. Mais cette fois-ci vous serez tous trempés jusqu'aux os.

– Salopard! hurla-t-elle. Sale flic!

Elle fonça sur la porte et l'ouvrit violemment.

Le comte Léopold de Savoie-Sancerre, son visage empourpré et très surpris, était accroupi de l'autre côté, à hauteur du trou de la serrure.

Cardozo et Sam Richards discutaient d'un Latino de cinquante-neuf ans répondant au nom de Avery Rodriguez qui avait pris deux balles de 38 dans la tête ce matin-là, dans les toilettes de Bloomingdale. Ils passaient en revue le casier d'Avery, un recueil de petits délits, quand le sergent Goldberg hurla du bureau des inspecteurs que Cardozo avait un appel sur la trois. Il décrocha.

– Cardozo.

– Je vous passe le procureur Spalding, ne quittez pas je vous prie. Un moment plus tard la voix d'Al Spalding arriva sur la ligne.

– Vince, l'affaire Downs est classée. Pourquoi tracassez-vous les gens?

– Qui se plaint que je les tracasse?

– La comtesse Victoria de Savoie-Sancerre.

– Je ne m'étais pas rendu compte que vous étiez de ses amis.

– Disons que je suis une connaissance d'une connaissance. Ceci n'est pas un appel officiel, Vince, mais si vous n'arrêtez pas, le prochain appel sera officiel et il ne viendra pas de moi.

– Je n'ai pas la moindre idée de ce que veut dire la comtesse Vicki de S. et S.

– Vince, ne jouez pas à l'imbécile avec moi. Je vous serais reconnaissant si nous pouvions régler ce problème grâce à ce coup de fil.

– Précisez-moi seulement qui a dit affaire Downs? Qui a employé ces deux mots, affaire Downs?

– Elle dit que c'est vous.

Cardozo savait qu'il n'avait pas mentionné l'affaire Downs. Elle avait fait le lien toute seule. Gros lapsus.

– D'accord, Al. C'est réglé. Il raccrocha le téléphone. Je suis à toi dans une seconde, Sam.

Cardozo ouvrit le tiroir de son bureau et trouva la carte professionnelle de Melissa Hatfield. D'un côté il y avait des caractères imprimés en noir; de l'autre, le téléphone hors annuaire de la comtesse – sept chiffres rouges baveux ponctués par un point.

Quelque chose de pas très agréable était arrivé au visage de Lou Stein. Le regard de Cardozo glissa avec une expression incrédule le long de la contusion qui courait de l'œil droit jusqu'à la bouche, et sur les multiples écorchures tout juste cicatrisées de la pommette.

– Désaccord avec un inconnu sur la Cinquante-huitième Rue, marmonna Lou Stein à travers ses lèvres boursouflées. Il croyait qu'il avait un droit sur mon portefeuille, je n'ai pas été du même avis.

– Qui a gagné?

Lou Stein, qui venait travailler chaque jour pour apporter sa modeste contribution au combat séculaire entre les ténèbres et la lumière, resta assis là une seconde, l'air simplement un peu découragé.

– J'ai gardé le portefeuille. Ai-je gagné? Est-ce que perdre une dent c'est gagner? J'avais cinquante dollars dans le portefeuille. J'en avais cinq cents investis dans le traitement de ce canal dentaire.

– On te mettra une fausse dent. Tu es assuré.

La main gauche de Lou indiqua un siège à Cardozo. La climatisation à l'intérieur du labo médico-légal ne marchait pas. C'était une de ces chaudes journées d'automne à New York.

– As-tu porté plainte? demanda Cardozo.

Lou le dévisagea d'un regard incrédule.

– Tu rigoles? J'ai eu assez d'ennuis. Bon, dis-moi ce qui va illuminer ma journée?

Cardozo lâcha le sachet à indices de la taille d'un sandwich au milieu des papiers étalés sur le bureau de Lou.

– Y a-t-il assez de rouge à lèvres sur ce mégot de cigarette pour pratiquer une analyse chimique?

Lou Stein ramassa le sachet à indices étiqueté avec le numéro de l'homicide Jodie Downs. Il fronça les sourcils devant les trois centimètres de cigarette écrasée à l'intérieur du plastique.

– Peut-être.

Cardozo brandit le sachet à indices qu'il avait étiqueté Vince C. Spécial.

– Dis-moi si le rouge à lèvres sur cette cigarette et le rouge à lèvres sur cette carte de visite professionnelle sont les mêmes.

Lou Stein téléphona à Cardozo quatre jours plus tard.

– Les deux échantillons de rouge à lèvres contiennent de la glycérine, de la cire d'abeilles, de la protéine de levure, du colorant rouge six, du colorant orange deux, du colorant violet deux, de l'huile de rose, et d'infimes quantités d'acétate d'hydrocortisone – qui en langage courant est de la cortisone.

– De la cortisone – est-ce courant dans un rouge à lèvres?

– Non. Et ça devrait être illégal. Autrefois, il aurait fallu une ordonnance. Mais maintenant la cortisone est en vente libre en faibles quantités – quatre, cinq pour cent. C'est un agent anti-inflammatoire. Masque les petites irritations comme on pourrait en attraper en appliquant cet affreux mélange sur une lèvre gercée.

– Tu m'expliques là que ce n'est pas un cosmétique commercial habituel produit en série.

– Impossible. La cortisone exige un enregistrement à la FDA.

Cette soi-disant mixture, ou formule, est concoctée exclusivement par une bande de sorcières qui se donnent le nom de produits comtesse Lura Esterhasz, et on ne les trouve qu'à la Boutique Éternelle Esterhasz sur la Cinquième Avenue, faut-il que je te l'épelle.

– Je peux me débrouiller. Merci, Lou.

– Vince, tu vas être content. L'échantillon sur le mégot de cigarette comporte, en quantité infime, un ingrédient que je n'ai pas pu trouver sur la carte de visite. Devine. Tu ne devineras jamais. Je vais te le dire. Du miel.

– Du miel?

– Oui. J'ai comme l'impression que c'est le parfum du soir.

Cardozo descendit la Cinquième Avenue à grandes enjambées, poussant du coude les vendeurs de marrons, les coursiers à patins à roulettes et les jeunes cadres en chaussures de jogging.

C'était le genre de journée qu'il adorait. L'air était extraordinairement clair. Les vitrines de Bergdorf Goodman, Tiffany et Harry Winston scintillaient dans le soleil, et le ciel était du bleu sombre de l'automne. Les ombres de fin d'après-midi s'allongeaient et des coups de vent capricieux soufflaient le long de la Cinquante-septième Rue.

Devant la Boutique Éternelle Esterhasz, des femmes sortaient de leurs limousines. Il régnait un doux et perpétuel crépuscule à l'intérieur de la boutique, un air de musique, de parfum et d'argent.

Les vendeuses étaient aussi bien habillées que la clientèle, et affichaient vingt ou trente ans de moins. Mais les clientes avaient la beauté légèrement irréelle que seule la richesse peut accorder. Elles semblaient dorées, comme un souvenir du passé, et leurs bijoux étincelaient de pointes de lumière. Elles bougeaient comme des ondulations sur l'eau. Le murmure de l'aristocratie, ces voix un tant soit peu de gorge, mises au point durant les étés de Newport et les hivers des écoles privées, avaient le son d'un disque ralenti à une vitesse délicieusement erronée.

Du thé, du sherry, du madère et des crackers anglais étaient servis à de petites tables. Cardozo s'approcha du comptoir des rouges à lèvres et toussota discrètement.

Les cheveux de la vendeuse étaient longs, raides, et clairs – couleur champagne.

– Puis-je vous aider, monsieur?

– J'ai besoin de quelques renseignements. Vos produits sont-ils tout préparés?

Elle s'approcha de lui, c'était une jeune femme calme et pleine d'assurance.

– Absolument pas, monsieur. Tous nos produits sont fabriqués sur commande, et chacun est unique. Vous comprenez, les peaux sont comme les empreintes digitales. Il n'y en a pas deux qui soient identiques.

— Et les lèvres?

Elle le regarda avec une expression légèrement amusée.

— Il n'y a pas deux paires de lèvres identiques. Est-ce pour vous ou pour quelqu'un d'autre?

Il sentit ses joues s'empourprer sous l'assurance de son regard.

— Pour quelqu'un d'autre.

— Généralement les femmes se renseignent elles-mêmes.

— J'ai la formule. Cardozo présenta le morceau de papier. Ce que je veux connaître, c'est son nom.

Une expression dubitative assombrit le visage de la vendeuse.

— Je suis désolée. Nous ne pouvons pas divulguer ce genre de renseignement.

Il lui montra sa plaque. Il eut l'impression d'avoir sorti une mitrailleuse pour attraper un papillon.

— Je vous serais reconnaissant de faire une exception.

Un froncement de sourcils.

— Un moment, s'il vous plaît.

Elle prit la formule, franchit une porte, et revint trois minutes plus tard.

— Il faut que vous en parliez avec la comtesse Esterhasz, pourriez-vous venir, je vous prie?

Cardozo suivit la vendeuse dans un bureau. Il y avait deux petits Hockney au mur, et un plateau de liqueurs sur la table de laque rouge.

— Voudriez-vous boire quelque chose?

— Non, merci.

— La comtesse Esterhasz sera à vous tout de suite.

Sept minutes plus tard la comtesse Esterhasz entrait par une autre porte. Grande, solidement bâtie, elle ressemblait à une publicité pour ses produits de beauté.

Elle le salua d'un sourire. Elle avait une peau claire et pâle et des cheveux noirs tombant droit sur ses épaules.

Sa main tenait le morceau de papier que Cardozo avait confié à la vendeuse.

— Comment puis-je aider la police? s'enquit-elle d'une voix teintée d'accent.

— Reconnaissez-vous cette formule? demanda Cardozo.

Elle lui lança un regard oblique.

— Nos clientes comptent sur notre discrétion. Parfois, à la suite de certains types de plastie chirurgicale, la peau devient sensible. Un cosmétique hypoallergénique peut s'avérer nécessaire. Une femme –

et parfois un homme – préfère traiter ce genre de problèmes en privé – en confiance.

Elle s'assit dans un fauteuil en bois de hêtre doré.

– Que faites-vous pour votre peau? demanda-t-elle.

– Rien.

Elle l'étudia, prolongea un silence inconfortable.

– Vous devriez employer un lait hydratant au collagène avec du placenta de veau. Ça arrangerait ces rides autour de vos yeux.

– Les rides, ça m'est égal.

Elle sourit, et le charme l'enveloppa comme un voile.

– Vous verrez, dans dix ans.

– Si vous me dites pour qui vous fabriquez ce rouge à lèvres, je n'aurais pas besoin de vous déranger plus longtemps.

– Comme c'est pratique d'être un homme. Vous gardez votre beauté sans y consacrer votre existence. Quant au rouge à lèvres, nous ne révélons jamais le contenu des dossiers des clients.

Sa bouche se ferma avec autorité.

– Êtes-vous médecin?

– J'ai un doctorat en biologie de l'université de Budapest.

Elle désigna du doigt un document encadré sur le mur. C'était un bel exemple de calligraphie de langue hongroise, et il avait été accroché juste sous une très vieille photo dédicacée d'une Marlène Dietrich jeune et ronde et une très récente de Ronald Reagan, Jr., dont les cils semblaient sourire.

– Vous n'êtes pas médecin, observa Cardozo, vos dossiers ne sont donc pas confidentiels.

Il put sentir la vague croissante d'agacement.

– Mon associé, le Dr Franzblau est pharmacien.

– Il n'y a pas de secret professionnel entre pharmacien et client à New York, affirma Cardozo.

Elle réfléchit et acquiesça.

– Pour quelle raison vous faut-il ce renseignement?

– J'enquête sur un homicide.

Son visage se figea.

– Vous vous rendez compte que vous m'avez donné deux formules différentes.

– Je me rends compte que l'une contient du miel. J'imagine que c'est meilleur à embrasser.

– Ce que nous appelons les tissus labiaux type-C ont besoin de glucose – que vous pouvez choisir d'appeler miel. Ce que nous appelons type-H-trois n'a pas besoin de glucose.

– Je suppose que la formule sans glucose est le rouge à lèvres fabriqué pour la comtesse Victoria de Savoie-Sancerre.

La comtesse Esterhasz sourit.

– Vous avez un très bon accent, Lieutenant. Et c'est exact. C'est sa formule exclusive, créée par nos chimistes et dermatologues.

– Alors l'autre lui appartient aussi?

– Absolument pas.

Les sourcils de Cardozo s'arquèrent et la comtesse Lura Esterhasz retint toute son attention.

– La formule contenant du glucose réagirait de façon terriblement néfaste sur les tissus alcalins sensibles de la comtesse Victoria. Ce rouge à lèvres a été mis au point pour une autre cliente – Lady Ash Canfield.

Reconnaissez-vous cet homme?

Cardozo tendit la photographie de Jodie Downs.

Le regard bleu d'Ash Canfield passa par-dessous une touffe de cheveux grisonnants. Ses paupières étaient lourdes et basses, ses yeux enfoncés, sombres et sans vie, comme des glaçons préparés avec l'eau d'une mare stagnante. Le blanc des yeux était étonnamment lumineux. Elle avait été prise de sueurs nocturnes après la désintoxication, et avait passé trois semaines en réanimation, à lutter contre des fièvres de 41º.

– Qui est-ce?

Elle avait un air vide et déconcerté.

Ensuite, Cardozo lui montra la photo de Claude Loring.

– Connaissez-vous cet homme?

Ash avait été remontée en position assise. Les oreillers contre lesquels elle était adossée ne cessaient de tomber de côté. Elle portait un déshabillé de soie ivoire rebrodé de perles par-dessus un pyjama de satin blanc.

– Il... devrait... s'habiller... mieux.

Cardozo tendit la photo du masque de cuir noir.

– Avez-vous déjà vu ce masque?

Elle sourit.

– Halloween.

– Vous avez vu ce masque à Halloween?

– Mary, articula-t-elle. Mary reine. Reine d'Écosse.

Un plateau de médicaments sur la table à côté du lit contenait une collection de comprimés qui ressemblaient au sac d'une morphinomane en folie. Il y avait des petits gobelets de papier de Valium et de phénobarbital en quantité suffisante pour qu'un éléphant se sente dans les nuages.

Cardozo se pencha plus près et parla très distinctement.

– Vous a-t-on jamais emprunté votre rouge à lèvres, ou volé? Ne l'avez-vous jamais perdu?

La respiration d'Ash devint plus rapide. Elle le regarda fixement, et elle sourit.

– Elle n'est bonne à rien aujourd'hui, observa Babe depuis le fauteuil placé dans le coin de la chambre.

On frappa à la porte ouverte, et sans attendre de réponse, une femme élégante entra dans la pièce. Le visage long et bronzé, avec des cheveux auburn aux petites boucles serrées, elle évoluait, grande, mince et légère, avec l'élégance d'une cavalière.

Elle s'avança vers le lit et embrassa le dessus de la tête d'Ash, en posant sa joue un instant sur les cheveux humides et duveteux.

– Comment te sens-tu, sœurette?

Ash sourit.

– Dina, dit Babe, voici un ami d'Ash et moi – Vince Cardozo. Vince, Dina Alstetter – la sœur d'Ash.

Mme Alstetter sourit poliment à Cardozo. Elle avait des yeux bleu-gris pénétrants, auxquels rien n'échappait. Il y avait quelque chose de courtois et d'intelligent dans le dessin de sa bouche.

– Enchantée.

Elle avait le genre de voix new-yorkaise qui trahissait l'argent et l'aisance, et elle donna à Cardozo l'impression qu'elle voulait quelque chose – peut-être rien de plus qu'être seule avec sa sœur, mais toutefois elle le voulait très fort.

Elle commença à sortir des gâteries d'un fourre-tout Chanel 13, en les brandissant pour qu'Ash les voie.

Le regard d'Ash se déplaçait lentement, suivant chaque objet : un paquet magnifiquement enveloppé de parfum Opium. Des magazines et des journaux, le dernier *Interview,* le dernier *W.* Une demi-douzaine de poires mûres dans un panier de copeaux d'emballage. Des cassettes de walkman que Mme Alstetter nomma à mesure qu'elle les posait sur la table.

– Bobby Short, Bobby Short, et un réenregistrement de Furtwängler – Schubert. Exactement les trucs qu'il te faut pour retrouver la santé.

Elle souleva le couvercle du dîner auquel Ash n'avait pas touché.

– Avec quel genre de plat du jour nous mettent-ils l'eau à la bouche aujourd'hui? On dirait du rôti de porc avec du chou rouge sucré et...

Elle plongea un petit doigt dans l'autre légume et tapota sa langue sur le bout.

– Purée de courgette. Rien ne te fait envie?

– Elle n'avait pas faim, dit Babe.

– Nous allons voir.

Mme Alstetter prit le couteau et la fourchette et d'une main experte commença à disséquer la viande en bouchées de bébé. Elle porta un morceau de porc aux lèvres d'Ash.

Ash secoua la tête.

– Elle ne veut toucher à rien, assura Babe.

– Okay, fais-toi mourir de faim.

Mme Alstetter tira la langue à sa sœur.

– Envie de bavarder?

Ash secoua à nouveau la tête.

Mme Alstetter prit le numéro de *W,* se posa sur une chaise, et alluma une cigarette.

– Tu ne devrais pas, intervint Babe. Ash est sous oxygène.

– Je ne l'agiterai pas devant son nez.

La quatrième cigarette était à moitié fumée quand un médecin entra dans la chambre, un assistant et une infirmière sur ses talons.

– Voyons, voyons, Mme Alstetter, il est interdit de fumer tant que votre sœur est sous oxygène.

– Excusez-moi.

Elle écrasa sa cigarette.

Le docteur salua Babe et Cardozo, puis se pencha sur sa patiente. Il souleva le poignet d'Ash et lui chronométra le pouls à l'aide de l'affichage digital des secondes de sa grosse Rolex en or.

Il tapota le bras d'Ash d'une manière encourageante et murmura quelque chose à l'infirmière, qui écrivit sur la feuille de la patiente.

– Puis-je vous demander, de quitter la pièce un instant? s'enquit-il.

Dans le couloir Cardozo regarda Dina Alstetter allumer une autre cigarette.

– Ash n'a pas l'air bien, remarqua Babe.

Les lèvres de Dina Alstetter se réunirent en une ligne mince et frustrée.

– Elle reçoit le meilleur traitement qui existe – le Dr Tiffany est top niveau, il est ce qui se fait de mieux.

– Qu'est-ce qui ne vas pas chez votre sœur? demanda Cardozo.

– Le croirez-vous, après toutes les analyses, les rayons X, les biopsies, les bronchoscopies, tous les ECG et les scanners, ils ne sont toujours pas vraiment fixés. Il y a une possibilité de syndrome de Tourette.

Cardozo avait un cousin atteint de Tourette qui était pris de temps en temps de tics faciaux et d'accès de jurons incontrôlables; mais l'homme pesait plus d'une bonne centaine de kilos.

– La perte de poids n'est-elle pas un peu contradictoire avec le Tourette?

Dina Alstetter acquiesça.

Je ne suis pas son plus proche parent, vous comprenez. Dunk est considéré comme tel. On lui donne des nouvelles, pas à moi. C'est sacrément injuste. Dunk et Ash sont pratiquement divorcés, et il est toujours son plus proche parent.

– Que disent les docteurs à Dunk? demanda Babe.

– Comment le savoir? Ce salaud est en France, incroyable, non?
Le médecin et son équipe sortirent de la chambre.

– Comment va-t-elle? demanda Dina.

A en juger par l'expression du médecin, et sans tenir compte de la
capacité de la profession médicale à garder un visage impassible,
Cardozo estima que les espoirs de Lady Ash se situaient quelque part
entre négligeables et nuls.

– Elle est fatiguée, déclara le Dr Tiffany. Vous feriez mieux de la
laisser se reposer.

Dina Alstetter assimila avec calme l'absence d'information.

– Pouvons-nous lui dire au revoir?

– Bien sûr. Mais ne soyez pas trop longs.

A mi-chemin de l'ascenseur, Cardozo demanda :

– Depuis combien de temps Ash est-elle comme ça?

– Sincèrement je ne peux pas le dire. Ça a été si affreusement pro-
gressif. Ash a toujours été fêlée – vous l'avez vue, vous savez comment elle peut être – colères enfantines, pas de discipline, pas un brin
de réalisme. Quand elle était petite, tout le monde disait « c'est un
stade; ça lui passera ». Puis ils ont dit « C'est l'adolescence, ça lui
passera ». Puis ils ont dit « C'est parce qu'elle boit », et personne n'a
plus dit que ça lui passerait. Sa conversation est devenue de plus en
plus bizarre. Elle changeait d'humeur ou de sujet au beau milieu
d'une phrase. Passait du rire aux larmes, du roi de Siam au coût de la
vie en huit syllabes. Tout le monde disait « Tu vois ce qui arrive
quand on prend trop de coke? ». Pendant ces derniers mois, c'est
devenu bien pire. Parfois elle ne reconnaissait pas les gens, ou ne
trouvait pas le mot pour désigner quelque chose qui était juste devant
son nez, ou appelait les choses par un nom complètement faux –
comme girafe pour café. Sans même qu'il y ait un sens freudien là-
dessus.

– Les médecins ont-ils exclu l'attaque d'apoplexie?

– Ils ne l'ont pas exclue, mais ils disent qu'il doit y avoir quelque
chose d'autre. L'attaque d'apoplexie n'expliquerait pas la perte de
poids.

Le soleil brillait à l'extérieur de l'hôpital. Les vents d'automne
étaient arrivés, mordillant comme des petits chiens, et les arbres
commençaient à renoncer à leurs feuilles.

Babe remonta le col de son manteau. En traversant le parking,
Cardozo lui prit le bras. Ils s'arrêtèrent devant la Rolls grise.

– Vous l'aimez énormément, observa-t-il.

– Elle est mon enfance. Elle est ma jeunesse. Elle est toutes les
années que j'ai ratées.

– Vous avez envie d'en parler?

– Je ne peux pas supporter d'avouer ce que je pense. Je ne peux pas me supporter de le penser.

– Pensez-le. Avouez-le.

Elle le regarda fixement, les yeux agrandis, la tête légèrement penchée.

– L'état dans lequel elle était aujourd'hui... c'est nouveau et c'est mauvais... et cela ne s'arrêtera pas.

Il passa un doigt sous son menton.

– Hé! et l'espoir alors?

Sa bouche s'ouvrit un peu trop grande, et elle hocha un petit peu la tête.

Sans attendre il lui tendit les bras, elle s'accrocha à lui, et pressa son visage contre sa poitrine.

42

Dans la chambre 1227 du pavillon Vanderbilt, Dina Alstetter était assise dans un petit fauteuil à cinquante centimètres du lit de sa sœur.

Elle écrasa sa septième cigarette.

Elle inséra une nouvelle cassette dans son magnéto et tira le fauteuil plus près du lit. Il n'y avait pas un bruit dans la chambre d'hôpital, à part le faible ronronnement de la bande.

Elle tint le magnéto à cinq centimètres de la bouche d'Ash.

– Ash, tu m'entends? C'est important. S'il te plaît essaie de te concentrer. J'ai quelque chose à te demander.

La petite lampe de chevet dessinait un cercle de lumière pâle autour de la malade. Sa respiration sifflait comme si ses côtes s'étaient fendues.

Dina Alstetter était légèrement affaissée sur un fauteuil, les mains croisées sur ses genoux.

Babe était agenouillée à côté d'Ash, chuchotant « je suis là », lui caressant le bras, regardant fixement ce visage frêle, beau, très vieux et de façon étrange et inattendue, sage. C'était le visage d'Ash à trente-six ans, mais c'était aussi Ash à quatre-vingt-seize ans, Ash qui avait sauté en deux semaines tout au bord de l'adieu.

L'aube grise de New York glissa par les stores inclinés, striant le lit d'hôpital où Ash Canfield gisait dans le coma. Elle avait commencé à souffrir d'embolies des deux poumons. Sous le peignoir de satin bleu son corps était couvert d'électrodes de contrôle.

Sa température indiquait 40°8. Son pouls dessinait un blip faible et irrégulier sur un écran ambré. Le respirateur, à côté du lit, envoyait de l'air par un tube dans sa gorge et ses poumons qui avaient depuis longtemps abandonné tout effort.

Ash remuait les lèvres, essayant de faire sortir un son.

Dina bondit sur ses pieds.

– Ash!

– Infirmière! cria Babe.

Une infirmière et un interne se précipitèrent dans la chambre. L'interne ôta le respirateur et l'infirmière porta un verre d'eau aux lèvres d'Ash.

Ash avala une gorgée avec difficulté et essaya de parler. Sa voix était à peine un murmure.

– Quand tout ceci sera terminé, nous vivrons tous ensemble, hein?

La langue de Babe était inerte et sa gorge était sèche.

– Oui, ma chérie, assura Dina, nous aurons une ravissante maison, tous ensemble.

– Je veux mon exposition mortuaire... dans la plus belle suite du Frank E. Campbell... Fais-moi coiffer... un petit rinçage pour cacher le gris. Habille-moi avec cette... robe longue bleu pâle... que Babe m'a faite. Et offrez-moi... un adieu vraiment grandiose... à Saint-Bart.

– Oui, ma chérie, promit Dina.

– Je voudrais être seule maintenant. Dunk va... téléphoner, et je veux... être prête... Voudrais-tu éteindre les lumières.

Dina éteignit la lumière.

Quand Babe se retourna, sur le seuil, tout ce qui restait de son amie était l'ombre d'une ombre.

43

Babe et Cardozo signèrent le registre des visiteurs. La pièce était doucement éclairée. La famille immédiate formait une ligne d'accueil : Dunk, faisant de son mieux pour afficher un charme affligé; Dina, avec un air de dignité endeuillée; les parents d'Ash – DeWitt Cadwalader, un homme grand et gris respirant l'autorité; Thelma Cadwalader, une femme svelte couverte de bijoux avec de grands yeux chaleureux et un sourire bienveillant; et le fils de Dina, Lawson, un petit garçon grave de six ans.

Le comte et la comtesse de Savoie arrivèrent directement derrière Babe et Cardozo. Ils éparpillèrent des condoléances à la famille, et puis la comtesse aperçut Cardozo.

– Hé, bonjour, Dick Tracy.

– Salut, votre altesse.

La comtesse embrassa Babe.

– Quelle foule. Et un concert de piano, quelle élégance [1]. Mais, *Hey, Look Me Over*? De qui est cette plaisanterie?

– Ce n'est pas une plaisanterie. C'était la chanson préférée d'Ash.

– Oh la fofolle. On était forcé de l'aimer.

Il y avait une atmosphère que Cardozo trouvait étrange. Ce n'était pas une veillée de flic irlandais où des vieilles femmes pleuraient et des hommes vêtus de leur unique beau costume s'attrapaient les uns les autres par l'épaule. Ici les vêtements étaient coûteux et élégants, et la pièce bourdonnait de potins. Il y avait un scintillement de chêne ciré et de cristal et de femmes couvertes de bijoux. Des domestiques circulaient avec des plateaux de verres de vin. Cela ressemblait plus à une réception qu'à une dernière visite.

La file des visiteurs avançait lentement, passant devant des divans sous des housses, des bergères à oreilles, de belles tables anciennes chargées de fleurs.

---

1. En français dans le texte.

Gordon Dobbs s'approcha d'un pas nonchalant et embrassa Babe sur la joue.

– Salut, ma puce. Salut, Vince. Quel tabac, hein? Une des plus belles fêtes d'Ash, elle le savait. J'ai assisté à toute la scène de sa mort. Elle a été fabuleusement courageuse, fabuleusement sereine. Et attendez de la voir – elle a l'air absolument splendide. La famille a fait venir Raoul Valency en Concorde de Paris pour la préparer. Quel personnage. Quelle vie. Vous retrouve plus tard.

Quand ils atteignirent le cercueil, Babe posa un baiser au bout de ses doigts et toucha les mains croisées d'Ash.

Quand il considéra Ash dans sa robe longue bleue et ses bracelets, Cardozo eut le sentiment de se trouver face à face avec la fragilité et la solitude.

Babe tremblait comme si une vague l'avait heurtée de plein fouet. Il passa un bras autour d'elle.

– Il y a une chaise là-bas.

Il la conduisit à travers la foule.

– J'ai juste besoin de me reposer un moment, assura Babe.

– Oui – reposez-vous.

Quelque chose attira le regard de Cardozo. Dina Alstetter se tenait à côté de la cheminée, et le fixait. Elle lui fit signe d'approcher.

– Merci d'être venu, déclara-t-elle d'un ton désinvolte.

– Je suis désolé pour votre sœur. C'était quelqu'un de bien.

– Merci. Ses yeux soutinrent les siens. J'ai quelques petites choses à vous dire.

– N'hésitez pas à me téléphoner.

– Je veux dire maintenant.

– Je vous écoute.

– Pas ici.

Elle prit un verre de vin et Cardozo la suivit dans le couloir.

Ils entrèrent dans une autre salle. Dans un coin une femme avait été placée dans un cercueil d'acajou doublé de soie. Elle avait des boucles d'oreilles de rubis en forme de poire, des cheveux bruns ondulaient jusqu'à ses épaules, et elle portait une robe du soir.

– Devrions-nous être ici? remarqua Cardozo. Cela me paraît irrespectueux.

Dina Alstetter répondit en s'asseyant dans un fauteuil, tout à fait comme un chat délimitant son territoire, et en allumant une nouvelle cigarette.

– Que voulez-vous me raconter, dit Cardozo.

Elle inspira, souffla, et déclara :

– J'ai une preuve.

Elle ouvrit son sac et en sortit un mini-cassette.

Cardozo ne put s'empêcher de s'étonner, « Quel genre de femme apporterait un magnétophone à la visite funèbre de sa sœur, et la seule réponse qui lui vint fut, ce genre de femme. »

Dina Alstetter pressa un bouton. Il y avait deux voix sur la bande. L'une était celle de Dina Alstetter.

— Tu sais qu'il a volé tes vêtements.

L'autre voix était une ombre de celle d'Ash Canfield.

— L'a-t-il fait?

— Je te le demande. L'a-t-il fait? Réponds oui ou non. Il faut que tu le dises, Ash. Ceci n'est pas un magnétoscope.

— Oui.

— Dunk a volé tes vêtements. Duncan Canfield a volé tes vêtements et tes bijoux et les a vendus.

— Oui.

— Il t'était infidèle de façon flagrante. Tu savais qu'il t'était infidèle. Il ne s'en cachait pas. Il t'humiliait et te rendait malheureuse.

— Oui.

— Il t'a fait connaître la drogue et te fournissait.

— Oui.

— Tu voulais divorcer et tu le veux toujours.

— Oui.

— C'est lui qui veut la réconciliation, pas toi.

— Oui.

— Et tu n'as pas couché avec lui depuis la séparation.

— Oui.

— Mais, non, Ash. Dis que non si c'est non. Ou bien si?

— Non.

— Le considères-tu comme ton mari?

Un long silence.

— Non.

— Tu avais l'intention de divorcer depuis la séparation et ton intention n'a jamais vacillé.

Un long silence.

— Non.

— Est-ce ton intention que Duncan Canfield demeure dans ton testament?

— Non.

— Est-ce ton intention de modifier ton testament et de ne pas léguer à Duncan Canfield plus d'un dollar? Est-ce bien ton intention, Ash?

— Oui.

Cardozo écouta, les sourcils froncés, et quand la bande arriva au bout en ronronnant, il regarda Dina Alstetter.

— Vous avez enregistré ça à l'hôpital?

Elle alluma une autre cigarette avec un mégot incandescent.

– Oui.

– Pourquoi?

– Pour prouver qu'elle s'apprêtait à le déshériter.

– Allait-elle le faire?

– Mais bon sang, la bande n'est pas en chinois, non?

– Sur cette bande vous mettez des mots dans la bouche d'une mourante.

– Nous avions eu des discussions bien avant qu'Ash tombe malade. Elle savait tout sur Dunk et sa bande de fêtards gays.

– Quelle bande de fêtards gays?

– Le comte et ce répugnant Lew Monserat.

– Que savait-elle sur eux?

– Qu'ils avaient des liaisons, se droguaient, organisaient des orgies. C'est pour ça qu'elle avait déposé une demande de séparation. Elle était en pleine possession de ses facultés quand elle l'a déposée. Dunk n'a aucun droit sur son argent.

– Je ne comprends pas. Vous n'avez vraiment pas l'air d'avoir besoin de cet argent.

– Il m'est inutile d'avoir besoin d'argent pour désirer la justice.

– Non, mais vous semblez vouloir son scalp. Qu'est-ce qu'il a fait, bon Dieu – il vous a quittée?

– Je sais que vous ne cherchez qu'à être insolent – et si je n'avais pas besoin que vous me rendiez un service, vous auriez droit à une gifle.

Cardozo fronça les sourcils.

– Vous êtes amoureuse de ce fada?

Elle inspira à fond et laissa échapper un soupir.

– Puisque vous insistez pour connaître les antécédents, disons simplement que Dunk et moi étions amis et qu'un jour nous avons cessé de l'être.

– Soyez gentille, utilisez quelqu'un d'autre pour lui créer des ennuis. Ceci ne me regarde pas.

– Mais si. Il l'a tuée et mes sentiments envers Duncan Canfield n'entrent même pas dans le tableau parce que c'est un fait de base.

– Une maladie l'a tuée.

– Il lui a donné la maladie.

– Voyons, comment diable s'y est-il pris?

– L'autopsie le montrera.

– Il n'y aura pas d'autopsie. Votre sœur est embaumée. Mme Alstetter, je compatis de tout cœur avec vous, et je vais vous donner quelques conseils. Vous ne tenez pas une affaire, et vous n'avez pas la moindre preuve. Je ne doute pas un instant que ce salaud voulait la mort de sa femme. Mais la malveillance n'est pas un crime. Du moins, ce n'est pas mon secteur, et si c'en est un, vous êtes aussi coupable que lui.

Elle fit claquer la fermeture de son sac.

– Très bien – si je dois vous le prouver en obtenant ses dossiers médicaux, j'y parviendrai.

– Examen de tête révèle absence œil gauche. Orbite œil gauche est point d'impact d'entrée balle.

Dan Hippolito dictait dans un micro suspendu au-dessus de la table d'examen.

– Impact de sortie est dans zone pariétale postérieure gauche.

Dan jeta un coup d'œil et aperçut Cardozo. De sa main gantée de plastique moulant ensanglanté, il poussa le micro sur le côté, puis releva sa visière arrondie en plexiglas.

– Salut, Vince, je te serrerais bien la main mais tu m'as pris en plein boulot.

Cardozo regarda le corps du jeune Latino borgne.

– Je te dérange?

– Le patient attendra. Quelles nouvelles?

– Tu as le temps de prendre une tasse de café?

– Oui.

Ils allèrent dans le bureau de Dan, un petit cabinet souterrain blanc et austère. Dan extirpa ses mains des gants avec un plop sonore. Il ôta son tablier de caoutchouc et sa blouse de chirurgien et les suspendit au porte-manteau.

Il y avait deux chaises, un bureau et une table avec une plaque chauffante et un pot à café. Dan avait disposé une forêt de plantes contre un mur. Un autre mur était couvert d'étagères de livres médicaux.

Cardozo s'assit.

– Dan, voudrais-tu jeter un coup d'œil à un dossier médical pour moi?

– Hé, on sabote le boulot dans ce département, mais je ne veux pas mettre mon nez dans le travail d'un collègue!

– Rien à craindre, ceci n'est pas une autopsie.

Dan revint de la plaque chauffante avec deux tasses de café.

Cardozo lui tendit la chemise.

Dan tourna les pages.

– Que cherches-tu?

– Une impression générale.

– Tu sais, ces vingt dernières années, j'ai pratiqué les morts.

– Cette femme est morte.

Dan Hippolito sirota son café et continua à tourner les pages.

– Ça commence à devenir évident. Catastrophique perte de poids – fièvre fulminante – urémie...

Il leva les yeux, une franche curiosité brillait dans ses yeux noirs.

– Une amie à toi?

– Une amie d'une amie.

– Commençons par le commencement...

Ses yeux parcoururent la feuille : « Valium, Dilantine, Phénobarbital »...

– Cette femme était-elle alcoolique?

– Oui.

– Alors nous traitons avec des médicaments pour l'épilepsie provoquée par l'alcool. La stéréomycine est un antimycosique, la Dilantine un anti-attaque, la Dramamine un anti-nauséeux... Que faisaient-ils? des expériences? On ne prescrirait pas cette combinaison à un chimpanzé.

– Pourquoi pas?

– Les médicaments se neutralisent les uns les autres.

Dan feuilleta encore d'autres pages.

– Procaïne pour désensibiliser la trachée.

– Pourquoi font-ils ça?

– En général c'est pour préparer le terrain avant une bronchoscopie.

– C'est-à-dire?

– On passe par la gorge et on coupe un peu de tissu des poumons pour pratiquer une biopsie de dépistage du cancer. Sauf qu'ici ils pratiquent un test de teinture sur l'artère du cerveau. Dan pivota sur sa chaise. Ces dossiers auraient un sens si elle était atteinte d'un cancer des poumons pénétrant dans le système sanguin et produisant des métastases au cerveau. Là je marcherais, mais... Il s'arrêta à la page suivante. Méthadone? Ces pages concernent-elles un seul patient? Parce que la méthadone a un emploi et un seul, purement politique, pour faire passer les accros à l'héroïne du marché libre à l'héroïne propriété du gouvernement. C'était une camée?

– Elle prenait des tas de drogues.

Dan secoua la tête.

– Je ne vois pas de diagnostic logique. La gamma-globuline, on la donne pour l'hépatite, mais voyons cette analyse de sang? Pas de numération cellulaire, pas de vitesse de sédimentation, rien. Ces dossiers sont incomplets.

Il feuilleta rapidement d'autres pages et tomba sur quelque chose qui l'arrêta.

– Voilà qui est franchement intéressant. Tegretol. C'est spécifique pour l'infection du lobe temporal. Dan fronça les sourcils. De quel genre d'infection cérébrale souffrait-elle?

– Je te le demande.

– Il faudrait que je sectionne le cerveau et le place sous un microscope. Ils ont dû le faire à l'hôpital. Retourne là-bas et demande leur s'ils ont pratiqué une coupe cérébrale p.m.

– Cette dame était une célébrité, on n'autopsie pas les célébrités.

– Cette célébrité aurait dû l'être. Soit l'infection s'est développée à une vitesse record, soit le diagnostic de départ était à côté de la plaque. Ils sont sur tous les fronts, ils traitent l'état de manque, l'hépatite, la fibrillation cardiaque, l'épilepsie, et pendant ce temps-là un truc affamé lui boulotte le cerveau.

Il referma la chemise et fit une moue songeuse : le crayon dans sa main tapotait le bord du bureau.

– En supposant que ces médecins ne soient pas des ringards, quelque chose qui a commencé comme un trouble sanguin est passé au cerveau. Or la barrière sang-cerveau n'est pas facile à franchir. Il faut la taille de peut-être deux électrons pour passer. Mais sans les analyses de sang, ce n'est même pas la peine de jouer aux devinettes.

– Aucune chance de causes non naturelles?

– Ce sont des infections, pas des balles.

– Quelqu'un connaissant la médecine aurait-il pu la contaminer?

– Pas même Joseph Mengele. Ce genre de désastre, c'est comme une quintuple collision aérienne en plein vol. Ça ne s'organise pas, ça ne se contrôle pas. Tu essaies de trouver les éléments d'une affaire?

– Je me demande, c'est tout.

– Si elle partageait ses seringues, il y aurait pu y avoir une imprudence contribuant à la contamination. Mais c'est une question de chance, pas un meurtre.

– Je ne crois pas qu'elle partageait. Trop chic pour ça.

– Apporte-moi ses analyses de sang. Il y a de quoi piquer ma curiosité.

– Désolé de vous avoir fait attendre, Lieutenant.

Le Dr William Tiffany se leva. C'était le même homme corpulent que Cardozo se souvenait avoir vu dans la chambre d'hôpital d'Ash, vêtu d'un costume sombre bien coupé et d'une cravate à rayures.

C'était un spacieux bureau d'angle, avec un divan de cuir et deux confortables fauteuils assortis. Cardozo choisit le fauteuil le plus près de la fenêtre.

Le Dr Tiffany ferma un dossier et prit l'autre fauteuil.

Entre le médecin et l'enquêteur, il y avait une table de bambou tressé, peinte d'un ton de pêche mûre et surchargée de magazines – *Town and Country, Yachting, Vanity Fair,* l'édition française de *Réalités.*

Le Dr Tiffany sourit, avec toute l'assurance d'un homme qui avait affaire chaque jour avec la vie et la mort de gens aux poches très profondes.

– Vous m'avez dit au téléphone que vous étiez un ami de Lady Ash Canfield.

– Oui, je l'étais.

– Avec moi, ça fait deux. Terrible perte. Et vous êtes également un ami de Dina Alstetter?

– Elle m'a demandé de venir vous parler.

– Oui? Au sujet de...?

– Des dossiers médicaux de Lady Canfield. D'après mon coroner ils ne sont pas complets. Il n'y a pas d'analyse de sang.

Les yeux du Dr Tiffany étaient intelligents et rusés.

– Le mari de Lady Canfield a le droit de les garder confidentiels.

– Mme Alstetter assure que Lady Canfield s'apprêtait à divorcer de son mari. En tant que plus proche parent, elle aimerait savoir ce qui a tué sa sœur.

– Arrêt du cœur par congestion.

– D'après mon coroner quelque chose a franchi la barrière sang-cerveau. Selon lui vous vous protégez. Mme Alstetter veut connaître votre point de vue avant de prendre des mesures judiciaires.

Le docteur considéra Cardozo avec cette impassibilité innée propre à sa profession.

– Rien n'aurait pu sauver Lady Canfield. Lieutenant, connaissez-vous le terme HIV?

– Il donne le SIDA. Est-ce donc ce qu'avait Lady Canfield?

Le Dr Tiffany se carra dans son fauteuil.

– Le SIDA s'est manifesté au Zaïre il y a douze ans, expliqua-t-il. Les troupes cubaines ont apporté le SIDA dans cet hémisphère et en Amérique Centrale. Les mercenaires américains et les conseillers militaires ont apporté le SIDA d'Amérique Centrale à New York, où il a pénétré la communauté gay et la communauté hétérosexuelle dans le vent. La maladie a suivi un cours spectaculaire et fulminant. Ce que les gens commencent tout juste à saisir, c'est que le SIDA aurait pu se propager tout aussi rapidement parmi les hétérosexuels. Les expositions hétérosexuelles répétées au SIDA, ont été bien moins nombreuses que chez les gays. D'un autre côté, les expositions totales ont été de très loin supérieures, vu que les hétérosexuels surpassent en nombre les gays à dix contre un. Nous savons avec certitude qu'un groupe hétérosexuel à risque, les prostituées qui ne se piquent pas, présente un taux de contamination double par rapport aux homosexuels masculins de New York il y a quatre ans. Si vous extrapolez à partir de cette statistique, un holocauste nous attend au coin de la rue.

Le Dr Tiffany secoua la tête et se tut en regardant Cardozo.

– Êtes-vous catholique, fondamentaliste ou autre chose? s'enquit-il peu après.

– Est-ce important?

– Je ne veux pas vous blesser.

– Rien de plus difficile.

– Avec le virus aussi largement répandu qu'il l'est, et la hiérarchie catholique et les Falwellians [1] qui s'opposent avec acharnement à éduquer le public, la quantité de dossiers double tous les six mois. Plus d'un dixième de la population a été exposé, et peut-être qu'un tiers des personnes exposées mourra d'ici sept ans. Que dites-vous de ça, Lieutenant?

– Docteur, répondit Cardozo, inutile de crier. Inscrivez-moi sur votre liste d'adresses. Je ferai un don. Pouvez-vous simplement me dire si vous avez analysé le sang d'Ash Canfield?

Le Dr Tiffany se leva et s'approcha de ses classeurs.

– Voudriez-vous venir par ici, Lieutenant?

Le Dr Tiffany tira une chaîne de clés de sa poche et déverrouilla un des tiroirs.

– Il y a beaucoup de souffrance là-dedans, Lieutenant. Pas seulement le genre auquel vous, policiers, avez affaire. Vous avez ici les résultats de dizaines de milliers d'analyses de sang, de rayons X, de scanners, d'examens menés par des douzaines de nos médecins. Depuis cinq ans.

Cardozo considéra les chemises classées par ordre alphabétique, conscient que quelque chose d'inconnu et de menaçant passait sous ses yeux.

– Les hommes et les femmes de ces dossiers ont enduré une déchéance physique que vous ne pourriez même pas commencer à imaginer. Plus de la moitié d'entre eux sont morts. Et les autres n'en ont plus pour longtemps.

Cardozo promena son regard du fond du tiroir vers le C et puis sur les noms. Clemens, Canning, Canfield.

– Dans ces tiroirs vous trouverez l'ex-femme du directeur du plus grand conglomérat de communications du pays. Une religieuse. Des très grands stylistes de mode. Des enfants. Des nouveau-nés. Des grands-pères. Des pompiers. Des footballeurs professionnels. Quelques-uns de vos propres collègues. Quelques-uns des miens. Des acteurs célèbres. Des acteurs qui n'ont jamais été célèbres et ne le deviendront jamais. Des soldats – des hommes qui ont survécu au Vietnam. Servez-vous.

Cardozo tira la chemise marquée Canfield, Ash, et considéra la photographie d'Ash Canfield à son poids presque normal, puis les feuilles de graphiques et d'imprimés traités par ordinateur.

– Je ne comprends pas ces graphiques, dit-il.

– Lady Ash Canfield n'avait pas de cellules T et son sang indiquait un résultat positif à la recherche d'anticorps HIV.

_____

1. Partisans de Jery Falwell, évangéliste baptiste prêchant à la radio et à la télévision en faveur d'une politique prônant la famille, la morale et la nation. (*N.d.T.*)

Cardozo laissa retomber le dossier en place. Quelque chose le titillait en lisière de la conscience. Quelque chose qui concernait le tiroir, le tiroir profond, les lettres allant jusqu'aux premiers H. Il vit que le dernier nom était Hatfield.

– Et celui-ci? Il sortit le dossier. La photo montrait un homme d'allure saine d'environ trente-cinq ans. Hatfield, Brian. Mort ou vivant?

– Brian était un de mes patients, répondit le Dr Tiffany. Il est mort l'été dernier.

Cardozo tira le dossier voisin. Halley, John. Son estomac se noua comme si un poing l'avait frappé de plein fouet. Le visage sur la photographie était celui de Jodie Downs.

– Parlez-moi de ce patient, demanda Cardozo. John Halley.

– John était un de mes malades en consultation externe. Il avait l'ARC – le virus apparenté au SIDA. Il a abandonné le programme il y a un peu plus de cinq mois.

– L'ARC est-il contagieux?

– Nous l'ignorons. Certaines personnes semblent pouvoir transmettre le virus sans attraper le SIDA. Je dois répondre par un oui prudent.

– Quelle est la période d'incubation?

– Il circule dans la presse un tas de fausses informations à ce sujet. Nous ne savons pas ce qui déclenche le virus une fois qu'il est dans le sang. Il pourrait y avoir des cofacteurs dont nous n'avons pas la moindre idée. Autant que nous le sachions, la maladie peut se manifester n'importe quand entre l'exposition et la mort. Je fixerais donc ce que vous appelez la période d'incubation n'importe où entre une heure et quarante ans.

– Alors si quelqu'un jouait avec le sang de John Halley, il y aurait un risque que cette personne attrape la maladie?

– Le sang est le vecteur principal. Mais cela dépend de ce que vous appelez « jouer ».

– Légère coupure.

Coupure jusqu'à la chair?

Le Dr Tiffany paraissait intrigué.

– Oui. Truc rituel.

Cardozo se souvint d'une affaire vieille de huit ans. Deux camés à la poudre d'ange de cinquante ans qui se prenaient pour des vampires.

– Il peut même y avoir... euh... ingestion.

– Ingestion du sang d'Halley?

– Peut-être.

– Quiconque agissant ainsi dans cette ville aujourd'hui a une excellente chance d'avoir déjà contracté la maladie. Une excellente chance, et le ton de voix du Dr Tiffany semblait dire, et bien méritée.

Ce soir-là, chez lui, Cardozo ouvrit l'annuaire de Manhattan. Il cherche les H, compta les Hatfield. Il y en avait onze.

Il resta assis un moment, sentant sa certitude prendre de l'épaisseur. Ça ne peut pas être le hasard, se disait-il. Le hasard ne visait jamais aussi juste.

44

Cardozo consulta son Rolodex et trouva Beaux-Arts Immobilier, Ltd. Il posa la fiche contre le téléphone pour penser à appeler Melissa Hatfield quand son bureau ouvrirait, à dix heures du matin.

Il s'installa pour lire les modèles cinq de la veille concernant un avocat dont le corps avait été trouvé une semaine plus tôt dans le parc de Sutton Place. L'orthographe de Monteleone, comme d'habitude, était atroce.

A 8 h 37 le téléphone sonna.

— Il faut que nous ayons une petite discussion, Vince.

C'était Mel O'Brien, l'inspecteur principal. D'habitude les conversations téléphoniques avec O'Brien commençaient avec son homme de main, l'inspecteur Inigo, et puis il fallait patienter trente à quatre-vingt-dix secondes avant qu'on vous le passe. C'était chose rare que l'IP appelle en personne, et c'était chose dangereuse que sa voix soit aussi naturelle et agréable qu'elle l'était maintenant. Neuf heures, dans mon bureau, okay?

Ce qui laissait à Cardozo exactement vingt-deux minutes pour traverser les embouteillages matinaux jusqu'au Un Police Plaza.

Mel O'Brien, devant sa fenêtre, contemplait le ciel d'automne et la lueur qu'il jetait sur les tours et Chinatown.

— Que manigancez-vous, Vince, à passer ainsi tout votre temps sur le terrain? Vous jouez les Sherlock Holmes sur le dos de vos hommes?

— Non, monsieur. Sauf s'il s'agit d'un détachement spécial, je ne vais pas sur le terrain.

— Combien d'heures avez-vous enregistrées au poste de police ce mois dernier?

— C'est dans le registre.

— J'aimerais assez savoir sur quelles affaires vous êtes.

— Vous le savez bien, Patron.

L'IP se retourna et regarda Cardozo.

— Vous immobilisiez l'ordinateur il y a quelques semaines avec des tas de listes. De quoi s'agissait-il donc?

Cardozo eut le sentiment qu'on allait lui maintenir la tête sous un flot de tracasseries bureaucratiques.

— Cela concernait un homicide en cours d'enquête.

— Quel homicide?

— Sunny Mirandella, une hôtesse de l'air. Elle a été assassinée dans son appartement à Madison.

Ce qui n'était pas tout à fait un mensonge, mais tout de même un terrain rudement glissant.

— Vous avez convoqué Babe Devens au commissariat pour une projection de diapos.

Le regard d'O'Brien passa sur Cardozo avec la froideur d'un stéthoscope. Cela signifiait qu'il avait contrôlé les faits et gestes de Cardozo, qu'il avait le pouvoir d'agir ainsi, et qu'il avait une très bonne raison de le faire.

— Je projetais à Mme Devens des diapos de l'affaire Downs.

— Vous pensiez que Mme Devens y était mêlée?

— J'espérais qu'elle pourrait m'apporter un peu d'aide.

L'IP s'assit dans son grand fauteuil pivotant tendu de tissu, en secouant la tête de gauche à droite.

— Bon sang, Vince, Devens et Downs sont classées. Vous les avez classées. Nous avons cinq nouveaux homicides par jour dans cette ville, et nous n'arrivons même pas à procéder à des arrestations sur trois cas par semaine.

— Patron, inutile de vous préoccuper à mon sujet.

— Ce n'était pas la seule fois où l'on vous a vu avec Mme Devens.

O'Brien observait Cardozo pour voir ce que sa réaction trahirait.

— Vous étiez tous les deux à une visite funèbre au salon mortuaire Campbell.

A ce moment-là tout le tableau changea.

Cardozo savait qu'il avait pris des risques : même sans laisser traîner la pile de dossiers en cours, s'il réouvrait des affaires classées sans une bonne raison et un résultat rapide, — et que des gens mal intentionnés le découvrent — ça pouvait lui coûter sa plaque et sa retraite. Il pouvait se retrouver en tenue. Mais il voyait maintenant que s'il exposait vraiment ses raisons et présentait des résultats, cela serait encore pire.

— Ash Canfield était une amie, riposta-t-il. Elle est morte. Je suis allé la voir une dernière fois.

La plainte devait émaner de la comtesse Vicki. Encore une fois.

— Et Babe Devens? demanda O'Brien.

— Mme Devens est aussi une amie. S'il y a quelque chose de mal à ce que nous soyons allés dans un salon mortuaire, j'aimerais que vous me le disiez.

– Vous y êtes-vous rendu pendant les heures de boulot?

– Ce n'est pas comme si j'étais allé à une réception.

– Ce n'est pas comme si vous étiez allé sur un homicide non plus.

O'Brien lui lança un long regard noir. Cela énerva Cardozo qu'on lui rappelle que cet homme avait un droit absolu de lui dicter sa conduite; cela l'énerva d'admettre que parfois dans ce boulot on ne demandait ou ne tolérait rien d'autre que l'obéissance.

– De quelle affaire discutiez-vous avec Dan Hippolito mardi dernier? demanda O'Brien. Était-elle aussi en rapport avec le boulot?

L'IP était un maître dans l'emploi des mots. Ces deux petites syllabes aussi exprimaient tout.

– C'était dans le quartier – j'ai fait un saut. Dan et moi nous connaissons depuis une éternité.

– Vous avez beaucoup d'amis.

– J'ai de la chance.

– Quoi de neuf sur la gosse assassinée à l'extérieur du Metropolitan Museum ce matin?

L'appel était arrivé par le 911 à 8 h 10. Cardozo avait assigné l'affaire.

– O'Rourke est dessus, répondit-il.

– Pourquoi ne pas vous mettre dessus aussi?

Cardozo retourna en voiture au commissariat, en réfléchissant à tout ça. Lui mettre l'IP sur le dos signifiait que quelqu'un avait peur, sollicitait des faveurs importantes, prenait de gros risques – et signifiait aussi que très bientôt quelqu'un voudrait le réduire au silence.

Dans son box, Cardozo téléphona au juge Tom Levin. Il eut sa secrétaire.

– Amy, pouvez-vous prévenir le juge qu'il faut que je le voie ce soir. Neuf heures, chez lui, à moins qu'il ne me laisse une autre commission.

– Je le préviendrai, Vince.

Cardozo secoua les fourches du téléphone, obtint la tonalité, et tapa le numéro de la carte Rolodex qu'il avait laissée posée contre le téléphone.

– Beaux-Arts Balthazar.

C'était la voix de Melissa Hatfield, avec ce ton rauque et désinvolte dont il se souvenait.

– Melissa, c'est Vince Cardozo. Comment va?

– Oh, la vie est allée cachin-caha, du mieux qu'elle a pu.

– Pourrais-je passer et vous voir après le travail? Chez vous? Six heures, six heures et demie?

Cardozo aurait été à l'heure chez Melissa, mais à 12 h 30 Larry O'Rourke jaillit dans son bureau.

– Vince – nous avons une identité.

O'Rourke avait des cheveux roux-blonds irlandais et d'intenses yeux verts. Il était petit et mince, mais son corps était tout en muscles et en tendons et il s'entraînait dans un gymnase pour le garder en forme. Il venait tout juste de passer inspecteur, et s'il paraissait un peu excité c'était parce que la fille morte trouvée à l'extérieur du Metropolitan Museum ce matin était son premier homicide.

– Son nom est Janet Samuels. La belle-fille d'Harold Benziger.

O'Rourke était planté là comme si le nom devait lui rappeler quelque chose.

– Désolé, dit Cardozo. Je ne vois pas.

Immobilier. Il a mené la campagne « I Love New York ». Apporte au maire un gros soutien financier. Je dis bien, gros.

Cardozo avait souvent pensé que l'argent dépensé à faire passer à la télé des célébrités chantant ce jingle, aurait pu rénover quelques milliers de logements délabrés.

– Ah, ce Benziger-là.

Deux heures plus tard l'IP téléphona de nouveau à Cardozo.

– Je veux que vous alliez prévenir en personne les Benziger que leur fille a été assassinée.

– C'est O'Rourke qui est chargé de l'affaire, Patron.

– Je n'envoie pas un bleu là-bas. Ce serait un manque d'égards complet envers l'importance des Benziger dans cette communauté.

– O'Rourke n'est pas un bleu.

– Bon sang, il vient d'avoir sa plaque dorée. Harold Benziger est une force dans cette ville. Il lui faut un lieutenant pour lui apporter la mauvaise nouvelle. Sa secrétaire assure qu'elle ne peut pas le joindre, mais il sera chez lui à sept heures ce soir.

Il était huit heures et demie quand Cardozo pressa la sonnette de Melissa Hatfield.

– Vous avez changé les couleurs ici, remarqua-t-il.

– J'essaie.

Elle lui proposa un verre.

– Melissa, voudriez-vous vous asseoir?

– Oui, oui. Elle ne s'assit pas. Qu'y a-t-il?

– Qui était Brian Hatfield?

Après ce qui parut un temps fort long, bien qu'il n'ait duré peut-être que dix secondes, elle répondit :

– Brian était mon frère.

– Parlez-moi de lui.

– Il est mort.

Cardozo la regarda droit dans les yeux.

– Le Dr William Tiffany le traitait au pavillon Vanderbilt, c'est bien ça?

Les dents de Melissa se plantèrent dans sa lèvre inférieure.

– Vous pensiez avoir reconnu la photographie de Jodie Downs. Vous disiez qu'il vous rappelait quelqu'un que vous aviez vu dans un ascenseur. Quelqu'un que vous aviez vu régulièrement mais que vous ne pouviez pas situer. Plus tard vous avez fait machine arrière. Raconté que vous vous étiez trompée. Je crois que vous aviez vraiment situé ce visage. Je crois que Jodie Downs était un malade en consultation externe dans le même programme que votre frère. Je crois que vous avez vu Jodie dans cet ascenseur régulièrement quand vous alliez rendre visite à Brian.

Elle réagit comme si elle vivait au ralenti. Elle s'approcha de l'une des fenêtres, se tint les mains posées sur le climatiseur.

– J'avais honte, avoua-t-elle.

– Honte que votre frère ait eu le SIDA?

Melissa laissa tomber sa tête.

– Il y a des gens qui ont honte. Ils ne peuvent pas s'en empêcher. Ça ne vous est jamais arrivé?

Un long moment la pièce resta silencieuse.

– Jodie Downs avait honte, souffla-t-elle. Vous savez comment il m'a dit qu'il s'appelait? John Halley. C'est comme ça qu'il s'est trouvé dans le groupe de Brian. De F à L. Imaginez avoir honte d'être en train de mourir, devoir prétendre qu'on est quelqu'un d'autre, que quelqu'un portant votre nom n'aurait jamais une maladie pareille.

– Brian avait-il honte?

– Brian n'avait pas honte, ni du SIDA, ni de rien. C'était un militant du Gay Lib, et triomphant. Jusqu'au bout. J'ai essayé de suivre son exemple. Tous les soirs j'allais m'asseoir près de son lit et je feignais de trouver que tout ça c'était très bien et que mourir faisait simplement partie de la vie. Nous lisions Kübler-Ross ensemble, et quand sa vue l'a abandonné c'est moi qui lui ai lu, et il me tenait la main. Oh, Brian était un vrai champion de l'acceptation. Mais moi je ne pouvais pas accepter. Je ne peux toujours pas.

Elle leva les yeux vers lui.

– Je boirais bien quelque chose. Et vous?

Il secoua la tête.

– Je suis désolé. J'ai rendez-vous avec un juge et je suis en retard.

– Qu'attendez-vous que je fasse à ce sujet?

Des fines rides de surmenage partaient des yeux cernés de rouge de Jerry Brandon.

– Les prévenir, répondit Cardozo.

– Le SIDA est déjà endémique dans le système pénitentiaire.

– Prévenez-les quand même.

Brandon poussa de côté le long bras extensible de la lampe et s'assit à son bureau. Il décrocha le téléphone et composa un numéro. Une minute plus tard il discutait amicalement avec un médecin de prison, et tout en lui était en mouvement – sa tête osseuse, ses grosses épaules, sa mâchoire carrée.

– Vous avez un pensionnaire du nom de Claude Loring, L-O-R-I-N-G comme Georges. Il devrait subir un test de dépistage du SIDA.

La réponse avait dû être longue, car Brandon écouta pendant plus de trois minutes.

– Tu es sûr? Quand? Il jeta un rapide coup d'œil à Cardozo, ramassa un stylo-bille et se mit à griffonner à toute allure. Merci.

Brandon raccrocha le téléphone et considéra Cardozo.

– Vince, ceci va vous étonner.

– Je ne suis jamais étonné.

– Claude Loring n'est pas en prison.

Cardozo se pencha en avant sur son siège.

– Mais que lui est-il arrivé, bon sang?

– On dirait que c'est une longue histoire. Je n'ai pas tout saisi. Le gouverneur a commué la peine de Loring il y a une semaine.

L'estomac de Cardozo se nouait petit à petit.

– Pour quel motif?

– Pour raison médicale.

– Pour SIDA?

Brandon secoua la tête.

– La mère de Loring est malade. Il est son unique soutien.

Cardozo n'arrivait pas à croire ce qu'il entendait. Quand il remuait la tête la pièce semblait chavirer.

– Comment le gouverneur a-t-il pu se laisser prendre à ces conneries?

– Le bruit court qu'un tas de personnes de poids ont intercédé en faveur de Loring. Ça doit être un type très populaire.

– Qui a intercédé?

– Ce n'est qu'un bruit. L'archidiocèse de New York – des nababs de l'immobilier du nom de Nat Chamberlain et Harold Benziger, Cyrus Hastings, président de la Citichem Bank. Vous les connaissez?

– Non, et Loring non plus mais pourquoi bon Dieu avez-vous négocié avec Morgenstern? enragea Cardozo. Maintenant nous avons un tueur en liberté, qui se baguenaude en propageant le SIDA.

Le procureur Alfred Spalding se leva, traversa le bureau, et ferma la porte. Il retourna à sa table de travail et considéra Cardozo d'un œil imperturbable.

– Pour liquider l'affaire Downs nous avons dû traiter avec Morgenstern; il se trouvait qu'il défendait l'accusé.

– Qui bon sang ne défendait-il pas?

Les mots sortirent en trombe de la gorge de Cardozo.

– J'interroge le marchand qui avait vendu le masque, l'associé de Morgenstern arrive sur les chapeaux de roues, « vous ne pouvez pas faire ça à notre client ». J'interroge le portier qui fournissait l'immeuble en coke, l'associé de Morgenstern arrive sur les chapeaux de roues, « vous ne pouvez pas faire ça à notre client ». J'arrête l'assassin, Morgenstern arrive sur les chapeaux de roues, « vous ne pouvez pas faire ça à mon client ». Morgenstern était lié à cette histoire depuis le tout début, avant même que nous sachions qui était le mort. Il aurait défendu la pute du huitième étage si nous l'avions accusée de respirer. Ted Morgenstern était prêt à défendre n'importe qui mêlé de n'importe quelle façon à cet assassinat. Pourquoi? Qui le payait? Vous allez me dire que c'était du travail *pro bono*, ces tentatives pour étouffer l'affaire, toute cette combine?

– Mais bon Dieu, qu'appelez-vous une combine?

– Le directeur de la banque Citichem, l'archidiocèse catholique de New York, et les deux types qui possèdent le moindre immeuble de Manhattan dont Donald Trump n'est pas propriétaire – ils adressent tous une pétition au gouverneur pour qu'il commue la peine de Loring. Vous croyez que c'est gratuit? Vous croyez que ces gens savent même qui est Claude Loring? Ted Morgenstern a demandé des services. Il a représenté l'archidiocèse contre la ville, il a représenté Citichem contre la ville, il a représenté Benziger et Chamberlain devant la commission de répartition en zones. Il n'a pas été chercher n'importe qui. Tout ça pour un minable. Et ça ne vous met pas la puce à l'oreille?

– Vince, nous avons déjà discuté de tout ça.

– Discutons-en encore un peu.

– L'affaire est classée. Un type a été tué, nous avons coffré son assassin. Ma curiosité s'arrête là. Au cas où vous ne seriez pas au courant, dans cette ville, si nous pouvons liquider une affaire sans passer au tribunal, c'est une économie. Oui j'ai négocié, et j'ai gagné du temps et de l'argent. C'était dans la ligne de la politique municipale, et je n'en ai pas honte.

– Ça va plus loin que ça, Al. Trois semaines après avoir prononcé la peine, le juge Davenport a signé un bout de papier accordant le sursis. Pas de publicité, rien dans les journaux.

Soit Spalding savait déjà, soit il s'en sortait comme un chef sans trahir aucune surprise.

– Les juges peuvent décider d'accorder le sursis.

– Bon sang, réveillez-vous. Nous sommes au cœur de la vallée des dollars. Où que Maître Morgenstern mette les pieds, l'argent suit. Vous le savez et vous négociez encore avec lui, et je ne parle pas simplement d'arrangement entre le juge et l'accusé.

— M'accusez-vous de quelque chose?

Cardozo considérait Alfred Spaulding, en pensant au pouvoir, aux gens qui le détenaient, et ce à quoi ils choisissaient de l'employer.

— De quoi ai-je besoin de vous accuser – mais bon sang, vous l'avez admis quand vous m'avez téléphoné et demandé d'arrêter de tracasser les amis de Morgenstern. Ses amis sont des assassins, Al. Vous devriez le savoir. Vous n'êtes pas un imbécile. Pas imbécile à ce point.

Les yeux de Spaulding devinrent deux minces fentes prudentes. Une ombre joua sur son visage.

— Qui ont-ils tué?

— Ils ont tué Jodie Downs.

— Claude Loring a tué Jodie Downs.

— Une bande des amis tordus de Morgenstern l'a tué et voilà pourquoi Morgenstern vous téléphone pour me rappeler à l'ordre, et voilà pourquoi vous téléphonez à l'IP pour me rappeler à l'ordre. Vous le savez, Al. Et vous laissez encore passer, et ça vous fout dans la même belle saloperie que le reste d'entre eux.

Spaulding criait.

— Il y avait un assassin dans l'affaire Downs!

— Il y en avait une bande! rétorqua Cardozo en hurlant. J'ai un témoin!

Quelque chose dans le visage du procureur se fissura à peine et laissa échapper une once de peur.

— Vince, laissez tomber. Il n'y avait pas de témoins.

— Il y avait des témoins, il y avait des complices. Pourquoi croyez-vous que Loring est sorti? C'était l'accord qu'ils ont demandé à Morgenstern de conclure moyennant finances. Loring a avoué, Loring est sorti, ils sont restés dans l'ombre.

Spaulding souffla avec violence.

— Qui est votre témoin?

— Vous croyez que je vais vous le dire? Vous croyez que je peux même me fier à vous? Je peux me fier à vous pour faire une chose, filer tout droit chez Morgenstern. Hein, pourquoi ne pas filer tout droit chez Morgenstern, lui annoncer qu'hier soir j'ai déménagé tous mes dossiers de mon bureau et que je les ai mis entre les mains de quelqu'un qui sait comment s'en servir s'il m'arrive quoi que ce soit.

— Que croyez-vous bon Dieu qu'il pourrait vous arriver, Vince?

— Vous savez sacrément bien ce qu'il pourrait arriver – je pourrais être envoyé à Park Slope, je pourrais me faire sucrer ma retraite, je pourrais finir mort.

— Écoutez, Vince, je crois sincèrement que la paranoïa vous guette...

— Et vous, fichez la paix à l'IP. Parce que cette affaire, je vais la boucler. Et si l'IP ou qui que ce soit d'autre commence à vous poser des questions sur moi, répondez-leur que je travaille en mission spéciale pour vous.

— Une seconde, Vince. Ce n'est tout simplement pas crédible.

— Rendez-le crédible! Al, et vous sauverez votre tête. Votre cabinet a rudement déraillé avec Babe Devens et Jodie Downs. Mais il n'est pas nécessaire que l'on apprenne que vous saviez. Vous me couvrez et je vous couvre – c'est le marché, d'accord?

Spalding resta assis longtemps, les yeux fixés sur Cardozo, puis sur le dessus de son bureau, puis à nouveau fixés sur Cardozo.

— D'accord.

— Vous ne pouvez pas entrer, lança la secrétaire, d'une voix guindée. Il est en conférence.

Cardozo poussa la porte.

Morgenstern leva le nez, les yeux à peine visibles derrière les fentes de ses paupières baissées.

— Vous avez un problème, Cardozo?

— Je veux Claude Loring.

— Avez-vous déjà entendu parler de mise en cause de l'autorité de la chose jugée? Vous ne pouvez pas toucher Loring.

— Il peut être accusé d'entraver le cours de la justice, et vous pareil.

— Foutaise.

— Vous me livrez Claude Loring pour interrogatoire ou je vous filerai personnellement et vous coincerai pour possession de coke ou parce que vous couchez avec des mineurs selon ce que vous choisirez en premier.

Le regard de Morgenstern, chargé de rage froide, le transperça.

Une femme menue était assise sur un coin de divan en chintz. Elle avait des cheveux gris fer, portait une élégante robe de soie sombre et arborait l'expression flegmatique de quelqu'un qui a l'habitude d'être pris en photo et de faire l'objet d'articles de presse.

Elle observait Cardozo avec une expression calme mais qui brûlait de la curiosité d'en savoir plus.

Morgenstern bondit de son siège.

Cardozo se pencha et attrapa le nœud de sa cravate bleu et or.

— Vous croyez que la grâce va tenir?

Morgenstern se libéra en se tortillant. Il saisit un coupe-papier d'ivoire.

Cardozo laissa un sourire s'épanouir sur son visage.

– Vous croyez que les Républicains vont laisser notre gouverneur démocrate s'en tirer à si bon compte?

– Vous n'allez pas tracasser mon client!

Morgenstern était adossé à une étagère chargée de citations Kiwanis et de photos de célébrités dédicacées. Ses yeux aux paupières de cobra clignaient à toute vitesse, et une artère palpitait à sa tempe.

– Il se trouve que nous vivons dans un système qui s'appelle la loi, M. le nazi, et vous allez me foutre le camp de ce bureau et ne pas revenir sans un mandat!

– Et laissez-moi vous dire quelque chose, Clarence Darrow [1], vous êtes peut-être une génie quand il s'agit de manigancer des commutations pour des tueurs de sang-froid, mais cette commutation a fait boomerang, parce qu'hier à Central Park un cinglé a arraché la petite culotte de la belle-fille d'Harold Benziger et l'a assassinée.

– C'est sans rapport!

– Combien vous pariez que le *Daily News* en trouve un, de rapport – genre justice immanente? Et, bon sang, la presse va adorer le lien avec l'archidiocèse. J'aimerais voir avec quelle célébrité Son Eminence va vous virer.

– Je ne moucharde pas mes clients, et si le moindre mensonge au sujet de la moindre commutation passe dans le moindre journal, je vous ferai foutre dehors de la police! J'aurais votre peau.

– J'aurais la vôtre.

Cardozo se tourna vers la petite dame sur le divan.

– Ravi de vous revoir, Mme Vlaminck.

– Nous nous sommes déjà rencontrés? s'enquit-elle d'une voix agréable.

– Nous étions à la même table à la fête d'Holcombe Kaiser en l'honneur de Tina Vanderbilt.

– Oh, oui, dit-elle. Oh, oui, absolument. Ravie de vous voir.

– Nous nous sommes bagarrés comme jamais. Je lui ai dit, ne prends pas de crack, ça te rend cinglé. Il m'a menacée avec le couteau à pain.

La poitrine de Faye di Stasio s'élevait et s'abaissait au rythme de ses souvenirs.

– Il a fallu que je le vire. Je ne pouvais pas le garder cinglé à ce point.

Des larmes emplirent ses yeux. Sa voix avait un ton défensif, mais elle ne paraissait pas sur la défensive. Elle paraissait accablée, comme si toutes ses défenses l'avaient lâchée depuis longtemps.

---

1. Célèbre avocat américain. Aucun de ses clients accusés de crime ne fut condamné à la peine capitale. *(N.d.T.).*

– J'ai changé les serrures. Je ne peux même pas commencer à vous raconter les trucs qu'il a fait.

Elle commença à lui raconter.

Cardozo écouta patiemment. Elle détenait quelque chose dont il avait besoin et il était prêt à la flatter par tous les moyens pour l'obtenir.

– Le chat – il a tué le chat. Elle lui lança un regard vide. Qui ferait un truc pareil? Tuer un chat?

Ils demeurèrent silencieux. Elle baissa les yeux. Elle semblait rétrécie. Elle respirait fort, sa cigarette se consumant dans une main.

– Faye... où est Claude maintenant?

– Parti.

– Où?

– Je suis trop fatiguée pour avoir même envie d'y penser.

– Il a obtenu une commutation de peine afin de s'occuper de sa mère. Croyez-vous qu'il pourrait se trouver auprès d'elle?

Elle lui lança un regard.

– Sa mère est morte depuis trois ans.

Cardozo respira à fond.

– Voudrez-vous bien me prévenir s'il se pointe?

– Il ne se pointera pas. Sa lèvre inférieure tremblait. Pas s'il veut rester vivant.

Cardozo lui effleura la joue.

– Ne le tuez pas. Téléphonez-moi et je m'en chargerai à votre place, okay?

Huit heures plus tard, en pensant que Claude Loring avait pu retourner jouer dans son ancienne porcherie, Cardozo alla faire un tour à l'Inferno. Mission sans résultat. Il était quatre heures du matin quand il décida qu'il avait son compte. Il se hissa en vacillant en haut de l'escalier et déboucha dans la rue.

Après l'Inferno, New York sentait le propre. La brume descendait, délavant les couleurs des immeubles d'en face.

Cardozo marcha lentement vers le sud, en enjambant les poches d'eau du caniveau. Il dépassa quelques silhouettes mouvantes sur le trottoir, quelques formes défoncées dans les embrasures de portes.

Au coin de Little West Douzième Rue et Gansevoort Street un camion fit marcher son klaxon, projetant Cardozo hors de ses pensées.

Il recula et regarda le chauffeur négocier le virage. Un bouvillon souriant était peint sur le flanc du camion, et en dessous s'étalait le message BŒUF SAM – LA MECQUE DU STEAK.

Cardozo traversa la rue. Il sentait des petites aspérités sous ses semelles. Il baissa les yeux et vit que la chaussée était passée de l'asphalte aux pavés.

Son regard remonta et il fut frappé par une enseigne fixée sur un entrepôt devant lui.

Il s'arrêta pour lire les caractères délavés par les intempéries.

CARCASSES	SOBRELOMO
ENTRECÔTES	LOMO
BAVETTE	PALOMILLA
ÉPAULE	BOLA
YEUX	BOLICHE
TRANCHE	CANADA
JARRETS	JARRETE
FILETS	FILETE

A droite de l'enseigne une entrée d'immeuble penchée de dix degrés par rapport à la verticale, s'inclinait vers l'Hudson River.

Cardozo recula et regarda attentivement. La maison avait cinq étages à structure de bois et en mauvais état. Par endroits le revêtement extérieur de bardeaux avait commencé à tomber.

– Où sont ces camions de viande, Babe?
– Dans la rue.
– Quelle rue?
– Devant l'immeuble.

Cardozo était assis dans son salon, sirotant une Bud, la main plongeant dans un sac de chips goût paprika.

Sur la table la voix de Babe Vanderwalk Devens sortait en se déroulant du lecteur de cassettes, en plein rêve, désincarnée.

– L'immeuble est au coin. La rue pavée rencontre l'asphalte. L'immeuble tombe en ruine. L'enseigne est en anglais et en espagnol. Morceaux de vaches. La porte est sur la gauche. C'est là que j'entre.

45

Mathilde Lheureux était à côté du téléphone quand il sonna.

— Babe, dit-elle, une main sur le microphone, c'est pour vous... un M. Cardozo.

Babe prit le combiné et fit passer le fil au-dessus de la tête de l'une des couturières.

— Vince?

— C'est moi. Que faites-vous?

— Quatre-vingt-deux choses à la fois.

Babe sentit le bon regard bougon et plein d'humour de Mathilde se fixer sur elle. Les cheveux gris de Mathilde étaient devenus tout à fait blancs, et si elle les portait tirés en arrière retenus par des pinces, elle avait toujours les yeux rusés et coquins d'un singe espiègle. Babe trouvait quelque chose d'infiniment rassurant dans ce sourire familier, dans ce vieux et cher visage, juste un peu vieilli par rapport à celui dont elle se souvenait.

— Pouvez-vous en caser une quatre-vingt-troisième? demanda Cardozo.

Babe soupira.

— Vince, c'est la folie ici.

Ce qui était un euphémisme. Elle avait pu louer un petit espace pour son propre atelier dans le grenier de l'immeuble Babemode. Des avocats travaillaient sur les papiers — pour le moment elle avait passé un accord verbal avec Billi — et Mathilde et elle s'étaient lancées dans leurs collections d'été et d'automne. Naturellement, elles n'avaient pas pu reconstituer leur ancienne équipe — mais elles avaient retrouvé une de leurs couturières, une des brodeuses, et deux des tailleurs.

— J'imagine que je ne me suis pas bien exprimé, reprit Cardozo. J'ai besoin de votre aide. Pouvez-vous me rejoindre?

Merde, pensa Babe.

— Quand?

– Au plus vite.

Ils traversèrent Gansevoort Street sous le soleil éclatant, Babe dans son Chanel bleu pâle, et Cardozo, son 38 sous sa veste de seersucker, un magnétophone à la main.

Le vent avait balayé le brouillard, et le ciel avait un éclat aveuglant et sans couleur.

Les yeux de Babe parcoururent les immeubles délabrés. Une expression perplexe plana sur son visage.

Cardozo pressa la touche du lecteur de cassettes. La voix de Babe en sortit, somnambulique. « L'immeuble est au coin. La rue pavée rencontre l'asphalte. »

Il prit note de ses réactions. Sa main se crispait, formait un poing. Sa bouche se pinçait. Ses yeux se plissaient, comme s'ils repoussaient des images.

A côté de l'entrepôt se trouvait un chantier de construction : trois étages de poutrelles et, vu l'aspect général, beaucoup d'autres à venir. L'acier était déjà rouillé, comme s'il avait été recyclé.

L'un des deux panneaux était sommairement peint sur du contreplaqué :

> Démolition : Zampizi Bros.
> 347 Flower Street, Brooklyn N.Y.

L'autre était professionnellement composé en script élégant :

> Sur ce chantier s'élèvera le Luxor
> une résidence de luxe de trente et un étages
> fournie par Balthazar Immobilier
> livrable au printemps
> offre sur documentation uniquement

Des ouvriers évoluaient à pied et sur des machines. Les poivrots du quartier s'étaient rassemblés sur le trottoir opposé, en face de l'usine de conditionnement de viande Espanita, pour regarder et pousser des hourras.

L'air sentait l'huile rance et les quartiers d'animaux en décomposition, plus la vague puanteur sous-jacente d'égoût dilué.

Il régla son pas sur celui de Babe, lent et tranquille.

En face de l'entrepôt, tachetée de soleil, une pile de Placoplâtre cassé attendait dans une benne à ordures. Un homme vêtu d'un tee-shirt I Love New York sale et d'un vêtement rayé bleu et blanc style enseigne de coiffeur, fouillait à main nue dans les décombres.

Cardozo pressa à nouveau la touche de la cassette.

« L'enseigne est en anglais et en espagnol. Morceaux de vaches. »
Babe s'arrêta pour considérer l'enseigne.
– Familière?
Elle secoua la tête. Elle frissonna.
– Comment peuvent-ils manger des yeux?
« La porte est sur la gauche. C'est là que j'entre. »
A côté de la porte noyée d'ombre un filet d'eau sortait en suintant d'une fente dans le mur de briques et traversait le trottoir en zigzag.
Le hall d'entrée, sombre et sans fenêtre, sentait l'obscurité et la moisissure. Il y avait une rangée de huit sonnettes ternies, quatre d'entre elles portaient une étiquette. Cardozo copia les noms.
« Monter l'escalier dans le noir. Un étage. »
Il ouvrit la marche, gravissant lentement l'escalier qui s'écaillait. Derrière lui Babe suivait, la main glissant légèrement le long de la rampe.
La cage de l'escalier avait des murs de plâtre lézardés, un plafond crêpelé de toiles d'araignées. La chaleur battait de façon suffocante contre les fenêtres bouchées par des planches. Les marches étroites n'avaient pas été balayées depuis des années, mais il est vrai que les personnes susceptibles d'emprunter un escalier dans un immeuble pareil devaient sans doute avoir en tête d'autres préoccupations que l'hygiène.
Au premier palier Cardozo jeta un coup d'œil dans le couloir décrépi. Des fils électriques pendouillaient du plafond. Un camé, affalé sur un seuil, ronflait.
« Un autre étage. »
Ils gravirent un second étage d'escalier délabré.
« J'entends des voix. »
« Les voix de qui? »
« Mickey. Richard Nixon. »
Trois marches menaient du palier suivant au corridor.
Le couloir comptait deux portes, et des fenêtres sur un côté. Un grillage hexagonal renforçait les vitres.
« J'ouvre la porte ».
– Quelle porte, Babe?
Elle regarda fixement la première porte. Sa tête pivota.
– Celle-là.
Cardozo s'accroupit devant la seconde porte.
Babe resta en arrière.
Il inséra sa MasterCard dans la fente entre la porte et le montant.
Les panneaux de la porte avaient la couleur d'un gâteau au tapioca qui serait resté hors du réfrigérateur pendant trente ans. La peinture des boiseries s'écaillait.
Les mains de Cardozo évoluaient avec prudence, en silence,

secouaient légèrement le loquet pour l'ouvrir. La porte tourna en douceur vers l'intérieur.

Babe longea le corridor d'un pas hésitant.

Elle attendit sur le seuil, les yeux écarquillés. La pièce avait été fraîchement repeinte d'un blanc monotone et brillant. Elle était dépouillée de tout mobilier.

Elle entra la première et il ferma la porte derrière eux. Il fit glisser le verrou.

Elle se tint à la fenêtre et regarda la vue au-delà des toits bas des entrepôts environnants jusqu'aux toits plus hauts des maisons mitoyennes de Greenwich Village. Au loin se dressaient les buildings pointus qui bordaient le fleuve et les tours de verre du quartier de la finance.

Cardozo commença par le haut. Ses yeux errèrent sur le plafond, remarquèrent qu'il était replâtré de frais, puis glissèrent sur les murs, replâtrés aussi et peints. Le sol était un plancher de chêne, vitrifié et brillant comme un miroir. Il remarqua de longues rangées d'éraflures parallèles, toutes neuves, comme si le bois avait était récemment griffé par un animal.

C'était le genre d'endroit qui produit des bruits nocturnes pendant la journée : tuyaux qui parlent tout seuls, planchers qui craquent.

Son œil fut attiré par des taches ternes sur le sol, où la lumière ne se reflétait pas. Il s'accroupit et aperçut une éclaboussure couleur rouille, à peine visible.

« Ils ne m'entendent pas. John Wayne passe le champagne. L'homme est nu. » « Quel homme, Babe? » « Le jeune homme. Je ne le connais pas. Il a des cheveux blonds. Il est étendu dans le coin. »

– Quel coin, Babe?

Babe s'avança lentement dans l'autre pièce. Vide aussi. Blanche aussi. Il y avait deux gobelets de carton à côté du radiateur, renversés sur le côté.

Cardozo en ramassa un et vit le cerne sec de café au fond. Un peu plus loin une capsule de bouteille luisait. Il s'accroupit. Bière Heineken.

« Winnie l'ourson et le Chapelier fou le ramassent et l'attachent au H. »

Elle se retourna brusquement et fixa les yeux sur le mur nord. Quelque chose dans ce mur l'absorba. Elle se tenait un peu en avant de la perpendiculaire, tremblante.

L'œil de Cardozo sonda la surface, releva des détails. Rides dans le plâtre. Bosses dans la peinture. Une petite tache en forme d'éléphant, un peu plus bas qu'à hauteur d'épaule, couleur rouille. A côté, deux trous, chacun de six millimètres de diamètre. Quelqu'un avait percé à travers le plâtre dans la poutre en dessous.

Sous les deux trous, à hauteur de genou, une autre paire de trous, identiques aux premiers. A un mètre trente à droite, deux autres paires de trous, espacés de façon similaire.

Il y avait une autre tache couleur rouille à hauteur de cheville, celle-ci en forme de minuscule carte d'Amérique du Sud.

– Vince, dit-elle, la voix tendue et tremblante. Je vais vomir. Il faut que je sorte d'ici.

Cardozo composa le numéro de téléphone professionnel de Melissa Hatfield.

– Je vois que vous autres construisez un immeuble d'apparts dans le secteur du conditionnement de la viande. Charmant quartier.

– Je vous écoute, dit-elle.

– Auriez-vous le temps de suivre une autre piste immobilière pour moi? A deux parcelles de votre nouvel immeuble se trouve un entrepôt. Cinq/dix-huit Gansevoort.

– Je connais le bâtiment. Abandonné. C'est ce que vous appelez la souricière abandonnée en cas d'incendie.

– Vous êtes sûre qu'il est abandonné? Il y a des noms sur la moitié des boîtes aux lettres.

– Ce sont les planques de l'Aide sociale. L'arnaque ordinaire avec le département des Ressources sociales, pour obtenir une assistance en faveur d'enfants à charge inexistants. Personne ne vit là-bas. Nous voulions acheter, alors nous avons vérifié. Le propriétaire tient bon, et énumère des faux locataires à loyer contrôlé. On ne peut expulser personne sous loyer contrôlé. Les droits de propriété vont monter en flèche, et le propriétaire pense qu'il peut faire un malheur. Une surprise l'attend. La ville réévalue tous les terrains autour du pâté de maisons. Les impôts vont quintupler et il sera obligé de vendre. Nat Chamberlain sera le seul offrant qu'autorisera la ville. Alors vous voyez, ça paie de contribuer à la campagne de réélection du maire.

– Le propriétaire loge plus que des fantômes de l'aide sociale là-dedans. Quelqu'un a utilisé l'appartement sur la rue au troisième étage. Et je crois qu'ils avaient un bail, parce qu'ils ont fait des embellissements. J'ai besoin de savoir qui.

– J'imagine que le propriétaire a pu accorder un bail à un acteur ou un artiste – quelque chose de provisoire. Tout est possible. Je vérifierai.

– Vous avez vu passer quelqu'un dans cet appartement?

Cardozo pointa le doigt. L'entrepôt paraissait mort, lointain, les nuages derrière, une tache menaçante.

Les yeux du vieil homme larmoyaient sous une touffe de cheveux blancs. Un nez d'aigle variqueux dominait son visage. Il haussa les épaules, sans se donner la peine de se hisser du seuil où il s'était fabriqué un grabat de journaux et de vieux chiffons. Une odeur de sang animal monta du trottoir.

Cardozo ouvrit son portefeuille, en sortit un billet de dix dollars et l'agita.

Le vieil homme tendit une main tremblante et prit l'argent. L'accroc de son tricot de corps s'agrandit et un autre pli de torse blanc déborda.

– On voyait des trucs. Plus rien depuis qu'ils ont déménagé.

– Quand ont-ils déménagé?

Un ongle plein de suie gratta la joue pas rasée.

– Première semaine de juin.

– Vous rappelez pas le nom de l'entreprise de déménagement?

– Je me rappelle pas de mon nom à moi.

– Quel genre de meubles?

– Divans, tables, lampes, caméras, saloperie de cuir noir.

– Quel genre de saloperie de cuir noir?

– Saloperie de cuir noir comme ils ont dans tous ces clubs autour d'ici.

– Quel genre de caméras?

– Vidéo. On aurait pu les mettre au clou pour peut-être quatre-vingts dollars.

– Vous avez vu les gens qui utilisaient cette maison?

Silence.

Cardozo rouvrit son portefeuille.

La sirène d'un bateau bêla sur le fleuve.

Le vieil homme prit l'argent.

– Ils donnaient des fêtes les vendredis et samedis. Des limousines se garaient du haut en bas ici tout le long.

La main du vieil homme désigna la rue déserte.

– Tous les week-ends?

– Seulement de temps en temps.

– Quel genre de gens?

– Quel genre de gens roulent en limousine? Des pleins aux as. Terrorisés de se faire agresser ou mordre par un rat.

– Comment étaient-ils habillés?

– Smocks, robes, costumes.

– Quel genre de costumes?

– En cuir.

– Aucune idée de ce qu'ils fabriquaient là-haut?

– Je ne sais pas. Le vieil homme éclata de rire. Ils ne m'ont jamais invité.

– Allez, gagnez-les vos vingt dollars. Vous devez bien avoir entendu quelque chose, vu quelque chose.

– Ils fermaient les rideaux. Entendu de la musique. Des chansons. Une fois de temps en temps des cris.

– Des cris?

– On aurait dit des cris. La musique était si forte, je ne pouvais pas être sûr.

– Quel genre de cris? Comme si quelqu'un chantait, ou était bourré, ou souffrait ou quoi?

– Des cris comme quelqu'un qui crie.

Cardozo considéra l'entrepôt. L'unique réverbère qui fonctionnait encore donnait au pâté de maisons un aspect encore plus abandonné.

– Avez-vous jamais vu porter un corps hors de là? demanda-t-il.

– Ils se portaient tous les uns les autres hors de cet endroit. Certains arrivaient tellement défoncés que les autres devaient les porter à l'intérieur.

– Vous n'avez jamais vu un corps mort?

– Comment savoir? Ils étaient morts sur leurs pieds. Je ne les ai pas vus depuis un mois. Depuis les déménageurs.

Cardozo tapota l'épaule du vieil homme et traversa en direction de l'entrepôt.

Tony Bandolero, du labo médico-légal, attendait dans l'ombre à côté de la porte de l'entrepôt.

Cardozo ouvrit la porte d'une poussée et alluma la lampe électrique. Ils entrèrent et gravirent l'escalier.

Un rat se figea un instant dans la lumière, puis détala.

Tony Bandolero tint la lampe électrique et Cardozo ouvrit la porte avec sa MasterCard.

Dans la pénombre de l'appartement le grillage de la fenêtre dessinait un motif oblique sur le sol. Cardozo traversa les flaques de lumière. Il jeta un coup d'œil par les vitres. La lune brillait sur les toits de la ville.

– Ces éraflures font penser que quelqu'un déplaçait quelque chose de lourd. Tony était accroupi tout près du sol. La lampe électrique était posée sur le flanc, éclairant un triangle de plancher vitrifié. Réfrigérateur, peut-être.

– Je veux savoir l'origine de ces taches, dit Cardozo.

– Voyons ça.

Tony ouvrit son nécessaire à outils et choisit un scalpel. Il fit aller la lame autour du bois maculé, détacha un fragment, le souleva, et le déposa dans un sachet à indices en plastique.

Il promena la lampe électrique le long du sol, trouva d'autres taches, prit des raclures.

Dans l'embrasure sans porte entre les deux pièces il s'accroupit pour considérer le montant. Le rayon de la lampe électrique lui indiquait une tache couleur rouille à hauteur de genou, un enchevêtrement de volutes et de spirales.

– Tiens-moi la lampe, tu veux?

Cardozo s'accroupit à côté de lui et prit la lampe électrique.

Tony cisela une entaille autour de la tache, détacha le bois en dessous, souleva la tache avec une pince à épiler, et la plaça entre deux feuilles de cellophane.

Cardozo promena la lumière le long du montant. Il y avait une tache similaire sur la surface voisine, au même niveau.

– Ce que nous avons là, selon moi, déclara Tony, ce sont des empreintes digitales. Drôle d'endroit pour des empreintes, là en bas.

– A moins que le corps ait été jeté sur l'épaule de quelqu'un.

Tony acquiesça.

– En passant par la porte il a essayé de s'accrocher.

– Alors il aurait été vivant, réfléchit Cardozo. Conscient.

– Obligatoirement. S'accrocher ainsi n'est pas un réflexe. Où qu'on l'ait transporté, il n'était pas du tout pressé d'y arriver.

– Les raclures sont du sang humain, annonça Lou Stein. Groupe O.

– Le groupe de Jodie Downs, remarqua Cardozo.

– N'oublie pas que c'est un groupe très répandu. Quatre-vingt pour cent de la race humaine...

– Je sais, je sais.

– Les marques sur le montant de la porte sont un pouce et un index partiel.

La main de Cardozo se crispa sur le combiné.

– De qui?

– Ils concordent avec les empreintes de Jodie Downs.

– Donc il était là-bas dans l'appartement. Il a été coupé et emmené vivant.

– On dirait.

– Merci, Lou.

Cardozo raccrocha le combiné. Il ne sut pas combien de minutes il resta assis absolument immobile sur sa chaise, faisant défiler les gens et les événements dans sa tête, arrêtant sur image, revenant en arrière, comparant, enclenchant l'avance rapide, essayant une image ici, l'essayant là, trouvant la place où elle cadrait.

Le motif prenait de l'ampleur sous ses yeux, s'ouvrait pour inclure toutes ces pièces qui n'avaient encore jamais coïncidé, tous ces gens qui avaient plané au-dessus de la boue et du sang depuis le début, mais qui n'avaient jamais tout à fait appartenu au même univers laid et brutal.

Les images se rassemblaient.

L'appartement dans le secteur de l'entrepôt de conditionnement de viande-sex-club où des gens scintillants étaient venus en limousines.

Le souvenir de Babe Devens de personnages de dessins animés torturant Jodie Downs. Loring transportant Downs hors de l'appartement dans la camionnette de Faye di Stasio, y laissant des taches de sang; garant la camionnette dans le garage à la tour Beaux-Arts; montant Downs par l'ascenseur de service à l'appartement cinq. Le zigouillant là-bas.

— Vous aviez raison. Des cernes noirs soulignaient les yeux gris clair de Melissa Hatfield, comme si elle avait forcé sur les heures supplémentaires. L'appartement de Gansevoort Street était loué. Un homme du nom de Lewis Monserat avait pris un bail de trois ans dessus.

— Le marchand de tableaux? demanda Cardozo.

Ils étaient assis dans un box du fond au bar-grill chez Danny sur la Soixante-septième Est. Il faisait frais et sec ici. De l'autre côté de la baie vitrée tombait une bruine percée par le coucher de soleil.

Melissa hocha la tête.

— Il avait pris trois baux de deux ans avant ce dernier bail. Il l'a rompu. Le trente et un mai. Il restait un an et demi. En fait, il a libéré avec quatre jours d'avance, le vingt-sept mai.

Le premier jour ouvrable, réfléchit Cardozo, après que le corps ait été trouvé à la tour Beaux-Arts.

— L'appartement ne pouvait quand même pas lui servir de résidence.

— Non. Mais c'était un bail d'habitation. Il s'agissait donc d'une sorte de pied-à-terre.

— Curieux quartier.

— Il doit aimer avoir un pied-à-terre. Cinq jours plus tard il a pris une option d'achat sur un appartement d'une copropriété.

Elle observait Cardozo avec une étrange intensité. Elle avait une habitude qui consistait à sourire avec la bouche et désavouer ce sourire avec les yeux.

— Quatre/trente-deux Franklin Street. Appartement trois-A. Dans TriBeCa.

Il acquiesça, tout en réfléchissant.

— Ça va. Même genre de quartier... entrepôts et petites entreprises.

— Pas longtemps. Les artistes fuyant les loyers de Soho s'y sont installés, et puis l'immobilier s'y est installé, et maintenant c'est la partie de la ville pour le style jeune bien établi... professeurs d'université, conseillers financiers, avocats. Les gens qui trouvent branché de vivre dans les quartiers nord.

— Combien Monserat a-t-il payé ce nouvel appartement?

— Beaucoup trop. La banque lui a avancé soixante-quinze pour cent du montant et c'est encore au-dessus de ses moyens. Il lui a fallu un cosignataire.

– Comment se fait-il qu'il n'ait pas pu le décrocher tout seul? Je croyais que sa galerie était l'une des plus importantes en ville.

– Et alors? La galerie de Monserat est une opération de blanchissement au petit pied pour l'argent de la drogue.

– Alors il est riche.

– Il aime à le penser.

– Qui a cosigné avec Monserat?

Melissa regarda Cardozo. Quelque chose la tourmentait.

– Je me trouve au milieu d'un conflit d'intérêts, Vince. Ce n'est pas facile pour moi. Quand vous m'avez montré la photographie de ce garçon mort, je n'ai pas pu l'identifier et puis je m'en suis souvenue et j'ai pensé décrocher le téléphone et tout vous raconter. Ensuite j'ai décidé de ne rien vous raconter. Et maintenant j'ai un peu peur.

– Jodie Downs et votre frère avaient un rapport avec le cosignataire de Monserat?

– D'une certaine façon. Le cosignataire de Lew Monserat était Balthazar Immobilier. L'une de nos sociétés.

– Comment ça?

– Parce que Ted Morgenstern détient des parts de Balthazar.

Les sourcils de Cardozo s'incurvèrent au nom de Morgenstern.

– Pourquoi Morgenstern voulait-il aider Monserat?

– Il ne l'aidait pas obligatoirement. Morgenstern utilise des façades pour sa fortune. Il vous faudrait creuser jusqu'au tréfonds un tas de fumier de sociétés fantômes pour découvrir qui possède véritablement ce loft. La seule chose dont je sois convaincue, c'est qu'il n'appartient pas à Lew Monserat.

– A qui croyez-vous qu'il appartienne, alors? Une supposition éclairée.

– Ted Morgenstern s'est occupé d'un tas de divorces du beau monde, il a couvert plus de quelques meurtres dans le beau monde; et en matière de fusionnements pas propres, d'acquisitions forcées et d'O.P.A. immobilières, il est le roi. Il rend une foule de services spéciaux, et n'importe lequel de ses riches clients pourrait vouloir un petit deux-pièces discret sous un faux nom. Et n'importe lequel de ses clients pauvres consentirait à jouer l'homme de paille.

– Aucune chance que Morgenstern en soit le propriétaire?

Melissa hocha la tête.

– D'après ce que je sais de lui personnellement, il pourait y détenir un intérêt.

– Quel genre d'intérêt?

– Ma petite idée c'est qu'il s'agit d'un appartement pour s'envoyer en l'air. Mais dans les hautes sphères de la dépravation, par opposition aux hautes sphères de la politique, il est difficile de savoir qui détient le vrai pouvoir. Il se pourrait que Morgenstern soit le maître et que l'endroit soit à lui, ou il se pourrait que Morgenstern ait un maître et que l'endroit soit à cette personne.

— Vous parlez d'histoires maître-esclave?

— C'est une possibilité, rien de plus. D'autre part il se pourrait que Morgenstern ait simplement l'habitude de cacher son bien parce qu'il vit ainsi depuis trente ans. Rien de ce qu'il possède n'est à son nom. Le yacht, l'hôtel particulier, les voitures, les tableaux... son cabinet en est propriétaire, pas lui.

— Pourquoi tient-il tant à éviter la propriété?

Melissa attendit que la serveuse remplisse leurs tasses de café et puis elle jeta un coup d'œil autour de la pièce. Les box voisins étaient vides.

— Trois raisons, reprit-elle. Un, Morgenstern négocie de l'immobilier pour l'archidiocèse, et il ne leur faut pas de scandale. Deux, il est accusé de fraude fiscale depuis ces vingt-deux dernières années, et les Feds pourraient saisir tout ce qu'il possède. Tous les cardinaux ont essayé de faire lever l'accusation, mais le fisc n'est pas la Cité du Vatican.

— Ça fait deux raisons. Quelle est la troisième?

— Vince, puis-je me fier à vous? Ça pourrait me coûter ma place. Ça pourait me coûter mes rotules, ou mon visage, ou ma vie. Ils ne doivent pas savoir que c'est venu de moi.

— Vous pouvez vous fier à moi.

Melissa le considéra de ses yeux profondément enfoncés.

— Morgenstern est en train de mourir. Il n'a pas la moindre intention de payer un sou d'impôts immobiliers à quelque gouvernement que ce soit.

— De quoi est-il en train de mourir?

— Il suit à Vanderbilt le même programme que suivait mon frère.

— Il a le SIDA?

— Les premiers stades. Ils lui donnent trois ans.

— Il est gay? demanda Cardozo. Il se shoote? Quoi?

— Tout. Morgenstern utilise mon patron comme planque pour les amphétamines liquides. Je n'ai jamais entendu parler de personne qui boive des amphétamines liquides, quoique je suppose que ça puisse se faire. Balthazar achète les prostitués de Morgenstern au moyen d'un service de carte accréditive. Nat comptabilise parce que c'est défalqué des impôts. Pour obliger Morgenstern, Nat fournit aussi des prostitués à des personnalités religieuses de la communauté. Résultat, certains hauts dignitaires ont le SIDA. Moins on en parle mieux ça vaut.

— Combien de parts de Balthazar Morgenstern détient-il?

– Trente-cinq pour cent. Détenus par Astoria Immobilier N.A. C'est une firme des Antilles Hollandaises. Pour ce qui est du plan du quartier du conditionnement de la viande, pour ce qui est de n'importe laquelle de ses arnaques, il est techniquement blanc. Mais le véritable pouvoir de Morgenstern c'est qu'il se meurt. Il n'a plus à se préoccuper de personne. C'est un terroriste vêtu d'une veste branchée pour exploser. La seule chose qui le préoccupe, c'est qu'on ne sache pas publiquement qu'il est gay.

– Comment connaissez-vous toutes ces histoires?

– J'avais une source sûre.

Il y eut une pause, juste un temps de silence, comme si elle décidait jusqu'où elle pouvait se fier à lui.

– Mon frère et Morgenstern étaient amants. C'est une longue histoire.

– J'ai tout mon temps.

– Certains homos draguent dans les toilettes du métro et se font coincer, et certains avocats homos draguent dans les cellules provisoires des commissariats. Morgenstern a fait acquitter Brian d'une inculpation de racolage. Il appréciait la beauté de Brian, il appréciait l'élégance de Brian : Brian était le genre de garçon qu'il pouvait emmener à Gracie Mansion, au palais de l'archidiocèse et à l'Harmonie Club sans que tout le monde rie sous cape.

Elle alluma une autre cigarette, la considéra avec haine, et la décapita contre le bord du cendrier.

– Brian cherchait le gros coup depuis toujours. Il disait que New York est une ville du qui-connaissez-vous, et Morgenstern connaissait tout le monde; s'il couchait avec Morgenstern il connaîtrait tout le monde. Il aurait même des contacts au sein du gouvernement fédéral, parce que Morgenstern avait un hôtel particulier à Washington, D.C.; c'était un endroit où s'éclater pour lui et ses relations du gouvernement, et Morgenstern y habitait dès qu'il avait à monter une combine avec le Congrès ou à arroser un organisme gouvernemental. Brian était impressionné. Dolce vita avec un petit goût de pouvoir. Le revers de la médaille, c'était qu'il n'était pas heureux avec Morgenstern. Ni sur le plan sexuel ou émotionnel, ni d'aucune façon. Morgenstern est très dominateur, très honteux. Brian était très ouvert avec moi. il n'existait pas de sujets tabous entre nous. Il me racontait tout sur les pratiques sexuelles de la haute. C'était souvent très punitif, très naïf et malsain. Il fallait qu'ils soient soûls. Ils aimaient se faire battre, se faire agonir d'injures. Morgenstern y ajoute toute une marotte antisémite, il aime que son amant se déguise en SS – il trouve que les nazis sont sexy. Morgenstern a un problème de peau. Même avant le SIDA il souffrait d'une sorte de psoriasis avancé – les lésions saignent sauf si on les graisse tout le temps. Brian lui graissait le dos. Sexy, hein?

– Que retirait donc Brian de cette liaison?

– Il espérait avoir un peu de pouvoir. Ce qu'il a eu à la place c'est le SIDA.

Cardozo était assis là et observait Melissa Hatfield qui le regardait fixement. Il ne pouvait pas croire qu'elle en ait appris autant par son frère, ni que le SIDA de Brian et sa liaison avec Morgenstern étaient le secret qu'elle lui avait donné le sentiment de dissimuler.

– Melissa, demanda-t-il, que voulez-vous que je sache?

Elle parut surprise.

– Mais de quoi parlez-vous?

– Il y a autre chose. Depuis le premier jour je l'ai senti.

– Cela n'a rien à voir avec tout ça.

– Alors pourquoi ne me le racontez-vous pas?

– Vince, je vous aime bien. Elle parut gênée de l'admettre. J'ai même pensé... peut-être...

Elle baissa les yeux sur le set de table en papier imprimé de recettes de cocktails, et se mit à passer son ongle d'avant en arrière sur un daiquiri à la banane.

– Je voulais que vous m'aimiez.

– Je vous aime bien.

– M'aimeriez-vous si vous saviez que je couchais avec mon patron? Nat Chamberlain, qui a construit la moitié des immeubles hors de prix de Manhattan, de vraies souricières en cas d'incendie, et a reçu plus de pots-de-vin que n'importe quel politicien de cette ville?

Le tableau devenait enfin net.

– Pourquoi vous blâmerais-je à sa place?

– Au printemps dernier un incendie s'est déclaré dans l'un des immeubles vedettes de Nat. Un policier est mort des brûlures qu'il avait reçues en sauvant une femme.

– Vous n'avez pas construit le bâtiment – vous n'avez pas allumé l'incendie.

– Mais quelqu'un l'a allumé. Et l'assurance a versé à Nat quarante-quatre autres millions. Melissa resta silencieuse un moment. Je me sens sale.

– Bienvenue dans la réalité.

– C'est tout – bienvenue dans la réalité?

– S'il existe une autre réponse, je ne la connais pas.

Cardozo soupira et fit signe qu'on lui apporte l'addition.

46

Cardozo téléphona à la galerie Lewis Monserat.

Une femme à la voix guindée répondit que la galerie était ouverte du mardi au samedi, de 11 heures à 18 heures – sauf le jeudi, où elle ouvrait de 12 heures à 20 heures. Elle ajouta :

– Nous sommes fermés le samedi pendant l'été.

Cardozo examina la façade du 432 Franklin Street.

C'était une reconversion typique, un bâtiment industriel de cinq étages avec une colonne de fenêtres marquées Shaftway là où passait le monte-charge. Aucun décapage à la sableuse si violent soit-il ne transformerait les murs de briques en grès brun, pas plus que de la peinture noire ne transformerait jamais l'escalier d'incendie en fer forgé Art nouveau.

Une pancarte, qui se balançait sur le palier le plus bas de l'escalier d'incendie, annonçait « appartements de luxe disponibles ».

Il poussa la porte de sécurité en fer gris non verrouillée. A l'intérieur, un panneau écrit à la main et scotché aux boîtes aux lettres recommandait : pour votre sécurité prière de fermer à clef la porte d'entrée après 23 heures. Il y a eu des incidents.

Cardozo examina le tableau des noms des habitants de l'immeuble. Moins de la moitié des appartements étaient occupés, et il n'y avait de nom dans aucune des deux fentes du troisième étage.

Les propriétaires avaient installé une porte intérieure en verre Securit, avec un verrou commandé par un système d'interphone. Il pressa les boutons des deux logements du cinquième étage. Un instant plus tard deux grincements sonores débloquèrent le verrou.

Un coup d'œil au rez-de-chaussée lui indiqua que les appartements A étaient situés sur la façade de l'immeuble, les B à l'arrière.

Il prit l'escalier jusqu'au troisième étage, en montant deux marches à la fois.

La serrure du 3A était une Medeco - pas à l'épreuve d'un rossignol, mais certainement à l'épreuve de la MasterCard.

– Qui est là? cria avec humeur une voix de femme depuis l'étage au-dessus.

Cardozo retourna à sa voiture, se gara vingt mètres plus bas le long du trottoir opposé de Franklin Street, et entama sa surveillance, les yeux fixés sur les fenêtres obscures du troisième étage du 432.

Il observa relativement peu de mouvement sur Franklin. La rue paraissait avoir été à l'origine une ruelle entre deux rangées d'entrepôts. A en juger par les poubelles, la plupart des bâtiments s'étaient transformés en habitations. Il n'y avait pas de boutiques, pas de restaurants, pas de raisons de flâner le long du trottoir chichement éclairé, à moins d'habiter là ou de chercher un mur tranquille pour se soulager, ou encore de vouloir un semblant d'intimité pour quelque relation sexuelle.

Hudson, la rue perpendiculaire, était de toute évidence l'endroit qui bougeait. On voyait à l'apparence des passants que c'était désormais un lieu d'où l'on était aspiré dans le tourbillon qui vous exposait aux grands médias. Le code vestimentaire était crado cher, punk revu par les dictateurs de mode. De son point stratégique, Cardozo n'apercevait pas une seule personne de plus de trente ans sur le trottoir.

Des Porsches et des BMW, des Mercedes et de longues limousines passaient au ralenti, luttant contre les piétons pour avancer. Les voitures changeaient de couleur comme des caméléons à mesure qu'elles longeaient les vitrines étincelantes et les logos au néon clignotants.

Outre les boutiques, les carteries, et les petits restos diététiques, il y avait une boîte disco nommée Space gardée par un albinos rébarbatif de deux mètres quinze vêtu de polyester bleu. A côté clignotait l'enseigne d'un restaurant La Côte Bleue [1]; par la vitrine Cardozo put apercevoir le grand bar de verre circulaire assiégé par les clients attendant une table.

Le carrefour sentait la libération sexuelle, la mode et l'argent – les trucs qui font de New York New York.

Un peu après onze heures, une voiture de patrouille de la police vira sec dans Franklin. La bleue et blanche s'arrêta à côté de Cardozo.

– Hé, vous. Une femme se pencha hors de la portière côté passager, cheveux roux pointant sous une casquette bleue de policier. Stationnement interdit.

Cardozo exhiba sa plaque.

– Désolée, dit la femme.

---

1. En français dans le texte.

– Ça va.

Quinze minutes plus tard un homme se pencha et gratta à la vitre de Cardozo. Il avait des cheveux noirs épais, une barbe, une boucle d'oreille et des yeux noirs perçants.

– Hé, mec. J'ai de l'herbe, du crack, du PCP, de la coke, des ludes, du THC, des amphètes, des somnifères, de l'opium, du hash, de la morphine. On essaie avant d'acheter.

– Pas ce soir, merci.

Le type regarda Cardozo avec l'air de penser qu'il fallait être cinglé ou flic pour être garé dans cette rue sans essayer d'acheter de la drogue.

Un peu avant minuit le tonnerre éclata et le rétroviseur de Cardozo lui indiqua que le ciel prenait un ton de nuit plus sombre. L'Empire State Building, éclairé pour la nuit art déco bleu et blanc, commençait à se perdre dans les nuages tourbillonnants.

La pluie tombait en crépitant, et les piétons filaient sous les portes cochères. La queue devant le Space se faisait tremper sans bouger.

Les yeux de Cardozo parcoururent le troisième étage du 432 Franklin.

Les fenêtres étaient sombres.

Elles le restèrent cette nuit-là et la suivante.

Ça arriva sans prévenir. Cardozo avait attendu pendant trois nuits.

Hudson Street grouillait de la foule du vendredi soir. La chaleur de la journée avait cédé la place à la chaleur de la nuit, des vagues denses qui s'élevaient en ondulant, teintées de rose et de jaune par les néons et les feux de signalisation. La porte tournante de La côte bleue poussait quatre clients en un tour. La file d'attente pour entrer au Space s'étirait jusqu'à mi-chemin de Franklin Street.

La ruelle à côté du 432 était si sombre que Cardozo repéra à peine un léger mouvement.

Entre les gigantesques poubelles noires derrière le Space et les petites argentées derrière La côte bleue, trois silhouettes se détachèrent de l'ombre.

Elles se tinrent à l'entrée de la ruelle, allumèrent une pipe de crack, se la passèrent. Quand la pipe fut consumée, ils s'avancèrent d'un pas chancelant vers la porte du 432.

La femme était jolie avec un petit côté fané, portait un pantalon safari flottant et une veste de jean Hell's Angels. Elle avait l'apparence de quelqu'un qui avait vécu trop de choses, quelqu'un qui n'avait plus de réactions à offrir.

Le Latino était maigre, le visage sombre, avec un V de pâleur dans le col ouvert de sa chemise.

Lewis Monserat portait une veste militaire Eisenhower, une casquette, et des lunettes de grand couturier. Il n'avait pas l'air en forme. Il était mince, les tendons de son cou crispés, et il se déplaçait comme s'il avait mal à la tête et comme si le seul fait d'introduire la clef dans la serrure exigeait la coordination de muscles qu'il avait à peine la force de contrôler.

La porte claqua derrière eux et trois minutes plus tard les lumières du troisième étage s'allumèrent.

Le klaxon d'une voiture corna désagréablement près de l'oreille de Cardozo.

Il s'éveilla à la conscience derrière le volant de la Honda, les mains croisées sur la poitrine. Son sommeil n'avait pas été profond, mais il eut la sensation d'être mort en dormant.

La lumière du petit matin était morne, et donnait aux objets un miroitement inquiétant et irréel. La Porsche noire qui attendait à la porte 432 aurait pu s'être matérialisée au sortir d'un rêve. Il semblait n'y avoir personne, même pas de conducteur, derrière les vitres teintées.

Le klaxon corna à nouveau.

La porte du 432 s'ouvrit. La femme et le Latino étaient habillés comme la veille au soir, mais Monserat s'était changé et portait maintenant un vieux tee-shirt et un jean usé. Il était chaussé de mocassins. Le style *Miami Vice*.

Il tint la portière de la voiture aux autres. Il regarda autour de lui avant d'entrer. Ses yeux sombres, ses pommettes hautes et son menton saillant se combinaient de façon saisissante dans son visage émacié.

Cardozo laissa à la Porsche le temps de prendre le virage sur Hudson avant de mettre le contact.

La circulation du samedi matin était fluide. Il laissa deux pâtés de maisons entre lui et l'autre voiture à travers la ville et en descendant Broadway.

Le soleil caressait les cimes des buildings de verre.

La Porsche tourna à gauche dans Wall Street et continua jusqu'à l'héliport d'East River. Cardozo s'arrêta devant une bouche d'incendie à un demi-pâté de maisons de là et observa.

Un hélicoptère attendait sur la piste. Sur sa portière était blasonné le logo Hampton Hélitaxi.

La Porsche se dirigea vers la clôture métallique.

Monserat et ses compagnons sortirent et marchèrent jusqu'à l'hélico. Un mécanicien ferma la portière derrière eux. Les rotors s'estompèrent jusqu'à devenir invisibles. L'hélico s'éleva, en projetant des grains de lumière.

Cardozo trouva une cabine téléphonique au coin de William Street.

– Hampton Hélitaxi, bonjour.

– Ici le lieutenant Vincent Cardozo, NYPD. Vous avez un certain Lewis Monserat et ses amis sur un de vos vols ce matin.

Cardozo épela le nom, et il fallut à l'employé un moment pour confirmer.

– M. Monserat a-t-il réservé un vol de retour sur vos lignes?

– Oui, monsieur. Lundi à dix-neuf heures quarante.

Cardozo coupa la communication et composa un second numéro.

– Waldo, c'est Vince Cardozo. Que dirais-tu d'une tasse de café? Je te l'offre.

Vingt minutes plus tard, Cardozo et Waldo Flores étaient assis à la cafétéria Kate sur la Dix-septième Rue Ouest, de part et d'autre d'une table en Formica.

Les grands yeux bruns de Waldo regardaient fixement au-dessus du rebord de la tasse de café.

– Hé mec, tu passes ton temps à me demander de violer la loi. Je suis honnête maintenant. Pourquoi bon Dieu tu ne me fiches pas la paix?

Cardozo déchira le bord d'un autre sachet de saccharine et le fit tomber en neige dans son café.

– On a eu des plaintes pour vols dans je ne sais quels cabinets médicaux de l'East Side. Des papiers qui manquaient. Des médicaments qui manquaient, aussi.

Les médicaments, c'était une supposition, mais il se fiait à sa connaissance intuitive des Waldos de ce monde.

Waldo releva les yeux à toute allure.

– D'accord, j'ai embarqué un peu de Valium, c'est un crime?

– C'est un crime. Qu'est-ce que tu vas lui raconter au juge? Que je t'ai demandé d'entrer?

D'abord la perplexité, puis la terreur remplacèrent le manque d'enthousiasme.

– Tu ne lâches jamais le morceau, hein?

– C'est une Medeco. Tu peux l'ouvrir les yeux fermés. Il n'y a personne jusqu'à lundi midi, un seul autre appartement à l'étage, la porte d'entrée on la crochète avec une carte de crédit.

Waldo se pencha vers la serrure, le visage attentif, toute sa personne concentrée sur les signaux atteignant ses doigts par le truchement de la petite tige d'acier.

Une porte claqua trois étages plus bas. On entendit des pas, puis le bruit de l'ascenseur s'éveillant à la vie avec un sifflement d'asthmatique.

– Salope, grommela Waldo. Allez, allez, allez.

Il inséra une seconde tige, puis une troisième.

L'ascenseur passa et s'arrêta un étage au-dessus.

Waldo se figea.

Des pas résonnèrent. Une porte claqua.

Waldo se redressa, la tension quitta ses épaules. Il tourna la poignée et imprima à la porte du 3A une poussée triomphante.

Cardozo pénétra dans l'appartement. Waldo suivit.

Ils longèrent un couloir, avec pour seul bruit le craquement de chips en polystyrène claquant sous leurs pieds comme des cacahuètes.

Cardozo ouvrit des portes.

Waldo regardait.

La petite garçonnière de Lewis Monserat avait tout : un Jacuzzi dans la salle de bains, une serviette tachée de sang derrière les toilettes, un répondeur téléphonique qui clignotait dans la chambre à coucher, un magnétoscope et une TV de deux mètres au salon.

Cardozo avait commencé à traverser le tapis scandinave aux couleurs éclatantes qui s'étendait devant l'écran de télé, quand il aperçut, sur le secrétaire surmonté d'un miroir à cadre doré, un plateau d'argent contenant des seringues scellées sous plastique. D'autres vestiges de plaisir et d'ébats traînaient autour : une bouteille de deux litres de gin Gilbey's vide, des pipes, des miroirs, des pailles en argent, des rasoirs à lame simple.

On aurait dit que la nuit écoulée avait ressemblé à une soirée tranquille à la maison avec de l'alcool, de la coke et du crack, la vidéo et la collection Smithsonian de godemichés et de menottes.

— La bonne va se taper un sacré ménage, remarqua Waldo.

Cardozo déplaça l'écran de télé. Quatre tasseaux avaient été vissés dans le mur, formant un H avec deux barres transversales. Il vit des éraflures sur le bois, et des taches de rouille.

Waldo rôdait dans la pièce, ramassant les miroirs et sniffant la poudre blanche qui restait dessus, glanant des fioles à capuchon de plastique tombées derrière les coussins du divan.

Cardozo trouva comment faire marcher le magnétoscope et éjecta la cassette vidéo. L'étiquette de la cassette était marquée à la main : JEUX. Il l'empocha.

— Plein d'herbe au freezer, cria Waldo de la cuisine.

— N'en prends pas au point que ça se voie, répondit Cardozo. On pourrait avoir envie de revenir.

— Pas moi en tout cas.

Waldo passa en vitesse de la chambre à coucher à la salle de bains, et renifla les flacons de l'armoire à pharmacie.

Cardozo découvrit que le placard de la chambre à coucher était muni d'une serrure Fichet.

— Waldo, viens par ici.

Waldo sortit d'un pas nonchalant de la salle de bains, en bourrant ses poches de médicaments.

– Ouvre-moi ça.

Waldo examina la serrure, fronça les sourcils, ouvrit son nécessaire à outils, choisit une tige de vingt centimètres.

– Recule, amigo.

Waldo essaya, écouta, inséra une seconde tige.

Cardozo jeta un coup d'œil aux magazines posés sur la table de chevet. *Hustler, Honcho, A Child's Garden of Sex.* Le *Reader's Digest* de mai dernier, avec un marque-page glissé à « Les sept signes révélateurs de la solitude : souffrez-vous de la maladie qui paralyse plus de trois millions d'Américains par an? »

Soudain une latte de parquet craqua dans le couloir. La porte de l'appartement s'ouvrit, et heurta le mur.

Waldo pivota, les yeux énormes.

– Hou-hou! Hou-hou? Une voix d'homme. Hou-hou, merde alors.

– Il n'y a personne. [1]

Une voix de femme.

Le comte Léopold de Savoie-Sancerre, boudiné dans un short de surfer à fleurs et une chemise de soie jaune, passa devant la porte de la chambre à coucher, suivi par la comtesse Vicki dans une jupe rose flamboyante.

Cardozo fit signe à Waldo de ramasser son matériel.

La voix du comte leur parvint du salon.

– Mais quel bordel! [1]

– Ne t'affole pas, dit la comtesse. Il y a eu une fête, c'est tout. [1]

Cardozo ouvrit doucement la porte d'entrée. Waldo et lui se faufilèrent dans le corridor.

D'abord vint le son : la voix d'une femme chantant *I Could Have Danced All Night*, haute, gazouillante, et presque ridiculement pure. *My Fair Lady*, l'enregistrement de la distribution originale, très rayé. Julie Andrews.

Une image commença à apparaître sur l'écran de télévision, lumières et ombres, la courbe d'une épaule de femme, des doigts gantés caressant la partie inférieure de son visage.

La caméra recula par à-coups.

La femme portait une robe du soir étincelante. Elle était d'une laideur étrange.

Derrière elle, les murs de la pièce étaient absolument blancs. Il y avait deux fauteuils Queen Anne. Elle s'assit.

De vagues silhouettes passaient à l'arrière-plan. Un homme en tenue de soirée entra dans le champ. Il s'inclina galamment.

---

1. En français dans le texte.

Il prit la main de la femme et elle se leva. Ils commencèrent à bouger ensemble. Les mouvements ne devinrent jamais tout à fait une danse, mais on y sentait pourtant une sorte de composition, comme si les acteurs avaient répété certaines poses et certains jeux de physionomie.

Les sourcils de Cardozo étaient plissés par l'effort de compréhension.

L'image passa à une autre femme, debout nue contre les mêmes murs tout blancs.

Cardozo essaya de deviner son âge et se dit qu'elle frisait les seize ans.

Un homme en tenue de soirée entra dans l'image. Il baisa les yeux de la fille, ses joues, ses oreilles, puis effleura ses lèvres avec les siennes. Ils parlaient, mais les mots étaient incompréhensibles – le ton seulement passait, ils plaisantaient, se taquinaient, riaient.

Trois autres hommes en tenue de soirée entrèrent dans l'image.

Quelque chose dans l'image mit Cardozo sur ses gardes. Les trois hommes mêlés à la scène de sexe étaient conscients de quelque chose, voyaient quelque chose que la fille ne pouvait pas voir.

Il fallut à Cardozo un moment pour reconnaître ce qu'il voyait : sur une nouvelle image des entrailles d'animaux provenant d'un abattoir.

Au même moment un signal se déclencha dans sa tête : les entrailles d'animaux provoquèrent une association qui n'arrivait pas tout à fait à remonter à la surface.

Et puis tout devint plus clair.

Les viscères de boucherie que Nuku Kushima avait enchâssées dans du plexiglas et mises au nombre de ses œuvres d'art.

Des liens commencèrent à se former dans l'esprit de Cardozo.

Intestins dans l'art de Kushima et intestins dans la vidéo d'amateur de Lew Monserat, or Monserat était le marchand de Kushima.

Claude Loring avait tué Jodie Downs. Doria Forbes-Steinman avait reconnu Loring comme étant un ami de Monserat.

Pas de quoi en faire un plat – un tas de new-yorkais étaient amis.

Monserat et Loring fréquentaient tous les deux l'Inferno.

Encore pas de quoi en faire un plat – chez les new-yorkais, il y avait pas mal de pédérastes partouzeurs.

Le comte Léopold et la comtesse Victoria de Savoie-Sancerre avaient une clef du nouveau pied-à-terre de Monserat. La comtesse avait mis une perruque blonde, était entrée chez Plaisir Brut, et avait payé cash un masque de bondage, et l'avait apporté à la tour Beaux-Arts.

Y avait-il de quoi en faire un plat?

Se déguiser, donner un faux nom, payer cash – oui, cela avait de l'importance. Acheter le masque le premier jour ouvrable après l'assassinat signifiait qu'il venait remplacer le cinquième masque Kushima, le masque trouvé sur la victime.

Monserat avait assuré que le cinquième masque n'existait pas, mais ceci contredisait la première déclaration de l'artiste. En tant que marchand des œuvres de Kushima, Monserat pouvait facilement avoir possédé ou emprunté le cinquième masque et détruit les dossiers.

Mais Monserat n'habitait pas la tour Beaux-Arts, et ceci soulevait une autre question : à qui Vicki avait-elle donné le masque? De toute évidence, cela aurait pu être n'importe qui, même le portier. Tous les gens nantis de cet immeuble faisaient probablement affaire avec Monserat – et transporter un masque n'était pas un délit comme de transporter de la drogue ou un mineur au-delà des frontières de l'État dans un but immoral.

Et puis il y avait Babe.

Babe reconnaissait la précédente garçonnière de Monserat – abandonnée quatre jours après l'assassinat Downs – comme étant le lieu d'une fête masquée où un jeune homme avait été torturé exactement de la même façon que Jodie Downs. Babe avait rêvé, mais c'était une autre histoire.

La bande du magnétoscope de Monserat montrait des fragments décousus d'autres fêtes sadiques, certaines masquées, d'autres non. Alors rêve ou pas, Babe avait mis dans le mille.

Un tas de pièces, un tas de trous.

Que faire?

Consulter la rêveuse.

47

Tout était silencieux si on exceptait le sifflement de la bande sonore, et d'une certaine façon ce sifflement rendait la pièce encore plus silencieuse. Les grands yeux bleu-vert de Babe suivaient les mouvements sur l'écran.

Un homme en tenue de soirée traversa l'écran. Derrière lui quatre poutres noires fixées au mur formaient la lettre H, avec des traverses, presque aussi hautes que lui.

– C'est Lew Monserat, signala Babe.

Un autre homme en tenue de soirée entra dans l'image.

Babe se pencha en avant.

– Lui, c'est Binny Harbison. Elle eut l'air étonnée. Ça doit être une vieille cassette.

– Qui est Binny Harbison?

– Un styliste. J'ai entendu dire qu'il était mort il y a trois ans.

Maintenant la femme en robe longue apparut. Elle porta une cigarette à sa bouche. Binny Harbison et Lew Monserat lui offrirent tous deux du feu. La femme se pencha sur la flamme de Binny. Elle s'avança vers un des fauteuils Queen Anne et s'assit.

Le visage de Babe devint soudain un ovale de concentration. Son regard se promena sur la mâchoire dure, le front haut, les yeux noirs très écartés, le nez aquilin.

– Il y a quelque chose...

La femme se carra dans le fauteuil, en regardant la colonne de fumée de sa cigarette monter dans l'air immobile.

– Il y a quelque chose de bizarre dans ses cheveux, remarqua Babe. Ils sont faux. Elle porte une perruque. Pourriez-vous arrêter le film?

Babe scruta l'écran de télévision.

– L'image est tellement mauvaise. Même le nez pourrait être faux. Mais pourtant il y a quelque chose.

Barbe se leva et alla à la porte.

– Mathilde, voudriez-vous venir ici un moment?

Une Française aux cheveux blancs, un échantillon de tissu bleu dans une main et une paire de ciseaux cranteurs dans l'autre, entra dans la pièce. Babe lui présenta Cardozo.

Reconnaissez-vous cette robe? demanda Babe.

Mathilde s'approcha de l'écran de télévision.

– Vous avez dessiné cette robe. Elle est rouge, avec des sequins cousus à la main.

– Bien sûr.

Babe fit passer Cardozo par un atelier où huit femmes travaillaient devant des machines à coudre et l'introduisit dans un bureau. Elle ferma la porte.

– Excusez le désordre, dit-elle, nous venons à peine d'emménager.

Elle s'approcha d'une bibliothèque aux étagères profondes où s'alignaient des cartons à dessins. Grande, évoluant avec légèreté, elle laissait paraître de plus en plus de cette grâce qui avait été enfermée en elle pendant sept ans. Elle examina les étiquettes, trouva le carton qu'elle cherchait. Elle dénoua les rubans et l'ouvrit sur la table à dessin. Elle tourna les feuilles de papier avec un petit bruit sec.

– Celle-ci, déclara-t-elle.

Cardozo posa les yeux sur un croquis délicat d'une femme sans visage vêtue d'une robe longue qui était d'un rouge chaud et mûr, la couleur d'une fraise parfaite.

– Je l'ai créée pour Ash Canfield, précisa Babe. Elle la portait à ma réception le soir où je suis tombée dans le coma.

Babe sentit le silence de la maison. Chaque meuble semblait dire Ash est partie. Elle promena son regard autour de la pièce, vit le triste paysage de forêt de Corot au-dessus de la cheminée, tous les petits gadgets et objets qui avaient enthousiasmé Ash et qui sans elle, paraissaient pitoyables et dénués de sens.

– Premier arrêt, un verre? s'enquit Dunk.

– Il est un peu tôt non?

– Tu sais ce que disait toujours la baronne de Rothschild. « Oh, après tout, on s'en fout. »

Il prépara des Martini, les filtra avec soin dans deux verres, et les garnit avec des olives à l'ail. Il traversa le salon et en tendit un à Babe. Ils s'installèrent sur des divans placés face à face.

Elle étudia son visage, les yeux bien placés, le nez en bobsleigh et le menton à fossette, les longs cils recourbés, tous les détails physiques qui avaient été l'obsession d'Ash. Et de Dina Alstetter. Et, autrefois, la sienne aussi. Cela paraissait étrange : Ash partie, l'obsession survivait.

– C'est adorable d'être passée, déclara-t-il. Tu es chaque jour plus fabuleuse.

Il y avait des cernes sombres sous les yeux de Dunk Canfield, accentués par son fort bronzage et qui semblaient parler de semaines sans sommeil. Une casquette de yachting délavé par le soleil de Corfou était posée de biais sur sa tête.

— Comment te sens-tu, Dunk?

— Cela a été une vie. Il s'affaissa et sa tête pencha. Je l'aimais. J'ai été un salaud avec elle, mais je l'aimais. Nous n'avons pas toujours été les meilleurs amants ni les meilleurs amis du monde – comme tu le sais fort bien – mais bon sang, nous savions comment nous amuser. Elle a toujours été ma meilleure camarade de jeu. Et nous allions repartir ensemble. Et cette fois-ci je sais que cela aurait marché.

Babe était silencieuse.

— Je déambule dans ces pièces – elles me semblent si solitaires, si vides.

— Que fais-tu de toi? Tu ne sors pas du tout?

— Je suis sorti avec Vicki l'autre soir – elle m'a emmenée dans quelques boîtes disco – ce n'est pas grand-chose, mais c'est un orteil dans l'eau. Je ne me sens pas vraiment prêt pour des dîners, rencontrer des gens, les papotages. Il y a toujours cet obligatoire je-suis-absolument-navré et j'en suis écœuré. Et chaque petit détail me la rappelle. Je commande du château-margaux et je me souviens quand elle et moi en avons bu pour la dernière fois. Je mets un disque et c'est son préféré. J'essaie de lire et les mots sur le page démarrent une chaîne d'association qui me font penser à elle. Regarde ce que j'ai trouvé en fouillant dans ses affaires.

Dunk tira un paquet de photos glacées d'une enveloppe de papier kraft et les tendit à Babe.

Elle les regarda – des instantanés d'Ash, plutôt éméchée dans un aéroport ou un autre. L'un montrait Ash dansant sur le divan du salon d'un VIP, face à un troupeau de religieuses qui la considéraient scandalisées.

— Notre voyage en Bavière, tu te souviens? signala Dunk. Quand nous sommes tous allés dans le château de Caroline et qu'à Shannon ils ont annoncé « Embarquement de tous les passagers sur Aeroflot pour Moscou et tous les passagers sur le jet de M. Getty pour Bad Nemetz. » C'est un de ces moments idiots que l'on n'oublie jamais.

— Je m'en souviens.

Babe se souvenait d'avoir été gênée, mais c'était de toute évidence un des plus beaux moments de Dunk, et elle n'allait rien dire qui risque de le ternir.

— En parlant de souvenirs... Babe ouvrit son enveloppe à elle et tendit à Dunk son croquis de la robe longue rouge. Te souviens-tu de la robe que j'avais dessinée pour Ash?

Il secoua la tête.

– Je me suis débarrassé de tous ses vêtements. Le lendemain de sa mort j'ai téléphoné à la boutique des bonnes œuvres de la Junior League et leur ai demandé d'envoyer le camion.

Cardozo tint la porte à Babe.

L'air à l'intérieur de la boutique des bonnes œuvres de la Junior League sentait la cire à parquet, le camphre, et les parfums de quarante épouses de différents millionnaires. Les femmes qui dérivaient le long des allées semblaient flâner plutôt que faire leurs courses, profiter d'une pause dans des existences qui n'étaient qu'entracte, s'arrêtant pour examiner le mousseux d'un jupon ou un serre-livres en onyx. Elle arboraient un air ennuyé, mais il y avait une gravité dans leur ennui, laissant penser qu'elles poursuivaient des carrières terriblement compétitives.

– A quoi voyez-vous qui vend et qui achète? chuchota Cardozo.

– Les vendeuses portent les originaux, expliqua Babe.

Cardozo jeta un coup d'œil aux portants de robes et de robes du soirs, apparemment écrasées les unes contre les autres à la va-comme-je-te pousse, exsudant toutes une senteur du chic des dix dernières années; étagères de statuettes, de verres et de vases; piles de livres aux reliures abîmées.

– Garth, regarde! s'écria une femme. Des chandeliers de verre Dépression!

Babe examina la manche d'un vison oxydé devenu de la couleur d'une vieille moumoute.

Une jeune femme s'approcha. Elle portait un pantalon et un chemisier de soie avec une écharpe imprimée, ses cheveux brun-roux étaient retenus derrière une oreille par une barrette d'émeraude.

– Puis-je vous aider?

– Qui prends les livraisons? demanda Babe.

– Cybilla s'en occupe. Je vais voir si elle est libre.

Tout le monde dans le magasin paraissait libre.

La femme en pantalon parla à une dame aux cheveux gris, qui traversa la boutique en souriant.

– Quel plaisir de vous voir, Babe. Vous êtes absolument splendide.

– Vous aussi, Cybilla.

– Nous devenons folles. Trois cartons de camelote de premier ordre viennent d'arriver du vieux garage de Truman Capote et nous sommes à court de personnel.

– Cybilla, dit Babe, voici Vincent Cardozo. Vince, Cybilla de Clairville – une très bonne amie de maman et moi.

Cybilla haussa le sourcil gauche. Elle tendit une main parfaitement et discrètement manucurée. Une alliance en or et rien d'autre.

– J'ai l'impression de vous connaître, M. Cardozo est-ce que nous nous sommes déjà rencontrés?

– Votre domicile a été cambriolé il y a onze ans, répondit-il. Le majordome a failli y passer. Comment se porte-t-il?

– Très bien, merci.

– Et le Bonnard, recousu?

– Comme neuf, M. Cardozo.

Babe montra à Cybilla son croquis de la robe rouge.

– Avez-vous cette robe?

Cybilla examina le croquis.

– Je crains que non. Ce n'est pas tout à fait le genre de notre association.

– Mais elle est arrivée dans les affaires d'Ash Canfield.

Des rides d'incompréhension plissèrent le front de Cybilla.

– Je l'ai créée pour elle, poursuivit Babe. Je la voudrais, pour des raisons sentimentales. Je l'achèterai, bien sûr.

– Nous n'avons aucune des affaires d'Ash, assura Cybilla.

– Mais Dunk vous a tout donné.

– Absolument pas. Dunk ne m'a pas fait coucou depuis trois ans.

La comtesse Vicki de Savoie-Sancerre, grande et toute en jambes dans une combinaison pantalon orange se joignit à la conversation.

– Salut, Babe, tu as une mine superbe, comme toujours.

– Je ne savais pas que tu travaillais ici, remarqua Babe.

– Tous les jeudis de ce mois, pour remplacer Betsy.

Cybilla tendit le croquis à la comtesse.

– Avons-nous eu une robe comme celle-ci?

La comtesse jeta un œil sur le croquis.

– Dunk Canfield l'a apportée et elle a été achetée le jour même.

– Auriez-vous le reçu? demanda Cardozo.

La comtesse Vicki sourit et tendit le poignets.

– Lieutenant, passez moi les menottes. Je n'ai pas rempli de reçu. J'ai simplement mis l'argent dans la caisse.

Pendant un instant le visage de Dunk Canfield rayonna de toute la surface de l'écran, petits points de lumière et d'obscurité vibrantes disposés en motifs.

Charley Brackner pressa une touche qui divisa l'écran.

De la moitié du bas l'image de Canfield projeta des éclairs intenses comme les étincelles d'un silex. Dans la moitié supérieure apparut le message :

> Bienvenue sur portrait-robot copyright 1985
> voici votre menu principal :
> (1) homme
> (2) femme

– Femme, dit Cardozo.

Les yeux marron de Charley Brackner lui lancèrent un regard.
– Femme?
– Lis sur mes lèvres. Femme.
Charley appuya sur une autre touche. Un nouveau message apparut :

Voici votre menu principal.
forme du visage
cheveux
sourcils
yeux
nez
joues
lèvres
mâchoire
menton

– Comment se déguiserait-il, s'enquit Cardozo, s'il voulait être une femme pour la nuit. Pour Halloween. Pour rigoler.
– Une perruque, de l'ombre à paupières, des faux cils...
Le curseur commença à piquer des options sur la moitié haute de l'écran et à les descendre sur le visage. Trait par trait un courant dérivant de superpositions redessina la réalité.
– Notre type, il est fort à ce jeu-là? s'enquit Charley.
Cardozo étudia ce qui apparaissait sur l'écran.
– Plus fort que toi.
– Désolé. Rouge à lèvres?
– Absolument, rouge à lèvres. Je pourrais même te donner la nuance.
– La couleur, on n'a pas.
Un court instant le sourire quitta le visage de Canfield, puis revint avec des lèvres en arc de Cupidon.
– Moins pute, demanda Cardozo.
De nouvelles lèvres, plus distinguées, tombèrent en place. Petit à petit un changement passa sur le visage. La ressemblance avec Canfield commença à disparaître et la ressemblance avec quelqu'un d'autre, avec quelque chose d'autre, commença à gagner du terrain. Il y eut un moment précis où la balance pencha, où l'être humain s'estompa, où toute la douceur du visage eut disparu, et soudain l'image bouillonna d'une violence et d'une colère presque théâtrales.
– Essaie d'ajouter plus de cheveux, des boucles d'oreilles, – tu sais, des trucs de femmes.
Elle eut les cheveux qui lui tombèrent des oreilles car elle était désormais sans aucun doute d'un genre féminin, jusqu'au cou, jusqu'aux épaules.

Cardozo regardait fixement. Il subsistait un vague doute, une sensation qu'il manquait quelque chose.

— Mets-lui une robe.

Soudain elle porta une robe noire sévère.

— Fais-la plus claire, plus froufroutante.

— Vince, nous n'avons qu'une gamme limitée de robes dans ce programme. Saks Cinquième Avenue, ce n'est pas ici.

— Je peux te dessiner le genre que je veux.

Cardozo la dessina sur une feuille de bloc-notes.

— Ne te lance jamais dans la mode.

La robe bascula en place

Charley Brackner pressa une touche et le visage occupa l'écran tout entier, jetant un rayonnement dur, comme le soleil sur la neige.

— C'est bon, dit Cardozo. Peux-tu imprimer ce visage?

Charley appuya sur une touche.

Sept minutes plus tard Cardozo était assis dans son box et regardait fixement Dunk Canfield transformé.

Il pencha l'image sous sa lampe de bureau. Des grains de poussière dansèrent dans la lueur grisâtre. De la lumière vibra sur le visage pris dans la fluorescence. Les yeux lui renvoyèrent un regard vide et sans joie.

A moins que Canfield n'ait un jumeau du sexe opposé, il ne pouvait subsister qu'un doute minime : Sir Dunk était la même personne que la femme laide vêtue de la robe d'Ash Canfield sur la bande vidéo.

Cardozo s'extirpa de derrière son bureau. Il passa dans le bureau des inspecteurs et étudia le tableau d'affichage.

— Qui a décroché le prospectus pour le bal des flics gay?

Monteleone cria :

— Tu y vas, Vince? Tu m'emmènes?

— L'IP a déclaré que ce prospectus devait rester accroché.

L'IP avait sorti un décret affirmant le droit à n'importe quelle organisation de la police d'afficher l'annonce de réunions pacifiques.

— Regarde sous la neuvaine des Fils en uniforme d'érin. En dessous.

Cardozo défit les punaises du bas sur l'annonce de la neuvaine et trouva le prospectus des flics gay.

Techniquement, cacher le prospectus des flics gay sous les Fils en uniforme d'Érin ne constituait pas une violation. Cependant, après qu'il ait noté le nom et le commissariat de l'organisateur, Cardozo punaisa le prospectus par-dessus le dernier communiqué du bureau de L'IP.

Le sergent John Henning, président du Comité des policiers gay et organisateur du bal des flics gay, fit sauter une Malboro de son paquet. Il considéra Cardozo depuis le côté opposé du box du café.

– Ça ne vous dérange pas?

– Vous en mourrez, c'est tout.

Le sergent Henning alluma sa cigarette et fit signe à la serveuse de resservir une tournée de cafés.

– Vous faites toujours la morale?

– Jamais. Vais-je vous offenser si je vous pose des questions sur les travelos?

Une fraction de seconde, les yeux du sergent Henning s'immobilisèrent. Puis ils se plissèrent en un sourire aimablement diplomatique.

– La seule offense est de demander si c'est une offense. Que voulez-vous savoir?

– Je veux savoir si je m'éloigne trop de la réalité.

Cardozo montra à Henning la photographie de Sir Duncan qu'Ellie Siegel avait découpée dans *Town and Country*. Voici à quoi ressemble ce type dans – disons la vie réelle. Il posa à côté le portrait transformé à l'ordinateur. Je suis presque convaincu à cent deux pour cent qu'il s'agit du même type.

Le sergent Henning était un jeune homme puissamment charpenté, à l'allure sérieuse, rasé de près, avec des yeux bleus pénétrants et des cheveux noirs bouclant autour d'un visage prématurément ridé et tiré. Ses yeux se plissèrent et il y passa une lueur de quelque chose qui n'était pas exactement de la surprise, mais plutôt du dégoût pris au dépourvu et ne voulant pas le montrer.

– Ça vous paraît raisonnable qu'un homme qui ressemble à ça veuille ressembler à une femme qui ressemble à ça?

– La raison n'entre pas en ligne de compte, corrigea le sergent Henning. Cela ne me gêne pas du tout.

– Disons que ce type se travestit dans les vieux vêtements de sa femme. La femme n'est pas au courant. Ne l'était pas. Elle croyait que ses vêtements allaient aux œuvres de bienfaisance.

– Un tas de TVs gardent ce genre de secrets tout le temps de leur mariage.

– TV?

– Travesti.

– Le type n'est peut-être pas exactement un travesti. Il peut s'agir d'autre chose, quelqu'un de sado-maso qui mêlerait comédie et changement de sexe.

– Tout est possible. Pas fréquent, mais possible. Habituellement TVs et sado-maso sont deux mondes très différents. Psychologiquement et socialement.

– Mais cela pourrait arriver?

– Absolument.

– Le type peut se déguiser et jouer ces scènes devant une caméra vidéo. Possible?

– Très fréquent.

– Mais il ne garde pas la caméra à son domicile. Il y a un lieu spécial où il se retrouve avec des amis du même genre. Ils se droguent, se déguisent, partouzent et enregistrent ces bandes vidéo.

– C'est très courant chez les TVs ou les sado-maso d'avoir un appartement spécial pour leurs fêtes. Uniquement pour baiser. Comme certains hommes mariés ont des appartements où retrouver leurs petites amies.

– Okay. Où range-t-il leurs vêtements, les vêtements de travelo?

– La plupart des types les rangent chez eux. S'ils sont mariés et que leur femme n'est pas au courant, ils les rangent dans un endroit où elle ne risque pas de fouiller – l'armoire à outils, l'atelier, peut-être même un coffre-fort.

– Mais s'il habite un appartement à Manhattan, comment traverse-t-il la ville sans se faire remarquer?

– Il est riche?

– Très.

– Il loue une limousine.

– Alors le liftier est au courant. Le portier est au courant.

– Il se change en travelo dans la limousine. Le chauffeur est dans le coup. Cela arrive souvent. Il y a des services spéciaux de limousines. Il pourrait même cacher les habits de travelo à la compagnie de limousines.

– Mais c'est un travelo chic, il veut que ça soit beau. Une vraie femme ne s'habillerait pas dans une limousine, ne se maquillerait pas sur le siège arrière – ce type, oui?

– Soit vous ignorez les choses que certaines femmes font dans des limousines, soit vous ignorez à quoi ressemblent les limousines dernier modèle. Elles sont équipées de Jacuzzis. De lits. De miroirs.

– Mais ces jeux et ces bandes vidéo... disons que le sado-masochisme qui est pratiqué là soit vraiment violent. Peut-être même quelqu'un a-t-il été tué.

Henning releva vivement les yeux et les fixa sur Cardozo.

– Nous savons tous deux que cela arrive.

– Ce type veut que personne ne sache qu'il se travestit, personne de l'extérieur, certainement pas un chauffeur de limousine. Il veut que rien de ce qui se rattache à cet aspect de sa vie n'apparaisse.

– Alors s'il est malin il se change là où ils tournent les films. Mais les règles n'existent pas. Un tas de types ne sont pas réalistes dans ce domaine précis. Ils ne veulent pas être découverts, mais ils prennent des risques idiots. Peut-être cela fait-il partie du frisson inconscient. A Manhattan, on voit des éditeurs, des banquiers, des avocats, des hommes qui gagnent deux cent mille dollars par an, passer en cuir devant leur portier.

— Et les travelos?

— Les travelos — non. Ils ne passent pas devant leur portier en travelo. Pas la vieille génération. Pas si c'est un secret. S'il n'y avait pas sa femme, je dirais que votre ami emporte ses vêtements de travelo dans une valise. Mais étant marié, je ne sais pas ce qu'il lui raconte — qu'il va à Chicago pour affaires pendant six heures? A moins que la femme sorte beaucoup, ou qu'ils mènent des vies séparées, si elle a un amant, par exemple, ou si elle va tous les mardis à l'opéra.

— Et s'il gardait les habits de travelo dans l'appartement secret?

— Franchement, Lieutenant, j'en connais plus long sur le cuir que les travelos. Mais si nous parlons de travelos de haute volée, l'équipement est très coûteux — ça va chercher dans les quelques milliers de dollars. Et les gens qui s'adonnent à ces trucs, les drogues, les jeux — ils ne sont pas du genre à qui on peut confier des choses auxquelles on tient. Alors à moins que cet appartement secret lui appartienne, que personne d'autre n'entre et ne sorte de là, je ne crois pas qu'il garde ses frusques de travelo là-bas. Et puis, comment les faire nettoyer et raccommoder, qui s'occupe de tout ça? Le travelo demande beaucoup de logistique, beaucoup plus que le cuir.

— Vous ne connaissez aucun type qui ait ce genre de profil?

— Qui fasse des films cochons en travelo?

— Vous pourriez avoir entendu parler de quelque chose.

— Bien sûr, on entend parler de trucs, mais on ne prend pas tout au pied de la lettre.

Henning commença à parler, hésita, contracta la bouche.

— J'ai entendu parler de quelqu'un, il se travestit, mais il occupe une situation telle — que si jamais ça se savait — sa vie, ses amitiés, sa carrière seraient brisées.

Cardozo comprit en un éclair qu'Henning parlait d'un flic. Pas de lui, mais d'un autre flic. Un membre du Comité gay.

— C'est une compulsion, un besoin. Et il lui faut un endroit où il puisse jouer et ça ne peut pas être chez lui, parce que chez lui il boit de la Bud avec les garçons, et regarde les matchs à la télé. Un collègue pourrait ouvrir un placard, tomber sur la robe de bal de Scarlett O'Hara et tout foutre en l'air. Alors comment se débrouiller? Nous savons ce que sont les loyers, qui peut se payer un appartement, sans parler d'une piaule secrète. Alors il partage avec d'autres TVs, qui ne sont pas exactement des gens dignes de confiance. Je ne veux pas dire en général, mais ces TVs-là sont des camés. Il a un placard dans la piaule. C'est un placard costaud, on pourrait y mettre des bijoux dedans. La dynamite ne l'entamerait pas.

Cardozo comprit en un éclair qu'Henning parlait de son amant.

– C'est comme d'avoir sa bouteille dans un club où on passe après le boulot?

Henning acquiesça.

– Exact.

48

— Il faut que j'entre dans le loft de Franklin Street de Lewis Monserat, déclara Cardozo.

— Mais il habite sur Madison, corrigea Babe.

— Son parc de jeux est sur Franklin.

Une hésitation passa sur la ligne téléphonique.

— A-t-il fait quelque chose de mal?

— Je le saurai après avoir fouillé. Pouvez-vous le retenir deux heures?

— Il expose un nouvel artiste dans sa galerie ce mercredi soir, il faudra qu'il y soit au moins trois heures.

— Y allez-vous?

— Je peux.

— Duncan Canfield y va-t-il?

— Voulez-vous qu'il y aille?

— Lui, le comte Léopold et la comtesse Vicki.

— Le comte et la comtesse ne ratent jamais un vernissage chez Lew. Et je peux demander à Dunk de m'emmener.

— Soyez absolument — quel est le mot qu'ils emploient dans les échos mondains? — captivante. Assurez-vous qu'ils restent tous.

A 20 heures, trois livreurs en uniformes marron du United Parcel Service s'avancèrent vers la porte d'entrée du 432 Franklin Street. Deux avaient les mains vides et le troisième portait un gros carton marqué Sony Trinitron.

Le plus grand des livreurs jeta un coup d'œil de chaque côté de la rue. La foule clairsemée du début de soirée avait commencé à fourmiller à l'autre bout du pâté de maisons sur Hudson Street, mais à part les trois hommes de chez UPS, Franklin était déserte.

Le plus petit des livreurs sortit une carte de plastique de son portefeuille et l'inséra dans la fente entre la porte et le chambranle métallique. Un moment plus tard la porte s'ouvrit en grand.

Le regard de Babe errait sur la foule.

La galerie Monserat grouillait d'invités, et d'autres encore arrivaient de minute en minute. Des femmes très belles en robes longues chics, des hommes en smocking qui de toute évidence se rendaient ensuite à d'autres événements mondains se mêlaient à des gens jeunes ou moins jeunes en jeans et tee-shirts et jupes de gitanes froufroutantes avec corsages paysans.

Pour ceux qui ne pouvaient braver la bousculade jusqu'aux buffets raffinés, des serveurs circulaient avec des boissons et de la nourriture. Des baffles astucieusement placées soufflaient sur la fête une discrète musique de transe énergétique post-punk.

— Lew!

Babe agita la main.

Monserat lui adressa un petit sourire lent tandis qu'ils s'approchaient l'un de l'autre, et il l'embrassa sur les deux joues.

Il était élégamment vêtu d'un blazer bleu, d'une chemise couleur parchemin, de pantalons de flanelle écrue, mais son visage était émacié, ses yeux exténués, et il marchait un peu voûté.

— Ça fait si longtemps, s'écria Babe.

— Huit ans que nous ne nous sommes pas dit un mot — est-ce possible?

— Eh bien, je sais comment rattraper ça. Babe lui prit le bras. Parle-moi de ton nouvel artiste et présente-moi à tout le monde.

Waldo Flores avait mal aux fesses à force d'être assis sur la chaise de bois inconfortable, et une crampe dans la nuque à force d'être penché en avant pour entendre un déclic qui ne venait jamais.

Mais cette fois-ci il y eut un déclic. Il fut si faible qu'il ne put pas savoir tout de suite s'il l'avait entendu ou s'il l'avait juste désiré.

Il glissa un morceau de métal entre les tiges et pesa dessus lentement dans le sens des aiguilles d'une montre.

La serrure émit un bruit sympathique tandis que le pêne glissait en arrière.

Une heure de souffrance tomba de ses épaules et il ouvrit la porte en grand.

Cardozo trouva l'interrupteur électrique et l'abaissa.

— Bon sang, jura-t-il.

Ça fit sursauter Waldo de voir Richard Nixon portant un body de dentelle noire de chez Frederic d'Hollywood avec l'entrejambe découpé. Le masque était aussi réaliste que ça.

Mickey, Minnie, et les autres masques des personnages de bandes dessinées paraissaient réels à leur façon, mais d'une manière différente, pas choquante, simplement laide avec la lingerie noire et le cuir noir qui pendaient sur des cintres en dessous d'eux.

Nixon et John Wayne étaient des horreurs.

Cardozo se pencha sur l'étagère du bas du placard, sortit une vidéocassette, et l'examina. L'étiquette proprement écrite à la main disait « amusement et jeux Halloween 7. »

Il décolla avec soin l'étiquette et la colla au dos de l'une de ses cassettes vierges. Il mit la cassette vierge étiquetée sur l'étagère à la place de la cassette de Monserat.

Il inscrivit « amusement et jeux Halloween 7 » sur une étiquette neuve et la fixa à la cassette de Monserat. Il laissa tomber la cassette dans le carton Sony Trinitron.

Tony Bandolero contourna Cardozo et décrocha une robe longue de la tringle à vêtements. On entendit le crépitement poudreux d'un sac plastique qui s'ouvrait.

La robe était d'un rouge profond, semée de sequins. Parce que les flashes se verraient à travers les stores, Tony utilisait l'éclairage de la pièce. Il passa sa cellule à affichage numérique sur la robe et régla l'ouverture de son appareil photo.

Il y eut un déclic quand l'obturateur s'ouvrit et se referma, puis un faible ronronnement quand le film avança.

Le feutre de Cardozo écrivit avec soin « amusement et jeux Halloween 8. »

Cardozo scrutait l'obscurité filtrée, enregistrant le lent et silencieux passage de l'œil de la caméra sur le mur blanc.

D'étranges silhouettes prenaient forme sur l'écran de télé, des habitants fantomatiques d'un monde de spectres et de rêves électroniques, évoluant et oscillant dans la lumière clignotante, exécutant leurs rituels secrets.

Une sensation de terreur informe grandit dans son ventre.

Et puis, devant ses yeux, ce fut réel.

Il tendit une main tremblante vers le téléphone et composa un numéro.

– Hippolito.

– Dan, c'est Vince. J'ai besoin de ton opinion à propos de quelque chose. C'est urgent.

Le salon de Cardozo était obscurci par le passage rapide des lumières et des ombres. Dan Hippolito, doux et grave, regardait l'écran de télé d'un air dédaigneux.

– Morgenstern est gay? dit-il d'un ton ébahi.

– Un type qui suce un type, j'appellerais ça gay, répondit Cardozo.

– Mais pourquoi bon sang l'a-t-il laissé filmer?

– Il n'en savait rien. Il y a deux genres de films dans cette collection : ceux où la caméra se déplace dans la fête et où tout le monde se sait star ou figurant payé. Et puis les autres, comme celui-ci, où la caméra ne bouge pas. Ce qui signifie qu'elle est cachée, commandée à distance ou automatique. Les gens qui portent des masques savent ce qui se passe. Le but est d'obtenir des preuves sur les gens qui ne savent pas.

Cardozo enclencha l'avance rapide. Les acteurs plongèrent dans un répugnant cancan pornographique.

Dan Hippolito alluma une cigarette.

– Éclaire-moi, Vince, tu n'as pas intérêt à m'avoir traîné ici pour regarder des orgies filmées par des amateurs. J'ai vraiment du mal à m'identifier avec ce genre de comportement.

– Tu risques d'avoir plus qu'un peu de mal à t'identifier avec ce qui vient ensuite.

Ce qui venait ensuite était une femme latino-américaine d'une beauté saisissante, au visage de madone, étendue nue absolument immobile sur une épaisse courtepointe qui avait été étalée sur le sol entre les deux fauteuils Queen Ann.

Quelque chose avait modifié l'expression de Dan Hippolito.

– Arrête l'image.

Sa voix trahissait la tension égale et sourde d'une personne sur le qui-vive.

Il s'avança, s'assit dans la lueur brutale de l'image télé figée. Il semblait fouiller les visages des acteurs pour y trouver une explication. Mais le visage de la madone était absolument serein et les visages de ses violeurs n'avaient qu'une expression de drogué.

– Reviens en arrière.

Cardozo fit repartir la bande.

– Avance de nouveau. Vitesse normale. Je te dirai quand faire l'arrêt sur l'image. Là.

Le silence dura un moment interminable. Finalement un soupir sortit de Dan.

– C'est une jeune femme hispanique, je dirais entre vingt et vingt-deux ans, bonne condition physique, taille un mètre cinquante-cinq, poids probablement quarante-huit kilos.

– Et? aiguillonna Cardozo.

Dan s'approcha et passa avec douceur un bras autour des épaules de Cardozo. C'était un geste spontané, irréfléchi, compatissant, comme s'il préparait son ami à quelque très mauvaise nouvelle.

– Ne fais pas l'hispanique.

– Comment ça, l'hispanique?

– Comme tu es à l'instant – hispanique. Relax.

Dan commença à parler de lividité et de rigidité. Les mots atteignirent Cardozo comme un lent seau d'eau marécageuse.

– Dan, dis-moi simplement oui ou non – est-elle morte?

– Elle est morte.

– Du début à la fin, elle est morte?

– Veux-tu dire la tuent-ils en direct? Non. Elle est morte depuis deux, trois jours, avant même que ceci ait commencé. Et je ne pense pas qu'elle ait été assassinée.

– A quoi vois-tu ça?

– Mort suspecte, il y aurait eu une autopsie. Rien n'a coupé cette fille, sauf les cathéters d'aspiration dans ses avant-bras. Et c'est du boulot professionnel. Ce qui signifie qu'il y a eu un certificat de décès. Elle est embaumée. Il n'existe pas d'embaumeurs amateurs. Certainement pas des cinglés comme ceux-ci. La fille vient d'un salon mortuaire.

– Ils ont pris un corps dans un salon mortuaire?

– Ça s'appelle la nécrophilie. Ça arrive.

– Je hais ces types.

– Ce n'est pas un homicide, Vince. Il n'y a pas de trauma sur le corps. Ça a été une mort rapide et tranquille. Très probablement une overdose. T'en dire plus que ça, je ne peux pas. Pas à son apparence. Pas avec ce que tu me montres. Tout ce que je peux t'offrir c'est une supposition éclairée.

– Offre-moi ta supposition éclairée là-dessus.

Cardozo éjecta la vidéocassette du magnétoscope et en inséra une autre.

– Ça va être un peu plus que ce que tu as envie de voir.

– Tous les jours j'en vois plus que je n'en ai envie.

L'image cette fois-ci montrait un jeune homme mince qui traversait l'écran d'un pas chancelant en blue jean délavé et tennis blancs, un sourire idiot sur les lèvres, au septième ciel.

Le jeune homme se dévêtit et s'étendit à plat ventre sur une table de banquet.

Porky et le Justicier solitaire, très chics en cravate blanche et queue de pie entrèrent dans l'image. Ils ligotèrent les mains et les pieds du jeune homme aux pieds de la table.

Ce qu'il arriva ensuite était difficile à croire.

– Combien y a-t-il de ce truc-là? s'enquit Dan.

– La bande dure quelques heures.

– Bon sang, je ne veux pas voir ça.

Cardozo arrêta le film. Une publicité pour l'appel d'un numéro interurbain AT & T apparut sur Channel 7 et il arrêta la télé.

– Ce sont des gens intelligents et riches, s'indigna Cardozo. Les gens les plus riches du monde, et regarde les trucs qu'ils font aux autres. Je ne peux pas me sortir ça de la tête. Des gens qui ont tout, à qui il ne reste plus rien à désirer, alors il faut qu'ils désirent des trucs dégueulasses. Et leur attitude. On croirait les entendre dire, qu'y a-t-il de si extraordinaire dans une vie humaine? Pourquoi devrions-nous la respecter? Effaçons-la. Tu veux la revoir? Rembobine la bande. La regarder à l'accéléré ou au ralenti? Pousse le bouton, c'est tout.

— Vince, personne n'a été tué.

— Tu as intérêt à croire que ces fêlés ont tué quelqu'un. On ne s'approche pas si près de la limite sans la dépasser. Rien qu'une fois. Rien que pour voir l'effet que ça fait.

— Tu ne peux quand même pas accuser l'élite tout entière.

— Pourquoi pas? Le pays entier les adule. Ils sont chics. Puissants. Riches. In. Ils sont les gens que tous les autres veulent être. Et regarde le style de leur existence. Assister à des réceptions, poser pour les photographes, espérer se voir dans les potins mondains, attendre que quelque chose de différent arrive. Eh bien, rien de différent ne va arriver, alors ils décident de s'en charger.

— Vince, sur ces bandes tu as, réunis, deux éléments qui n'étaient pas prévus pour ça. Tu as un instinct – le sexe – et une classe de substances – les drogues.

— Ce n'est pas si simple, Monsignor.

— Okay, je suis catholique, et c'*est* aussi simple. Plus simple. Je vois ça cinq fois par semaine sur la table d'autopsie. Séparément, les drogues et le sexe peuvent aller dans un sens ou dans l'autre – le bon ou le mauvais. Mais mets-les ensemble, utilise-les pour prendre ton pied – et il n'y a pas de limite au mal.

— Parfois j'ai le sentiment que tu disposes de tant de réponses que toute cette merde ne te préoccupe pas.

— Bien sûr que ça me préoccupe. Je suis humain. Mais je suis médecin. J'ai vu comment ça fonctionne. Il n'y a rien de démoniaque là-dedans, rien qui prouve que Karl Marx avait raison. C'est une impulsion, une sorte de « et si? » tu ne l'imagines même pas nettement. Dans des circonstances ordinaires, cette impulsion ne ferait que passer, comme une bulle – mais tu prends une drogue, la drogue qui fige ce moment, cette impulsion, et le « et si » se mue en pourquoi pas, et puis tu agis et la drogue te dit que ce n'est pas toi qui agis. Et crois-moi, même ce qui est sur ces bandes n'est pas le pire. C'est la surface d'une fosse d'aisance. Tu ne sais pas ce qu'il y a d'autre au fond.

— Non, Dan. Tu ne sais pas. Moi j'ai vu le reste de ces bandes.

49

— Côté drogue, disait la star, c'est le paradis.

Cardozo observait depuis le seuil. Il admirait cette femme. Elle était passée par là. Elle avait eu le cran de l'avouer en public et d'ôter le parfum de célébrité au culte de la drogue. A cinquante-deux ans elle était plus belle qu'à trente-deux ans, et même au pire de sa toxicomanie elle avait toujours été une beauté.

— La coke est meilleure marché, plus pure, et plus abondante que jamais. Les médecins en prennent. Les avocats en prennent. Les conseillers financiers en prennent. Et Dieu sait si les sénateurs en prennent. Comment, sinon, expliquez-vous ces votes sur le Salvador et le Nicaragua? La coke vous maintient éveillé, mais contrairement à la croyance populaire, elle ne vous rend pas intelligent et, je vous le garantis, elle ne vous aide pas à perdre du poids.

Il y eut des rires, et la star sourit à son public, mais ses yeux violets demeurèrent sérieux.

— Alors comment réagirez-vous la prochaine fois que votre hôte passera un miroir de stardust au cours d'un grand dîner? Pourquoi ne pas réagir comme moi. Dire « Je vous emmerde. » C'est une façon claire et nette d'envoyer un signal négatif, et c'est une façon infaillible de ne pas être réinvité par des connards.

Encore des rires.

L'œil de Cardozo revenait sans cesse sur Cordélia Koenig, coincée au cinquième rang de chaises pliantes. Elle jetait des coups d'œil autour d'elle pour voir qui arrivait, qui partait et qui regardait qui.

Le gardien remarqua Cardozo. Il s'avança vers le seuil.

— Puis-je voir votre carte?

Cardozo montra sa plaque.

Le gardien fronça les sourcils et battit en retraite.

La star prit un gobelet d'eau glacée sur la table à jouer et en avala une saine gorgée. Puis elle attaqua la dernière ligne droite.

— Il y a des gens qui croient que la Douzième Avenue risque

d'avoir des problèmes. Une Cent Troisième Rue peut avoir des problèmes, mais la Cinquième Avenue et la Cinquante-septième Rue n'auront jamais de problèmes. Eh bien, nous savons que le problème est ailleurs. Par-dessus tout, il est ici-même. Et nous savons où est la réponse. Au même endroit. Dieu vous garde, merci de m'avoir écoutée – et continuez à venir.

Il y eut des applaudissements, que la star coupa net.

Des mains se levèrent.

La star commença à écouter les remarques du public.

Le gardien pointait le doigt sur sa montre.

La star se leva.

– Que ceux qui le désirent aient la gentillesse de se joindre à moi pour la prière au Seigneur.

Cordélia continua à regarder autour d'elle, sans se joindre à la prière.

La réunion se dispersa.

La robe de Cordélia brillait comme un feu bleu tandis qu'elle se dirigeait vers l'autre sortie. Cardozo suivit à la hâte son dos mince, le creux entre ses omoplates où un cardigan de tennis en cachemire de la nouvelle collection C.Z. Guest pendait comme un drapeau mauve.

Elle descendit à toute allure une volée de marches, talons jouant des castagnettes dans la cage d'escalier en pierre. La porte latérale de l'église protestante épiscopale Saint-Andrew claqua.

Quand Cardozo déboucha sur la Cinquante-troisième Rue, la nuit était noire derrière le sommet des buildings de Manhattan. Cordélia était assise sur l'aile d'une BMW avec chauffeur, bavardant et riant avec des amis.

Sa tête tressautait de bonne humeur, et sa frange blonde se balançait.

Cardozo l'interrompit.

– Mlle Koenig?

Elle leva son regard vers lui, bleu pâle, comme s'il n'était rien d'autre pour elle qu'un chasseur d'autographes.

– Pouvons-nous parler en privé?

Il lui montra sa plaque, lui signifiant bien que c'était officiel.

Les autres le virent aussi – la fille aux cheveux noirs avec sa voix de tétanos de Locust Valley, le jeune homme qui sortait une mallette en peau de porc avec des initiales et une raquette de squash.

Le silence tomba comme un couvercle de cercueil qui claque.

– De quoi s'agit-il?

La voix de Cordélia était soudain haut perchée et flûtée.

Il lui fit signe de s'éloigner un peu avec lui.

Elle se laissa glisser de l'aile avec un mouvement soyeux et, d'un pas hésitant, le suivit sur le trottoir, longea des limousines en double file jusqu'à sa Honda en double file.

De l'autre côté du trottoir la silhouette de verre de la tour Beaux-Arts luisait comme si elle avait été plongée dans l'encre noire.

Cardozo ouvrit à Cordélia la portière côté passager.

– Montez, je vous prie. J'ai besoin d'identifier quelqu'un.

Elle le regarda avec des yeux d'enfant terrifiés.

– Est-il arrivé quelque chose? Oh mon Dieu, qui est-ce?

Le regard de Cordélia errait, évaluant franchement chaque babiole de l'appartement. C'était le regard d'un enfant curieux qui découvrait encore le monde pour la première fois.

En l'observant – le moindre de ses mouvements, étudié, de ses regards, précis, sa tête dressée tel un pharaon – Cardozo vit son appartement à travers ses yeux – l'aspect bas de gamme/petit budget du canapé convertible de Castro, les tables de la liquidation de Sloan, les rideaux de dentelle sortis des bodegas latino-américaines de la Quatorzième Rue.

Elle eut un regard incrédule et involontaire pour le tableau de la Vallée de Lourdes suspendu au-dessus de la télé.

Matisse, il devait l'admettre, c'était autre chose.

– Vous habitez à côté du Space, fut son seul commentaire.

Maintenant elle se déplaçait dans la pièce comme une actrice sur un plateau de cinéma, sachant où était la lumière, la captant précisément avec son sourire. Elle se laissa tomber tranquillement dans le fauteuil trop rembourré, comme s'il lui appartenait.

– A votre façon de parler, j'ai cru que vous m'emmeniez à la morgue voir le corps de ma mère.

– Non, je veux que vous identifiez un homme.

– Amenez-le, lança-t-elle gaiement. Elle ressemblait à un caméléon – tour à tour sur la défensive, puérile, et maintenant un tant soit peu flirteuse. Elle était un miroir lui renvoyant ce qu'elle pensait qu'il désirait.

– Il est sur bande, précisa Cardozo. Voulez-vous un café?

– Vous avez du miel?

– Non.

– Alors je prendrai n'importe quel soda light sans caféine.

Tout ce que contenait le réfrigérateur était du 7-Up normal. Cardozo douta que ses papilles gustatives sentent la différence.

Elles ne la sentirent pas.

Elle but à petites gorgées et sourit tandis qu'il baissait les stores, éteignait les lumières, et pressait la touche marche de la commande à distance du magnétoscope.

Des images apparurent sur l'écran, comme embrumées par le passage du temps. Les murs d'une pièce peinte toute en blanc. Les rectangles noirs des volets fermés. Les courbes gracieuses d'un fauteuil Queen Anne. Une table. Un second fauteuil.

Une silhouette mince entra gauchement dans l'image. D'abord indistincte dans la lumière incertaine, elle se transforma soudain en une toute jeune fille.

Elle paraissait bizarre, belle et vulnérable dans une robe longue de soie ultra-sophistiquée. Il y avait quelque chose de touchant et farouche, attendrissant et idiot dans la façon dont elle oscillait sur des hauts talons – comme si elle avait pillé le placard de sa mère. Sauf que la robe lui allait. Allait à la perfection à ses seins novices de douze ans.

Elle était maquillée – cils et rouge à lèvres, additions à la perfection de la jeunesse qui paraissaient tapageuses parce qu'elles étaient inutiles, une caricature de la nature. Elle portait des boucles d'oreilles en diamant et trois rangs de perles, probablement sans la permission de sa mère.

La fille ôta une boucle d'oreille. La lécha avec lenteur. La déposa dans un cendrier.

Sur la table à côté du cendrier, proprement disposés comme pour un dîner chic, il y avait une seringue, un petit poêlon de table en argent, un compte-gouttes, un bol de liquide transparent, et plusieurs enveloppes de poudre en cellophane.

Elle ôta l'autre boucle d'oreille et recommença le rituel.

Il n'y avait pas un bruit dans la pièce excepté le ronronnement du magnétoscope.

Cardozo observa Cordélia assise là, aux aguets dans le cône de lumière clignotant. Il pouvait sentir son état de perplexité.

C'était comme de rencontrer une vieille amie à un moment et dans un endroit inattendus, hors contexte – sans les reconnaître tout de suite – prendre un moment pour se souvenir qu'il existe quelque chose qui s'appelle le temps, qu'il nous transforme, que l'inconnue que nous regardons maintenant pourrait être l'amie d'il y a des années.

Un spasme crispa les muscles faciaux de Cordélia, et à cet instant Cardozo la vit reconnaître la petite fille.

C'était elle, sept ans plus tôt.

A la blancheur de son visage, il comprit qu'elle ne s'était jamais doutée que tout ceci avait été filmé en vidéo.

Elle sentit son attention, lui jeta un coup d'œil, détourna aussitôt son regard.

Un homme entra avec élégance dans l'image sur l'écran de télé. Il portait une tenue de soirée et un demi-masque, un domino sur les yeux. Il aurait pu être le Justicier solitaire en smocking.

Il commença à caresser la petite fille. Il embrassa ses joues, ses yeux, son front, sa gorge, chaque oreille, et puis frôla ses lèvres avec les siennes. Une fois, avec légèreté. Une seconde fois, avec lenteur.

Maintenant, avec la tranquille application d'un maître d'hôtel préparant lui-même des crêpes suzette pour une cliente, le Justicier solitaire apprêta la dope. Il alluma la flamme dans le poêlon, fit fondre les poudres blanches dans un liquide, les aspira dans la seringue.

De son propre chef, la fille tendit le bras.

Il noua un bout de tube de caoutchouc autour de son avant-bras. Une veine gonfla, palpitant délicatement dans le creux ombreux.

Il enfonça la pointe de l'aiguille dans la veine, pressa lentement sur le piston, vida le cylindre dans son sang. Elle le contemplait avec adoration, le visage vide.

Au bout des soixante secondes suivantes la drogue agit et elle perdit sa gaucherie et sa timidité.

Sa tête se renversa de façon engageante. L'homme lui embrassa la gorge, sa langue s'attardant sur la peau d'une blancheur de lait à peine creusée par une ombre. En même temps il descendait la fermeture Eclair de la robe.

L'étoffe soyeuse tomba sur la taille de la fille. Elle se tortilla, la robe glissa sur ses hanches minces et s'étala en une flaque luisante sur le sol. Elle en sortit. Elle ne portait pas de sous-vêtements.

Le film continua un long moment puis Cardozo figea l'image avec un petit déclic. Il attendit, laissant le silence grandir.

Cordélia, dans la pénombre, regardait l'écran d'un air pensif. Son visage s'était mué en un masque immobile, toute expression arrêtée : on ne voyait plus que le vide dans ses yeux.

— Alors? dit-il, les yeux fixés sur elle, ne la laissant pas détourner le regard.

Elle haussa les sourcils au ton de sa voix.

— Alors quoi?

— Qui est l'homme?

Elle alluma une cigarette et souffla un panache de fumée. Comme une gamine de dix-neuf ans pleine d'assurance effrontée. Ses yeux semblaient dire, je gagne trois cent mille dollars par an toute seule, j'hériterai de trente millions et je suis une Vanderwalk de New York. Qui êtes-vous, bon sang?

Il sentit que c'était un numéro, bien loin de la réalité de ce qu'elle ressentait.

— Vous me menacez? demanda-t-elle.

— Non.

— Parfait.

Elle ramassa ses cigarettes et son sac en soie. Il put la sentir qui luttait contre la peur en jouant les braves.

— Je vais y aller maintenant.

— Non, pas question. Il y a quelque chose d'autre que vous allez voir.

Il changea de vidéocassette.

Les images miroitèrent, seule source de lumière dans la pièce obscurcie.

La main de Cordélia planait au-dessus du bras du fauteuil, et puis elle agrippa l'accoudoir de toutes ses forces.

Les bandes étaient un voyage vers une très étrange province d'un pays nommé l'Enfer.

Cordélia regardait un cercle d'humidité se formant sur son front. Sans crier gare elle bondit, lui arracha la commande à distance et éteignit l'image.

— Qui est-ce? cria Cardozo.

La respiration de Cordélia sortait par petites secousses.

— Ce sont des êtres humains! hurla Cardozo. Arrachés et disparus, comme les pages du calendrier de l'année passée, froissés et jetés dans l'incinérateur! Et vous croyez que l'homme que vous protégez est humain? Vous croyez même que c'est un homme? Laissez-moi vous dire quelque chose, il n'est pas humain, ce n'est pas un homme, c'est de la vase préhistorique!

Il lui tira la commande à distance de la main et remit la cassette en marche. Il ne se contrôlait plus, et il en éprouvait presque du plaisir.

— Certaines espèces survivent parce qu'elles ont un goût dégueulasse, parce qu'elles sont vénéneuses... parce qu'elles n'ont pas de prédateurs. Cardozo montra du pouce l'homme figé sur l'écran de télé, les yeux derrière le masque à mi-chemin des orbites. Il en fait partie! Dites-moi le nom de cette ordure! C'est Monserat, hein! Votre voisin d'en dessous!

La rage de Cardozo s'accumulait en une masse frisant le point critique et Cordélia ne répondait toujours pas; un vacarme de marteaux-piqueurs martelait son crâne.

— Il vous a donné l'insuline pour piquer votre mère – hein! Il vous a appris comment utiliser une seringue – hein! Et saviez-vous que c'était un sadique et un nécrophile, vous a-t-il invité à aucune de ses fêtes où la torture était au programme des réjouissances, ou l'invité d'honneur était un cadavre?

Il arrêta l'image.

— Vous avez de la chance d'être vivante, vous savez ça?

Elle parla dans un demi-murmure.

— Vous m'embrouillez complètement.

Les yeux de Cardozo s'accrochèrent aux siens et sa détermination disparut.

— Je n'étais qu'une gamine, murmura-t-elle.

— Vous n'êtes pas une gamine maintenant.

— Je n'avais rien à voir avec – ces autres choses.

— Alors cessez de le protéger.

Il la regarda fixement jusqu'à ce qu'elle baisse les yeux.

– Pourquoi me faites-vous ça? Ce n'était pas de ma faute! Je n'ai jamais eu de chance!

– Vous avez votre chance maintenant.

Cordélia se détourna et se fourra un poing dans la bouche. Il la sentit qui craquait, et il eut la sensation d'une lumière qui gagnait du terrain comme s'il était tout au bord de l'entendre prononcer le nom de l'homme.

Mais son flot d'émotion se brisa, soudain suspendu.

Il sentit une troisième présence, une forme au bout du couloir d'entrée obscur. Il suivit le regard de Cordélia.

Sa fille Terri était entrée dans la pièce.

Il sentit un coup lui enfoncer le cœur. Il ne savait pas depuis combien de temps elle était là, ce qu'elle avait vu ou entendu.

Terri le regarda, une gosse – douce et mince, comme une poupée abandonnée – l'observant avec de grands yeux tristes et blessés. Il ressentit un élan prodigieux qui le poussait vers sa fille.

– Terri, souffla-t-il, car il voulait s'expliquer, s'excuser.

Cordélia passa en trombe devant lui. Il y eut un claquement, et elle fut sur le palier, ses talons résonnèrent dans l'escalier, et puis vint le son mat, plus lointain et plus grave de la porte de la rue.

– Terri, dit-il.

Le silence s'étendait vite.

– Ça va, répondit-elle.

Il y avait quelque chose en elle qui paraissait sans tache. Cardozo se rendit compte qu'il ne savait rien de cette enfant, cette jeune femme, sa fille. Il n'avait pas la moindre idée d'où elle tirait sa force.

Elle entra dans le salon et alluma une lampe, le regard posé sur lui.

– Papa, tu as besoin que quelqu'un te serre dans ses bras et moi aussi.

50

– Il faut que nous parlions. La voix empâtée de Cordélia sortait de sa gorge. La main serrant le combiné était si tremblante qu'elle dût la soutenir avec l'autre main, ses bracelets s'entrechoquaient.

– C'est une telle volte-face.

La voix profonde coulait sur la ligne.

– Depuis des mois tu m'évites, et maintenant au moment même où je sors dîner, il faut que tu me voies.

– Je ne t'ai pas évité. J'avais simplement besoin de temps pour réfléchir.

– Je suis heureux que tu sois arrivée au bout de ta réflexion.

– Écoute, j'ai peur. Un ami de ma mère m'a montré des images et m'a raconté des mensonges dégoûtants.

– C'était quoi, ces mensonges dégoûtants?

– Sur moi – et toi – et d'autres gens.

– Qui est cet ami de Babe?

– Tu l'as rencontré, ce policier avec qui elle sort.

Il y eut un moment de silence.

– Quel était son but?

– Il veut que je lui dise tout sur toi et moi. Et toi.

– J'aimerais que tu sois un peu plus claire au sujet de ces mensonges.

– Pas au téléphone.

– Attends-moi, dit-il. Ne bouge pas. Je viendrai dès que je pourrai me sauver de chez Tina.

Cordélia était lasse d'attendre. Le salon lui semblait silencieux et oppressant, et la silhouette dans le miroir très petite et solitaire.

Il fallait qu'elle sorte pour respirer une minute.

Elle mit un jean rose, une chemise d'homme hawaïenne avec une cravate du Racquet et Tennis Club nouée négligemment, des perles et des boucles d'oreilles énormes complètement à côté de la plaque. Ça serait le look, ce soir – complètement à côté de la plaque.

Elle se prépara une tasse de café soluble et chercha la crème liquide dans le réfrigérateur. C'est alors que son regard tomba sur les flacons de crack.

Non, pensa-t-elle. Il me reste six jours à Cokenders. Je tiens bon.

Elle versa de la crème liquide dans son café et quand elle la remit en place elle regarda de nouveau les flacons et elle sut qu'elle ne pourrait pas résister.

Elle sirota son café, bourra la pipe de crack et fuma.

Un doux bourdonnement monta dans sa tête et toutes ses peurs s'estompèrent. Après un autre flacon de crack elle se sentit concentrée, joyeuse, et insouciante.

Elle descendit dans la rue et marcha au cœur de l'activité bouillonnante de la ville. Un grondement était suspendu au-dessus d'Hudson Street. La circulation avançait au pas, les klaxons retentissaient, les piétons se promenaient sur la chaussée avec l'air d'exercer un droit constitutionnel.

Elle marcha vers le sud sur Broadway. Des images pénibles ne cessaient de jaillir dans sa tête. Ces gens sur les bandes vidéos, qui criaient, suppliaient, saignaient...

Plus elle y pensait, plus elle tremblait. Elle aperçut une cabine téléphonique au coin, entra et composa le numéro de sa psy.

Elle attendit trois sonneries, en espérant qu'elle ne tomberait pas sur le répondeur.

Un homme passa devant la cabine. Environ vingt-cinq ans, grand, brun. Il portait des pantalons de safari Banana Republic, un sweat-shirt Mostly Mozart, et roulait des mécaniques. Il se retourna comme s'il était étonné de voir quelqu'un dans la cabine téléphonique.

Sa bouche arborait une grimace dure et provocante, mais quand il regarda Cordélia son expression se mua en demi-sourire. Le demi-sourire se mua en démarche au ralenti, et la démarche au ralenti se mua en arrêt total.

Elle lui jeta un regard par-dessous ses paupières. C'était un type extrêmement beau, vraiment beau.

– Salut, lança-t-il.

– Salut, répondit-elle.

Cordélia repassa la pipe.

Le jeune homme tira une longue bouffée.

Ils étaient assis sur un lit défait. Il lui prit les doigts. Il lui massa les articulations avec le pouce, puis lui pressa la paume et porta le bout de ses doigts à sa bouche.

– Suce-moi, murmura-t-il.

Elle sentit son cœur bondir.

— Une seconde.

Elle tentit la main pour attraper son sac par terre et en sortit le masque.

— Mets-le.

— Quoi?

— S'il te plaît, mets-le c'est tout.

— Bien sûr – au prochain Halloween.

Il repoussa le masque et très au ralenti il lui saisit les côtés de la tête avec les deux mains. Il la poussa vers son sexe.

— Allez, ma biche.

Il tenait un inhalateur de coke dans la narine de Cordélia. Un flot médicinal lui jaillit dans le nez, comme si elle avait avalé de l'eau dentifrice.

Elle se dégagea et se redressa en position assise.

— Je suis désolée. Je ne peux pas – sauf si tu portes le masque.

Il la regardait.

— Tu es minable, toi.

Elle ramassa ses vêtements.

— Qu'est-ce qu'il a, ton masque? Tu n'aimes pas ma tête?

— Écoute, parfois ça ne marche pas... rien de désobligeant.

Elle se rendait compte que sa voix était trop nette, trop forte pour une conversation ordinaire.

Il s'installa dans un fauteuil, jambes écartées, mains croisées sur le ventre.

— Je sais qui tu es, dit-il. Je t'ai reconnue. Tu es minable.

— Tu m'as sincèrement émue, assura-t-elle, et puis tu m'as embarrassée au sujet de ce masque. Ce n'était pas nécessaire.

— Ce masque, c'est des petits jeux de maternelle. Tu as peur. Je parie qu'on t'a violée quand tu étais petite et que ça t'a dégoûtée du sexe?

Elle le frappa. Il lui rendit son coup aussitôt.

— Fous le camp.

Il commença à la pousser.

Elle se débattit, lança des coups de pieds, luttant contre lui avec tout ce qui s'était accumulé en elle. Il ouvrit la porte à la volée et la poussa dans le hall.

La porte claqua.

— Personnellement je connais fort peu de gens qui dépenseraient deux mille dollars pour le privilège douteux de danser sur la même piste que Jacqueline Onassis, déclara Lucia Vanderwalk.

Elle était assise à la table de Gwennie Tiark, et elle s'adressait à l'ambassadeur Post, dont la rumeur disait que sa femme venait tout juste de le quitter.

– Cela prouve un flagrant irrespect pour la valeur de l'argent, vous ne trouvez pas?

– Mais c'est une soirée de charité... protesta l'ambassadeur.

– Quelle blague. La charité visite les pavillons d'hôpitaux, elle ne se goinfre pas de cailles.

Une domestique s'approcha de la table et chuchota à l'oreille de Lucia.

– Quel ennui.

Lucia jeta un coup d'œil à sa montre de soirée, un pavé en diamant à cadran d'or sur son ruban de satin.

– Un coup de fil pour moi.

– Faites-leur demander de rappeler plus tard, suggéra Gwennie Tiark.

– Apparemment il s'agit d'une urgence. Veuillez m'excuser.

Lucia se mit debout, et passa devant l'escalier rond en marbre, puis longea un couloir somptueux garni de miroirs. L'appartement en duplex sur la Cinquième Avenue de Gwennie Tiark avait autrefois appartenu aux Rockfeller, et Billy Baldwin l'avait entièrement redécoré. Les pièces comportaient de beaux détails – des parquets, des linteaux sculptés et des fenêtres à meneaux – mais Lucia trouvait le Titien un peu voyant et grand pour le mur de la bibliothèque, et pas du tout dans les tons.

La domestique lui tendit le téléphone.

– Oui? dit Lucia.

– Mme Vanderwalk?

– Qui est à l'appareil?

– Ici le Dr Flora Vogelsang.

Oh mon Dieu, pensa Lucia.

– Oui, Docteur?

– Je suis désolée d'interrompre votre dîner, mais je viens de recevoir un appel triste et très affligeant de Cordélia. Bien que je ne sois pas partisan de céder à ses manipulations, dans ce cas précis j'ai le sentiment qu'elle a besoin d'aide.

Cordélia franchit en trébuchant la porte du restaurant.

Un gala battait son plein.

Cordélia garda une main tendue devant elle, comme si elle cherchait un mur. Sa chevelure ébouriffée cascadait sur ses yeux, et elle avançait d'une démarche en zigzag très lente, très mesurée.

Quand Babe se retourna et aperçut sa fille, sa main qui tenait un verre de champagne se figea.

La hanche de Cordélia heurta la table. Le petit candélabre aux abat-jour délicatement imprimés de roses faillit basculer, et Cordélia tomba face contre terre.

– Pardon, Babe s'excusa auprès d'Henry Kissinger.

Cordélia échappa au serveur qui l'avait aidée à se relever. Elle fonça à travers le bar et descendit trois marches de marbre tant bien que mal.

Babe dut jouer des coudes pour avancer.

– Pardon – pardon.

Cordélia arriva dans un cul-de-sac, un mur de verre Lalique prune. Elle s'effondra sur un divan et resta assise, tremblante, les bras noués autour de ses genoux.

Babe entra dans la petite pièce.

– Cordélia, dit-elle.

Cordélia leva les yeux. Son visage se crispa.

– Que se passe-t-il? Babe s'assit à côté d'elle. Elle vit des larmes dans les yeux de sa fille. Elle pressa Cordélia contre elle. Raconte-moi.

Cordélia laissa tomber sa tête dans sa main.

– Pardonne-moi.

– Te pardonner quoi, ma chérie? Il n'y a rien à pardonner.

– Si. Si.

Lucia entra dans le restaurant.

Un homme en jaquette de majordome lui demanda son invitation. Elle l'écarta d'un geste de la main, en déclarant que c'était inutile, qu'elle n'en aurait pas besoin.

Elle fit trois pas en direction de la foule. Les festivités semblaient s'être accélérées et avoir atteint la vitesse maximum. Elle plissa les yeux et aperçut sa fille et sa petite-fille.

Elle entra dans la pièce sans un bruit et s'installa dans un fauteuil.

– Alors nous voici toutes ici. Les trois sœurs. Elle demanda à Cordélia : Ça va, ma chérie? J'étais inquiète.

Cordélia se leva du divan, tremblante.

– Oui, Grandmère, ça va bien. Je vais rentrer chez moi.

– C'est ça, rentre chez toi. Repose-toi. Prends un taxi. Lucia ouvrit son sac et tendit à sa petite-fille deux billets de cinquante dollars.

– Merci, Grandmère. Bonne nuit.

Cordélia embrassa Lucia et coula un regard à sa mère par-dessus son épaule.

Babe se leva pour la suivre.

– Ne t'en vas pas tout de suite, lança Lucia. Il faut que nous parlions.

– Maman, je...

Lucia considéra sans un mot la robe Lanvin de satin rose sans bretelles de Babe.

— Assieds-toi!

Babe se figea net. L'obéissance la consumait.

— Maman, je t'en prie. Je ne peux pas laisser Cordélia filer comme ça.

— Cordélia est précisément la raison de ma présence ici. Lucia regarda Babe sans ciller. Je viens de parler à son psychiatre, elle est au bord de la dépression clinique.

Babe s'écroula sur le divan.

— Je ne savais pas que Cordélia voyait un psychiatre.

— Je suis sûre qu'il y a beaucoup de choses au sujet de ta fille que tu ne t'es jamais inquiétée de savoir.

Babe lutta pour se contrôler.

— Jamais inquiétée de savoir? Tu ne me l'as jamais dit!

— Et pourquoi aurais-je joué les messagers? C'était ton travail d'être proche de ta fille, de partager sa confiance. Dans des circonstances normales les liens se tissent avec le temps. Cela s'appelle l'amour.

— Qu'est-ce que tu racontes?

Babe contempla le jugement qui flamboyait dans les yeux de sa mère. Elle sentit l'injustice la submerger.

— Parce que j'étais malade, parce que je n'étais pas là, je n'aimais pas ma fille? Je refuse que l'on me rende coupable de quelque chose qui n'était en aucune façon de ma faute!

— Qui parle de faute? Qui parle de culpabilité?

— Toi! Tu me mets tout sur le dos! Tu es assise là dans ta loge de première galerie, et tu te délectes de ce drame!

— Je suis loin de me délecter. Je suis gravement préoccupée quand je vois quelqu'un que j'aime souffrir comme souffre cette enfant.

Babe dévisagea cette femme, sa mère, et une blessure si profondément enfouie en elle, si enlisée qu'elle était presque muette, monta petit à petit à la surface, se formulant en mots.

— Aimes-tu vraiment Cordélia? Ou l'aimer est-ce encore une autre façon de ne pas m'aimer moi?

— Ne pas t'aimer! Je me suis occupée de toi pendant sept années interminables! Je t'ai maintenue en vie quand la moitié des spécialistes du pays disaient : « Débranchez-la, laissez-la mourir. » Combien de mères en auraient fait autant?

— Un million! Ce qu'aucune mère n'aurait fait c'est de cacher des renseignements concernant la santé et le bonheur de ma fille!

— Comment aurions-nous pu te le dire? Tu avais laissé trop de choses aller à vau-l'eau pendant trop longtemps. Il y avait des limites aux épreuves que nous pouvions t'imposer.

— Cette excuse couvre toutes vos trahisons. Vous m'avez gardée à l'hôpital alors que c'était inutile. Vous m'avez menti sur la façon dont j'étais arrivée là. Et c'était toujours pour m'éviter des épreuves. Eh bien, confiez-moi vos épreuves et épargnez-moi vos prévenances.

— Quelqu'un devait te défendre.

— De quoi?

— Des conséquences de la vie que tu menais avant ta maladie.

— La vie que je menais ne posait aucun problème.

— Ta haute opinion de toi n'est manifestement pas partagée par la personne qui a tenté de t'assassiner.

Babe sentit la stupéfaction ôter toutes les couleurs à son visage.

— Tu penses que je méritais une tentative d'assassinat?

— Tu vivais d'une telle façon qu'il fallait qu'un malheur arrive. Tu négligeais ton mari, et il s'est retourné contre toi. Tu négligeais ta fille, et elle a commencé à souffrir de graves problèmes affectifs.

— Ses problèmes, c'est ma responsabilité?

— Ton manque de responsabilité.

Des larmes piquèrent les yeux de Babe, des larmes dont elle n'avait même pas su qu'elles s'amassaient là, prêtes à la trahir.

— Très bien. Peut-être n'en ai-je pas fait assez. Je suis désolée.

— Comme si ça pouvait changer quelque chose.

— Maman, je ne suis plus la même.

— Comment ça?

— J'ai changé. Il y a des expériences qui vous transforment.

Lucia soupira.

— Béatrice, tu as une manie qui m'exaspère. Quand tu deviens comme ça vertueuse et mielleuse. Tu débites un mélange de Sigmund Freud et de Norman Vincent Peale qui n'appartient qu'à toi. C'étaient tous deux des hommes très bien à leur époque, mais nous sommes presque à la fin du siècle, même si tu t'es débrouillée pour dormir pendant la majeure partie de la décennie. A mon avis ta sieste de sept ans ne t'a en aucune façon transformée. Tu es la personne que tu as toujours été. Tout comme Cordélia. Elle a dû suivre une laborieuse psychothérapie pendant beaucoup, beaucoup d'années. On dit d'elle que c'est une personnalité limite. C'est un terme technique. Elle lutte contre de terribles forces affectives et tu ne l'as jamais aidée. Tu ne l'aides pas maintenant, et très franchement je ne crois pas que tu sois jamais capable de l'aider.

— Comment veux-tu que j'apporte une aide quelconque dans une situation dont on ne m'a même pas parlé?

— De quoi as-tu besoin que l'on te parle? Si une voiture tombe en panne, tu n'attends pas que l'on t'enseigne les principes de la combustion interne. Tu vois le problème, tu emmènes la voiture dans un bon garage, et tu la fais réparer.

— Cordélia n'est pas une voiture. C'est ma fille.

— Et elle est ma petite-fille. Et je veux que tu nous en donnes la garde à ton père et à moi.

Une vague de colère balaya Babe, crispant sa gorge.

— Je ne peux pas croire que tu aies dit ça.

— Parle donc d'une voix normale, ordonna Lucia.

La résolution vint à Babe comme une décharge électrique. Elle se leva et s'avança vers la porte.

D'un bras chargé de bracelets, Lucia bloqua la route à Babe.

— Nous n'en avons pas terminé.

— Mais si, nous en avons terminé, Maman. La réponse est non, jamais.

Babe repoussa le bras de sa mère.

Il y avait un téléphone dans le vestiaire. Babe décrocha le combiné et tapa les chiffres du numéro de Cordélia. Elle attendit que la communication soit établie.

Elle entendit sonner le téléphone de Cordélia. Elle compta sept sonneries. Le répondeur s'enclencha.

— Cordélia, dit-elle, si tu es là décroche s'il te plaît.

Personne ne décrocha. Elle coupa la communication et composa le numéro de la ligne directe de Vince Cardozo.

Sa voix répondit.

— Cardozo.

— Vince... ça ne regarde pas la police, mais...

— Vous ne parlez pas à la police, vous me parlez à moi. Racontez-moi ça.

Elle lui raconta et il écouta.

— Babe, assura-t-il d'une voix calme, ce n'est pas de votre faute. Si nous avons de la chance elle est en route pour son appartement. Quelle est son adresse?

Babe la lui donna.

— Allez-y. Si elle n'est pas chez elle, attendez-moi là-bas. Je vous retrouve dans quinze minutes. Je pars tout de suite.

51

Cardozo découvrit que c'était une erreur d'avoir pris vers l'ouest sur Prince.

La circulation avançait à peine; des autos en double file bloquaient les voies, et des yuppies en goguette étaient assis sur les ailes avec des gobelets de vin sortis d'un vernissage d'une célébrité. En trois minutes il parcourut la moitié d'un pâté de maison, et puis l'embouteillage l'amena à l'arrêt complet au carrefour. Une enseigne pendait à l'un des immeubles de coin : FOOD. Il avait lu quelque chose sur ce restaurant; on y servait du poulet sans hormones et des tourtes aux fruits au tofu biologique.

Par la baie vitrée il vit Cordélia Koenig, en jean et chemise hawaïenne, assise seule à une table devant une assiette de gâteau.

Il s'arrêta derrière une Mercedes vide garée en double file, dont le klaxon et les feux avants fonctionnaient en synchro. Il mit sa carte de police sur le pare-brise.

Cordélia repoussa ses cheveux en arrière et leva les yeux vers lui.

— Quel est votre numéro de téléphone? demanda-t-il.

Elle le lui donna, il alla au téléphone public, composa le numéro et obtint un signal occupé. Il attendit une minute et essaya encore. Toujours occupé. Il revint, s'assit à la table et la regarda.

— Vous ne saviez pas qu'il vous enregistrait, hein, dit-il.

Elle secoua la tête.

— Pourquoi pensez-vous qu'il tournait ces films?

— Je ne sais pas, souffla-t-elle.

— Il les tournait pour les montrer à d'autres gens. Il ne protège pas votre secret, Cordélia, alors pourquoi le protégez-vous?

— Je n'ai pas de secret.

— Mais vous le pensez. Vous croyez vraiment que personne à part vous et ce cinglé ne sait ce que vous avez fait il y a sept ans.

Babe vit de la rue qu'il n'y avait pas de lumière dans l'appartement de Cordélia. Soit Cordélia était sur le chemin du retour, soit elle dormait déjà.

Babe se servit de sa clef pour entrer dans l'appartement.

Elle alluma la lumière.

Elle regarda dans la chambre. Vide.

Elle alla dans la cuisine, fouilla les placards et se prépara un café. Elle vit à la tasse dans l'évier que Cordélia avait déjà préparé du café ce soir-là.

Elle s'assit au salon, en attendant que son café refroidisse.

Un miroir était fixé au mur en face d'elle. Quelque chose dans son miroitement attira son œil. Elle vit le reflet d'un homme.

Il sortait de l'obscurité d'une démarche lente et posée. Il s'arrêta sous un flot de lumière verticale, laissant la lumière et l'ombre jouer sur ses cheveux coupés court et ses yeux fixes, ses bras nus et forts pendant hors d'un blouson Levi's sans manches.

Il y avait quelque chose d'orgueilleux, de brutal et dangereux dans la façon dont il se tenait là, les tendons de son cou tendus à l'extrême, ses yeux prenant possession d'elle.

Elle reconnut le visage petit à petit : Claude Loring, l'homme qu'elle avait voulu dessiner, l'homme accusé de meurtre qui lui avait hurlé à la figure.

Elle se leva lentement.

— Que faites-vous ici?

— Je suis navré. Sa voix était agréable. Ne le prenez pas mal, mais je dois vous tuer.

Il se tenait entre elle et la porte d'entrée.

Elle demeura absolument immobile un moment. Elle évaluait la force de l'homme et sa folie, et se rendit compte qu'elle disposait au mieux d'un peu de courage et d'un peu d'astuce à rassembler contre lui.

Elle tournoya avant qu'il ait pu réagir et fila le long du couloir jusque dans la chambre, ferma la porte à la volée et tourna la clef dans la serrure. Elle se rua sur le téléphone.

Il n'y avait pas de tonalité. Elle secoua les fourches. La ligne ne marchait pas. Elle se rendit compte que Loring avait arraché le cordon du mur.

— Seigneur, hoqueta-t-elle.

Elle courut à la fenêtre de la chambre et d'un coup sec ouvrit les stores Levolor. Les fenêtres étaient obscures de l'autre côté de la courette. Il y avait des lumières à deux étages inférieurs, mais de la musique rock hurlait dans la nuit et il n'y avait aucune chance que quelqu'un l'entende s'il elle appelait au secours.

Un fracas la fit virevolter. La porte de la chambre s'ouvrit d'un coup, et s'écrasa contre le mur.

Babe se figea.

Loring était planté là, haletant, découpé en silhouette dans l'encadrement de la porte. Sa main droite serrait un marteau de forgeron.

Emportée par la panique, Babe fonça dans la salle de bains, ferma la porte à la volée et poussa le verrou en place. Elle recula, les yeux fixés sur la porte, se rendant compte qu'elle n'offrait pas plus de trente secondes de protection.

Un fracas emplit l'éblouissant espace carrelé autour d'elle. Des pots et des bouteilles bougèrent tout seuls sur l'étagère de la baignoire. Les panneaux de la porte se déformaient, s'écartaient, et la tête grise du marteau de forgeron jaillissait, repartait en arrière, creusait une entrée plus profonde.

Babe comprit en un éclair que sa seule chance était de sortir.

Le loquet de la fenêtre avait été repeint en position fermée et elle dut faire sauter la peinture avec une lime à ongles prise dans l'armoire de toilette.

Derrière elle, à chaque fracas assourdissant, le marteau élargissait la brèche.

Elle manœuvra la fenêtre vers le haut et s'accroupit sur le rebord. Un autre mur d'immeuble passait à la perpendiculaire de la salle de bains et ses doigts entrèrent en contact avec du bois. C'était une planche à découper posée sur la tranche, qui maintenait la fenêtre du salon ouverte.

Elle tendit un pied vers l'autre rebord, le trouva, déplaça son centre de gravité au-dessus de la courette. Elle attrapa la fenêtre du salon et se coula dedans. Elle sentit la brique l'égratigner à travers sa robe.

A cet instant elle entendit le panneau de la porte céder dans la salle de bains.

Loring avait éteint les lumières du salon. Elle tomba de la fenêtre dans l'obscurité et son pied se prit dans un pied de table.

Elle traversa le salon ventre à terre et tira sur la porte d'entrée. Elle se souvint avoir posé son sac sur la chaise à côté de la porte. Elle tâtonna, le trouva, lutta à nouveau avec la poignée.

La porte s'ouvrit en grand à la troisième secousse.

Elle se précipita dans le couloir, claqua la porte. Elle fourragea dans son sac, trouva la clef, verrouilla la serrure.

Ça lui donnerait encore dix secondes. S'il n'avait pas de clef, peut-être encore soixante.

Elle courut le long du couloir et pressa le bouton de l'ascenseur. Elle put voir d'après l'indicateur de position que l'ascenseur montait du rez-de-chaussée.

Elle entendit Loring secouer la porte d'entrée de l'appartement, et elle entendit s'abattre le marteau.

Elle tira sur la porte de l'escalier d'incendie à côté de l'ascenseur. Une seule ampoule électrique pendait au palier d'en dessous, et elle dérapa dans le noir. Sa chaussure à talon se tordit sous elle, provoquant une torsion du muscle de son mollet.

Son équilibre l'avait abandonnée. Elle se lança en avant, sentit trois marches de béton, réussit à attraper la rampe métallique.

Elle se redressa. Une douleur cuisante irradiait sa cheville. Elle ôta ses chaussures. Serrant sac et hauts talons contre elle, elle descendit tant bien que mal jusqu'au palier suivant.

Elle fonça dans le couloir. L'indicateur de position signalait que l'ascenseur continuait à monter, et dépassait à l'instant le premier.

Elle resta là, un doigt planté sur le bouton d'appel. Elle entendit Loring enfoncer la porte au-dessus, et puis le bruit sourd de ses godillots sur le sol.

Elle retourna en quatrième vitesse dans l'escalier d'incendie. Elle dévala un autre étage jusqu'au troisième et ressortit dans le couloir.

L'indicateur signalait que l'ascenseur montait toujours, et dépassait maintenant le deuxième étage. Elle pressa le bouton d'appel.

L'ascenseur s'arrêta.

En faisant aussi peu de bruit que possible, Babe ouvrit la porte de l'ascenseur. Elle tendit la main vers la grille et essaya de la faire coulisser sur le côté. Celle-ci refusa de céder.

Babe martela la grille avec le talon de sa chaussure.

Finalement, sans hâte, la grille s'ouvrit.

Babe se faufila dans l'ascenseur. Il n'y avait pas de lumière et les parois étaient tapissées d'une épaisse étamine industrielle.

Elle essaya de refermer la grille d'un coup. Elle était réglée automatiquement, et de nouveau il était impossible d'accélérer l'opération. Elle commença à pousser des boutons – descente, fermeture, appel, rez-de-chaussée. La grille se referma lentement et le câble de l'ascenseur vibra.

Elle pouvait entendre Loring deux étages au-dessus, entendre les cliquettements de son doigt sur le bouton d'appel.

L'ascenseur hésita entre les appels vers le haut et vers le bas – et puis avec une maigre plainte il commença à descendre avec une lenteur exaspérante.

Babe entendit des pas dévaler les escaliers avec fracas, des portes claquer.

L'ascenseur arriva au second avec une lenteur d'escargot, et elle entrevit le visage de Loring quand il jeta un coup d'œil par la porte de l'ascenseur, puis replongea dans la cage d'escalier. Ses godillots martelaient les marches de béton. L'ascenseur dépassa le second.

Et soudain il fut là, brandissant son marteau, ouvrant un trou à grand fracas dans la porte de l'ascenseur. Le marteau de forgeron s'abattit par la brèche. La porte commença à se déformer.

L'ascenseur poursuivit sa lente descente au-delà du premier. Les coups de marteau cessèrent brusquement.

Quand l'ascenseur atteignit le rez-de-chaussée, Loring surgit. Le marteau de forgeron porta deux coups terribles à la porte.

Babe pressa de tout son poids sur le bouton de montée, essayant désespérément de changer la direction de l'ascenseur.

Elle fouilla frénétiquement dans son sac pour trouver un objet défensif. Elle n'avait rien.

Babe lâcha son sac.

Loring ouvrit la porte d'une secousse et fit coulisser la grille sur le côté.

Son visage était tordu par une grimace inhumaine.

Babe tenait ses chaussures devant elle, bouts en avant.

Il leva le marteau de forgeron, dix kilos de fer brut décrivirent un arc de cercle dans l'espace.

Babe esquiva le coup.

Le marteau s'écrasa contre la paroi derrière elle, déchira l'étamine, puis remonta.

Les bouts de ses deux chaussures pointés sur les yeux de l'homme, Babe poussa de toutes ses forces.

Quand Cardozo et Cordélia pénétrèrent dans l'immeuble, des voix bourdonnaient. Une petite foule se pressait dans le couloir. D'abord on aurait cru le trop-plein d'une fête, en plein bavardage.

Mais l'un des hommes soutenait Babe Devens.

Ses cheveux tombaient emmêlés sur son visage, et sa robe du soir était déchirée. Elle tendit une main vers Cardozo. La main tenait une chaussure, la tenait serrée, comme une arme. Il y avait du sang sur le bout.

Cardozo ouvrit les bras, elle vint contre lui et il la serra sur sa poitrine. Puis Babe posa ses deux mains sur la tête de Cordélia et l'embrassa.

— Que s'est-il passé? demanda Cardozo.

Un homme à l'allure de professeur, proche de la cinquantaine, s'avança.

— J'ai tout vu.

Il avait les cheveux gris, une espèce d'air intellectuel meurtri par la vie, et portait une chemise à col ouvert et un blazer.

— Un fou s'attaquait à elle avec un marteau de forgeron. Si nous n'étions pas entrés, il lui aurait fracassé le crâne.

— C'était Loring. La respiration de Babe se calma. Il attendait là-haut.

— Vous êtes okay? demanda Cardozo.

— Okay maintenant, assura-t-elle, mais il y avait dans ses yeux une lueur qui la mettait à des années-lumière de cette affirmation.

Cardozo fit monter Cordélia et Babe dans l'ascenseur jusqu'au cinquième étage. Un trou avait été ouvert au marteau dans la porte de l'appartement, et des éclats de bois jonchaient le couloir. Il poussa la porte.

Les colonnes portantes, dans l'appartement, luisaient dans la lumière qui tombait des fenêtres. Cardozo abaissa l'interrupteur électrique. La moitié du mobilier de la pièce avait été démoli.

— Mon Dieu, murmura Cordélia, qui porta les mains à son visage.

— Il attendait ici pour vous tuer, Cordélia, lança Cardozo. Vous, pas votre mère. Et vous savez qui l'avait envoyé.

52

Lucinda MacGill, grande et mince, passa de la voiture à la porte d'entrée d'une démarche décidée.

– Avez-vous la moindre idée de quoi il s'agit?

– Vince m'a demandé de vous trouver.

Monteleone appuya son pouce sur la sonnette.

– Je n'en sais pas plus.

Son visage blême à la lourde mâchoire regardait avec impatience entre les barreaux de la grille en fer forgé.

Un moment plus tard Cardozo ouvrit la porte de l'hôtel particulier. Il paraissait agité.

– Content de vous voir ici tous les deux. Merci infiniment.

Il emmena MacGill et Monteleone à l'étage dans une pièce lambrissée de bois de merisier. Lucinda MacGill jeta un coup d'œil aux impressionnistes français sur le mur.

– Votre environnement s'est amélioré, Lieutenant.

– Merci. Asseyez-vous.

MacGill s'assit sur un fauteuil en bois tourné tapissé de soie et observa Cardozo d'un œil tranquille.

– Laissez-moi simplement vous donner un aperçu de ce qui se prépare, commença Cardozo. J'ai deux dames très nerveuses dans la pièce à côté. Ce soir on a attenté à la vie de l'une d'elle, mais c'était à l'autre qu'on en voulait. Vous connaissez la mère, Babe Devens. C'est elle qui a failli y passer. Je ne pense pas que vous connaissiez la fille, Cordélia Koenig. Cordélia en a vu de dures. De très dures. Elle est sur le point de craquer, et elle est près de à nous raconter exactement tout ce qu'il nous faut pour lancer une inculpation. Votre magnétophone est chargé, Maître?

Lucinda MacGill glissa son Panasonic hors de son sac.

– Avec une bande de quatre-vingt-dix minutes.

– Nous allons en avoir besoin jusqu'au dernier centimètre. Allons-y.

Cardozo montra le chemin de la pièce voisine.

Cordélia était assise sur un divan profond et somptueux, sans bouger, tendue, les yeux fixés sur la cheminée de marbre vert avec son griffon de cuivre et ses ustensiles en fer. Babe était assise dans le fauteuil à côté de sa fille, elle s'agita pendant que Cardozo faisait les présentations.

Lucinda MacGill s'installa dans un fauteuil confortable. Elle embrassa du regard les lambris de chêne sombre, les rideaux de soie couleur huître, le piano à queue de concert Boesendorfer. Des coupes de roses et de gardénias coupés parfumaient délicatement l'air.

— Dès que vous serez prête, Cordélia, prévint Cardozo.

Lucinda MacGill mit en marche son magnétophone.

Cordélia sembla se perdre un instant, battit des paupières et regarda autour de la pièce comme si elle s'était endormie ailleurs et venait de se réveiller dans un endroit qu'elle n'avait encore jamais vu. Quand elle finit par parler, ses mots avaient un ton de lointain ouï-dire, comme si tout ce qu'elle décrivait était arrivé en coulisses, à quelqu'un d'autre.

— Nous avons commencé à faire l'amour quand j'avais onze ans. Je ne savais pas vraiment ce qu'était le sexe, je ne savais pas ce que nous faisions, et je ne savais pas qu'il filmait. Il me donnait de la drogue. Il disait qu'il m'aimait. Il disait que nous nous marierions quand j'aurais seize ans.

Son ton sans modulation parlait d'une vie d'angoisse et de solitude, une vie tellement abîmée qu'il n'y avait jamais eu aucune raison de ne pas l'abîmer plus encore.

— Il disait que Maman serait soûle ce soir-là et Scottie aussi. Et que je n'aurais qu'à entrer dans la chambre, planter l'aiguille dans son bras et vider la seringue. Ma mère et mon beau-père sont rentrés soûls et sont tombés ivres morts. J'ai été dans leur chambre et j'ai planté l'aiguille dans le bras de ma mère.

Babe était assise là, très droite et svelte contre le dossier de son fauteuil; elle regardait sa fille avec des yeux écarquillés et douloureux.

— Je ne lui ai injecté que la moitié de la dose, poursuivit Cordélia.

— Une minute, interrompit Lucinda MacGill. Qu'avez-vous fait?

— Je lui ai injecté la moitié de la seringue.

Cordélia battit des paupières très fort et une grimace déconcertée dessina de minuscules rides sur son visage.

— Je ne sais pas pourquoi. J'imagine que je ne pouvais pas la tuer jusqu'au bout.

Lucinda MacGill se leva.

— Mlle Koenig, ne dites plus un seul mot ni à moi, ni au Lieutenant Cardozo, ni à l'inspecteur Monteleone, ni à aucun membre de la police ou du cabinet du procureur.

La tête de Cardozo pivota, incrédule.

— Mais qu'est-ce que vous manigancez, bon Dieu?

— Lieutenant, déclara Lucinda MacGill, j'ai un mot à vous dire.

Il la suivit dans le couloir.

— C'est entaché.

Lucinda MacGill s'exprima avec une fermeté catégorique, en refermant derrière eux la porte coulissante à panneaux de verre.

— Rien de ce que dit cette fille n'est recevable.

— Je crois que vous êtes folle.

— Cordélia avoue la tentative de meurtre sur sa mère. Son témoignage l'incrimine. Elle devrait être repérsentée par un avocat pendant qu'elle parle à la police.

L'attitude de Lucinda MacGill était précise, sans passion, sans émotion. La parfaite machine judiciaire.

— Pas un seul avocat sur terre ne l'autoriserait à faire ces déclarations.

— Elle a choisi de renoncer à ses droits.

Les yeux de Lucinda MacGill signalèrent que Vince Cardozo était un imbécile.

— Vous pouvez lui lire ses droits douze fois, et elle peut y renoncer treize fois, il lui faut quand même un avocat, sinon ceci ne sera reconnu comme témoignage dans aucune cour de justice.

— Nous ne la mettons pas en accusation, bon sang! Nous courons après l'homme qui l'a séduite et lui a donné cette seringue.

— Vous a-t-elle dit son nom?

— Pas encore.

— Parfait. Ne la laissez pas vous le dire.

— Je veux connaître son nom. Je veux le coincer. C'est pour ça que je vous ai fait venir ici.

— Vous m'avez fait venir ici et je vous mets les points sur les i. Faites ça comme il faut, Vince.

— Mais qu'est-ce que c'est bon Dieu que ces complications?

— Vous avez affaire à une fille émotionnellement instable, je sais qu'elle est jeune, j'imagine qu'elle est instable. Légalement, elle est doublement incompétente. Si tout ce que vous avez c'est son témoignage, et que son témoignage contient un mot de ce que je viens d'entendre, donnez-lui un avocat immédiatement. Sinon le procureur ne touchera pas à ce méli-mélo et votre criminel sera relâché.

Elle continua à fixer Cardozo d'un regard intense.

— Je suis désolée. Qui qu'il soit, il a vraiment l'air d'un beau salopard, mais même si lui ne vit pas selon la loi, nous si.

— Lucinda, dit Cardozo d'un ton las, ce que vous ne saisissez pas c'est le coût humain – la contamination que ce type laisse dans son sillage.

– Croyez-moi, Vince, je vois très bien le tableau.

Il n'y avait pas de raison de rentrer tout droit à la maison. Cardozo se savait trop énervé pour dormir. Il fit un saut au commissariat.

Il se versa un café. Ce café devait attendre dans la cafetière depuis trois heures du matin de la nuit précédente. Sa première gorgée ajouta à son sentiment que sa vie n'était pas seulement irréelle mais infecte.

Il passa dans son box. Il y trouva quatre nouvelles instructions du bureau de l'IP. Il les expédia dans le tiroir ouvert du classeur. Elles vinrent s'écraser avec un bruit mou sur celles de la semaine précédente.

Maintenant il regardait un prospectus que quelqu'un avait posé sur son bureau :

« Madame Roberta – bonne aventure – lecture dans les astres. »

Il s'apprêtait à le froisser en boule quand il vit au verso des mots écrits à la main : « Vince C., appelez Faye. » Il alla à la porte.

– Qui est Faye, bon sang?

– Elle a dit que tu la connaissais, répondit le sergent Goldberg.

– C'est toi qui as pris ce message, Goldberg? Il n'y a pas de date, il n'y a pas d'heure, il n'y a pas de nom de famille, il n'y a pas de numéro.

– Engage une secrétaire, grommela le sergent.

Cardozo ne voyait qu'une seule Faye – la copine de Loring, Faye di Stasio. Il obtint le numéro par les renseignements et le composa. A la septième sonnerie une voix embrumée répondit.

– Faye? Ici le lieutenant Vince Cardozo. Vous m'avez téléphoné?

– Vous m'avez demandé d'essayer de repérer Claude. Il a un plan coke – ce soir, deux heures du matin, devant l'Inferno.

– A qui vend-il?

– Moi.

Claude Loring releva les bras et se les frictionna : le temps devenait trop frisquet pour un blouson Levi's sans manches. Faye di Stasio le suivit jusqu'à la camionnette garée de l'autre côté de la Neuvième Avenue, face à l'entrée de l'Inferno.

Claude fouilla dans la boîte à gants et en sortit le petit sac en papier noir. Faye plongea la main dans sa poche et en retira un rouleau de billets de vingt.

Il y eut un bruit métallique, comme un petit caillou frappant un enjoliveur. Claude pivota.

– Pas un geste. Un homme se tenait là, tendant une plaque dorée. Lieutenant MacFinney, stups.

Claude tourbillonna et courut. Un autre flic sortit de derrière une Chevy en stationnement, revolver à bout de bras.

– Tu as entendu, Claude.

Claude se figea sur place. Le flic connaissait son nom. C'était un coup monté.

– C'est pas ma coke, c'est la sienne. Claude pointa l'index. Faye di Stasio, c'est un dealer, je fourguais pour elle.

MacFinney se retourna.

– Faye, file et reste dans le droit chemin.

Faye s'enfonça en trébuchant dans l'obscurité.

– Ouvre le sac, ordonna MacFinney.

Claude ouvrit le sac.

L'autre flic s'avança, en balançant une paire de menottes.

– Mains contre le mur, mec.

Claude se retourna vers le mur. Il y eut deux clics et il sentit la brûlure glacée du métal contre ses poignets. Les flics le menèrent vers une voiture banalisée. Un autre flic était assis à l'intérieur, en civil. Claude le reconnut et accusa le coup.

Vince Cardozo se glissa de côté pour libérer la place.

– Nous avons quelques questions à discuter ensemble, Claude. Possession avec intention de vendre et une tentative d'homicide il y a deux nuits de ça.

– Je veux voir mon avocat.

– Tu n'as pas besoin d'avocat. On ne te poursuit pas. Dis-nous qui t'as envoyé tuer Cordélia Koenig.

– J'étais à l'Inferno et je parlais à un type avec une crête d'Iroquois verte.

Claude Loring avait dans la voix un graillonnement de fumeur invétéré.

– Et puis Jodie est arrivé et a commencé à mettre son grain de sel et à nous embêter et j'ai pensé okay, mon vieux, t'as décroché le gros lot, t'es bon. Je l'ai ramené à la camionnette pour fumer un peu de crack, et puis j'ai commencé par me l'envoyer. Je lui ai dit que je savais où on pouvait trouver encore du crack, et je l'ai emmené dans la turne de Monserat. J'étais le dénicheur pour les fêtes de Lew – je trouvais les distractions.

– Quel genre de distractions? s'enquit Cardozo.

– Des gens. Des gamins, des types, des filles. Des cadavres.

Lucinda MacGill était d'ordinaire une jeune femme brillante et pleine de sang-froid, mais son visage retourné fixa Loring avec horreur.

– Où trouviez-vous les cadavres? demanda-t-elle.

– Monserat avait passé un accord avec un salon mortuaire.

– Quel salon mortuaire?

Claude Loring nomma un salon mortuaire connu.

– Ils prêtaient les cadavres pour la nuit. Monserat payait deux, trois cents dollars par corps. Il payait plus pour les morts que pour les vivants. Je ramassais cent tickets pour chaque invité que je livrais. Et toute la drogue que je voulais.

– Les gens étaient-ils torturés à ces fêtes? demanda Cardozo.

– Avec les cadavres, il fallait faire gaffe, parce qu'ils devaient rester en bon état du cou jusqu'en bas, on ne savait jamais qui était exposé cercueil ouvert. Mais les gens qui n'étaient pas morts pouvaient être tabassés. Monserat dit que pour atteindre l'âme d'une autre personne il faut provoquer la panique chez elle. Vous avez un type, là, à votre merci, il est paniqué, il croit qu'il peut mourir d'un moment à l'autre et son sort dépend de vous.

– On dirait que ça t'excitait aussi, remarqua Cardozo.

– Ça m'excitait.

Tout le monde prenait son pied à voir les autres prendre leur pied. Comme une ronde en jerk.

Une incrédulité sans expression, à la limite du dégoût, se peignit sur le visage de Lucinda MacGill.

– Personne n'a jamais été tué à ces fêtes? demanda Cardozo.

Loring dût réfléchir un moment.

– Pas que je me souvienne.

– D'où venait le masque noir de bondage?

– Il appartenait à Monserat. C'était une œuvre d'art, disait-il. Dès que quelqu'un le portait, il devenait une œuvre d'art. Il disait que les masques était la vraie réalité. Il avait des tas de masques – de genres différents – des masques d'Halloween, des masques de magasins de farces et attrapes. Mais le masque de bondage était spécial.

– Spécial comment?

– Ce masque était réservé aux victimes. Si Jodie Downs n'avait pas porté ce masque, je n'aurais jamais pu lui faire de mal. Je suis un type doux, je ne fais pas de mal aux gens. Mais une fois que Jodie a eu le masque sur la figure, pour moi il n'a plus été humain. Il s'est transformé en quelque chose d'autre. Quand je l'ai regardé sous ce masque cinq pour cent de moi a pensé qu'il était un homme et quatre-vingt-quinze pour cent s'est dit qu'il était un monstre. Ce masque avait une allure de cauchemar. Comme si ceux qui le portaient pouvaient vous couper la tête si on leur en laissait l'occasion. Il fallait les tuer. C'était une question d'autodéfense – vous ou eux.

Claude Loring ploya les mains nerveusement. Assis là avec son jean et son tee-shirt I love New York, il faisait plus d'un mètre quatre-vingt-huit, immense et décharné, et ces mains semblaient pouvoir briser un cou humain aussi facilement qu'une branche de céleri.

– Dites-nous qui était à la fête cette nuit-là, ordonna Cardozo.

Claude Loring nomma des noms. Lucinda MacGill prit des notes.

– Qui était en travelo? demanda Cardozo.

– Deux, trois d'entre eux. Ce salopard de Duncan, Sir Dunk – il portait une des robes rouges de sa femme – un truc très chic, paillettes et tout le tralala.

– Est-ce qu'il portait du rouge à lèvres?

– Tout, du rouge des yeux jusqu'aux bajoues. Je vous jure, certains types ne devraient pas se travestir. C'est immonde.

– Duncan Canfield fumait-il?

– Il fumait.

– Des cigarettes?

– Des cigarettes, de l'herbe, du crack.

– A-t-il éteint une cigarette dans la main de Jodie Downs?

– Oui et c'était bizarre, Jodie a détesté mais il a aimé en même temps, il s'est cramponné à cette cigarette et il grognait comme s'il jouissait.

– Jodie a-t-il été tué à la fête?

– Non – il a été taillardé, mais pas tué.

– Décris comment il a été tué.

– C'était mon boulot de balancer la marchandise après les fêtes. Si c'était un cadavre, je le rapportais en camion au salon mortuaire. Si c'était des gosses, je les ramenais où ils habitaient, et je les payais. J'étais censé ôter le masque à Jodie et le ramener chez lui. Mais il me traitait de sale pédé et d'un tas d'autres trucs – alors je me suis dit, Jodie, t'as décroché le gros lot une deuxième fois, et je l'ai emmené à la tour Beaux-Arts pour me faire une scène seul avec lui. On a fumé encore du crack et Jodie n'arrêtait pas de répéter « Fais-le, fais-le. »

– Que voulait-il dire par « Fais-le »?

– Le tuer. Il faut que vous compreniez – j'étais défoncé au crack. Et il demandait, il suppliait. Alors je l'ai étranglé.

Claude Loring s'épongea le visage avec un mouchoir à carreaux rouges.

– Quand Jodie est mort, je crois que j'ai paniqué.

– Parce que vous l'aviez tué, dit Lucinda MacGill.

– Parce que je l'avais tué, que je n'avais plus de crack, et qu'il fallait que je tienne. J'étais là avec ce corps au masque malfaisant et qu'est-ce que j'allais en faire? C'était le passage à vide – je savais qu'il fallait que je retrouve un second souffle, que j'arrange tout ça, je ne pouvais pas rester assis là avec ce corps. Et puis je me suis souvenu que mon dealer de coke était en service dans le hall d'entrée.

– Hector, dit Cardozo.

Loring acquiesça.

– Ce salaud ne voulait pas m'en donner du tout. Mais je l'ai secoué et il m'en a filé une dose. Je l'ai sniffée et puis c'était comme s'il n'y avait plus de problèmes. J'ai vu comment m'en sortir – découper le corps et jeter les morceaux dans différents vide-ordures. Il y avait une scie au seize, ils faisaient des travaux là-haut. Alors j'ai commencé à le découper et j'ai ôté une jambe et c'était vraiment un sacré boulot, et j'étais crevé, alors j'ai pensé, okay, la pause. Je prévoyais de revenir quelques heures plus tard, mais je suis tombé dans les pommes.

Il se mit à sangloter.

– Je me déteste et je déteste ce que j'ai fait. Mais c'est comme si ce n'était pas moi. Monserat me donnait de la drogue et quand j'étais défoncé on aurait dit un chien au bout d'une chaîne. J'allais partout où Monserat voulait que j'aille. J'essayais de lutter, mais j'imagine que j'étais vraiment faible.

Maintenant il jouait au cocker, tout doux et pathétique, avec de grands yeux bleus, implorant la compréhension.

Le ressort du fauteuil pivotant gémit quand Cardozo se pencha en avant.

– Okay, Claude, ça suffira pour le moment.

Greg Monteleone ramena Loring dans la cellule provisoire.

Lucinda MacGill tremblait, une survivante qui avait tout juste réussi à franchir la frontière des damnés. Elle fit un effort pour se dominer et elle se leva.

– Comment vous sentez-vous? demanda Cardozo.

– Plus vieille, répondit-elle. On croit tout savoir sur l'incroyable. Et puis on entend une histoire comme celle-là et on a le cerveau qui voudrait fermer boutique.

– Loring consent à répéter tout ça en échange de l'immunité.

– Quel intérêt? Il a déjà été reconnu coupable d'avoir tué Downs.

– Il peut encore être jugé pour avoir dealé du crack. Pour avoir agressé Babe Devens avec l'intention de la tuer.

Cardozo sentit le contact calme et posé de l'attention de Lucinda MacGill.

– Que Loring prétende que Lewis Monserat l'a envoyé tuer Cordélia Koenig – voilà qui m'ennuie, observa-t-elle. Le croyez-vous?

– Et comment! Pas vous?

Son expression était grave.

– Loring pourrait sauver sa peau.

– Il n'a aucune raison de s'attaquer à Cordélia ni à sa mère. Il faut que ce soit Monserat.

– Pourquoi? Vous dites que Monserat voulait Babe morte et Scott Devens reconnu coupable afin que Cordélia hérite, qu'il l'épouse et mette la main... je ne sais pas, Vince. Il a quarante ans de plus. Vous n'êtes sûr de rien.

Les yeux de MacGill étaient d'un vert froid et brûlant.

– Légalement, Loring est tout aussi inutile que Cordélia. Ce que vous avez ce sont deux tentatives de meurtre sur Babe Devens, et le témoignage non corroboré de deux prétendus assassins passés aux aveux. Loring prétend que Monserat l'y a forcé, vous prétendez que Monserat y a forcé Cordélia, et ce que Cordélia prétend nous ne le saurons pas jusqu'à ce qu'elle ait un avocat. Mais c'est une toxicomane tout juste majeure, et Loring est un toxicomane et un assassin reconnu coupable de meurtre. Vous ne pouvez même pas amener Monserat pour interrogatoire sur témoignage. Morgenstern vous crucifiera.

— Et le porno avec des gosses?

— Il est masqué dans tous les films que vous m'avez montrés. A moins que vous ne dissimuliez de la pellicule, vous n'avez pas d'identité.

— Cordélia se décidera, assura Cardozo. Elle l'identifiera.

— Et vous n'aurez rien de plus que la même déclaration non corroborée et totalement irrecevable dont vous disposiez au début.

Lucinda MacGill soupira.

— Mais elle y était, bon sang, protesta Cardozo, désormais d'humeur belliqueuse.

Les yeux de Lucinda MacGill se posèrent sur lui avec patience.

— C'était une enfant, elle était droguée, c'était il y a sept ans. Il faut absolument qu'elle soit corroborée.

— Les bandes vidéo sont une corroboration, insista Cardozo.

— Je ne serais pas si pressée d'utiliser ces bandes. Elles montrent l'usage de drogue, ce qui met en doute le jugement et les souvenirs de Cordélia, et elles montrent des scènes de sodomie, ce qui met en doute son personnage et sa crédibilité. Les bandes risqueraient même de ne pas être reconnues comme preuve si la cour décrète que Cordélia ne peut pas renoncer à se compromettre. Et si l'on peut prouver que les bandes datent d'il y a sept ans, elles font acquitter Monserat, parce qu'il y a prescription.

— Seigneur, marmonna Cardozo.

— En résumé, les chefs d'accusation pour sexe et drogue vont échouer. Donc oubliez-les.

— Alors comment coinçons-nous Monserat? demanda Cardozo.

— Je n'ai plus de bonnes idées en magasin, répondit Lucinda Mac-Gill.

Dehors, dans le bureau des inspecteurs, la télévision avait été installée sur la table Mr. Coffee. C'était la fin de la huitième. Le score était de trois à deux. Les Mets avait des hommes en seconde et première. Les St. Louis Cardinals menaient d'un point.

Cardozo sentit un trait de douleur acéré derrière ses yeux.

— Vince, arrêtez de faire des grimaces comme si c'était moi qui inventait ces lois.

– Vous ne cessez de me les envoyer à la figure.

– C'est mon boulot.

– Quelqu'un a essayé de tuer Cordélia. Il va essayer de nouveau.

– Alors donnez-lui un garde du corps. Vince, vous ne pouvez pas l'amener sur le témoignage de Loring. Soyez réaliste. Loring est un criminel, un prisonnier. Il ferait n'importe quoi pour son prochain paquet de coke. Il entache certaines personnes très importantes. On entend un tas de ces noms-là dans l'immobilier, les médias, les obligations pourries, les rachats d'entreprises, les restructurations, les collectes de fonds politiques.

– Vous soutenez que parce que ces gens sont liés à l'argent, à l'immobilier, aux politiciens, parce qu'ils dînent avec les Rockfeller et sont photographiés avec Brooke Astor, on ne peut pas les toucher? La ville est sinistrée socialement et économiquement, mais tant qu'il y a de l'or à gagner en jouant au bonneteau avec les ruines, c'est bon de couper n'importe qui en morceau et de se branler devant le magnétoscope?

– C'est vous qui le dites, pas moi. Mais qu'est-ce qui vous prend? Les pauvres assassinent aussi. Il n'y a pas que les riches.

– Les pauvres n'ont pas Ted Morgenstern. Ils se font coincer.

– Loring avait Ted Morgenstern. Il s'en est tiré avec deux mois.

– Loring ne m'intéresse pas. C'est une poupée gonflable. C'est cette ordure de marchand de tableaux qui m'intéresse.

– Du calme, Vince.

Il abattit une main sur le bureau. Un tiroir se fendit.

– Je n'arrive pas à croire ce qu'est devenue cette ville. C'était chez moi. Maintenant il faut dix millions pour démarrer ici.

– Mais quel rapport, bon sang? Vous déraillez, Vince.

Ils se hurlaient au nez.

– Ah je déraille!

Cardozo décrocha le téléphone avec violence et tapa un numéro. Par-dessus le vacarme du match un téléphone sonna dans le bureau des inspecteurs.

– Greg... je veux que toi, Siegel et Malloy filiez Monserat. Vingt-quatre heures sur vingt-quatre. Je veux une écoute sur sa ligne téléphonique. Je veux savoir où il va, à qui il parle, et je ne veux pas qu'il approche de Cordélia Koenig.

Quand il raccrocha, les yeux de MacGill étaient plissés et préoccupés.

– Vous ne pouvez pas faire ça.

– Ça m'est égal, lança-t-il.

53

— Je n'aurais jamais cru que je repasserais une nuit dans cette maison.

La voix de Cordélia s'éleva, pensive, à l'autre bout de la pièce.

Babe leva les yeux et sourit.

— Cela me rappelle le bon vieux temps de t'avoir à nouveau ici, même si c'est pour attendre que les menuisiers remettent tes murs en état.

Elles étaient ensemble depuis plus d'une heure. D'abord elles avaient parlé, et puis, cédant à une sorte de gravité insinuante, elles avaient laissé les doigts légers de la bruine contre les vitres les bercer au cœur de silences de plus en plus longs.

— C'est bizarre, remarqua Cordélia. Je me sens chez moi ici.

Elle avait noué ses cheveux en arrière avec un large ruban bleu assorti à ses yeux.

— Je pense à ce que la vie aurait pu être – à ce qu'elle est devenue : moche.

La soudaine véhémence de la voix de la jeune fille surprit Babe.

— Rien n'est devenu moche, assura Babe.

— Si, moi.

— Ce n'est pas vrai.

— Comment peux-tu supporter de m'avoir ici? Comment peux-tu dormir dans ce lit en sachant que je suis dans la chambre d'à côté? Comment peux-tu simplement me supporter?

— Tu es ma fille. Je t'aime.

— Ce n'est pas possible. Avec un craquement de papier glacé, Cordélia jeta son magazine par terre et bondit sur ses pieds. Tu ne peux pas m'aimer après ce que j'ai fait.

— Ce n'est pas toi... Babe reculait pour choisir ses mots, pour leur trouver le ton qui convenait. Tu avais besoin de quelqu'un pour te montrer la voie. J'aurais dû être là pour toi, et je ne l'étais pas.

— Un tas de mères ne sont pas là pour leurs enfants. Cordélia noua ses bras autour de son torse. Mais leurs enfants ne leur font pas une piqûre mortelle.

Babe inspira longuement et rejeta l'air lentement.

— Tu as obéi à un ordre. Tu faisais confiance à quelqu'un qui ne méritait pas ta confiance. Tu étais une enfant. On s'est servi de toi.

Cordélia se retourna, les yeux durs et provocants.

— Tu le crois vraiment.

— Oui, je le crois, et je hais Lew Monserat de t'avoir ainsi blessée. Je ne me pardonnerai jamais de t'avoir abandonnée à des gens comme lui.

Cordélia haussa les épaules.

— Ne condamne pas Lew. Il ne m'a fait aucun mal.

Babe fut stupéfaite.

— Il a envoyé un homme pour te tuer.

Cordélia lui lança un rapide coup d'œil.

— Ce n'est pas ce que tu crois. Ce n'est pas de la faute de Lew.

Babe sentit des ténèbres au creux de son ventre.

— Tu n'es même pas en colère? Elle quitta son fauteuil. Ni effrayée?

— Je suppose que je suis effrayée.

La voix de Cordélia était devenue étrangement morne.

— Mais pourquoi en voudrais-je à Lew? Il n'y peut rien.

Elle s'approcha du piano. Avec un mouvement de ralenti recherché, elle joua avec les chrysanthèmes dans le vase.

— Il n'est pas pire que moi.

L'ébahissement se rassembla dans les plis du front de Babe.

— Tu ne peux pas sérieusement te mettre au même niveau que lui.

— Je connais mon niveau. Un homme m'a séduite, m'a donné des drogues, et j'adorais ça, et je l'adorais. Maintenant il veut me tuer et mes sentiments n'ont pas du tout changé à son égard. Je le laisserai me tuer.

Le cœur de Babe bondit.

— Tu n'en crois pas un mot.

— Je l'aime toujours, déclara Cordélia avec calme, et je ne veux pas lui nuire. Je suis donc aussi pourrie que lui, non?

Le sentiment du désespoir infini de son enfant envahit Babe par tous les pores de sa peau. « Il ne peut pas exercer un tel pouvoir sur elle, se dit-elle. Comment quiconque pourrait-il exercer un tel pouvoir sur un autre être humain? »

— Quand tu es tombée amoureuse, insista Babe, s'il s'agissait d'amour, tu étais seule et sans appui, tu étais une enfant. Tu t'es tournée vers quelqu'un dont tu pensais qu'il te protégerait.

— Et quel douce enfant j'étais. Il m'a tendu une seringue et demandé de tuer ma propre mère. Et j'ai obéi. Quelle douce et obéissante enfant.

– Mais tu ne l'as pas fait. La voix de Babe était implorante. Voilà la différence entre toi et lui. Tu ne pouvais pas tuer.

Cordélia réfléchit un moment.

– Mais je pouvais accomplir d'autres actes aussi moches. Et ne crois pas que je m'en sois privée.

– Ce n'était pas toi qui accomplissais ces actes. C'étaient les drogues qui les accomplissaient.

– Les drogues ne créent pas le mal – elles se contentent de le fertiliser.

Cordélia souleva le couvercle du piano et roula ses articulations sur un groupe de touches noires. Un son clair et enfantin tinta dans le salon.

– J'ai le mal en moi.

– C'est faux, protesta Babe.

Cordélia secoua la tête.

– Il est là. Quand je ferme les yeux il me montre des images. Des images mauvaises. Parfois c'est comme un poste de télévision bloqué sur une chaîne. Je ne peux pas l'éteindre.

– Que tu imagines une mauvaise action ne signifie pas que tu l'as accomplie ou que tu vas l'accomplir.

Cordélia frappa un autre groupe de touches noires sur le clavier.

– Est-ce que tu vois des trucs comme ça à l'intérieur de ta tête?

– Comme tout le monde.

Un intérêt plana derrière l'expression neutre de Cordélia.

– Tout le monde?

– Mais oui. Parfois je vois un mélange dingue d'école maternelle et de marquis de Sade.

Sur le visage de Cordélia, la réaction resta en suspens.

– Raconte-les-moi.

Il n'y avait qu'une image dans l'esprit de Babe, si petite et envahie d'ombres qu'elle dut faire un effort pour ne pas la laisser échapper.

– Depuis mon coma je ne cesse de voir une sorte de cocktail dans une pièce éclairée à la bougie. Les invités portent des tenues de soirée et des masques de magasin de farces et attrapes – Porky, Minnie, Alice au pays des merveilles, Richard Nixon.

Les yeux de Cordélia pivotèrent.

Babe poussa un petit gloussement.

– Tu vois comme mes processus mentaux sont détraqués.

– Je ne vois pas ce qu'il y a de si malfaisant dans des masques de farces et attrapes, observa Cordélia.

– Ça devient malfaisant, affirma Babe.

Elle s'avança vers la fenêtre et le regard de Cordélia s'avança avec elle.

– Il y a un jeune homme dans la pièce, poursuivit Babe. Il est nu...

inconscient. Je crois qu'il est drogué. Ces gens masqués l'attachent à une sorte de chevalet. Ils lui mettent une cagoule de cuir noir sur le visage. Et puis Richard Nixon...

La façon dont Cordélia était immobile, drapée dans un voile d'horreur, arrêta Babe.

— ...prend un couteau sur la table, articula Cordélia, et coupe un cercle dans sa poitrine.

Une secousse parcourut Babe.

— Comment le savais-tu?

Derrière les yeux clairs et brillants de Cordélia, quelque chose de sauvage et de passionné grandissait.

— Et puis Richard Nixon coupe un Y à l'intérieur du cercle?

— C'est ça.

Babe avait la respiration bloquée. Une sorte d'irréalité rêveuse l'envahit.

— Et tu te dis que ça ne se passe pas en vrai, continua Cordélia, mais alors le Y se met à saigner et tu sais que c'est vrai, et le jeune homme hurle sous le masque et le hurlement est vrai aussi.

Un courant moite rampa lentement sur la peau de Babe.

— Et puis Minnie...

— Minnie écrase sa cigarette, dit Cordélia. Elle l'écrase au creux de...

— la main du jeune homme, termina Babe.

Le silence tomba sur la pièce.

— Je n'arrive pas à y croire. Les yeux de Cordélia enveloppèrent sa mère. Je les ai vus faire ces choses. J'étais là. J'étais à la porte de son loft. Je regardais. Et quand je n'ai plus supporté de regarder, j'ai tourné les talons, j'ai couru, et quand j'ai arrêté de courir j'étais dans ta chambre d'hôpital. Tu étais la seule personne à qui je pouvais le raconter.

— Tu... me l'as raconté?

Cordélia acquiesça.

— Pendant que tu étais dans le coma... je te racontais tout. Je prétendais que tu pouvais m'entendre. Cordélia s'avança vers la cheminée et regarda les bûches qui n'étaient pas allumées. Je prétendais que tu voulais m'entendre... couchée dans ton lit, si paisible, toujours à m'attendre, sans jamais courir nulle part. Tu étais ma meilleure amie. Et moi j'étais la tienne.

La voix de Cordélia prit un rythme de psalmodie presque enfantin.

— Je demandais : « Mère, est-ce que je devrais faire ceci, est-ce que je devrais faire cela. » Ta respiration s'entrecoupait, parce que tu m'entendais, et je comptais tes respirations jusqu'à l'arrêt suivant. Un nombre pair signifiait oui et un nombre impair signifiait non. C'était notre code. Et puis avant de rentrer à la maison, je me penchais sur toi, je t'embrassais et je disais : « Maman je t'aime, je m'excuse de t'avoir fait du mal – et si jamais tu te remets je ne te ferai jamais plus de mal. »

Cordélia considéra sa mère un instant. Elle se détourna à nouveau.

– Et tu disais : « Je t'aime aussi, Cordélia. » Du moins c'était ce que j'aimais prétendre.

Ses mots sortaient par goulées, et elle commença à perdre le contrôle de sa respiration.

– Ce jour-là – après ce que j'avais vu dans le loft – je t'ai suppliée : « Maman – reviens. »

Sa voix prit le ton d'un enfant qui supplie.

– « J'ai besoin de toi. Je n'ai plus personne maintenant. »

Cordélia se mit à pleurer, des petits sanglots qu'elle réprimait et puis ne put plus réprimer plus longtemps.

– Et tu as ouvert les yeux. Juste pendant cette seconde-là tu me regardais.

Cordélia serra un poing devant sa bouche.

– J'ai appelé l'infirmière. J'ai dit : « Mère m'a entendue. »

L'infirmière a répondu : « Non, elle ne peut rien entendre. » Elle a assuré qu'ouvrir les yeux ne signifiait pas que tu voyais.

– Mais je me suis réveillée, remarqua Babe.

Cordélia acquiesça.

– Cette nuit-là.

Enfin Babe trouva le premier point d'appui vers la compréhension. La chose qui l'avait hantée n'était pas un rêve, pas un flash métapsychique; c'était Cordélia debout à côté du lit d'hôpital déversant toute la douleur de sa terreur et de sa solitude comme elle l'aurait fait sur une tombe. Et parce que Babe avait été vivante, pas morte, une faculté quelconque montant la garde sur son esprit endormi avait entendu l'appel de sa fille. Et, telle une mère hystérique de quarante-cinq kilos soulevant une VW de deux tonnes pour dégager son enfant écrasé, elle avait répondu à l'appel – revenant à la vie consciente, se souvenant des mots qui l'avaient interpellée, mais les prenant pour la voix de son esprit, ignorant jusqu'à maintenant comment ou de quoi elle se souvenait vraiment.

– Cordélia, souffla-t-elle, si tu n'étais pas venue me voir ce jour-là...

Cordélia battit des paupières et regarda sa mère derrière son poing serré.

– Si tu ne t'étais pas tenue à côté de mon lit, continua Babe, si tu ne m'avais pas appelée – je serais toujours dans le coma. C'est toi qui m'en a fait sortir.

Le sourire triste, plein d'espoir, interrogateur de Cordélia parut flotter à travers la pièce et venir jusqu'à elle.

— Merci, dit Babe. Merci d'avoir eu besoin de moi. Merci de m'avoir sauvée.

Babe posa sa main contre la joue de la jeune fille.

— Cordélia — tu as dit que j'étais ta meilleure amie quand j'étais endormie. Et tu as dit que tu étais ma meilleure amie. Maintenant que je suis réveillée, je pourrais peut-être rester ton amie? Penses-tu que nous pourrions essayer?

Cordélia était raide et gauche. Puis elle hocha la tête, et, très lentement, ses bras enlacèrent sa mère.

— Je rentre chez moi, annonça Cordélia.

Cardozo souleva une pile de rapports encombrant l'un des fauteuils, et dégagea une place pour qu'elle puisse s'asseoir.

— Les plâtriers ont réparé votre appartement si vite que ça?

— Non. Je rentre chez moi dans la maison de ma mère.

— Voilà qui est bien.

— Je trouve. Et elle aussi.

Cordélia resta silencieuse un moment.

— Ce n'est pas pour ça que je suis ici.

— J'ai droit à combien de réponses?

— C'est fini, je ne vais plus le protéger.

Cardozo lui lança un long regard. Il trouva un bloc-notes, prit son stylo-bille et gribouilla sur un bout de papier pour s'assurer que l'encre coulait bien.

— Avez-vous un avocat?

— Non.

— Jusqu'à ce que vous ayez un avocat, ne me dévoilez rien qui vous incrimine, et ne me dévoilez pas les noms de qui que ce soit ayant commis des crimes. Pour l'instant, je ne suis pas censé apprendre ce genre d'informations de votre bouche. Ma spécialiste m'assure que c'est la loi.

— Drôle de loi.

Cordélia le regardait.

— Ça ne laisse pas grand-chose à se raconter, hein? Excusez ma franchise, mais s'il y a une façon polie de formuler ma question, je ne la connais pas.

— Inutile de commencer à être poli avec moi.

— Couchiez-vous avec Scottie Devens quand vous aviez treize ans?

— Je n'ai jamais couché avec mon beau-père.

— Alors il est impossible que vous ayez attrapé une gonorrhée à cause de lui.

— Non, à moins que ça se propage par télépathie.

— Saviez-vous que vous aviez une gonorrhée quand vous aviez treize ans?

– Je savais que j'avais quelque chose. A l'époque je ne savais pas ce que c'était. Maintenant je sais.

– Savez-vous comment vous l'aviez attrapée?

– Oui. Et vous aussi.

– Avec combien d'hommes avez-vous couché avant d'être contaminée?

– Vous me faites trop d'honneur. Il n'y avait que lui.

L'esprit de Cardozo joua avec cette nouvelle information.

La conclusion était que Ted Morgenstern avait mené son habituelle petite enquête sur le principal témoin contre son client. Pour quelques centaines de dollars glissés à une infirmière de pédiatrie, il était tombé sur le bon filon : l'enfant était soignée pour gonorrhée. Il avait fait toute une histoire au tribunal à propos de sa santé mentale, exigé qu'on l'envoie chez un psychiatre, qui de par la loi devait aussi être docteur en médecine, et réussi à ce que la gonorrhée soit présentée comme preuve en tant que partie du dossier psychiatrique. En même temps il avait expédié Scottie s'incriminer en attrapant ailleurs la même inflammation.

Et les Vanderwalk n'avaient plus eu qu'à croire que Cordélia et Scottie s'étaient infectés réciproquement.

Cardozo conclut que cela représentait un prix vraiment modique pour un arrangement juge-accusé. Surtout un arrangement qui abaissait une peine de trente ans à trois mois. Ajoutez-y une rente viagère d'un quart de million, et c'était un marché que pas un seul accusé – même innocent – ne pouvait se permettre de refuser.

Et c'est pour ça que les gens paient les avocats.

Cordélia souriait, découvrant des dents extraordinairement blanches.

– Lieutenant... vous le haïssez?

Cardozo ne comprit pas tout de suite.

– Je hais qui ça?

– L'homme que je ne suis pas censée nommer.

– La haine, ça prend du temps. Je suis un homme très occupé.

– Je le hais.

Son index glissa d'avant en arrière sur le bord du bureau.

– Je sais comment nous pouvons le piéger.

Cordélia lui lança un regard, et Cardozo attendit ce qui pourrait bien jaillir de ce cerveau.

– Je peux obtenir ses aveux sur bande vidéo, déclara-t-elle. Il a l'équipement.

– C'est drôle, mais je ne crois pas qu'il va rester assis tranquillement pendant que vous installez les projecteurs pour la séance.

Le doigt de Cordélia ralentit.

– Il aime nous enregistrer. Je ferai l'amour avec lui avec le son branché. Je le ferai parler. Nous serons tous les deux défoncés. Ça sera facile. Il devient une vraie commère quand nous couchons ensemble.

Cardozo bondit.

— Bon sang. Pas question. N'en parlez même pas.

Quand Greg Monteleone rentra chez lui et donna un baiser à sa femme, elle ne le lui rendit pas.

— Hé, Inspecteur, lança-t-elle, que dirais-tu d'une ravissante jeune fille droguée dans ton salon?

Cordélia Koenig était nonchalamment assise sur le divan et tournait les pages du magazine *Time* beaucoup trop vite même pour les lire en diagonale. Monteleone sentit son cœur se serrer. Il prépara un sourire et entra dans la pièce.

La jeune fille se mit debout prestement.

— Salut... vous vous souvenez de moi? Nous nous sommes rencontrés l'autre soir.

— Bien sûr, je me souviens de vous, Mlle Koenig.

— J'espère que ça ne vous ennuie pas que j'aie demandé votre adresse au commissariat.

Elle resta plantée là, avec ses cheveux blond caramel cascadant sur ses épaules, son nez retroussé parfait, sa bouche au rouge à lèvres éclatant souriant d'un sourire qu'il devina être un mensonge.

— J'ai su à la minute où vous êtes entré dans le salon de ma mère que vous étiez un homme à qui je pouvais parler.

Ses paupières au longs cils noirs s'abaissèrent, pâles et papillotant de façon incontrôlée contre la peau plus sombre de son visage. Monteleone comprit aussitôt qu'elle avait pris du speed.

— Mais oui, vous pouvez me parler. Asseyez-vous.

— Il s'agit d'un criminel que je connais. Vous le connaissez aussi. Il a nui à des tas de gens.

Ses grands yeux bleus fixèrent Monteleone. Ils reflétaient une sorte de détermination intraitable, et il se rendit compte que la jeune femme n'avait pas simplement pris du speed, elle s'était shootée.

— Coinçons-le, murmura-t-elle d'une voix rauque.

54

— Quelqu'un s'est introduit dans mon appartement et a attaqué Mère, dit Cordélia. Mais c'était moi qu'ils voulaient.

— Qui penses-tu que c'était? demanda la voix au téléphone.

— Mon dealer. Il a dû envoyer un de ses cogneurs. Je suis un peu en retard dans mes paiements de coke.

— Oh, la vilaine.

— Ce n'est pas de ma faute. La U.S. Trust ne me laisse pas vendre mes Connecticut Light and Power, et mes IBM ne paient pas de dividendes avant le mois prochain.

— Mais tu ne peux pas laisser traîner une dette avec ton dealer. Pas s'il envoie ses encaisseurs.

Une légère pause.

— Je pensais que peut-être si tu pouvais me prêter trois mille dollars jusqu'à lundi...

Il soupira.

— Tu ne me téléphones que lorsque tu as besoin que je vienne à ton secours.

— C'est la dernière fois, je ne te demanderai plus rien.

— Bon... Juste une dernière fois...

— En liquide?

— Pourquoi ne viens-tu pas dans mon nouvel appartement à Franklin Street? Il lui donna l'adresse. Demain matin, neuf heures. On pourra s'amuser.

Il était dix heures dix, la tête de Cardozo lui faisait mal, et depuis deux heures il voulait rentrer se coucher. Il n'avait pas fermé l'œil la nuit précédente et il était arrivé ce matin pour trouver les derniers modèles cinq de Monteleone encore plus mal orthographiés que ses habituelles atrocités.

Un appel arriva sur la trois.

— Cordélia a disparu depuis la nuit dernière.

Babe avait la voix d'une mère bien incapable de ne pas paraître hystérique.

— Elle n'a pas téléphoné?

— Pas un mot.

— Elle a dit où elle allait?

— Je crois qu'elle mentait.

— Quel était le mensonge?

— Un flûtiste nommé Wilson, Ransom Wilson a-t-elle dit, un concert à Alice Tully Hall. J'ai trouvé un bloc de papier à côté de son téléphone... L'écriture s'est gravée dans la feuille suivante. Je crois qu'elle copiait des heures.

— Quelles sont les heures?

— Si j'arrive à déchiffrer son écriture — six à six trente, ça dit, quinze-tiret-trente-quatre-tiret-douze.

— Douze?

— Pardon, douzième.

— Rien d'autre? Cela dit-il E ou F?

— Non.

— Il n'y a pas de station de métro? Cela dit-il Woodside?

— Non, simplement quinze trente-quatre douzième.

— Okay.

— Vince... il y a un flacon dans sa salle de bains.

— Quelle est l'étiquette?

— Pas d'étiquette. Des petites pilules noires.

— Comme des plombs de carabine à air comprimé, environ trois millimètres de diamètre, une petite rainure au milieu?

— Qu'est-ce que c'est?

— Écoutez, si elles sont dans le flacon elles ne sont pas dans son estomac. Restez à côté du téléphone. Je m'en occupe.

Cardozo raccrocha et appela Monteleone à tue-tête.

— Porté malade, lui répondit à tue-tête le sergent Goldberg.

— Quel est le numéro du domicile de Monteleone — quinze trente-quatre c'est bon?

— Quinze trente-quatre dans l'inoubliable Douzième Rue.

Cardozo décrocha le téléphone et composa le numéro personnel de Monteleone. Il demanda à Gina de lui passer son mari.

Elle parut surprise.

— Monte est en mission.

Cardozo sentit un courant froid autour de lui et il s'enfonça dans son fauteuil pivotant.

— De quelle mission s'agit-il, Gina?

— Ce porno de gosses sur lequel vous l'avez mis. Cordélia Koenig.

Cardozo enfonça un poing dans le bureau et ses articulations regrettèrent aussitôt ce geste.

– Exact. Ce porno de gosses.

Il raccrocha et resta assis là à contempler sa main.

– L'imbécile! hurla-t-il.

Huit minutes plus tard Cardozo courait le long dc Franklin Street.

En face du 432, il aperçut le camion Con Ed. Il battit des poings sur la portière arrière et quand Monteleone l'entrebâilla d'un centimètre il l'ouvrit à toute volée et se précipita comme un ouragan à l'intérieur. Il était venu distribuer des coups de pieds au cul.

– Félicitations, Greg, tu fous tout en l'air.

– Elle s'est portée volontaire.

– Nous ne pouvons pas utiliser ça.

– Nous ne pouvons pas utiliser cette bande, mais il y a deux bandes – il enregistre la sienne là-haut, et nous nous branchons sur le signal. Pete que voilà est un génie de l'électronique.

Le technicien se retourna pour répondre au compliment. Il avait des traits quelconques, le nez un peu en pente. C'était un homme silencieux, à l'air compétent.

Le regard de Cardozo passa lentement d'un visage à l'autre, puis sur le moniteur TV et son indistinct jeu de formes.

– Tout ce que vous avez c'est un mauvais relais TV temporaire. Vous ne contrôlez rien de ce qu'il se passe là-haut.

– Tu n'as pas vu cette fille en action. Assieds-toi, Vince. Regarde. Elle est stupéfiante.

Le son craquait et le tiers central de l'image ondulait. Le technicien régla l'image avec précision. L'image sur le moniteur se transforma en lumières et ombres, la courbe d'une épaule de femme, son bras touchant la partie inférieure de son visage. Cordélia.

– Elle est trop près, remarqua le technicien.

– Il le sait, dit Monteleone. Il va la faire reculer. Il veut autant que nous que ce film soit bon.

Il veut la tuer, pensa Cardozo. Il a envoyé un homme la tuer l'autre soir. Il n'a pas changé d'avis.

– Viens ici, ordonna une voix d'homme.

Elle recula, et maintenant la caméra prit un homme assis sur un divan, portant un demi-masque sur les yeux et un peignoir rayé. Ses bras passèrent autour de Cordélia. Il noua ses mains sur sa poitrine. Il l'attira vers le bas. Il embrassa ses yeux, ses joues, sa gorge, et puis avec légèreté frôla ses lèvres avec les siennes.

– Tu m'as manqué.

Elle déboutonna son corsage. Elle ne portait pas de soutien-gorge.

« Il ne pourra pas la tuer, la pensée revint. Pas devant la caméra. »

— Pourquoi es-tu restée si longtemps sans venir me voir? demanda l'homme masqué.

« Mais cet homme est un nécro. Il veut des films bandants de gens en train de mourir. Que peut-il y avoir de plus excitant que ceci, un film d'amateur où il se voit tuant en vrai un des top-models du pays? »

— Il est arrivé un tas de choses.

Cordélia laissa tomber sa jupe, puis ôta sa culotte. Celle-ci glissa soyeusement à ses pieds.

L'homme amena son visage près de celui de Cordélia.

— C'est bon de te voir.

— Pour moi aussi, c'est bon.

— Tu veux bien me pardonner pour l'autre soir? demanda l'homme. La fête de Tina n'en finissait plus. J'ai essayé de te téléphoner, mais ton répondeur était détraqué.

— Ce n'est pas grave, je suis sortie.

Il lui flaira la bouche, les yeux, la naissance des cheveux. Sa main se promena le long de sa jambe.

Cardozo regardait, et quelque chose rampait en lui.

Le peignoir de l'homme tomba.

— J'ai un aveu à te faire. Cordélia se mit à lui caresser le pénis. J'étais à court de coke pendant le week-end de Memorial Day. Je suis allée à ton ancien appartement en emprunter. Tu donnais une fête. Un mec était attaché.

« Le week-end de Memorial Day », pensa Cardozo. Son esprit avait travaillé là-dessus mais ce n'était que maintenant qu'il faisait le lien.

— Vous le torturiez, continua Cordélia. Ça m'a foutu les jetons. Parce que ça m'a excitée. Je n'ai jamais été excitée à ce point-là.

Cordélia les avait vus torturer Downs. Et Cordélia devait l'avoir raconté à sa mère quand Babe était encore dans le coma. L'ordre chronologique collait. C'était ça la télépathie de Babe, son rêve. L'énigme s'évanouit en une simple image d'une enfant paniquée racontant à sa mère la chose horrible qui était arrivée, implorant maman de remettre le monde à l'endroit.

Sur l'écran, l'homme écarta la main de Cordélia de son sexe dressé.

— Pas encore, dit-il. Rendons ça meilleur.

Il se leva et disparut de l'image. Un moment plus tard il revint et disposa son banquet sur la table basse : quatre enveloppes de cellophane, des ciseaux à bouts recourbés, quatre flacons à bouchons rouges, une cuillère à soupe, un réchaud de table, une coupe à caviar en argent, du tube en caoutchouc rouge, un compte-gouttes, un briquet, une bouteille d'eau minérale, une seringue.

— Tu as déjà tué quelqu'un? demanda Cordélia.

— Bien sûr.

— Raconte-moi. Ça m'excite.

— Elle est géniale, dit Monteleone.

Monteleone aurait pu être en train de regarder un jeu télévisé. Cardozo eut le sentiment d'un changement dans l'expression de l'homme. Quelque chose bougea derrière les fentes des yeux.

L'homme alluma le réchaud, puis avec le compte-gouttes mesura une quantité d'eau minérale dans la coupe.

— J'ai combattu dans la Deuxième Guerre mondiale. Des tas de gens ont été tués.

Il plaça la coupe au-dessus de la flamme et lentement versa les cristaux des quatre flacons dans l'eau.

— Pas ce genre de meurtre, protesta Cordélia. Je veux dire pour le plaisir.

— Il y a du plaisir dans la guerre. Tu serais étonnée.

L'un après l'autre l'homme coupa d'un coup de ciseaux les coins des quatre enveloppes et versa leur contenu poudreux dans le mélange.

— Il prépare un speedball, remarqua le technicien.

— Ce n'est pas un speedball.

Cardozo n'y croyait pas. Il voyait la scène se dérouler devant lui, et il ne pouvait pas y croire.

— Il fait fondre du crack. C'est une saleté de speedball express. Une fois qu'ils auront ça dans le sang, ils ne se contrôleront plus.

L'homme emplit la seringue avec le contenu de la coupe, aspira le liquide dans le cylindre transparent. Il posa la seringue sur la table. Il tendit un tube rouge, en souriant.

Cordélia s'approcha de lui, lui rendant son sourire. Elle déplia les bras, paumes vers le plafond.

— Pic et pic et colegram, chantonna l'homme. Bourre et bourre et ratatam.

— A toi de choisir le bras, dit Cordélia. Tu me portes toujours chance.

L'homme noua soigneusement le tube autour de son bras gauche. La veine sombre et gonflée fit saillie à la pliure.

Cordélia se tourna légèrement, pour que l'homme ait à se replacer. Quand il posa la pointe de l'aiguille sur la veine palpitante, il faisait face à la caméra TV.

Cardozo pouvait sentir quelque chose prendre forme sans un mot. Il y eut un minuscule mouvement préparatoire du côté de l'homme, et puis d'un coup il plongea la pointe de l'aiguille dans la veine et commença à abaisser le piston.

Une prise de conscience chauffée à blanc transperça Cardozo.
– Il lui injecte tout! Ça va la tuer!

La main libre de Cordélia fouetta l'air. Ses doigts se plantèrent sous le masque, et l'arrachèrent à coups de griffes des yeux de l'homme. Pendant un moment vacillant et incrédule le visage à découvert du baron Billi von Kleist regarda droit dans la caméra.

« Bien sûr, comprit Cardozo. Pas Monserat. Von Kleist. Le soupirant, le protecteur, le meilleur ami. »

Cordélia étendit les mains pour attraper la seringue. L'aiguille projetait des gouttelettes scintillantes dans l'espace. Vingt doigts qui se débattaient s'entortillèrent les uns autour des autres, dansant un tango à travers l'écran, passant en zoom du flou au net.

Le baron poussa Cordélia à plat dos sur la table. Le réchaud allumé vacilla et valsa. La flamme gicla d'un bout à l'autre du plateau de la table.

Le baron tendit la main droite pour attraper l'eau minérale.

Cordélia, des deux mains, lui tordit la main gauche pour lui arracher la seringue. Elle s'écarta de trois pas et se tint au bord de l'écran.

Le baron inonda la flamme d'Évian. Quand il se retourna pour faire face à Cordélia, il brandissait les ciseaux dans sa main droite.

C'était un duel, l'aiguille et sa puissance contre les ciseaux et leurs lames coupantes.

Panique et résolution se mêlaient dans l'expression de Cordélia. Maintenant elle sortait du champ de la caméra, et le baron tournait, les yeux suivant sa trajectoire.

Cardozo ouvrit en grand la portière du camion et bondit de l'autre côté de la rue.

Il plongea dans l'entrée de l'immeuble et écrasa la sonnette du 3A pour leur faire peur, peut-être pour les arrêter, en tout cas pour gagner du temps, puis il écrasa toutes les autres sonnettes pour entrer dans l'immeuble. Un bourdonnement crépitant répondit et libéra le pêne; Cardozo ouvrit la porte intérieure à toute volée.

L'indicateur signalait l'ascenseur au deuxième étage.

Il gravit la première volée de marches en une course aveugle. Ses jambes le poussèrent au-delà du premier et du second en un seul mouvement en avant.

Au troisième il vira dans le couloir, ses chaussures dérapant sur le sol dallé. Il fit face à la porte du 3A, essaya la poignée, recula. Il sortit son revolver, le braqua droit sur la serrure et tira une fois. Bois et métal volèrent en éclats. Tenant le revolver à deux mains à hauteur des yeux, il ouvrit la porte d'un coup de pied.

Le baron tanguait dans le salon au bout du couloir. Dans les couleurs de la vraie vie, son peignoir était marron et ocre. Ses pieds étaient tournés en dehors, et il essayait de retrouver son équilibre en s'agrippant au dos d'une chaise.

Son dos s'arqua et des tendons saillirent à la naissance de son cou bronzé. Sa respiration était une lutte gémissante pour trouver de l'air. De la mousse rouge bouillonnait sur ses lèvres.

Le cylindre de la seringue vide dépassait de sa gorge, tel une épingle de cravate énorme et grotesque plantée trente centimètres trop haut. L'aiguille était entrée jusqu'à la garde.

Au-dessus des lèvres blêmes et tremblantes, les grands yeux fixes se tournèrent vers Cardozo. Les pupilles du baron étaient devenus de minuscules points de lumière incrédules et vacillants. Les yeux du baron se fermèrent et ses mains perdirent la chaise. Il tomba comme un tas.

Cordélia s'était réfugiée dans un coin, les mains couvrant son visage comme pour étouffer les gémissement qui s'échappaient d'elle.

Cardozo s'avança vers elle. Les doigts de Cordélia se refermèrent sur les siens.

— Est-ce que je l'ai tué? murmura-t-elle.

Cardozo jeta un coup d'œil au cadavre.

— Il fallait que quelqu'un le fasse.

— Tout ce que je voulais c'était obtenir ses aveux sur film.

— C'est von Kleist qui vous a donné l'insuline et la seringue pour tuer votre mère?

Cordélia hocha la tête.

— Il vous donnait de la came, et couchait avec vous depuis que vous aviez douze ans?

— Oui.

— Et Monserat? demanda Cardozo

— Lew ne m'a jamais touchée.

Cordélia tituba jusqu'au divan et se laissa tomber sur un coussin.

— Lew n'était qu'une des façades de Billi. Billi en avait une centaine.

Elle regardait sa culotte avec désespoir; c'était une devinette qu'elle ne pouvait résoudre. La came était dans son sang, et l'embrumait.

— Les gens trouvaient que Billi était... était séduisant et... se laissaient entraîner et puis... ne pouvaient plus se...

Cardozo pensait qu'il avait fallu une camée immature et morte de frousse pour réussir ce qu'aucun policier, aucun tribunal n'aurait jamais pu réussir, faire payer Billi von Kleist en nature pour la souffrance et le meurtre qu'il avait semés autour de lui, pour garantir qu'il ne fausserait ni ne prendrait d'autres vies.

– Je l'aimais. Elle se pencha pour toucher le revers du peignoir du cadavre. Et encore maintenant je...

Elle commençait à s'endormir. Des larmes silencieuses roulaient le long de ses joues. La larme de l'œil droit était déjà arrivée à son menton et la larme du gauche n'était qu'à mi-chemin de sa bouche.

Cardozo se demanda pourquoi, pourquoi une larme était plus rapide que l'autre, quelle force dans l'univers décidait de ces choses-là.

La tête de Cordélia s'affaissa. Cardozo la rattrapa avant qu'elle heurte le sol. Il lui appuya le dos contre le divan.

– Ça va aller, souffla-t-il d'une voix apaisante.

Elle était tombée dans les pommes. Il était bien en peine de savoir comment il la sortirait de là. Un tapis volant, voilà ce qu'il lui fallait.

55

Le type des empreintes termina de poudrer, le photographe termina de prendre des clichés, et les hommes de la morgue enfermèrent le baron Billi dans un sac à fermeture Eclair. Ils sortirent du loft à la queue leu leu, laissant le contour d'un homme mort tracé à la craie sur le sol.

Cardozo téléphona à Ted Morgenstern.

— Venez ici au loft de Lew Monserat. Cordélia Koenig a tué le baron Billi von Kleist. Vous allez la défendre.

Vingt minutes plus tard Ted Morgenstern se présenta au sergent montant la garde sur le lieu du crime. Il entra dans l'appartement avec l'arrogance d'un prédateur.

— Où est ma cliente?

— A l'hôpital. Asseyez-vous.

Il y avait une nuance de commandement dans la voix de Cardozo. Le visage de Ted Morgenstern laissa apparaître un flot d'irritation, mais il s'assit.

Cardozo poussa des boutons sur le magnétoscope, et le poste de télé baigna la pièce d'images et de voix fantomatiques.

Morgenstern fit de son mieux pour rester de glace, et quand la bande fut arrivée au bout, il prit un air d'audace suffisant et léger.

— Qui a enregistré cette bande? La police? C'est inadmissible.

— Le baron Billi von Kleist l'a enregistrée. La dernière bande de Kleist.

Le cerveau de Morgenstern était en plein calculs.

— Pouvez-vous le prouver?

— Je peux prouver que le baron avait l'habitude de donner des fêtes sexe-et-torture, et de les enregistrer à la caméra invisible. Il y a sept ans de bandes ici même dans ce placard.

Quelque chose changea. Les yeux de Morgenstern étaient fixés sur Cardozo, et la première lueur de peur s'alluma en eux. Un courant d'excitation passa dans le corps de Cardozo, et il en fut presque honteux.

— Certaines des bandes vont vous intéresser, Maître. Vous y tenez le premier rôle.

Ted Morgenstern avait commencé à quitter le divan, mais il y retomba.

Cardozo passa une sélection de deux minutes des bandes — assez pour en donner un petit goût à Morgenstern.

L'avocat était terreux et tremblant.

— Ces bandes ne sont pas justificatives, dit-il.

Lucinda MacGill sortit de la chambre, une vidéocassette dans chaque main.

— Les bandes sont justificatives, Maître, assura-t-elle. Toute chose trouvée sur le lieu du crime est justificative et recevable. Peuple de New York contre Cudahy, 1953. Confirmé par la Cour Suprême, 1958.

Ted Morgenstern semblait avoir été frappé à l'estomac avec une batte de baseball.

— S'agit-il des seuls exemplaires?

— Il y a des doubles, dit Cardozo.

Morgenstern semblait anéanti.

— La police les détient-elle?

— Les flics ne savent pas que les copies existent. Ils ne savent même pas que les originaux existent.

— Qui a les doubles?

— Moi. Dans un coffre de banque.

Ted Morgenstern ferma les yeux.

— J'ai réfléchi à la défense de Cordélia, déclara Cardozo. Vous savez comment je pense que vous devriez la mener? Hors champ. Comme dans l'affaire Downs et l'affaire Devens. Vous avez exhibé le dossier médical de Jodie Downs à ses parents. Ils ne voulaient pas qu'il soit divulgué, ils ont accepté un arrangement entre le juge et l'accusé, et Loring a été acquitté. Il y a sept ans, Cordélia Koenig a attrapé une maladie sexuellement transmissible du baron Billi. Vous avez conseillé à Devens d'attraper la même. Vous avez exhibé les rapports médicaux aux Vanderwalk, ils ont vu le lien entre sa gonorrhée et celle de Devens. Ils n'allaient pas laisser paraître ça dans les journaux, alors ils ont permis qu'on relâche Devens. Vous me suivez, Maître?

— Pas exactement.

La détermination avait quitté la voix de Morgenstern.

— Les gens acceptent vos suggestions. Grâce à votre influence vous pouvez inciter le procureur à accepter l'homicide justifiable.

— Excusez-moi, interrompit Lucinda MacGill. Pourquoi ne pas

détourner ceci vers le bureau du coroner et alléguer la mort accidentelle?

Son culot coupa le souffle à Cardozo.

— Avec l'accidentelle, poursuivit-elle, il y aura une audience, pas
de chefs d'accusation, pas de procès, et l'existence des bandes n'aura
même pas besoin d'être connue.

Ted Morgenstern resta assis là à faire craquer ses articulations.

— Ça voudra dire solliciter quelques services. Mais l'accidentelle
est sans aucun doute la solution.

— Okay, dit Cardozo. En échange de l'accidentelle dans l'assassinat von Kleist, vous recevrez les bandes du baron Billi.

Il ressentit une étrange exultation. Il n'avait jamais pensé qu'il
détiendrait le pouvoir d'influer sur les événements, de faire bondir le
monde comme un chien bien dressé ainsi que les Ted Morgenstern,
les Vanderwalk et les procureurs de New York le faisaient chaque
jour. Mais pour la première fois de sa vie il possédait ce pouvoir, qui
était plus puissant qu'un magnum chargé, et créait plus de dépen-
dance qu'un jéroboam de crack.

Morgenstern se leva, s'approcha de la fenêtre et considéra les policiers et les journalistes qui grouillaient en bas dans la rue.

— Et qu'exigez-vous en échange des copies des bandes?

— C'est simple. Les groupies du baron Billi demandent des visas
pour le Paraguay et ont jusqu'à samedi pour s'en servir.

— Vous plaisantez.

— Encore un truc marrant. Sir Dunk lègue la fortune de sa femme
à la fondation de lutte contre le SIDA.

Cardozo téléphona du commissariat aux parents de Jodie Downs.
Lockwood Downs répondit.

— La mort de Jodie n'était pas un simple meurtre, expliqua Cardozo. Claude Loring travaillait pour d'autres gens. Nous venons de
les coincer.

Il fallut un moment à Lockwood Downs pour parler.

— Je ne m'attendais pas à ça. Meridee et moi avions justement
cessé d'espérer que quelqu'un paie un jour.

— Ces gens vont payer.

— Je m'excuse. Je ne veux pas avoir l'air ingrat. Simplement je ne
sais pas quoi dire.

— Vous n'avez pas besoin de dire quoi que ce soit. Je voulais simplement que vous le sachiez.

— Merci d'avoir été jusqu'au bout, Lieutenant. Nous vous remer-
cions tous les deux.

Soixante secondes plus tard Cardozo raconta tout à Babe, sans
essayer d'adoucir quoi que ce soit.

– Où ont-ils emmené Cordélia, dit-elle simplement.

Il lui donna l'adresse de l'hôpital.

– Écoutez, assura-t-il, je sais qu'on dirait la fin du monde, mais des mondes il en finit chaque jour, et ce n'est pas toujours une si mauvaise chose. D'autres gamins ont réussi à décrocher. Cordélia peut y arriver. Souvenez-vous simplement que je serai là à vos côtés.

– Vraiment, Vince? Vous serez à mes côtés?

« Vince Cardozo, se demanda-t-il, mais qu'est-ce qui te prend, bon Dieu? »

Il se rendit compte qu'il était amoureux d'elle, qu'il rêvait d'un genre de « et ils vécurent heureux » qui tout simplement n'existait pas. Babe Devens et lui appartenaient à deux planètes différentes situées chacune d'un côté du soleil.

Il y réfléchit et décida, juste pour aujourd'hui, d'oublier « et ils vécurent heureux ».

– Je serai là à vos côtés, répéta-t-il. Je vous retrouve à l'hôpital. Quinze minutes.

Il hésita, puis décida qu'il avait le temps de donner un dernier coup de fil. C'était l'heure du déjeuner de Terri. Elle serait à la maison. Il composa le numéro et sa fille répondit à la quatrième sonnerie.

– Tu te souviens du jour où on nous a rappelés de la plage? Je vais t'offrir une compensation.

– Papa, tu n'es pas obligé de m'offrir une compensation.

– J'y tiens. Que penses-tu de ce week-end? Voudrais-tu aller nager?

– Il fait trop froid.

– Il ne fait pas trop froid aux Iles Virgin. J'ai trois jours de congé. Qu'en dis-tu? Impossible que le commissariat puisse me biper à Saint-Thomas.

– Je t'aime, Papa.

– Moi aussi je t'aime, et ce n'est pas une réponse. Alors ça marche?

Elle resta silencieuse juste un petit moment.

– Tu m'as forcé la main. Ça marche.

Imprimé en France par la Société Nouvelle Firmin-Didot
Dépôt légal : avril 1993
N° d'édition : 93103 - N° d'impression : 23810